PASSION NOIRE

Susan Howatch

PASSION NOIRE

ÉDITIONS FRANCE LOISIRS

Titre de l'édition originale : *The High Flyer*,
publiée par Little, Brown and Company.

Traduit de l'anglais par Sabine Boulongne

Édition du club France Loisirs
avec l'autorisation des Éditions Jean-Claude Lattès

Éditions France Loisirs
123, boulevard de Grenelle, Paris
www.franceloisirs.com

ISBN : 2-7441-4771-0

PREMIÈRE PARTIE

FLIRT AVEC L'ENNEMI

« Les convictions personnelles ne manquent pas. De fait, je suis toujours sidéré par ce que les gens croient : des récits bibliques dont ils ne se souviennent qu'à moitié, des bribes de science-fiction, des fragments de dictons transmis par leur grand-mère ou les revues de luxe. »

« Nous sommes bombardés de croyances, de valeurs, de coutumes et d'interprétations diverses. Les experts nous fournissent des analyses distinctes et incompatibles. Nous sommes confrontés à un kaléidoscope d'images. A mon avis, cela a globalement l'effet de niveler toutes les différences, de nous rendre aveugles aux distinctions réelles et de nous laisser entendre qu'au mieux, il faut s'attendre à une simple opinion au lieu de la vérité. »

John Habgood
Confessions d'un libéral conservateur

I.

> « Il est utile de s'interroger sur les grandes aspirations à même de façonner notre existence. Que souhaitons-nous faire ? Qui voulons-nous être ? Quelles sont nos priorités ? »
>
> David F. Ford
> *The Shape of Living*

1

La première fois que j'ai vu mon secrétaire intérimaire, il ne me serait jamais venu à l'idée de flirter avec lui. Même en 1990, quand les poursuites pour harcèlement sexuel restaient une prérogative essentiellement américaine, une femme d'affaires de mon espèce aurait été malavisée d'avoir ce genre de comportement au bureau, sans compter que j'étais loin de le trouver séduisant. Il avait les cheveux bouclés, des yeux chocolat et un visage joufflu de chérubin. Les enfants de chœur qui ont grandi trop vite ne m'ont jamais attirée.

En entrant dans mon bureau, je le trouvai penché sur mon ordinateur et, comme je m'attendais à *une* secrétaire, j'en conclus qu'il devait faire partie du service d'entretien. J'avais bien remarqué qu'il portait un costume gris, une chemise blanche et une cravate terne, mais, de nos jours, les gens de l'entretien s'apparentent souvent aux ronds-de-cuir. C'est l'un des effets secondaires de la révolution technologique.

— Quel est le problème ? demandai-je sèchement avant d'ajouter, pour faire bonne mesure : Qui êtes-vous ?

Je suis toujours à prendre avec des pincettes le lundi matin.

Il leva à peine les yeux et, estimant sans doute qu'il devait avoir affaire à une de ces blondes écervelées embauchées pour masser un clavier, il commit la grave erreur de riposter d'un ton condescendant :

— Détends-toi, ma poule ! Je suis le secrétaire intérimaire envoyé par PersonPower International pour assister M. Carter Graham dans les deux semaines à venir.

Je posai mon sac sur un fauteuil et croisai les bras sur ma poitrine en enfonçant mes hauts talons dans la moquette. Puis, d'une voix destinée à faire grincer des dents, je déclarai :

— *Je suis* Carter Graham.

Il sursauta comme si une abeille l'avait piqué et releva vivement la tête, m'exhibant un menton carré incompatible avec l'image de l'enfant de chœur.

— Je vous prie de m'excuser, madame, dit-il aussitôt. J'ai dû mal comprendre la chef du personnel.

— Elle doit souffrir d'amnésie. Elle sait que je ne travaille qu'avec des intérimaires de sexe féminin.

— Je suis navré de l'entendre, madame, mais laissez-moi vous rassurer en vous disant...

— ... que vous êtes homosexuel.

— Non, mais je me débrouille aussi bien qu'une femme ou qu'un homosexuel avec un ordinateur et j'ai même pris un cours d'OLF.

— OLF ?

— Organisation logique des fichiers, madame.

— Je désapprouve ce genre d'activité douteuse. Etes-vous *sérieusement* en train de me dire que PersonPower a eu le culot de m'envoyer un Anglo-Saxon hétérosexuel de race blanche ?

— Peut-être voient-ils là une manière de contribuer au multiculturalisme.

Je me détournai aussitôt de peur de perdre mon sérieux. J'allai me planter devant la fenêtre et considérai la rue encombrée quatre étages plus bas en comptant prudemment jusqu'à dix avant de faire volte-face en lui disant :

— Bon, qu'il en soit ainsi. Bienvenue à Curtis-Towers.

— Merci, madame.

— Maintenant, écoutez-moi avec attention. Ici, les gens s'appellent par leur prénom, mais vous et moi, nous en resterons aux noms de famille le temps de votre remplacement. Je ne tiens pas à stimuler toutes ces hormones et phéromones avec une pseudo-intimité bureaucratique.

— Dans ce cas, souhaitez-vous qu'on vous appelle « madame Graham » ou « mademoiselle » ?

— Je ne suis certainement pas passée devant monsieur le maire pour qu'on m'appelle « mademoiselle », et je ne suis pas Mme Graham, mais Mme Betz. Cela dit, mon statut marital ne vous concerne pas.

— Non, madame Graham.

— Et vous vous nommez...

— Eric Tucker.

— Bien, Tucker, allez me chercher un café sans sucre, noir d'encre et assez fort pour soulever un éléphant. Ensuite, nous rosserons le fax jusqu'à ce qu'il demande grâce.

Il s'abstint de me demander où se trouvait la machine à café ou si les gens de la cafétéria, ne le connaissant pas, le laisseraient emporter une tasse, et se borna intelligemment à répondre « Oui, madame » avant de filer. Cela m'impressionna, mais la note d'amusement dans sa voix ne m'avait pas échappé et je savais que je n'étais pas la seule à avoir joué cette petite scène avec un visage impassible tout en riant sous cape. C'était inquiétant. Au bureau, partager le même sens de l'humour peut être un piège.

J'aurais préféré qu'il fût nettement plus jeune que moi, mais il devait bien avoir dans les trente-cinq ans. Les jouvenceaux sont plus faciles à intimider, à museler, et ont moins tendance à penser qu'une femme n'a rien à faire dans une salle de conférence.

Je passai trois secondes à me demander pourquoi ce beau parleur travaillait comme intérimaire, et trois autres encore à essayer d'imaginer, avec détachement, comment il devait être au lit avant de marmonner avec agacement : « Fichu sexe ! Pourquoi nous obsède-t-il ? » Ensuite, je concentrai toute mon attention sur la fiscalité embrouillée de mon plus gros client, la Unipax Transworld Corporation.

2

En arrivant chez moi, à 7 heures, je me servis mon premier verre de la soirée que j'emportai sur le balcon pour contempler le ciel. Il était bleu pâle, parsemé de houppes blanches. Le soleil avait encore du chemin à faire avant d'atteindre l'horizon, mais les tours et les flèches du palais de Westminster formaient déjà une masse obscure striée de diagonales dorées.

Je pris plusieurs inspirations profondes et engloutis une gorgée de vodka-martini en portant mon regard sur la City, le quartier financier londonien s'étendant au sud-est, bien au-delà de Westminster. Mille cinq cents mètres carrés de jungle artificielle entaillée par des gratte-ciel où se reflétaient les puissants rais du soleil couchant, pareils aux éclats d'un miroir surgissant d'un tas d'immondices. A moins d'un kilomètre de là, le dôme de la cathédrale St Paul flottait parmi les canyons de Cheapside et d'Old Bailey tel un champignon exotique au beau milieu d'une pelouse mal entretenue.

Le téléphona sonna.

Je courus au salon et saisis le combiné.

— Allô ?

Pas de réponse.

Ma main droite resserra son emprise sur mon verre.

— Allô ? répétai-je d'un ton vif, mais comme rien ne vint rompre le silence, je raccrochai.

La sonnerie retentit à nouveau. Cette fois-ci, sans attendre le silence, je beuglai : « Allez vous faire voir ! » avant de reposer le combiné sur son support.

Quelques secondes plus tard, à ma consternation, le téléphone recommença à sonner. Ce coup-ci, je me bornai à décrocher et à attendre.

— Chérie ?

— Kim ? Mon Dieu, c'est toi qui viens d'appeler ?

— Absolument. Que se passe-t-il ?

— Juste un dingo qui s'est trompé de numéro. Peu importe. Comment va New York ?

— Je rentre en Concorde dès demain. Heureusement ! Comment ça se passe chez Curtis-Towers ?

— Toujours aussi épouvantable et pour couronner le tout, on m'a fourgué un mec comme intérimaire pour quinze jours.

— Il est bon ?

— Ça me fait horreur de l'admettre, mais il travaille mieux que toutes les assistantes que j'ai pu avoir.

— Les hommes surpassent toujours les femmes quand ils se chargent de leur boulot.

— Ah bon ! Dans ce cas, quand allez-vous assumer les grossesses et les accouchements ? Kim, si tu étais de ce côté-ci de l'Atlantique, je...

— Je n'en doute pas une seconde ! Pendant qu'on en est au chapitre des comportements qui méritent une raclée, si ton nouvel assistant te fait des avances, je boufferai ses couilles en guise d'œufs brouillés au petit déjeuner.

— S'il s'avise de me draguer, c'est moi qui lui boufferai les couilles. A propos de sexe, mon chéri...

Un échange de propos intimes s'ensuivit.

Après avoir raccroché, je regagnai le balcon pour assister à la prochaine étape du coucher de soleil. Des années plus tôt, lorsque j'avais débarqué dans la capitale, je ne m'étais pas rendu compte que Londres avait une multitude de visages. L'endroit que j'avais toujours considéré comme la capitale, j'avais vite appris à l'appeler le West End. C'était là que les touristes admiraient nos monuments et dépensaient des fortunes dans les boutiques. Il y avait aussi l'East End où aucun habitant du West End ne s'aventurait jamais avant les grands projets de développement immobilier des Docklands ; un vaste territoire démuni où les farouches tribus indigènes guerroyaient avec les vagues successives d'immigrants. Pour finir, entre le riche West End et le pauvre East End, tel un joyau serti entre une plaque de marbre et un sol de terre battue, s'étendait la légendaire City, le quartier le plus ancien de la ville, Roman Londinium, saccagé par la reine Boadicée, ravagé par les Saxons, pillé par les Vikings, conquis par les Normands, décimé par la peste, rasé par le Grand Feu, bombardé par la Luftwaffe, mais survivant à ces élagages systématiques pour prospérer plus que jamais. Dans les années 80, aiguillonnée par une déesse Premier ministre, la City, folle d'excitation, était devenue en un rien de temps le plus grand marché financier de la planète, un cirque doré attirant des prédateurs venus des quatre coins du globe. Certes, il s'était trouvé des Cassandre pour dire que ce miracle n'aurait qu'un temps, mais qui avait le temps de les écouter ? La grande déesse prendrait soin de la City, ce bijou colossal au sommet de son diadème, et elle avait exprimé son intention d'être vénérée jusqu'à la fin du millénaire, et au-delà.

Un vent froid montait désormais de la Tamise, caressant de ses doigts glacés les constructions flambant neuves des Docklands restées sans acquéreur. La grande roulette du marché de l'immobilier avait cessé de tournoyer. Les années 80 étaient derrière nous et une décennie inconnue nous attendait. La grande déesse, Mrs Thatcher, continuait à donner le change, mais son adversaire, la fiscalité, l'enfonçait toujours plus avant dans les sables mouvants de la politique et, récemment, il y avait eu des manifestations à Trafalgar Square. Margaret commençait enfin à donner l'impression d'être faillible et dès que l'on cesserait d'avoir confiance en elle, les chacals de la politique n'en feraient qu'une bouchée. Les femmes qui s'essayaient à la haute voltige dégringolaient à pic, plus vite que n'importe quel homme ; les mâles de leur entourage s'arrangeaient toujours pour qu'il en fût ainsi. Je frémis à la pensée de cette chute vertigineuse et, tandis que je contemplais Londres ce soir-là du trente-cinquième étage de la tour Harvey, je remarquai une fois de plus que les grues géantes disparaissaient du paysage à mesure que l'économie s'embourbait, que l'inflation augmentait et que la nuit commençait enfin à tomber sur la City.

La Tamise brillait dans le crépuscule. De retour dans le salon, je m'installai à mon télescope en dirigeant l'objectif sur le Parlement en amont de Westminster. Ses tours et flèches étaient aussi noires et irrégulières que les dents d'une clocharde. Je décidai que le moment était venu de me restaurer.

J'avalai quelques sardines et une tranche de pain complet grillée, non beurrée. Un repas pour le moins frugal, mais le seul fait de manger me rappelait le dîner que nous devions donner en fin de semaine. Pour aggraver les problèmes de Mrs Thatcher, le marché du bœuf s'était effondré. Pouvais-je vraiment imposer des portions de vache potentiellement folle à mes invités, à l'instar du ministre de l'Agriculture qui avait tenté récemment de prouver la qualité du bœuf britannique en fourrant un hamburger dans la bouche de sa gamine âgée de quatre ans ? Non. J'essayai de me consoler en me disant que partout ailleurs en Angleterre, l'encéphalopathie spongiforme bovine compliquait l'élaboration des menus, mais cela ne me facilitait pas la tâche pour autant. C'était le premier dîner que Kim et moi organisions depuis notre mariage et, bien que j'eusse étudié la question du protocole avec une méticulosité caractéristique de mon métier d'avocate, je continuais à avoir le sentiment de devoir affronter un examen où le moindre dérapage équivaudrait à un échec.

En plus du menu, je m'inquiétais du vin. Je savais qu'un bon cru rouge devait avoir au moins dix ans d'âge, mais Kim m'avait affirmé que nous pouvions servir un St Julien 1985. C'était une bonne année, sans doute la meilleure pour un vin rouge des années 80, mais était-ce sage de prendre un tel risque alors qu'un de nos convives au moins était un fin œnologue ? Kim pouvait allègrement faire fi des conventions ; tout le monde savait qu'il était naturalisé anglais et on lâchait du lest aux étrangers. En ma qualité de femme, toutefois, je n'avais pas droit à la moindre fausse note. C'était ainsi que je survivais dans la City parmi tous ces barracudas. Il s'agissait de tout contrôler, jusqu'au moindre détail, et j'étais loin de maîtriser la situation pour ce qui était de ce dîner.

Une fois parvenue à cette conclusion, je me sentis tellement stressée que je cédai au désir de me goinfrer de corn flakes. Avant ma rencontre avec Kim, les céréales n'avaient jamais eu accès à ma cuisine, mais mon mari en étant friand, j'avais pris l'habitude d'engouffrer trois ou quatre pétales à la fois pour me calmer les nerfs. En tout cas, c'était préférable au tabac. J'avais renoncé à fumer deux ans, six mois et quatorze jours plus tôt.

Je m'affalai sur le canapé en grignotant, m'emparai de la télécommande et zappai jusqu'à ce que je tombe sur *Panorama*, dans l'espoir de penser à autre chose qu'à ce fichu dîner.

La peste à l'origine du premier coup de fil de la soirée avait apparemment résolu de ne plus m'importuner. Je n'éprouvais pas le moindre soupçon de curiosité pour la bonne raison que je savais pertinemment à qui j'avais affaire.

Je souhaitais depuis un bon bout de temps déjà qu'on promulguât des lois destinées à empêcher les ex-épouses de harceler leurs remplaçantes.

3

Avant de m'étendre davantage sur Sophie, il faut que j'en dise plus long à propos de Kim.

Je l'avais rencontré dix-sept mois plus tôt à l'aéroport d'Heathrow, avant qu'il intègre Graf-Rosen et que je passe chez Curtis-Towers. De ce fait, ni l'un ni l'autre ne voyagions en première classe, mais les compagnies aériennes ayant déjà commencé à dorloter les passagers des classes affaires, nous eûmes droit à un salon privé où un barman et un serveur étaient en faction pour nous éviter l'effort d'avoir à préparer nos propres cocktails, au demeurant offerts à titre gracieux. Les voyageurs des autres vols de la même compagnie se mêlaient à nous et prenaient trop de place. Au moment où je me disais que j'allais devoir boire ma vodka-martini debout, je remarquai, à l'autre bout de la salle d'attente, un homme prenant ses aises seul dans un siège prévu pour deux. Ce qui se produisit ensuite paraît incroyable, mais le fait est que nos regards se rencontrèrent au milieu de la vaste pièce bondée. Je suppose que si cette situation est devenue un cliché, c'est précisément parce qu'elle est courante, mais ma première réaction, je dois l'admettre, fut de penser avec cynisme à ces films peu vraisemblables des années 50 avec Doris Day.

Le regard de Kim passa négligemment sur moi, poursuivit son chemin, s'arrêta, revint en arrière. A un autre moment, j'aurais peut-être adopté une attitude distante, contemplé le plafond, mais je venais de recevoir une lettre de mon amant qui m'envoyait promener et j'avais un certain nombre de choses à me prouver afin de cautériser mon amour-propre meurtri. En me glissant jusqu'à cet étranger élégant chez qui j'avais immédiatement identifié l'aplomb de l'homme d'affaires au top de sa carrière, je lançai deux mots : « Puis-je ? » en désignant la place vacante.

— Rien ne me ferait plus plaisir.

Sa réponse déclencha naturellement des souvenirs de Clint Eastwood, mais pas pour longtemps. J'étais trop occupée à être Grace Kelly sur le point de vamper Cary Grant. L'instant d'après, j'examinai de plus près ce gros poisson que je m'acharnais à titiller avec une épuisette. Je jouais peut-être un numéro romantique des plus banals, mais je savais parfaitement que Kelly et Grant étaient dirigés par Alfred Hitchcock, un génie très admiré pour ses portraits de psychopathes.

Or, ce poisson-là me faisait plus l'effet d'un dauphin que d'un requin. Il avait les cheveux noirs, des tempes grisonnantes, des yeux bleus ; de profonds sillons creusaient les commissures de sa bouche large et subtile. Il avait une voix suave, apte à changer un rottweiler en toutou d'appartement. Il devait approcher de la cinquantaine, au summum de l'âge mûr, et j'étais certaine d'avoir interprété à bon escient le lustre du succès qui conférait à ses traits fins un tel éclat.

— Vous allez loin ? demanda-t-il comme je me laissai tomber à côté de lui.

— Cinq mille kilomètres à peine.

— Le vol de New York ?

— On ne peut rien vous cacher ! Vous aussi ?

Il hocha la tête.

— Vous descendez au Pierre ?

— Pas cette fois-ci.

— Dommage !

Il sourit à nouveau. Ses dents étaient légèrement irrégulières ; ça ne me déplaisait pas. J'en avais assez des dents couronnées dénuées de toute individualité. Je m'étais rendu compte qu'en dépit de son léger accent américain, il y avait quelque chose d'européen dans la manière dont il avait prononcé « Pierre ».

— Vous voyagez pour le travail ou le plaisir ? s'enquit-il encore d'un ton désinvolte.

— Les deux, j'espère !

Il acheva son scotch et désigna mon verre.

— Que buvez-vous ?

Je le lui dis. Il fit claquer ses doigts. Le serveur, harassé, s'immobilisa instantanément et prit sa commande.

— Eh bien, merci, monsieur...

— Je m'appelle Joachim Betz, mais ne vous donnez pas la peine d'essayer de prononcer mon prénom, ou mon nom de famille. Kim m'ira très bien.

— Vous êtes allemand ?

— Pas exactement. Ça fait un bout de temps que je suis britannique.

— Il en va de même pour moi.

— Vous n'êtes pas anglaise ?

— Pas exactement.

Nous nous sourîmes, savourant le flou de cet échange, avant que j'enchaîne :

— Je suis britannique, mais pas anglaise. Ecossaise à vrai dire. Je m'appelle Carter Graham, Carter comme le président Jimmy.

Il se garda de poser des questions, acceptant ce curieux prénom comme s'il n'avait rien de bizarre.

— Je suis né en Argentine, dit-il. Mon père a eu l'intelligence de fuir les Nazis avant la guerre.

— Vos parents étaient juifs ?

— Mon père seulement, de sorte que selon la loi juive, je ne fais pas partie du lot, mais j'avoue qu'à New York, c'est un avantage de se faire passer pour tel.

— Etre écossais à Londres ne mène pas très loin.

— Que dire de vos compatriotes qui ont réussi à s'élever au sommet de l'Establishment ?

— Oui, remarquables, et rien que des hommes !

Il rit.

— *Res ipsa loquitur ?*

— *Res ipsa loquitur !*

On aurait dit que nous venions d'échanger le mot de passe établissant notre appartenance commune à une confrérie secrète. Cette citation latine, « la chose parle d'elle-même », est l'une des premières formules que les étudiants en droit apprennent par cœur.

— Dans quelle branche êtes-vous ? me demanda-t-il.

— Le droit fiscal. Et vous ?

— Les investissements bancaires... Est-ce vraiment un tel handicap d'être écossaise dans le domaine juridique en cette ère éclairée ?

— Quelle ère éclairée ?

— Je veux dire que, dans la mesure où nous avons un Premier ministre du sexe féminin...

— C'est une déesse. Ça n'a rien à voir.

— Expliquez-vous !

Je le toisai des pieds à la tête et résolus de risquer une pointe de satire.

4

— Les dinosaures qui sévissent dans la City répartissent les femmes en quatre catégories : la racaille, les putes, les jeunes filles et les déesses. Le premier groupe inclut toutes celles qui ne s'expriment pas avec un accent des Home Counties, et les Ecossaises appartenant à ce groupe, si elles prétendent exercer le métier d'avocates, devraient se spécialiser en loi écossaise et se cantonner au nord de la frontière. On ne peut pas prendre la racaille au sérieux. Les putes, en revanche, si, mais les dinosaures ne font qu'un seul type d'affaires avec elles. Quant aux jeunes filles, elles parlent avec l'accent voulu et on les autorise à devenir des femmes d'affaires : a) parce qu'elles sont toutes mignonnes avec leur mallette, b) parce qu'elles ne sauraient représenter une menace, car elles rappellent aux dinosaures leurs mères et leurs sœurs et tous s'entendent à contrôler la gent féminine dans leur famille. Seules les déesses échappent à leur mainmise, mais ce n'est pas un problème parce qu'elles répondent au besoin primitif des dinosaures de vénérer les puissants, d'autant plus qu'une déesse adulée est généralement inoffensive envers les hommes et indifférente à l'égard des femmes. Il arrive très occasionnellement que racaille et putes parviennent à s'élever au rang de jeune fille et à devenir un jour une déesse, mais seulement si elles n'ont pas une pointe d'accent, si leurs manières sont irréprochables et si elles sont dignes physiquement de figurer en couverture de *Country Life*.

Mon compagnon avait l'air de beaucoup s'amuser.

— Comment définiriez-vous ces dinosaures ?

— Ils ont entre quarante et quatre-vingt-dix ans, bien que de nos jours, on les chasse généralement des conseils d'administration avant soixante-cinq ans. On les trouve dans toutes les professions de haut niveau, mais le droit leur offre un environnement idéal. Les dinosaures juristes se targuent de vouloir moderniser les attitudes et ils font des gestes symboliques dans ce sens en embauchant des femmes, mais c'est encore un exemple de « plus ça change, plus c'est la même chose ! ». Aujourd'hui encore, les plus puissants d'entre eux ont tous fréquenté les mêmes écoles ; ils appartiennent aux mêmes clubs et ont le même style de vie...

— A savoir ?

— Un pied-à-terre au Temple ou au Cliffords Inn, ou encore au Barbican. Une splendide maison au milieu des bois du Surrey entretenue par une épouse originaire des Home Counties arborant twin-sets et collier de perles...

— Vous parlez des années 50 !

— Comme je vous l'ai dit, plus ça change, plus c'est la même chose. Tout homme ambitieux ne tarde pas à s'apercevoir qu'il doit adopter le mode de vie des dinosaures s'il veut que ses rêves deviennent réalité, de sorte que le schéma se perpétue de génération en génération.

— Pourtant, imaginez qu'un dinosaure se lasse de cette existence fossilisée ? Qu'il décide de renoncer aux allées verdoyantes du Surrey pour essayer autre chose ?

— Ce ne serait à coup sûr qu'un caprice passager. Cela dit, rien ne l'empêche de prendre des vacances de temps en temps, loin du Surrey.

Je levai mon verre, puis marquai un temps avant de m'exclamer d'un ton narquois :

— A la vôtre !

Il sourit à nouveau et, en voyant ses yeux d'un bleu ardent, je sus que je le tenais.

5

Inutile de préciser que je n'étais pas une déesse. Pour accumuler le pouvoir, le prestige et l'influence requis, il fallait avoir dépassé la cinquantaine, et j'en étais encore loin. Néanmoins, j'étais en bonne voie. Actionnaire du cabinet d'avocats-conseils où je travaillais, j'étais désormais en position de m'accorder un peu de temps — mais pas trop ! — pour ma vie privée. Selon le plan de vie que j'avais établi avant mon arrivée à Londres, je devais me marier à trente-cinq ans. Quand je rencontrai Kim, j'en avais presque trente-quatre et je cherchais déjà autour de moi dans l'espoir d'atteindre cet objectif dans les temps. Je ne pouvais espérer suivre l'exemple de Mrs Thatcher en ayant des jumeaux, une initiative judicieuse qui permettait de régler le problème des enfants en une tranche unique de neuf mois mais, en tout état de cause, je prévoyais d'en avoir fini avec les grossesses avant quarante ans. Après quoi, je serais libre de me concentrer à nouveau sur ma carrière en vue des années les plus exaltantes de ma vie professionnelle.

L'inconvénient des plans de vie trop précis, c'est que la vie s'ingénie à les mettre à mal. Dès que je m'étais mise en quête d'un époux, j'avais pris conscience d'un gros problème : les bons partis ne couraient pas les rues. Mon dernier amant en date me l'avait signifié en termes on ne peut plus clairs avant de me larguer pour une nunuche de dix-neuf ans. Les célibataires carriéristes au-delà de la trentaine étaient pathétiques, m'avait-il expliqué, surtout quand elles n'arrivaient pas à comprendre pourquoi aucun homme ne tenait à se les coltiner à long terme. Ne voyaient-elles pas qu'à tout moment, une nouvelle récolte de chair féminine nubile s'épanouissait pour le plaisir d'une gent masculine plus mûre ? Aucun homme sensé ne voudrait d'une femme d'affaires possédant davantage de couilles que tous les hommes du conseil d'administration réunis, m'avait-il précisé.

J'avais réussi à rire en l'accusant d'être farouchement jaloux d'un pénis que je n'avais pas mais, après son départ, je sombrai dans la dépression et bien que j'en vins à bout, j'en émergeai fort affaiblie. Je faillis me résoudre à renoncer au mariage, mais je m'aperçus que c'était là un objectif que je n'étais pas disposée à abandonner. Les dinosaures ne respectaient jamais vraiment une femme à moins qu'elle fût mariée et mère de famille. La société semblait avoir changé d'attitude vis-à-vis des célibataires, mais je me demandais souvent si ce revirement n'était pas qu'une chimère montée de toutes pièces par les médias, le point de vue des hommes au pouvoir sur la question restant en fait essentiellement le même.

Une femme accomplie devait allier parfaitement carrière *et* vie privée ; pour maximiser ma réussite, je devais m'en tenir à mon plan de vie et pêcher la perle rare. Le célibat, comme la chasteté, était l'apanage des losers. Il fallait se plier aux règles, ou l'on se retrouvait reléguée en enfer pour n'être pas parvenue à se ménager une place dans le paradis de « celles qui ont tout ». De temps en temps, il m'arrivait de trouver cette idéologie aussi astreignante que le mode de vie biscornu d'une secte religieuse fondamentaliste, mais j'effaçais toujours cette pensée hérétique de mon esprit en me disant que ce serait vraiment une horreur de finir parmi les perdantes, en butte au mépris de tout mon entourage.

Paradoxalement, le jour où je tombai sur Kim dans ce salon de l'aéroport, je vis en lui non pas un mari potentiel, mais un homme capable de recoller les morceaux de mon amour-propre fracassé, sans compter qu'à ce stade, j'avais perdu tout espoir de convoler avec un juriste. Tous les avocats à succès semblaient graviter vers l'épouse traditionnelle à même de s'intégrer dans l'existence d'un dinosaure, et si j'avais jeté mon filet plus loin en naviguant parmi les courtiers, banquiers et autres espèces d'hommes d'affaires prospérant dans la City, je n'avais trouvé que des candidats inadéquats ou non disponibles.

Je m'étais bien demandé si j'étais trop difficile, mais il ne me semblait pas que ce fût le cas. A quoi bon épouser quelqu'un qui ne me convenait pas — on m'aurait jugée pitoyablement désespérée. Ou bien un homme marié ? Aussi désirable fût-il, c'eût été une démarche mal avisée car les gens se seraient empressés de me taxer de femme intrépide, victime de ses hormones et incapable d'organiser convenablement sa vie privée, ce qui aurait eu un effet des plus déplorables sur ma carrière.

— Ma femme est la compagne idéale du dinosaure, m'informa Kim durant le vol vers New York, le problème étant qu'en dépit des apparences, je n'appartiens pas à cette race-là. J'ai toujours été hors du coup, même si je joue le jeu.

— Moi aussi. Vous voulez dire...

— Sophie et moi avons décidé de nous séparer. Nous n'avons pas d'enfants, personne d'autre n'est impliqué. Le divorce ne pose aucun problème.

— Comme c'est bien, dis-je poliment.

Je venais d'apprendre qu'il serait bientôt disponible, mais, trop occupée à conjurer les visions érotiques d'une nuit d'ébats sans lendemain destinée à soigner mon ego malmené, je continuai à ne pas voir en lui un mari potentiel.

6

Selon les canons du romantisme et le mythe urbain moderne, une scène torride aurait dû se dérouler ce soir-là à New York lorsque Kim et moi nous retrouvâmes au lit, mais fort heureusement, la vie est imprévisible. Du reste, c'était bien la dernière chose dont j'avais envie. Torride, oui, mais érotique, et pas pornographique. D'après mon expérience (qui dépassait largement la moyenne établie par des sociologues intègres), les ébats déchaînés de cette espèce requièrent la présence d'un salopard ou d'un pervers et sont menés comme si le corps de la femme était quelque engin en plastique conçu pour des expériences indicibles. Une femme sensée ne pouvait en aucun cas y trouver son compte.

J'ai l'air blasé. Le sexe est un passe-temps divertissant quand on est jeune, mais à mesure que les années passent, l'horizon change de même que les besoins, et on devient plus compliqué et moins aisément satisfait. Si l'on veut acquérir une certaine maturité, il est tout bonnement impossible de continuer à considérer le sexe comme l'équivalent d'une soûlerie du samedi soir dans un pub. Cela devient brumeux, ambigu et finalement douloureux. Oui, j'étais blasée et j'étais bien certaine de ne pas être la seule à avoir ce sentiment, seulement la société laïque interdit formellement d'exprimer autre chose que de l'extase vis-à-vis du sexe, de peur de faire figure d'hérétique.

Quoi qu'il en soit, malgré mes désillusions, je fus agréablement surprise. Kim se révéla étonnamment normal. Ce n'était ni un détraqué, ni un Don Juan imbu de lui-même me traitant comme une série d'ouvertures tout en s'admirant dans la glace, ni un macho tourmenté, obnubilé par l'orgasme féminin, ni le propriétaire d'un sexe alangui par l'âge mûr déclarant forfait avant d'avoir consommé, en proie à un embarras croissant. Après un bécotage passionné (digne de celui de Grace Kelly et Cary Grant dans *La Main au collet*), il se borna à me demander d'un air dégagé : « Y a-t-il certaines choses qui vous déplaisent ? » Et quand je lui rétorquai : « Oui, les préludes à n'en plus finir », il éclata de rire avant de murmurer : « Bien sûr, pourquoi valser quand on peut danser le tango ! » Je m'esclaffai à mon tour en songeant tout à coup qu'on allait bien s'amuser ! Je fus néanmoins surprise parce que j'avais oublié à quel point les rapports sexuels ordinaires, directs et sans fioriture pouvaient être plaisants dès lors qu'on avait mis la main sur le bon partenaire.

En tout état de cause, je ne m'attendais pas à le revoir. Je ne me faisais aucune illusion. Il avait été l'amant d'une nuit qui m'avait permis d'apaiser mon orgueil meurtri et lui avait pris un peu de répit loin de sa bourgeoise qu'il n'avait probablement pas la moindre intention de quitter. On ne peut pas espérer revoir un homme après une rencontre aussi incongrue, et le plus souvent, d'ailleurs, on n'y tient pas.

Le lendemain matin, il m'avait dit :

— Je suis archi-pris durant ces trois jours à New York et je sombrerai dans l'inconscience chaque soir dès que je me serai mis au lit, mais j'aimerais te revoir à Londres. Puis-je t'appeler au bureau ?

Je l'en dissuadai. Les coups de fil personnels au bureau sèment la zizanie. Les gens jasent. Une femme doit faire preuve d'une prudence extrême, surtout si elle a des rivaux du sexe fort qui rêvent de la voir mordre la poussière.

— Appelle-moi chez moi, dis-je en lui donnant mon numéro.

Mais je ne m'attendais vraiment pas à le revoir.

Il nota soigneusement mon numéro dans son agenda électronique ; je remarquai à nouveau qu'il était gaucher. Je m'en étais aperçue plus tôt quand il m'avait fait l'amour et j'eus soudain l'impression d'une image inversée comme si cet outsider original qui appliquait si habilement les règles du système me ressemblait bien plus que je ne l'avais imaginé.

Il me téléphona une semaine plus tard de son pied-à-terre au Cliffords Inn.

7

— Allô, ici Kim Betz.

Son léger accent américain ressortait davantage au téléphone, de même que ses inflexions européennes.

— Je voulais juste m'assurer que tu étais rentrée sans encombre. Ça va bien ?

— Apparemment. Et toi ?

— Très bien. Je n'ai pas à me plaindre. Que dirais-tu de dîner ?

— Ça m'arrive de temps en temps.

Nous dînâmes ensemble trois soirs d'affilée et passâmes le week-end suivant à Paris.

— Et ta femme ? m'enquis-je lorsqu'il me proposa cette escapade de l'autre côté de la Manche.

— Elle est allée rendre visite à une amie malade à Nether Wallop.

— Je ne peux pas croire qu'il existe un endroit doté d'un nom pareil.

— Jette un coup d'œil à une carte.

J'étais étonnée, mais en vérité, je ne connaissais guère l'Angleterre. Depuis ma venue à Londres, je m'étais absorbée dans mon travail et, durant mes rares moments de liberté, je filais à l'étranger m'allonger sur des plages de sable où je ne faisais strictement rien. J'arrivais sur place trop fatiguée pour faire du tourisme et je repartais avant d'être suffisamment reposée pour en éprouver le désir. L'idée de dépenser ma précieuse énergie pour explorer le sud de l'Angleterre ne m'était jamais venue à l'esprit. Même ma connaissance du vert Surrey se fondait sur des ouï-dire.

J'avais toujours vécu en ville. De Glasgow, je n'avais conservé que des souvenirs amers, mais je pouvais penser à Newcastle sans faire la grimace, et puis il y avait eu Oxford, la belle Oxford aux nuances de miel, porte d'entrée à une autre vie, un monde différent. Je m'étais débarrassée de mon accent écossais quand ma mère s'était remariée à Newcastle, et j'avais perdu au plus vite ces intonations propres à la Tyneside en arrivant à Oxford. J'avais l'habitude d'acquérir de nouvelles identités et, à Paris, je m'aperçus qu'il en allait de même de Kim. Après la mort de son père en Argentine en 1949, sa mère avait épousé un Américain, ce qui avait permis à Kim de passer les quatre années suivantes à New York. Lorsque l'époux d'outre-Atlantique était décédé à son tour, elle avait convolé avec un Britannique et, à l'âge de treize ans, Kim avait finalement commencé à vivre en Europe.

Pendant le dîner, le premier soir à Paris, je lui dis d'un ton compatissant :

— Cela n'a pas dû être facile de s'adapter encore à une autre culture.

Il me répondit simplement :

— La chance avait fini par me sourire. Ce beau-père anglais était ce qui pouvait m'arriver de mieux.

— Et ta mère était heureuse ?

— Je présume.

Il réfléchit un moment avant d'ajouter :

— Elle appartenait à cette vieille école de femmes européennes qui considèrent avant tout le mariage comme une transaction.

— Cela lui était égal que ton père soit juif ? demandai-je d'un ton prudent. Je croyais que l'antisémitisme régnait en Allemagne avant la guerre.

— Il avait de l'argent, il n'était pas pratiquant et au moment où ils se sont rencontrés en 1935, il était certain de n'être jamais visé.

— Je vois, fis-je sans trop savoir quoi dire ensuite.

Kim remarqua alors d'un ton désabusé :

— Mon père succomba à l'alcoolisme et l'époux américain fut assassiné, mais ma mère décrocha finalement le gros lot avec Giles l'Anglais. Il avait beaucoup de classe et une grosse fortune, même s'il n'en parlait jamais, bien évidemment, puisqu'il était anglais.

— Pourtant, dans les années 50, les Britanniques les mieux nantis devaient être pauvres comparés aux Américains.

— Ma mère voulait rentrer en Europe.

— Cela ne lui posait pas de problèmes d'épouser un Anglais moins de dix ans après la guerre ?

— Giles lui offrait une résidence luxueuse, des sommes généreuses pour se vêtir et une vie mondaine intéressante. Il était manifestement temps de reléguer la guerre dans l'histoire.

— Futée ! notai-je, ironisant comme lui afin d'éviter de prendre des risques.

— La plupart des Britanniques n'étaient pas du même avis malheureusement, mais elle imitait à merveille l'accent suisse allemand et vécut ainsi heureuse jusqu'à la fin de ses jours.

— Elle ne manquait pas de ressources ! Et toi ?

— Ce fut moins simple pour moi, mais avant de me larguer dans une école privée, Giles me suggéra de me faire passer pour un Américain. Il avait travaillé tant aux Etats-Unis qu'en Suisse avant la guerre et se rendait parfaitement compte qu'en essayant de faire croire que j'étais helvétique, je ne convaincrais jamais personne ayant quelques vagues connaissances de l'allemand. Beaucoup d'Américains ont des noms allemands, et je parlais l'anglais comme un Américain puisque j'avais passé quatre ans à New York.

— Avec un accent allemand.

— Crois-moi, je m'en suis débarrassé en moins de temps qu'il n'en faut pour le dire une fois que je me suis retrouvé enfermé avec des centaines de jeunes Britanniques ! J'attribuais toute inflexion européenne à l'influence du yiddish new-yorkais. Ça aussi, c'était une idée de Giles.

— Il semble aussi ingénieux que ta mère !

— A dire vrai, il cachait bien son jeu. Je n'ai jamais su ce qu'il pensait vraiment du fait de se retrouver avec l'enfant d'un autre homme sur les bras, mais très vite, j'ai compris que je pouvais lui faire confiance et qu'il s'occuperait de moi au mieux. C'était important. Cela me facilitait la vie parce que je savais toujours à quoi m'en tenir avec lui.

— T'a-t-il adopté officiellement ?

— Oh mon Dieu, non ! Nous n'aurions jamais pu avoir ce genre de rapports, mais il était de ces Britanniques de la haute société qui assument leurs responsabilités. Il fit donc en sorte que je bénéficie de la meilleure éducation. En retour, je bûchai comme un turc sans jamais lui causer le moindre souci. Après les années passées avec mon père qui n'était pas drôle tous les jours et mon premier beau-père — un véritable salaud —, je savais que je pouvais m'estimer heureux.

Je lui demandai si Giles vivait toujours et appris qu'il était mort en 1969, date à laquelle la mère de Kim avait fini par retourner en Allemagne où elle avait succombé à un cancer douze ans plus tard.

— As-tu encore des parents en Allemagne ?

— Aucun n'a survécu à la guerre.

— Même du côté de ta mère ?

— Cologne a subi de violents bombardements.

Je sombrai dans le silence, cette phrase à elle seule m'ayant fait entrevoir toutes les souffrances sur lesquelles il venait de glisser avec si peu d'émotion : les exils répétés, le beau-père qui avait fait son devoir tout en refusant de l'adopter, l'épreuve consistant à mentir sur ses origines à l'école et, pour finir, la décision pragmatique de prendre la nationalité des hommes qui avaient largué des bombes sur sa ville natale.

Je m'entendis dire :

— As-tu songé à aller vivre en Allemagne avec ta mère après la mort de Giles ?

— Non. J'avais dix-neuf ans à l'époque et mon avenir, grâce à Giles, se situait à l'évidence en Angleterre.

Il nous resservit du café. Les gens étaient encore nombreux dans le restaurant autour de nous, mais notre table d'angle était tranquille.

— Voilà pour ce qui est de mon passé secret ! dit-il finalement, un sourire aux lèvres, en reposant la cafetière. A présent, raconte-moi le tien.

Bien que je m'attendisse à cette requête depuis un moment, je m'aperçus que je n'avais pas encore décidé ce que j'allais lui dire.

8

— Tes parents sont encore de ce monde, je présume, dit-il tandis que je passais mentalement en revue plusieurs entrées en matière sans en formuler une seule.

— Oui. Je leur prends le pouls une fois par an.

— J'espère que vos rapports vont un peu plus loin que ça.

— Pas vraiment. Ma mère mène une vie agréablement ordinaire avec son deuxième mari, qui est électricien. Ils ont deux filles, mariées l'une et l'autre.

— Tu t'entends bien avec eux ?

— Pourquoi pas ? Ils sont tous très gentils. Ce n'est pas de leur faute si je me sens comme un martien en visite dans ma soucoupe volante quand je vais chez eux pour Noël.

— Je vois... Et ton père ?

— C'est à cause de lui que ma mère a un tel goût pour une existence paisible où il ne se passe jamais rien.

— C'est un aventurier ?

— Si l'on veut ! Pour dire les choses plus crûment, il participe à l'occasion aux réunions des Joueurs Anonymes. Il devrait être membre à plein temps, mais il lâche toujours en cours de route.

— Tu le vois à Noël aussi ?

— Bien sûr. Je monte à Glasgow dans ma soucoupe volante après avoir pris le pouls de tout le monde à Newcastle. Il est toujours ravi de me retrouver.

— Il est fier de ta réussite.

— Aux anges !

— Et ta mère aussi, bien sûr.

— La réussite, dans son esprit, consiste à épouser quelqu'un du cru et à élever des enfants tandis que pour mon père, cela signifie mener la grande vie. Tu imagines aisément lequel des deux est à des lieues de comprendre l'existence que je mène.

— Ton père s'est-il remarié ?

— Plus d'une fois, comme ta mère, mais ça n'a jamais marché. Toutes ses femmes ont vite compris que c'était une catastrophe ambulante. A propos de femme...

J'avais décidé que le moment était venu pour moi d'en savoir plus sur Sophie.

9

— Avant toute chose, je dois t'avouer qu'elle n'est pas chez une amie malade à Nether Wallop ce week-end. J'ignore où elle se trouve. Nous vivons séparément depuis février dernier.

C'était une bonne nouvelle, mais je sentis qu'une réaction austère s'imposait.

— Pourquoi ne pas me l'avoir dit tout de suite ?

— Parfois, il vaut mieux ne pas trop en dire.

— Tu redoutais que je fasse partie des trente et plus qui ne rêvent que d'entendre carillonner les cloches !

— Tu serais étonnée de savoir ce dont rêvent les femmes talentueuses de tous âges !

— Cet aveu tardif signifie-t-il que tu en es arrivé à la conclusion que je n'avais rien d'une rêveuse ?

— Plutôt que je suis suffisamment sous le charme pour me mettre à rêver à mon tour.

Je ne pris pas cette remarque trop au sérieux dans la mesure où les amants tendaient à faire ce genre de compliments lorsqu'ils dînaient dans un restaurant parisien, mais l'allusion selon laquelle il entendait accorder davantage d'importance à notre liaison n'était pas passée inaperçue.

— Bon, monsieur Beau-parleur, repris-je, j'aimerais en savoir un peu plus long sur cette épouse, séparée ou pas.

A mon grand soulagement, il se montra plus que disposé à me parler de Sophie. J'appris qu'il avait fait sa connaissance à Oxford où elle était venue rendre visite à son frère. Elle venait d'une famille fortunée aux multiples relations. Ayant déterminé que ce serait merveilleusement providentiel de tomber amoureux d'elle, Kim s'était aperçu plus tard, une fois qu'il avait fait ses preuves, qu'il s'était bel et bien attaché à la belle. Surprise ! C'était une histoire vieille comme le monde.

Contrairement à moi, Kim était avocat et non conseiller juridique mais, ayant résolu d'emblée qu'il ne se soumettrait pas à un long apprentissage dans une succession de cabinets, grâce à l'influence de son beau-père, il avait commencé de bonne heure à travailler dans une banque allemande basée dans la City. Ses talents de linguiste et son don naturel pour les affaires lui avaient permis de monter rapidement les échelons et au moment de son mariage qui eut lieu à Knightsbridge, en 1966, il gagnait déjà très bien sa vie.

— Pourquoi les choses ont-elles mal tourné ? demandai-je, estimant qu'il était temps de passer au marteau piqueur pour exhumer la vérité.

— N'est-ce pas évident ? Ce mariage était une subtile manœuvre propice à ma carrière sans la moindre dimension affective. Si nous sommes restés si longtemps ensemble, c'est uniquement parce qu'elle s'est révélée l'épouse idéale pour un avocat ambitieux. Et ne t'imagine pas que je ne lui suis pas reconnaissant du soutien qu'elle m'a apporté toutes ces années. Cependant, des sentiments de gratitude ne suffisent pas à faire vivre un couple, surtout sans enfant.

— Quand as-tu cessé de coucher avec elle ?

— Il y a des lustres ! Naturellement, je m'arrangeais autrement...

— Naturellement.

— ... en février dernier, nous avons eu une dispute un soir où elle refusait de m'accompagner à un dîner de la Livery Company et tout à coup, je me suis dit que j'en avais assez. Je lui ai suggéré que le moment me paraissait venu d'affronter la réalité et de parler de divorce.

— Comment l'a-t-elle pris ?

— Elle n'était pas très enthousiaste au départ, mais en définitive, elle a bien été obligée de reconnaître que ce serait un soulagement de mettre fin à cette mascarade et de vivre plus honnêtement. On ne se voyait déjà plus que le week-end de toute façon. Je logeais au Cliffords Inn du lundi au vendredi.

— Pourquoi acceptait-elle de rester avec toi si tu ne lui faisais même plus l'amour ?

— Le sexe n'a jamais été son passe-temps favori.

— En es-tu sûr ?

— Evidemment ! Hé, que signifie ce contre-interrogatoire ?

— Je veux savoir exactement à quoi m'en tenir et puis je sais pertinemment que les couples les plus mal assortis peuvent s'ébattre au lit jusqu'au jugement provisoire et au-delà !

— J'adore quand tu joues à la dure ! dit-il amusé.

Puis il se pencha vers moi, prit mes mains dans les siennes et ajouta avec autant de sérieux que je pouvais en souhaiter :

— Il ne se passe plus rien entre Sophie et moi, Carter. Crois-moi, ce sera un divorce à l'amiable. La routine. Réglé en un éclair à coups de tampons dès que s'achèvera la séparation officielle de deux ans, en février 1990.

Il est triste de penser que les avocats les plus prestigieux sont capables de grossières erreurs de jugement.

10

Ces confidences parisiennes eurent pour principal effet de me convaincre que Kim pouvait être l'époux que j'avais presque perdu l'espoir de trouver. Il avait le profil idéal : une carrière assez brillante pour gagner plus d'argent que moi, ce qui éliminait d'emblée un grave obstacle psychologique potentiel — la plupart des hommes se sentant émasculés faute de régner en maître sur les comptes en banque conjugaux. L'éducation qu'il avait reçue lui ouvrait toutes les portes et lui permettait de rencontrer tous les gens dignes d'intérêt, mais il savait ce que cela signifiait d'être un outsider avide de s'imposer. Pas de parents susceptibles de se révéler casse-pied. Son mariage était en perte de vitesse ; personne ne pourrait m'accuser de l'avoir anéanti. Pas d'enfants sur le point d'être privés de l'amour paternel. Je m'étais bien évidemment assurée que cette absence de progéniture tenait à sa femme, et non à lui. Il semblait qu'il y eût quelque chose de défectueux dans les trompes de Sophie, et l'opération destinée à les débloquer avait échoué. J'étais désolée pour elle, mais je me sentais très soulagée à l'idée que la stérilité ne fût pas un facteur disqualifiant Kim.

J'en arrivais donc au stade de mon évaluation où il ne me restait plus qu'à faire l'inventaire de ses vertus. Il avait du charme, du culot, du sex-appeal. Il était intelligent et distingué... Faute de doigts supplémentaires à la main gauche, je passai à la droite. Il était plus qu'acceptable au lit. J'imaginais qu'il devait être un vrai requin dans une salle de conférence, mais il n'éprouvait visiblement pas de difficulté à laisser cette facette de sa personnalité au bureau pour devenir un gentil dauphin prêt à batifoler avec moi durant ses heures de loisir. Ce tempérament dichotomique est on ne peut plus répandu parmi les hommes d'affaires de haut rang et ceux qui le possèdent font souvent des pères de famille dévoués.

Je n'avais qu'un seul reproche à lui faire : il était un peu vieux. J'aurais préféré qu'il eût cinq ans de moins — mais dans ce cas, il aurait gagné moins d'argent. Bien qu'il approchât dangereusement de la cinquantaine, il semblait en bonne forme. Il se rendait à pied à son travail, allait à la piscine le week-end et se soumettait à des check-up réguliers. Il avait un tout petit peu d'embonpoint, mais à deux, trois kilos près... ! Il buvait, mais pas excessivement. Il fumait un cigare de temps en temps, mais avait renoncé à la cigarette. En bref, je pouvais raisonnablement supposer que sa semence était adéquate. Cela paraît calculateur, j'en suis consciente, mais une femme mûre doit être lucide lorsqu'il s'agit d'évaluer les chances de devenir père d'un homme encore plus mûr et je n'étais certainement pas une ingénue.

L'ultime vertu de Kim était qu'il ne s'intéressait pas le moins du monde aux ingénues et déclarait haut et fort qu'il voulait une compagne suffisamment intelligente pour partager pleinement sa vie londonienne. Certes, il y avait peu de chances qu'il épousât un cerveau ayant l'apparence d'une rotonde, mais fort heureusement, ressembler à un édifice circulaire n'avait jamais été mon problème. Je prenais soin de moi. La séduction est une arme indispensable lorsqu'on joute en permanence avec la gent masculine dans ce qu'elle a de plus traître. Toutes les blondes d'Hitchcock le savent. Hitchcock lui-même m'aurait donné son approbation, en dépit des cinq centimètres qui me font défaut. Un mètre soixante-dix est la taille idéale pour une femme de haute volée. Au-delà, on se voit taxer d'hommasse, en deçà, on vous marche dessus. Combien d'hommes ont tenté de me piétiner pour se retrouver les pieds meurtris... Comme je l'ai déjà noté, les plus brillants d'entre eux peuvent faire de grossières erreurs de jugement.

De retour à Londres, Kim me parla de l'éminent avocat chargé de son divorce.

— C'est dommage que tu ne puisses pas alléguer un adultère de la part de Sophie pour accélérer la procédure, notai-je d'un ton désinvolte. Comment peux-tu être sûr qu'elle n'a pas accueilli à bras ouverts sa vie de célibataire, revenant sur son aversion pour le sexe et se lançant dans une liaison fougueuse avec quelque colosse bardé de muscles de vingt ans plus jeune qu'elle ?

Cette hypothèse l'amusa beaucoup.

— Ma chérie, Sophie fait du 48 et elle a des cheveux gris ultra-permanentés.

— Pour l'amour du ciel ! m'exclamai-je, épouvantée. Pourquoi ne fait-elle pas un régime et ne s'arrange-t-elle pas un peu, histoire d'avoir une vie ?

— Elle estime en avoir une. C'est l'un des piliers de l'église locale.

— Oh mon Dieu ! Tu veux dire qu'elle fait partie de cet abominable Renouveau chrétien.

— Non, juste de la bonne vieille Eglise d'Angleterre.

Une pensée terrible me traversa tardivement l'esprit.

— Rassure-moi, Kim, tu n'es pas pratiquant ?

— Je pourrais difficilement me décrire comme un chrétien. Je pense tout de même qu'il existe quelque chose quelque part.

— Dieu, tu veux dire ?

— J'ai toujours trouvé que « Dieu » n'était pas un terme très significatif, mais j'ai un point de vue sur ce que saint Paul entendait par les Principautés et les Puissances.

— Qu'est-ce que c'est encore que cette chimère ! En tout cas, je tiens à te dire que si tu comptes me parler d'OVNI, commence par me servir un grand verre de cognac !

— Je pense que Jung avait raison à propos des OVNI, riposta-t-il à mon grand étonnement. La question n'est pas de savoir s'ils existent dans ce que nous considérons comme la réalité, mais de savoir pourquoi les gens ont commencé à en voir. De l'avis de Jung, il s'agissait d'une réalité psychique, signe d'une profonde angoisse dans l'inconscient collectif.

J'en restai bouche bée.

— Tu ne t'intéresses pas vraiment à toutes ces niaiseries ? demandai-je dès que je me fus ressaisie.

— Quelles niaiseries ? Jung ? Les phénomènes psychiques ? Les mystères de la conscience ? Les questions spirituelles ? Dieu ? Saint Paul ?

— Rien que des âneries ! De nos jours, tout de même, une

personne raisonnable sait qu'il n'y a pas de Dieu, que la religion n'est qu'une béquille pour les perdants et qu'une vérité non démontrable scientifiquement n'en est pas une ?

Kim éclata de rire.

— Quelle touchante version raccourcie du positivisme logique ! D'où sors-tu ça ? D'une devinette sur un paquet de chewing-gum ?

Je réussis à garder la bouche fermée cette fois-ci.

— Que veux-tu dire ?

— Le positivisme logique est une vieille philosophie de plus en plus discréditée, mon cœur. Il reflète l'état d'esprit généré par le siècle des Lumières, mais nous avons dépassé ce stade.

Je le dévisageai, incrédule. J'essayai de parler, mais rien ne vint pour la bonne raison que je ne savais absolument pas quoi dire. Les propos qu'il tenait ne figuraient dans aucun manuel de droit. J'avais l'impression d'être une juriste qu'on aurait omis de briefer, mais l'instant d'après, Kim, ayant compris ce qui se passait, s'empressa de ménager mon amour-propre.

— Pas de panique ! s'exclama-t-il d'un ton rassurant. Je n'avais jamais lu d'ouvrage sur la pensée moderne avant l'âge de quarante ans. Tu es bien trop jeune pour te préoccuper de ces choses-là !

On aurait dit qu'un dinosaure m'avait tapoté le bras en me disant : « Ne te fatigue pas les méninges avec ça, ma jolie ! »

Instinctivement, j'eus envie de lui asséner un coup de poing sur le nez.

— Que tu qualifies mon point de vue de positivisme logique, de bon sens ou de pure connerie, ça m'est parfaitement égal, lâchai-je. Tout ce que je sais, c'est que j'ai la ferme intention de continuer à me fier à la logique et à la rationalité et qu'il est hors de question que je m'adonne à ces inepties philosophiques ou théologiques !

— Très bien, ma chérie, mais si tu veux être athée, tâche au moins d'être de ceux qui sont intellectuellement respectables, veux-tu ? Tu ne gagneras rien en plaçant la foi en Jésus dans la même catégorie que la certitude que les OVNI existent, crois-moi... A moins que tu n'abandonnes tes positions éculées propres au siècle des Lumières pour prétendre que les croyances avérées et non avérées sont aussi valables les unes que les autres dans le supermarché post-moderne des idées ?

Je compris tout de suite qu'il ne me restait plus qu'à m'avouer vaincue et à changer de sujet.

— Pas étonnant que tu gagnes deux fois plus d'argent que moi ! fis-je, bon enfant. Je me suis fait rouler dans la farine. Et maintenant, pourquoi est-ce que nous...

A mon grand soulagement, il se montra plus que disposé à ce que nous nous retirions dans nos appartements.

11

Je résolus de me documenter sur la pensée moderne afin d'être à même de plaider l'athéisme de manière respectable. Je redoutais de faire une gaffe lors d'un futur dîner.

Le problème était que je n'avais jamais de temps pour une lecture sérieuse. Ou pas sérieuse, d'ailleurs. J'avais déjà du mal à me libérer pour aller au cinéma et au théâtre avec Kim. Il n'était évidemment pas question de m'asseoir une seconde pour réfléchir ! Du reste, l'idée même d'avoir assez de temps pour en gaspiller me semblait bizarre, pour ne pas dire choquante. Une femme d'affaires comme moi troque son temps et son énergie contre pouvoir et richesses ; tout le monde l'admire, l'approuve, la trouve merveilleuse parce qu'elle applique à la lettre l'évangile du Succès et la doctrine du salut sophistiqué. Ce n'est pas une vie facile, mais on ne proteste jamais parce qu'on sait qu'on ira au ciel et, de ce fait, logiquement et rationnellement, on est forcément heureux. Se plaindre équivaut à un péché mortel. Seules les mauviettes geignent, ce qui en fait des pécheresses, âmes égarées et damnées.

Je décidai de consacrer une partie de ma lune de miel à la lecture d'un ouvrage intitulé *Précis de la pensée moderne.* J'ignorais si un tel ouvrage existait, mais cela me paraissait logique. Les librairies voisines des tribunaux abondaient en abrégés juridiques destinés aux étudiants en droit hermétiques aux cours magistraux de leurs professeurs, et il me semblait que je pourrais faire face aux aspects les plus saugrenus de la pensée moderne, dès lors qu'on me les aurait résumés d'avance, de préférence sur une plage de sable fin aux Seychelles...

En définitive, il ne fut pas question de lecture durant ma lune de miel.

J'étais bien trop éreintée après le divorce.

12

Kim et moi ne tardâmes pas à décider que le mariage était une option viable, mais nous résolûmes de ne rien dévoiler de notre liaison et de nos projets pendant quelque temps. Nous avions de bonnes raisons de vouloir être discrets : par pure coïncidence, il se trouvait que nous étions tous les deux sur le point de changer de travail. Kim avait été pressenti par Graf-Rosen, une importante banque d'investissements internationale, pour prendre la tête de son département juridique tandis que les associés de Curtis-Towers, avides de consolider leur service fiscal, me faisaient les yeux doux. A l'évidence, il était préférable que nous nous présentions comme des gens dont la vie privée était dans un ordre parfait. Je n'avais pas l'intention d'informer mes futurs partenaires de mes desseins matrimoniaux ; ils auraient sans doute tourné de l'œil à la pensée d'un congé-maternité, bien que mon plan de vie m'autorisât, si nécessaire, à travailler encore deux années après mon mariage avant de tomber enceinte.

Au fond, il m'importait peu d'attendre un an avant de devenir la femme de Kim. En février 1990, quand la procédure de divorce débuterait, je serais à deux mois de mon trente-cinquième anniversaire, et de l'année que j'avais assignée au mariage. J'estimais aussi devoir me féliciter de l'occasion qui m'était donnée de connaître mon futur mari le mieux possible avant de me mettre la corde au cou. Je craignais juste que nous en venions à établir ainsi une relation assez satisfaisante pour qu'il s'en contente, mais je me disais que je saurais à coup sûr comment m'y prendre pour le détourner de ce château en Espagne notoirement masculin.

Kim remit bien en cause la manière dont il comptait obtenir son divorce, mais comme il était déjà séparé de sa femme depuis un an, en définitive, il semblait plus simple de laisser les choses suivre leur cours. Il n'y a qu'un véritable motif de divorce : un échec conjugal irrémédiable. Toutefois, pour le démontrer, il faut faire la preuve d'un adultère, d'un comportement inadmissible (dont la définition est assez souple) ou d'une séparation dont il existe trois formes (y compris l'abandon du domicile conjugal). L'année précédente, Kim et Sophie s'étaient mis d'accord pour attribuer leur rupture au type de séparation le plus simple (deux ans de vie à part, avec le consentement des deux partis), mais si l'on substituait à cette séparation délibérée l'adultère de Kim avec moi, la procédure s'en trouverait considérablement accélérée.

Nous fûmes tentés, brièvement, mais nous réalisâmes l'un et l'autre qu'il ne serait guère sage de jouer cette carte. En plus du fait que nous tenions à taire notre relation tant que nous n'avions pas pris nos nouvelles fonctions, la faillite de leur mariage pouvait aisément donner lieu à de mauvaises interprétations. Il n'y aurait pas de scène au tribunal puisque les divorces sans contestation sont expédiés si vite que les partis ont tout juste le temps d'entendre leur nom avant que la séance soit levée, mais des bruits auraient pu courir sur l'adultère et l'on risquait de déformer la vérité.

Les gens penseraient peut-être que j'avais anéanti le couple Betz. De peur qu'on me juge à la merci de mes hormones, je tenais à éviter de telles calomnies et Kim était tout aussi avide d'empêcher les mauvaises langues de prétendre à tort qu'il avait envoyé promener Sophie pour une femme plus jeune. On le dirait en proie au démon de midi et temporairement sujet à caution.

— Pour être honnête, me dit-il une fois la décision prise d'en rester à la séparation de deux ans, je ne pense pas que j'aurais aimé aller trouver Sophie pour lui suggérer un divorce accéléré fondé sur un adultère. Elle a déjà assez de mal à accepter la situation du fait qu'elle pratique sa foi au sein d'une petite communauté très conservatrice. La première solution lui permet au moins de dire à ses amies que si nous nous quittons, il n'y a personne d'autre dans nos vies.

Cette remarque m'étonna et me déconcerta.

— Tu veux dire qu'elle n'est pas encore au courant de mon existence ?

— Comment le serait-elle ? Nous avons été si discrets l'un et l'autre...

— Elle va bien finir par le savoir !

— Attendons d'être dans nos nouvelles fonctions. Une fois que nous serons libres d'être plus ouverts à propos de notre relation...

— Kim, si elle apprend la vérité par quelqu'un d'autre, elle écumera de rage. Pourquoi n'irais-tu pas à Oakshott le week-end prochain pour le lui annoncer toi-même ?

Il me répondit qu'il était déjà suffisamment stressé par son changement professionnel ; mieux valait attendre que la pression se relâche un peu avant d'affronter Sophie.

Une semaine plus tard, lors d'une de mes rares soirées au théâtre du Barbican, nous eûmes la malchance de tomber sur le frère de Sophie. Le lendemain, Kim téléphona à Sophie à contrecœur pour lui apprendre que j'existais. Il était trop tard. Le frère avait déjà rapporté. Sophie voulut savoir si Kim envisageait de se remarier et Kim estima qu'il ne pouvait plus tergiverser.

Dès qu'elle sut la vérité, elle revint sur sa décision de consentir au divorce.

13

— Qu'est-ce qui lui prend, pour l'amour du ciel ? m'exclamai-je, consternée, quand il m'annonça la nouvelle.

— Elle s'érige en moraliste en disant qu'elle donnerait son aval à mon adultère en consentant à un divorce, mais je suppose qu'en réalité, nous avons plutôt affaire au cas typique de la femme rejetée laissant libre cours à sa fureur.

— Mais c'est absurde ! Elle se rend bien compte que ce n'est pas la première fois que tu la trompes !

— C'est une chose de fermer les yeux sur la vie sexuelle extra-conjugale ultra-discrète d'un mari ; cela fait partie des souffrances d'une épouse vertueuse. Se trouver publiquement écartée et remplacée est une autre paire de manches.

— Comment pourrait-il en être autrement puisqu'elle refuse de coucher avec toi depuis... combien de temps déjà ?

— Des lustres ! Ecoute, ma chérie, je ne peux pas te dire à quel point tout cela m'ennuie, mais je suis sûr que ce n'est qu'un simple contretemps...

Ces propos ne me réconfortèrent pas le moins du monde. Certes, de nos jours, personne n'a les moyens de retarder indéfiniment un divorce, mais Sophie pouvait tout de même se débrouiller pour nous faire attendre encore plusieurs années avant que Kim obtînt gain de cause sans son consentement. Ce possible déraillement de mon plan de vie m'horrifiait tellement que j'en perdis l'usage de la parole. Voyant mon désarroi, Kim redoubla d'efforts pour me rassurer.

Je l'écoutais à peine. Une autre pensée terrifiante venait de me traverser l'esprit.

— Seigneur, et si elle te ruinait ?

— Elle ne fera jamais ça, répondit-il automatiquement.

— Pourquoi pas ? Si elle a un bon avocat...

— Tu oublies que la loi est censée éviter les règlementssanctions et il n'y a aucune raison que notre situation financière ne débouche pas sur un arrangement standard clair et net.

Mon scepticisme s'accrut.

— Quelle est votre situation financière, précisément ?

— Sophie a une fortune personnelle. En conséquence, j'ai toujours dépensé librement mon argent de sorte qu'à présent, si j'ai de grosses rentrées, je dispose de peu de capital. Mon principal avoir n'est autre que la maison de Oakshott que j'ai achetée moi-même et qui est à mon nom. Lorsque Sophie et moi avons parlé du divorce l'année dernière, elle a proposé de me la racheter pour pouvoir y rester et cela me paraît juste puisqu'elle a plus de moyens que moi. Nous sommes donc d'accord...

— Tu rêves ! Selon les lois matrimoniales, le juge prendra nécessairement en compte tes futurs revenus dans l'évaluation de vos biens. En outre, une partie de la valeur de la maison revient assurément à Sophie dans le cadre de la communauté de biens. Même en tant qu'épouse de droit coutumier, elle y aurait sans doute eu droit.

— Dans le cas où les deux parties ont de l'argent, je suis sûr qu'ils peuvent trouver un arrangement que le juge n'a plus qu'à ratifier au moment du divorce...

— Tu rêves encore ! Sophie va tout faire pour que la maison te file sous le nez.

— Ça m'étonnerait. Elle a trop de dignité !

— Ah ouais ? Alors pourquoi est-ce qu'elle fait tant d'histoires ? Incidemment, cette colère revancharde ne va-t-elle pas à l'encontre de la morale chrétienne ? N'est-elle pas censée te pardonner et tendre l'autre joue ?

— Sophie est une femme bien, mais ce n'est pas Jésus-Christ !

— Dans ce cas, je te parie qu'elle cherchera à se venger au nom de la justice !

Kim refusait toujours d'imaginer le pire.

— Ma chérie...

— Ecoute, repris-je d'un ton radouci dans l'espoir d'être plus convaincante, la seule chose qui compte, c'est que le divorce ne soit pas retardé de plusieurs années. Et comme nous nous apprêtons tous les deux à nous remplir allègrement les poches, est-ce vraiment si catastrophique si tu émerges de ce mariage avec un capital diminué ?

— Mais j'ai besoin de chaque centime m'appartenant de droit afin de t'offrir une superbe maison dans les meilleurs quartiers ! Sais-tu combien coûte de nos jours un logement convenable à Chelsea ou Kensington ?

— Avec nos revenus conjugués, nous obtiendrons ce que nous voulons ! Ecoute, mon chéri, ne t'obnubile pas avec cette maison de Oakshott. Sinon Sophie s'en servira contre toi et une fois que ces avocats se mettent à marchander...

— J'ai placé mon argent dans cette demeure, insista-t-il d'un ton obstiné, et je veux le récupérer. Si Sophie s'avise de réclamer un pourcentage, je...

— Mais cette femme est un phénomène ! m'exclamai-je en y mettant une pointe d'humour pour tâcher de détendre l'atmosphère. A t'entendre, on croirait qu'il s'agit de deux personnes différentes. Elle commence par accepter docilement le divorce, trop digne pour te faire une entourloupette concernant la maison. L'instant d'après, elle troque sa robe d'intérieur taille 48 contre une toge de tragédienne hollywoodienne et bousille tous tes plans en crachant du feu tous azimuts ! Es-tu sûr de ne pas être bigame ?

— Une femme ne me suffit-elle pas ? rétorqua-t-il d'un ton acide.

Et il réussit à rire avant d'ajouter :

— Cette contradiction est une illusion. En vérité, Sophie est ce que les Britanniques de la vieille école appellent une « lady » — quelqu'un de bien éduqué, classique, doté de bonnes manières et d'une morale élevée, généralement maîtresse d'elle-même. Ce genre de femmes qui répriment leurs émotions ont beaucoup plus de chance d'exploser de rage quand elles s'estiment injustement traitées. *Res ipsa loquitur*.

— Bon, fis-je en poussant un soupir exaspéré, tu m'as convaincue qu'il s'agissait d'une seule et même personne, mais je continue à croire qu'elle se comporte comme une détraquée. Quoi qu'il en soit...

Je pris une profonde inspiration, consciente que je devais à tout prix garder mon calme.

— Je vois maintenant que tu avais raison de dire qu'elle arrêtera probablement son petit numéro quand elle comprendra que tu es déterminé à m'épouser. Si j'étais toi, je resterais tranquille pour ne pas l'exaspérer davantage. Tes avocats brandiront une baguette magique afin d'obtenir l'accord financier adéquat — après tout, ils sont payés pour ça ! — et Mme Louftingue finira par admettre que, si elle veut garder son auréole, il faut qu'elle renonce à jouer la harpie vengeresse. Et nous vivrons tous heureux jusqu'à la fin de mes jours, j'en suis sûre.

Cependant, une semaine plus tard, les coups de fil recommencèrent.

II.

« L'une des grandes obsessions de notre société est l'urgence qui domine nos journées au gré d'un chapelet d'affaires pressantes... C'est un phénomène courant au sein d'une communauté où la réussite économique est le principal critère de santé collective et qui incite ses membres à focaliser leur identité sur leur travail. »

David F. Ford
The Shape of Living

1

Elle me téléphona chez moi au Barbican. Je venais de rentrer après une journée harassante dans mes nouvelles fonctions et je me sentais au comble de la fatigue et de l'énervement. Deux dinosaures avaient essayé de me piétiner et deux roquets avaient tenté de copiner avec moi. Les roquets sont des jeunes gens pleins de morgue et à peine dociles, dotés d'une expérience professionnelle minime, qui considèrent toute avocate comme une poupée gonflable d'un nouveau genre.

— Allô ? fis-je en décrochant.

Je me demandais si Kim appelait pour me parler de la journée idyllique qu'il venait de passer au milieu d'un troupeau de dinosaures se vautrant devant lui et d'une meute de roquets marchant sur la pointe des pieds dans un silence empreint de vénération.

— Mademoiselle Graham ?

Une voix féminine de contralto, agréable, cultivée. Je confirmai mon identité.

— Mademoiselle Graham, ici Sophie Betz.

Je raccrochai. J'étais toujours plantée là, trop sous le choc pour penser clairement quand le téléphone se remit à sonner. Je décidai que ce devait être Kim. Erreur. Sophie avait résolu d'insister.

— Mademoiselle Graham, je vous en prie, ne raccrochez pas. Je souhaiterais vous parler et...

Je raccrochai brutalement et débranchai le téléphone avant de me préparer une double vodka-martini.

2

Quand j'informai Kim du coup de fil de Sophie, il fut encore plus interloqué que moi. Et furibard. Sous mes yeux, le dauphin taquin se changea finalement en requin.

— J'ignore qui lui a donné ton numéro de téléphone, mais j'aurai sa peau, dit-il, et si la fuite émane des locaux de Milton, je lui colle un procès !

Le distingué avocat chargé de son divorce était en fait un homme que jamais au grand jamais on ne poursuivrait en justice si tant est qu'on eût un peu de jugeote, mais Kim avait besoin d'épancher sa bile.

Dès que je l'eus calmé, nous nous efforçâmes de déterminer comment Sophie avait pu obtenir mes coordonnées téléphoniques. J'avais un cercle de relations qui connaissaient mon numéro, inscrit sur la liste rouge, mais aucun d'entre eux n'avait rencontré Kim, sans parler de sa femme, et je les imaginais mal donnant cette information à une inconnue. L'espace d'un instant, je me demandai si le coupable ne se trouvait pas au bureau, mais cette hypothèse paraissait peu plausible. Jacqui, ma secrétaire, qui m'avait suivie chez Curtis-Towers, n'aurait jamais divulgué ce renseignement ; et aucun de mes nouveaux collègues ne savait comment me joindre chez moi pour la bonne raison qu'il y avait trop peu de temps que j'occupais ce poste pour m'être liée d'amitié. Mon numéro figurait dans mon fichier personnel, mais je voyais mal Sophie en pirate de l'informatique infiltrant clandestinement un réseau d'informations secrètes. Et puis, comment aurait-elle su que je travaillais chez Curtis-Towers ?

— Elle a dû engager un détective, suggéra brusquement Kim. Un bon privé peut toujours s'arranger pour dénicher un numéro.

Cette explication, somme toute plausible, souleva une autre question : pourquoi Sophie aurait-elle engagé un détective ? D'un point de vue juridique, je n'avais aucun lien avec le divorce. Peut-être ses avocats cherchaient-ils à se renseigner sur moi dans l'espoir de salir la réputation de Kim quand le moment viendrait de décider qui aurait la maison de Oakshott ? Dans la mesure où l'objectif d'un règlement de divorce était d'être équitable et non de sanctionner, cette théorie ne tenait pas la route. Personnellement, je pensais que le tribunal ordonnerait la vente de la maison et le partage de sa valeur entre les deux partis, ce qui permettrait à Sophie de donner sa part à Kim si elle souhaitait rester. Certes, le divorce n'était pas ma spécialité, mais il me semblait que la médisance ne servirait à rien dans le cas de ce litige on ne peut plus banal.

— N'oublions pas que la principale incidence du travail de ce détective, si tant est qu'il existe, est que Sophie est désormais en mesure de me contacter. La question suivante est donc : pour quelle raison m'appelle-t-elle ?

— Peut-être croit-elle voler au secours d'une innocente jeune femme corrompue par un homme plus âgé ? grommela Kim.

— Mon Dieu ! Dans ce cas, je vais acheter un répondeur. Je n'en ai jamais vu l'utilité jusqu'à présent...

— Non. Attends ! On pourrait croire que c'est la solution,

mais je pense que ce serait une erreur stratégique. Sophie en profiterait pour y laisser une ribambelle de messages. Continue de lui raccrocher au nez. Elle finira bien par se décourager.

Malheureusement, il sous-estimait l'obstination de sa femme. Lorsqu'elle comprit finalement que ses appels téléphoniques n'aboutissaient à rien, elle entreprit de m'écrire.

3

Maintenant que nous avions démarré nos nouveaux jobs et que Sophie était au courant de notre liaison, Kim ne tarda pas à me faire remarquer que la discrétion ne s'imposait plus. Puisque nous pouvions désormais admettre au grand jour que nous formions un couple, pourquoi ne s'installerait-il pas chez moi ?

— Parce que je ne te l'ai pas proposé, lui répondis-je, me souvenant que je m'étais promis de ne pas trop le laisser prendre ses aises avant qu'il m'eût passé la bague au doigt.

Un homme disposé à se marier est une plante fragile qui demande beaucoup de soins.

— Je reconnais que nous n'avons plus besoin de nous cacher, poursuivis-je, mais avant que tu emménages, voyons quelle sera la prochaine initiative de Sophie.

— Justement ! protesta-t-il. Je veux être là pour te protéger de ses harcèlements.

— Tu ne crois pas qu'elle multipliera les tentatives, si tu vis avec moi ?

Ce fut après cette conversation, un samedi matin, que je reçus la première lettre, rédigée sur un épais papier à lettres crème. L'adresse embossée suffisait à évoquer une vision précise du vert Surrey : LES MÉLÈZES, ALLÉE DES ORMES, OAKSHOTT...

« *Chère Mademoiselle Graham*, je lus, le cœur au bord des lèvres, *je suis navrée que vous refusiez de me parler. Je présume que vous vous sentez coupable de commettre un adultère avec mon...* »

— Bon sang ! m'exclamai-je avant de chiffonner la missive dans mon poing.

Puis la curiosité eut raison de moi et je lissai la feuille tant bien que mal.

« ... *avec mon mari. Cependant, je n'écris pas dans un esprit de récrimination, mais dans l'espoir de vous sauver de...* »

Mon poing se serra à nouveau et je me précipitai à la cuisine pour jeter aux oubliettes ces âneries. Comment osait-elle parler de « me sauver » ? Ces grenouilles de bénitier représentaient une menace envers la société libre et le droit sacré de chacun de vivre comme il l'entendait.

Comme tous les appartements du Barbican, ceux de la tour Harvey sont équipés d'un broyeur d'ordures reliant l'un des éviers à quelque endroit inimaginable débouchant, je présume, sur les égouts. J'y enfournai la lettre de Sophie avant de faire couler l'eau et de mettre en marche le dispositif. Quand je racontai cela à Kim, il piqua une colère folle contre Sophie, mais aussi contre moi pour l'avoir détruite.

— Tu aurais au moins dû attendre de me la montrer !

— A quoi bon ? Ce n'était que des niaiseries. Je l'ai fichue en l'air. On n'en parle plus.

— Que disait-elle ?

— Des bêtises à propos de péché et de salut. Je n'ai lu que les trois premières lignes.

— Ça m'étonnerait beaucoup ! Une femme est incapable de résister à l'envie de lire jusqu'au bout une lettre de l'ex-épouse de son amant.

— Fais gaffe, mon pote, je ne suis pas d'humeur à être stéréotypée et je ne supporte pas qu'on m'accuse de mentir.

Il s'excusa aussitôt, mais n'en continua pas moins sur sa lancée.

— Si tu reçois d'autres lettres, aurais-tu la gentillesse de me les remettre sans les ouvrir ?

— Non, ripostai-je, je suis une grande fille. Personne ne m'empêchera de lire les lettres qui me sont adressées. Pour l'amour du ciel, Kim, pourquoi te mets-tu dans un état pareil ?

Il soupira bruyamment, s'excusa à nouveau et ne put qu'ajouter :

— Je ne veux pas que Sophie te tourmente.

— C'est gentil, mais je n'ai rien d'une petite fleur délicate. Tu as tort de faire tant d'histoires.

— Je ne fais pas d'histoires.

— Que se passe-t-il, chéri ? Redouterais-tu que Sophie me révèle quelque aspect essentiel de votre mariage que tu aurais passé sous silence ?

— Bien sûr ! Je suis terrifié à l'idée qu'elle te dise que je suis un déséquilibré qui traite les femmes comme des esclaves !

— Seigneur, tirer les vers du nez d'un avocat de ton espèce n'est pas une sinécure ! Allons, Betz, ressaisis-toi ! Je n'ai pas l'intention de lâcher prise. Pourquoi en veux-tu autant à Sophie et pour quelle raison as-tu si peur qu'elle me parle ?

Il soupira à nouveau. Dans le registre des gros soupirs, il avait décidément du talent. Cela lui donnait probablement le temps de rassembler ses esprits.

— Je crois qu'au fond, je me sens coupable vis-à-vis d'elle, reconnut-il finalement. Tant que la décision de divorcer émanait d'un consentement mutuel et que personne d'autre n'était impliqué, ça allait, mais je dois avouer que le fait de la répudier au profit d'une femme plus jeune change pas mal de choses. Tu sais ce que la culpabilité provoque souvent comme réaction psychologique ! Plutôt que de s'en prendre à soi, on projette sa haine sur autrui. Je blâme Sophie parce que je m'en veux de la faire souffrir. Si je refuse qu'elle se mêle de ta vie, c'est parce que je ne supporte pas l'effet qu'elle a actuellement sur la mienne.

— Il est heureux que tu te sentes coupable, dis-je après un temps de réflexion. Dans le cas contraire, tu serais un beau salaud. Je te remercie de ta franchise.

Je résolus de cesser de le tourmenter avec ces histoires de Sophie. Il avait besoin d'être dorloté, soutenu, apaisé pendant cette période difficile, d'autant plus qu'il venait d'accéder à des fonctions importantes. J'avais lu suffisamment de précis de psychologie pour savoir que la culpabilité était facteur d'anxiété et que cela débouchait sur la névrose et l'effondrement. Je ne tenais pas à ce que le gros poisson que j'avais pêché finisse dans un bocal.

J'acceptai donc qu'il vienne vivre avec moi dans ma tour avant que la culpabilité ne provoque une impuissance qui risquait de flétrir irrémédiablement cette plante délicate.

4

Quand Kim emménagea, je redoutais quelque peu de découvrir certains travers qu'il aurait réussi à me cacher jusque-là, mais il continua à bien se comporter et se révéla même admirablement bien élevé pour un homme de sa génération. J'entends par là qu'il ne laissait pas ses habits traîner partout par terre, ni la salle de bains en désordre, ni une pile d'assiettes sales audessus du lave-vaisselle. Il se montra même capable d'accomplir diverses corvées dès lors qu'elles ne lui étaient pas imposées. A l'évidence, les années passées à se débrouiller seul toute la semaine dans son pied-à-terre londonien avaient plus que contrebalancé les petits soins dont il avait à coup sûr bénéficié le week-end.

Sophie m'envoya trois autres lettres que je déchirai sans les lire. Où était passée ma curiosité, me direz-vous ? J'en conclus, non sans malaise, qu'elle avait été consignée dans des limbes que je répugnais à explorer. Se pouvait-il que je me sente coupable moi aussi ? Absolument pas. Le couple Kim-Sophie était anéanti bien avant mon apparition sur la scène. J'avais la conscience tranquille.

Dans ce cas, pourquoi avais-je la nausée au point de me ruer sur mon broyeur d'ordures chaque fois que je découvrais une lettre de Sophie dans mon courrier ?

En définitive, je me résignai à admettre ma culpabilité dans l'espoir de la surmonter. D'accord. Je me sentais coupable. Pas beaucoup. Juste un petit peu. Il ne faisait aucun doute que je plaignais Sophie. Ce n'était pas drôle pour une femme de son âge d'assister, impuissante, à la désintégration de son mariage, mais force était de reconnaître que, le plus souvent, les perdants ne pouvaient s'en prendre qu'à eux-mêmes. Elle aurait pu faire un régime, s'arranger un peu, soigner son absence de libido et faire des efforts pour partager la vie londonienne de Kim. Compte tenu de ces défaillances, j'en vins à la conclusion que je ne pouvais la prendre que modérément en pitié. Etant donné qu'elle s'ingéniait à empoisonner l'existence de Kim autant que la mienne, je finis même par me trouver des plus magnanimes !

En attendant, Kim et Sophie communiquaient exclusivement par l'intermédiaire de leurs avocats, enchantés de ces innombrables heures de négociations alambiquées destinées à sortir de l'impasse. Leurs notes d'honoraires salées prouvaient qu'ils s'en donnaient à cœur joie.

Je commençai à désespérer à l'idée que rien n'ébranlerait la détermination de Sophie d'imposer à Kim l'attente statutaire de cinq ans avant l'obtention d'un divorce sans son consentement quand elle nous surprit en virant de bord. Peut-être trouvait-elle ses factures trop extravagantes, à moins qu'elle se fût finalement rendu compte de la futilité de sa position à long terme. Quoi qu'il en soit, elle accepta de renoncer aux tactiques d'atermoiement, à deux conditions : que Kim lui cède la maison d'Oakshott et que le divorce eût lieu sans délai en invoquant l'adultère de Kim comme fondement d'une rupture irrémédiable. Il ne faisait aucun doute que cette seconde clause figurait au programme parce que, sachant pertinemment que Kim répugnait à choisir cette voie, elle s'obstinait à vouloir lui causer un maximum de tort.

Kim était fou de rage. Je l'exhortai à divorcer au plus vite, à abandonner la maison et à se détacher une fois pour toutes de cette bonne femme revancharde, mais son orgueil macho occultait son bon sens : il ne tolérait pas que Sophie pût se jouer de lui de la sorte. Il laissa passer du temps. D'où l'arrivée de nouvelles factures. Pour finir, Sophie elle-même le sortit de ce nouveau cul-de-sac. Elle m'avait fichu la paix depuis qu'elle avait changé de tactique, mais elle se remit bientôt à me harceler au téléphone et ma patience fut bientôt à bout.

— Débarrasse-toi de cette bonne femme ! hurlai-je à l'adresse de Kim. Peu m'importe comment tu t'y prends. Mais si tu ne divorces pas sur-le-champ...

J'étais sur le point de dire : « ...je vais péter les plombs », mais il pensa sans doute que j'allais le menacer de le quitter, car il m'interrompit si vite que ma phrase resta en suspens.

— Bon, je vais régler ça, dit-il. Je ne la laisserai pas nous détruire. J'appellerai Milton demain à la première heure.

Ainsi, Sophie eut sa revanche et Kim perdit tout l'argent qu'il avait investi dans la maison d'Oakshott, mais au moins, le divorce était en vue, et nous étions trop exténués l'un et l'autre pour nous préoccuper de ce que l'adultère se fût substitué à la séparation de deux ans. En décembre 1989, un an après notre rencontre, Kim et moi étions enfin libres de signer le registre des mariages avant de nous embarquer dans un avion à destination de l'Allemagne pour notre lune de miel. Je me disais que ce cauchemar généré par Sophie était enfin terminé.

Mais je me trompais.

5

Comme je passais tous mes congés à lézarder sur une plage de sable chaud, j'aurais certainement préféré aller pour ma lune de miel ailleurs qu'en Allemagne, mais Kim voulait se détendre dans un environnement qu'il connaissait bien et je trouvais tout de même que c'était une destination intéressante maintenant que le Mur était tombé et qu'on parlait de réunification. Et puis, j'étais tellement contente d'être enfin madame Betz que je n'allais pas faire des histoires pour si peu.

Fort heureusement, ce voyage fut une vraie partie de plaisir. Nous visitâmes Cologne ; Kim voulait me montrer la ville de ses parents. Pour Noël, nous trouvâmes refuge dans un somptueux château converti en hôtel. Cela me faisait un drôle d'effet de ne pas aller prendre le pouls de ma famille à Newcastle et Glasgow cette année, mais j'étais secrètement soulagée de retarder le moment de leur présenter Kim.

— Seront-ils fâchés ? m'avait-il demandé avec inquiétude lorsque nous avions planifié notre lune de miel.

Je lui avais assuré qu'ils comprendraient. En fait, j'attendis d'être en Allemagne pour les informer de mon mariage. Après lui avoir révélé le nom de mon époux, j'écrivis à ma mère : *« Ne regrette pas d'avoir raté la cérémonie. Elle n'a duré que quelques minutes, pas suffisamment en tout cas pour que cela vaille le déplacement et il n'y avait pour ainsi dire personne hormis une poignée d'amis que nous connaissons depuis des années. Je t'enverrai des photos de notre lune de miel pour que tu puisses voir comme il est bel homme. C'est un avocat haut placé dans une banque d'investissements, il a quarante-neuf ans... »*

Je songeai un instant à préciser qu'il était d'origine allemande, mais résolus d'omettre cette information. Je conclus en disant : *« Il a vécu en Amérique, mais il habite en Angleterre depuis des années. Il a fait ses études dans une école célèbre, puis à Oxford. Il a de la classe et beaucoup d'aplomb. Certes, ce n'est pas un "garçon du cru", mais jamais je n'en aurais épousé un de toute façon. Je vous embrasse.*

KATIE. »

J'avais mis un bon bout de temps à écrire cette lettre, avec l'assistance de deux grandes coupes de champagne allemand. Ensuite, je rédigeai le petit mot suivant : *« Cher papa, pas de visite cette année. En lune de miel au pays de la choucroute. Kim est avocat dans une banque. Patronyme : Betz. Accent yiddish. Naturalisé anglais. Mégasalaire. Mercedes, costumes de Savile Row (comme James Bond) et chaussures* faites main. *Le bonheur ! Gros baisers. KITTY. PS : Les livres sont son affaire. Ne rêve pas, tu ne le plumeras pas ! »*

Je postai mes deux missives avec soulagement en me sentant enfin libre de m'adonner au bonheur conjugal.

6

J'avais remarqué que tous les Allemands que nous rencontrions prenaient Kim pour un de leurs concitoyens vivant temporairement à Londres et qu'il ne se donnait pas la peine de les en dissuader. Il ne parlait jamais de l'Amérique latine, mais pourquoi chercher les ennuis ? Tout le monde savait que cela avait été la destination favorite des Nazis qui redoutaient une confrontation avec les juges de Nuremberg après la guerre, et Kim se serait vite lassé de leur expliquer que son père juif avait quitté le pays dans les années 30. Je m'étais du même coup aperçue qu'il parlait l'allemand sans une pointe d'accent.

— Je parle comme me l'ont appris mes parents, me répondit-il avec aise quand je l'interrogeai à ce sujet, et c'était la seule langue que nous utilisions à la maison.

— Les accents posent parfois tant de problèmes, notai-je en pensant à mes propres expériences à cet égard.

— Il s'agit de s'en faire un atout pour jouer le jeu du système. C'est la raison pour laquelle en Allemagne, je me fais passer pour un Allemand, en Angleterre pour un Américain, et à New York pour un juif anglicisé. De cette façon, mon passé m'avantage où que je sois.

— Ce que tu peux être rusé ! En tout cas, mon accent des Home Counties est meilleur que le tien.

— Tu trouves ? s'exclama-t-il en riant. Tu devrais t'entendre après quelques verres !

La conversation s'arrêta là pour la bonne raison que je tentai alors de l'étouffer avec un oreiller et qu'il se démena pour faire de cet objet un meilleur usage. C'était un tel luxe d'avoir à la fois le temps et l'esprit suffisamment détendu pour faire l'amour souvent !

De fait, à la fin de notre lune de miel, nous avions presque oublié le sens du mot « stress ». De retour dans l'appartement au sommet de ma tour, nous nous bécotâmes un moment dans le salon éclairé par la lune avant de nous jeter sur le lit dans l'extase. J'étais une cynique si endurcie que j'osais à peine croire qu'un tel bonheur pût exister. Je me hasardai finalement à faire fi de mon cynisme quand je me rendis compte que Kim était aussi sidéré que moi par tant de béatitude.

— Je me sens différent, me confia-t-il ce soir-là. Je n'ai plus l'impression d'être... fragmenté.

— Que veux-tu dire ?

— Je ne me suis jamais senti chez moi. Il m'a toujours semblé qu'il me manquait une portion de mon être et je me posais des questions sans jamais trouver de réponses.

— Quelles questions ?

— Ça n'a plus d'importance maintenant. Je suis chez moi ici, n'est-ce pas ? Tu es la partie qui me faisait défaut et je suis dans mon élément ici avec toi.

— Tu cadres on ne peut mieux en ce qui me concerne, répondis-je en l'attirant sur moi.

Un intervalle satisfaisant s'ensuivit.

Un peu plus tard, il m'annonça à brûle-pourpoint en s'extirpant brusquement du lit :

— Je veux te montrer une photo.

Il m'avait dit que toutes ses vieilles photographies s'étaient perdues dans le déménagement à Oakshott des années auparavant. J'en conclus qu'il devait faire allusion à un cliché récent. Mais la photo noir et blanc qu'il sortit d'un repli caché de son portefeuille était jaunie au bord sous le plastique qui la protégeait.

— Je ne pouvais pas te la montrer avant, dit-il, parce que le passé semblait tellement déconnecté du présent que je ne voyais pas comment je pourrais le partager, mais maintenant que je suis en un seul morceau...

Laissant sa phrase en suspens, il retira la pochette en plastique et me tendit le cliché sans rien dire.

Je vis un petit garçon de trois ou quatre ans, aux cheveux foncés, au regard vif, avec un sourire radieux et confiant. Il portait un pantalon long et une chemise à manches courtes. A côté de lui se tenait un grand chien-loup, la queue en l'air, et en arrière-plan, il y avait une femme maternelle aux airs indulgents. Ils posaient tous les trois sur une pelouse près d'une urne en pierre remplie de fleurs.

— C'est ma nurse qu'on a fichue à la porte, m'expliqua Kim, et ça, c'est mon chien qui s'est égaré un jour. Je pense encore à eux.

— Quand j'étais petite, dis-je au bout d'un moment, j'avais un chat qui s'est perdu lui aussi. Je ne l'ai jamais oublié.

Il y eut un silence durant lequel je me demandai si ma réaction était à la hauteur, mais il paraissait satisfait de mon message sous-entendant que je comprenais les sentiments de deuil qu'il avait éprouvés. J'avais envie de lui poser des questions, mais redoutais de mal m'y prendre alors que le sujet était encore à l'évidence si douloureux. Je me bornai à constater l'inexistence d'une photographie tout aussi chérie de ses parents.

— J'aimerais bien pouvoir te montrer des souvenirs de mon passé, mais la photographie n'a jamais été mon fort.

— Je n'ai pas besoin de voir des photos de ta famille puisque je ne vais pas tarder à les rencontrer.

— C'est vrai.

Pour la énième fois, je tentai d'imaginer Kim en présence de mon père, mais une telle scène me paraissait inconcevable.

— Me diras-tu un jour ce qui s'est passé ? demandait Kim d'un ton hésitant.

— A quel moment ?

— Quand tes parents se sont séparés.

— Oh ça ! Je peux t'en parler maintenant. Il n'y a pas de quoi en faire un plat ! Les huissiers sont venus une fois de plus et ma mère a décidé qu'elle en avait assez. Elle m'a emmenée chez sa sœur en bus à l'autre bout de Glasgow. Un vieil homme occupait l'appartement voisin ; son fils venait lui rendre visite deux fois par mois. Il était allé à Newcastle pour trouver du travail et ça avait marché. Il avait un boulot. De plus, il était respectable, bien élevé et n'avait jamais mis les pieds dans un casino. Ma mère ne tarda pas à m'envoyer dans une école primaire de Newcastle où les sales mômes étaient déterminés à faire de moi un ballon de foot à cause de mon accent écossais.

Sans dire un mot, Kim me prit dans ses bras et m'attira contre lui. Comme je pressais mon visage contre sa poitrine, je m'entendis ajouter à la hâte :

— Je regrette seulement de ne pas avoir pu emmener mon chat, mais maman s'y est formellement opposée sous prétexte qu'elle n'arriverait pas à faire face. J'ai fait jurer à mon père d'en prendre soin, mais bien évidemment il n'en avait que faire et il s'est échappé. Il ne respectait jamais ses promesses. Fin de l'histoire.

En levant le visage vers Kim, je parvins à dire encore :

— Nous n'avons plus besoin de parler du passé, n'est-ce pas ? Seuls le présent et le futur comptent désormais.

Malheureusement en disant cela, je prenais mes désirs pour des réalités.

Moins de deux mois après notre retour d'Allemagne, Sophie recommença à me harceler.

7

Je m'abstins d'en parler à Kim. Il était en train de négocier une grosse affaire et travaillait comme un forcené. Il n'avait pas besoin de tensions supplémentaires. Je trimais dur moi aussi, mais Sophie me perturbait moins parce qu'à ce stade, j'étais en proie à l'ahurissement plus qu'à la rage ou à la nausée. Pourquoi s'obstinait-elle à m'appeler maintenant que nous étions mariés ? Etait-elle obsédée au point de ne plus savoir quand cesser de donner dans le sentiment pour affronter la réalité ?

— Ici Sophie Betz, avait-elle dit la première fois qu'elle avait téléphoné. Pardonnez-moi de vous importuner à nouveau...

Je n'avais pas la moindre intention de lui pardonner après tous les ennuis qu'elle nous avait causés. J'étais depuis longtemps à bout de compassion et de patience.

La deuxième fois, au lieu de se présenter, elle s'était empressée de dire :

— Je pense vraiment qu'il est de mon devoir...

Je raccrochai. Il n'était pas question que je m'expose à une nouvelle salve de bigotisme.

— Ecoutez, il faut absolument que je vous voie ! dit-elle la troisième fois.

Et la quatrième, un simple :

— Ecoutez-moi ! (Car je parvins à reposer le combiné avant qu'elle prononce une autre syllabe.)

Après cela, elle rappela à plusieurs reprises sans piper mot, comme si elle espérait m'inciter à la conversation en éveillant ma curiosité. Comment est-ce que je savais que c'était elle ? Qui voulez-vous que ce soit d'autre ? Il était peu probable qu'un autre cinglé se fût mis à me harceler d'autant plus que mon numéro n'était pas dans le bottin.

J'envisageai naturellement de changer de numéro ou de me faire installer une deuxième ligne, mais je ne voyais pas comment faire sans tout raconter à Kim et je n'étais pas encore désespérée au point de lui annoncer la mauvaise nouvelle. Quoi qu'il en soit, si le détective de Sophie était capable de dénicher des numéros de téléphone figurant sur la liste rouge, cela ne servirait à rien. Je songeai à nouveau à m'acheter un répondeur en prétextant que je tenais à vivre en conformité avec mon époque, mais je ne voulais pas prendre le risque que Kim appuie sur la touche « messages » pour entendre les propos détraqués de son ex-femme.

Mon exaspération monta d'un cran quand mes demi-sœurs, nettement plus jeunes que moi, s'avisèrent de m'écrire une lettre commune me reprochant de ne pas avoir pris la route du nord à Pâques pour prendre le pouls de la famille et exhiber mon mari. Il n'était pas question que je me laisse sermonner par ces deux impertinentes qui considéraient Londres comme quelque cloaque plaqué or. Je pris donc mon téléphone et les rembarrai l'une après l'autre. Elles avaient raison, bien évidemment, mais j'avais insisté auprès de Kim pour que nous passions le week-end de Pâques à Paris.

Le problème était que si je l'emmenais à Newcastle, je ne trouverais jamais une raison plausible pour ne pas poursuivre le voyage jusqu'à Glasgow. Or, je me rendais parfaitement compte maintenant que je ne pouvais pas aller à Glasgow avec lui tant que la situation de mon père ne se serait pas améliorée. Je notai donc consciencieusement sur mon planning qu'il me faudrait régler ce problème en septembre. Puis, soulagée, je me concentrai derechef sur ma nouvelle vie dans la peau de madame Betz.

Après notre mariage, nous avions donné une réception au Savoy réunissant une centaine de convives parmi nos meilleures relations. Un grand nombre d'entre eux commencèrent à nous inviter à leur tour. Ce n'était pas une mince affaire d'intégrer cette vie sociale trépidante à nos emplois du temps déjà surchargés, mais nous n'avions pas d'autre solution. Tous ces gens étaient liés à nos carrières à des degrés divers. Nous n'avions pas d'amis proches ni l'un ni l'autre ; je suppose que les outsiders chroniques ont du mal à ôter leur masque. En revanche, nous avions une foule de connaissances et j'éprouvais des sentiments chaleureux envers un certain nombre d'entre elles qui semblaient aussi m'apprécier. J'avais constaté que les relations juives de Kim le tenaient en haute estime. Par leur intermédiaire, j'appris qu'il faisait régulièrement des dons à des œuvres de charité juives et cela m'impressionna, d'autant plus qu'il n'en avait jamais fait mention. Je m'aperçus aussi qu'il avait étudié à fond la culture juive ; de fait, l'une de ses relations me fit remarquer à quel point il était admirable qu'il eût choisi d'honorer le judaïsme de son père plutôt que de le nier, bien que son père lui-même n'eût apparemment pas manifesté le moindre intérêt à cet égard.

— Cela t'intéresse-t-il vraiment, demandai-je bêtement à Kim après cette conversation, ou est-ce une manière comme une autre de jouer le jeu ?

Il avait toujours travaillé pour des sociétés juives et s'y entendait à coup sûr pour faire la preuve de sa solidarité envers cette communauté.

A ma consternation, ma question le piqua au vif.

— Si tu t'imagines un instant que je ne suis pas sincère dans mon engagement vis-à-vis des juifs...

En me maudissant secrètement d'avoir commis une telle bévue, je me hâtai de lui faire des excuses et jurai que j'admirais tant son engagement que sa sincérité.

Je compris alors que la question de son lien avec les juifs était aussi délicate que celle des manigances de l'Allemagne entre 1939 et 1945. Kim ne parlait jamais de la guerre s'il pouvait l'éviter et une seule fois, je l'avais entendu faire un commentaire à propos d'Hitler.

— Dommage que personne n'ait gazé ce salopard à la naissance !

Son intonation prouvait que le thème du Troisième Reich avait peu de chances de faire surface dans nos conversations.

Quoi qu'il en soit, nous trimions comme des nègres tout en brillant en société, le dos résolument tourné au passé, quand Sophie renonça tout à coup à téléphoner chez moi pour m'enquiquiner au bureau. Elle n'aurait pas pu plus mal choisir son moment. Jacqui, ma secrétaire, venant de partir en vacances en Grèce pour quinze jours, PersonPower International avait eu le toupet de m'envoyer en remplacement un secrétaire hétérosexuel du nom d'Eric Tucker. Mes clients geignaient, les dinosaures piétinaient, les roquets plastronnaient et les écervelées m'avaient surnommée Bulldozer. Les crises étaient continuelles et, pour couronner le tout, mon premier dîner depuis mon mariage approchait à grands pas. En bref, mon stress atteignait un niveau alarmant et je n'avais certainement pas besoin d'une complication supplémentaire suscitée par la réapparition dans ma vie de Mme Louftingue. Quand Tucker l'intérimaire m'annonça la mauvaise nouvelle par l'intermédiaire de l'interphone, l'envie me prit de débiter mon bureau en chêne tel un virtuose du karaté.

— Excusez-moi, madame Graham, mais une certaine Mme Betz, Sophie, demande à vous parler. Je me souviens que vous m'aviez dit que votre mari s'appelait Betz, alors j'ai pensé que vous n'aviez peut-être pas envie de parler à cette personne. En tout cas, je lui ai dit que vous étiez en rendez-vous...

— Envoyez-la promener, dis-je avant d'interrompre la communication.

8

Je restai là à examiner l'ongle que j'avais cassé à force de serrer les poings en songeant, au passage, combien ce serait merveilleux d'avoir Tucker comme assistant permanent, presque un pseudo-conjoint, l'équivalent de la toute dévouée Mary Waters qui avait suivi Kim chez Graf-Rosen de même que Jacqui m'avait suivie chez Curtis-Towers. Seulement, pouvais-je être sûre qu'un hétéro ne provoquerait pas des embrouilles s'il se trouvait en position de me dorloter, de régler les crises, cumulant les fonctions de coursier et d'homme de main ? Probablement pas. J'étais pourtant de plus en plus tentée d'écarter Jacqui en douceur et d'essayer.

J'appuyai sur le bouton de l'intercom.

— Hé, Tucker ! Venez voir.

Moins de dix secondes plus tard, il était planté sur la moquette devant moi. Chemise immaculée, souliers brillants, une cravate affreusement terne en harmonie avec son irréprochable costume anthracite. Tel un serf de bureau obéissant au moindre caprice de sa châtelaine : le fantasme de toute femme d'affaires de haut vol ultra-stressée, miraculeusement matérialisé dans mon bureau. Il y avait au moins quelque chose de positif dans ma vie.

— Merci de vous être chargé de cet appel, lui dis-je d'une voix suave pour lui témoigner mon appréciation. Sophie Betz est l'ex-femme de mon mari et elle me harcèle depuis un moment. Si elle rappelle, dites-lui que je ne suis pas disponible.

— Entendu.

Il réfléchit un moment.

— Se pourrait-il qu'elle tente de s'introduire ici de force ?

Je lui fus reconnaissante d'avoir l'intelligence de poser cette question aussi terrifiante que nécessaire.

— Probablement pas. Je doute qu'elle ait envie de se donner ainsi en spectacle, mais si elle est vraiment détraquée, tout est possible.

— Il vaudrait peut-être mieux que je sache à quoi elle ressemble si je dois repousser une invasion.

— Eh bien, je ne l'ai jamais rencontrée, mais d'après ce que j'en sais, elle est forte, la cinquantaine, mal fagotée avec des cheveux gris permanentés.

— Dans ce cas, elle sera facile à repérer dans les locaux de Curtis-Towers.

Nous échangeâmes un regard pince-sans-rire, mais je savais pertinemment que nous pensions tous les deux la même chose. Les dinosaures de Curtis-Towers, ignorant allègrement les lois propices à l'égalité des sexes, tendaient à inciter toute femme à démissionner dès l'apparition de la première varice. Pas étonnant que les tailleurs-pantalons soient à la mode !

— Autre chose, madame ?

— Non. Attendez. Si. Pourriez-vous joindre Mme Lake de chez Blue Lake Catering ? Je l'ai engagée pour organiser un dîner chez moi vendredi soir. Nous sommes mercredi et je pense qu'il est temps de m'assurer qu'elle n'a pas l'intention de servir de la vache folle.

Il s'éclipsa.

En un rien de temps, il s'était intégré dans son nouvel environnement sans faire un pli et se révélait être un objet de grand intérêt pour les écervelées de service. Par la suite, je devais assister incognito à une conversation passionnée dans les toilettes pour dames sur la question de savoir s'il était châtain ou roux foncé. Son nez parsemé de taches de rousseur tendait à confirmer la deuxième hypothèse, mais le groupe adversaire souligna que cela ne prouvait pas la présence d'un gène de rouquin à moins que ses avant-bras ne fussent également couverts d'une légère pigmentation. Diverses suggestions furent alors émises sur la manière de persuader mon secrétaire de dévoiler ses avant-bras et Shana-la-libertine en vint à déclarer imprudemment qu'elle découvrirait la couleur des poils de son pubis. Elle en fut pour ses frais ; Tucker demeura chastement caché sous ses chemises immaculées et ses costumes sombres. J'entendis Shana expliquer cet échec qui lui ressemblait si peu en décrétant que Bulldozer tenait son *boy* en laisse, sans doute pour satisfaire son penchant sado-maso.

Je venais de finir de m'occuper de mon ongle endommagé quand Tucker réapparut.

— Mauvaise nouvelle, madame Graham.

— A propos de Lady Lake ?

— J'en ai peur.

— Elle est morte ?

— Envolée.

— Mais c'est impossible, m'exclamai-je, folle de rage. Elle m'a été recommandée par deux gravures de mode de mon immeuble qui n'ont rien d'autre à faire que de donner des dîners !

— Si j'ai bien compris, le directeur de sa banque a débranché la machine qui maintenait ses affaires en vie. C'est un huissier qui m'a répondu.

— Bordel ! Il manquait plus que ça, hurlai-je, estimant qu'il était temps de pousser des cris thérapeutiques. Pour l'amour du ciel, pourquoi ne m'a-t-elle pas dit qu'elle ne serait plus opérationnelle vendredi ? Cette catastrophe n'a pas pu se produire du jour au lendemain.

— Vous ne faisiez sans doute pas partie de ses priorités. On est actuellement en train de la reconstituer dans une clinique suite à une overdose de Valium.

— Bon, je suis désolée pour elle et je renonce à lui tordre le cou. Mais qu'est-ce que je vais bien pouvoir faire pour ce fichu dîner ?

— Puis-je vous faire une suggestion ?

— Oui, mais vous avez intérêt à ce qu'elle soit super-judicieuse.

— Je connais une cuisinière free-lance. Un vrai cordon bleu. Propre, sobre, respectable et fiable. Elle habite à Clerkenwell et a travaillé pour des aristocrates de Belgravia. Elle se charge souvent de réceptions au Barbican. Voulez-vous que je l'appelle ?

— Entendu. Très judicieux. Mais attendez. A tous les coups, une perle pareille est bookée pour les six mois à venir...

— Pas le vendredi, enfin pas pour des dîners officiels. C'est le soir où elle fait la cuisine pour son cher et tendre.

— Vous ?

— Je n'ai pas cette chance. Voulez-vous...

— Oui. Pour l'amour du ciel, éliminez le petit ami et kidnappez-la.

Durant l'intervalle qui suivit, je dessinai des verres de vodka-martini sur mon bloc-notes, parvins à me retenir de ronger mon ongle mutilé et passai mentalement en revue tous les plats cuisinés de chez Marks & Spencer.

Puis l'intercom vrombit.

— Bonne nouvelle ?

— Tout est arrangé. Elle est ravie de pouvoir vous être utile.

Je me laissai tomber dans mon fauteuil en effaçant de ma mémoire le rayon d'alimentation surgelée.

— Tucker, on devrait vous couvrir de fleurs et vous promener dans la City sur un éléphant parmi une foule en délire. Comment s'appelle votre héroïne et où puis-je la joindre ?

— Elle est encore en ligne et se nomme Alice Fletcher. Je vous la passe.

Je résolus instantanément de proposer à Tucker un emploi à plein temps assorti d'un salaire qu'il ne pourrait pas refuser.

9

Miss Fletcher s'exprimait courtoisement, avec un accent des Home Counties qu'elle maîtrisait à l'évidence naturellement même si elle le qualifierait sans doute elle-même de « BBC », bien que la BBC se targuât de nos jours de cultiver les dialectes régionaux. Elle proposa de passer chez moi le lendemain en fin de journée, afin d'inspecter la cuisine et de parler du menu. Elle m'informa ensuite qu'elle ferait toutes les courses, mais quand je suggérai de l'accompagner, manifestant ainsi mon obsession du contrôle, elle parut ravie que je porte un intérêt aux préparatifs.

A 17 h 30 le lendemain soir, après une journée diabolique, je rentrai chez moi et la trouvai dans le hall d'entrée de la tour Harvey. Je l'observai prudemment, mais ne vis rien qui me fît grincer des dents. Elle avait à peu près mon âge, des yeux foncés, un visage carré, doux et des cheveux bruns tressés. Elle devait avoir une dizaine de kilos en trop, mais aucun homme ne songerait à le lui reprocher, trop content de constater que les rondeurs excessives se trouvaient aux bons endroits. Comme pour atténuer ses formes voluptueuses et accroître sa respectabilité, elle portait une jupe et un chemisier noirs stricts sous un imperméable beige ouvert.

Elle fut très polie au sujet de ma cuisine, que je ne m'étais jamais donné la peine de moderniser, et son expression resta neutre tandis qu'elle inspectait les placards et le réfrigérateur quasi vides. Pour finir, elle sortit un carnet et un stylo de son sac et me demanda ce que je souhaitais servir à mes convives.

— C'est à vous de décider, répondis-je d'un ton circonspect, mais surtout pas de bœuf.

— Le bœuf écossais ne présente aucun risque, je crois, dit-elle, mais naturellement, vous n'allez pas vous embêter à expliquer ça à vos amis. Y a-t-il des végétariens parmi eux ? Ou faut-il que je fasse un repas casher ?

— Pas cette fois-ci.

— Bon. Dites-moi qui vous avez invité ? Cela m'aidera à déterminer ce qui pourrait leur faire plaisir.

Je lui parlai du banquier américain d'âge mûr, de sa femme-trophée de vingt-huit ans, du vieux juge anglais et de sa digne épouse qui rendait visite aux prisonniers.

— Un mélange audacieux ! nota miss Fletcher d'un air admiratif. Vous allez bien vous amuser ! Qui d'autre ?

— Juste mon mari et moi. Il est avocat et a vécu dans le monde entier.

— Cosmopolite, conclut-elle. Il s'adaptera quoi qu'on lui serve. Les Américains voudront une salade et un dessert léger, le juge se méfiera de tout plat étranger, sauf français, et son épouse sera friande de cuisine toscane tout en rêvant secrètement de manger un bon vieux hachis parmentier.

— Et moi ? fis-je en riant.

— Oh, je suppose que la nourriture ne vous intéresse pas. Vous avez une si belle ligne !

— Il se pourrait que je sois boulimique ou anorexique !

— Si vous l'étiez, vous seriez trop embarrassée pour évoquer cette possibilité en présence d'une étrangère. Vous le nieriez et seriez incapable de reconnaître que vous êtes mince.

Ces déductions m'impressionnèrent tellement que j'osai finalement croire que j'avais affaire à une professionnelle habile. Je décidai avec soulagement que nous allions bien nous entendre toutes les deux.

Nous déambulions devant les étalages de viande du supermarché voisin quand je me rendis vaguement compte de la présence d'une femme en train de nous observer du bout de l'allée. Je ne l'aurais peut-être pas remarquée si elle n'avait pas été si élégante, mais avec sa robe et son manteau bleu roi, elle détonnait parmi les autres clientes venues pour la plupart des HLM du coin. Ses boucles noires grisonnantes témoignaient d'une coupe onéreuse et lorsqu'elle fonça impulsivement droit sur moi, je vis qu'elle avait une très jolie peau en dépit de petites rides de part et d'autre de la bouche et des yeux. Son regard bleu brillait d'une émotion qui aurait pu être de l'anxiété, de la peur, de la colère, ou d'une puissante combinaison des trois.

— Vous êtes Carter, n'est-ce pas ?

— Oui.

J'essayais de déterminer qui c'était. Une femme aussi distinguée aurait pu être n'importe qui dans la City, secrétaire de direction ou partenaire clé de quelque multinationale, et je n'arrivais pas à la situer dans ma mémoire.

— Je suis navrée, dis-je, je ne vous...

Je m'interrompis quand la terrible réalité fit jour brutalement. Elle enchaîna aussitôt :

— Je suis Sophie Betz.

III.

« La vie est truffée d'énigmes. Il y a des secrets dans chaque domaine — famille, politique, affaires, médecine —, toutes les relations importantes... Dans les rapports intimes, on s'étonne toujours de ce que plus ils s'approfondissent, plus l'autre devient mystérieux. »

David F. Ford
The Shape of Living

1

Je reculai d'un pas. J'ouvris la bouche en vain. L'horreur, la fureur, la panique et une incrédulité totale déferlèrent dans ma cervelle tel un raz-de-marée.

— Il fallait que je vous voie, se hâta-t-elle de dire. Nous devons parler.

— Vous êtes Sophie Betz, fut tout ce que je trouvai à dire.

Puis, plus consternée que jamais, je m'entendis répéter avec une toute autre intonation.

— Sophie Betz ! C'est *vous* ?

— Ecoutez, je sais que vous ne voulez pas me...

— Que fichez-vous ici ?

Je me démenais à présent pour tâcher de comprendre cette apparition étrange, mais Sophie était dans un tel état d'agitation qu'elle entendit sans doute à peine ma question. Nous nous parlions en un dialogue de sourds, sous l'éclairage blafard et le regard vitreux des clients qui erraient entre les paquets de viande dans leur emballage étincelant.

— J'ai essayé de faire durer le divorce parce que je pensais que vous vous lasseriez peut-être de lui, mais c'est devenu un tel cauchemar, ça coûtait tellement cher et puis...

— Comment savez-vous qui je suis et qui vous a dit que je serais ici ce soir ?

— Il fallait absolument que je fasse un dernier effort pour vous sauver. J'ai donc réengagé le détective auquel j'avais fait appel l'année dernière. Je lui ai demandé de me tenir informée de votre emploi du temps quotidien et de me dire à quoi vous ressembliez. Il a pris des photos et...

— Quel toupet !

— ... il a aussi découvert que vous veniez généralement ici au moins une fois par semaine après le travail pour acheter ce qui ne pouvait pas attendre votre grand ravitaillement du samedi. Lorsque vous avez refusé de me parler au téléphone hier, j'ai compris que je n'avais pas d'autre solution...

— ... que de hanter les allées de Safeway jusqu'à ce que j'arrive ! Merveilleux ! Bon, maintenant écoutez-moi, Sophie ! N'allez pas croire que je ne compatis pas à votre sort, mais votre mariage était *kaput* avant que je fasse mon apparition sur la scène, n'est-ce pas ? De ce fait, je ne vois vraiment pas pourquoi...

— Je me sens destinée à vous sauver, absolument destinée, bien que John, le prêtre de ma paroisse, m'ait dit après le divorce que ce n'était pas à moi de m'en charger, que je devrais peut-être me fier à Dieu pour venir à votre secours à sa manière et en son temps...

— Désolée, je ne vous suis pas du tout. Pourrions-nous garder Dieu en dehors de ça ?

— Comment voulez-vous ? Nous dépendons tous de Sa grâce !

Je finis par perdre patience.

— Je ne dépends de personne, hurlai-je. Je ne crois pas en

Dieu, et même si c'était le cas, je n'aurais pas besoin de lui ! J'ai très bien réussi grâce à mes efforts, j'ai un plan de vie qui se déroule magnifiquement et la dernière chose dont j'aie besoin, c'est d'une chrétienne me débitant des niaiseries dans un supermarché alors que j'essaie de faire mes courses.

— Mais vous êtes avocate. La vérité doit vous intéresser ! Ecoutez-moi, Kim est mal embarqué. Je pensais qu'en restant avec lui, je pourrais le secourir, mais...

— Seigneur, vous êtes pire que ces télévangélistes américains...

— Vous a-t-il parlé de Mme Mayfield ?

Dans le profond silence qui suivit, j'eus la sensation qu'il n'y avait plus un gramme d'air dans le supermarché.

— Il est mêlé à l'occulte, ajouta-t-elle, et plongé jusqu'au cou dans les sables mouvants de l'immoralité, alors sauvez-vous tant que vous le pouvez. Sortez de sa vie le plus vite possible...

— Allez vous faire foutre ! m'exclamai-je avant de lui tourner le dos.

J'avais trouvé un peu d'air quelque part pour respirer, mais mon cœur cognait comme s'il était sur le point d'avoir une ratée fatale. J'étais en eau des pieds à la tête.

— Parlez-lui de Mme Mayfield ! cria-t-elle derrière moi. Demandez-lui qui c'est.

Je filai à l'aveuglette sans me retourner.

2

Debout devant le rayon des produits laitiers, je regardai fixement les fromages. J'avais l'impression qu'il s'était écoulé une heure, mais il y avait probablement deux minutes à peine que j'étais là. J'avais la bouche sèche et le cœur au bord des lèvres. Certains fromages avaient une couleur jaunâtre des plus suggestives.

En me détournant avec un frisson, je me retrouvai face à face avec Alice Fletcher, qui m'avait suivie en silence et attendait que je montre des signes de rétablissement.

— Ça va ? me demanda-t-elle d'un air inquiet.

— Non. J'ai l'impression d'avoir subi une lobotomie sans anesthésie. Cette horrible mégère a-t-elle disparu ?

— Elle est sortie du magasin.

— Dieu merci ! J'ai bien peur qu'elle soit très dérangée et je regrette que vous ayez eu à assister à cette scène. Ça fait un moment qu'elle me harcèle, ajoutai-je en entreprenant de masser ma nuque douloureuse.

— Dans ce cas, elle va peut-être vous laisser tranquille maintenant qu'elle a réussi à vous parler.

— Si seulement ! C'est l'ex-femme de mon mari, comme vous avez dû le comprendre et... Bref, peu importe, oublions-la. Pourrions-nous prendre une décision concernant la viande ?

Débordante de tact, Alice embraya aussitôt sur les différents morceaux d'agneau.

3

Après les courses, je la raccompagnai chez elle à Clerkenwell et regagnai mes pénates. Kim devait travailler tard ; je ne l'attendais pas avant 21 heures. Une fois mes provisions rangées, je me préparai une double vodka-martini et reconnus finalement le choc que je venais de subir.

Je m'efforçai aussitôt de reprendre le contrôle de la situation en l'analysant. Si j'étais si perturbée, c'était parce que Sophie m'avait affirmé que Kim, un homme équilibré à la tête froide, était impliqué dans des activités démentielles, parce que mon mari ne m'avait jamais parlé d'une femme qui, selon son ex-épouse, avait compté dans sa vie, et surtout, je m'en rendais bien compte, parce que Sophie n'avait rien de la grosse dondon mal fagotée aux cheveux frisotés dont Kim m'avait parlé. Tandis que je me débattais avec la vérité, j'entrevis peu à peu la raison de ma consternation. Ces histoires d'occulte émanaient presque à coup sûr de l'imagination par trop fertile d'une bigote détraquée, et Mme Mayfield devait être quelque ancienne maîtresse qui se révélerait sans importance, mais pourquoi Kim m'avait-il menti à propos du physique de Sophie ? Je ne voyais qu'une seule raison : il voulait me rassurer, mais je n'avais nullement besoin qu'on me rassure et je ne supportais pas qu'il pût me mentir.

Je m'évertuai ensuite à déterminer l'attitude à adopter quand il serait de retour à la maison. Fallait-il lâcher le morceau sur-le-champ en lui décrivant en détail l'abominable scène qui s'était déroulée au supermarché ? Il serait fatigué après une longue journée harassante ; le moment serait certainement mal choisi pour l'informer de mon altercation avec son ex chez Safeway. D'un autre côté, n'était-ce pas l'occasion rêvée de lui tirer les vers du nez puisque, étant à bout de forces, il risquait fort d'avouer sans se faire prier ?

Ce calcul qui prouvait que ma cervelle s'était remise en branle ne me calma pas les nerfs pour autant. Je me mis à arpenter le salon, trop tendue pour manger. Je finis par m'installer sur mon tabouret derrière le télescope pour contempler les lumières de la ville. En me mettant au diapason avec tous ces gratte-ciel, temples de richesse et de puissance, je reprenais toujours mes esprits. Je me sentais moins isolée, en harmonie avec le pouls de la City, cette force de vie palpitante, irrésistible, qui représentait à mes yeux le cœur même de la réalité.

Bien avant d'entendre la clé de Kim tourner dans la serrure, je m'étais ressaisie et j'avais résolu de ne pas faire allusion à Sophie tant qu'il n'aurait pas pris un peu de repos. Je ne voulais pas le contrarier ; l'interrogatoire, indispensable, devrait attendre.

J'allai l'accueillir dans l'entrée.

— Bienvenue ! m'exclamai-je d'un ton joyeux en me blottissant dans ses bras, mais à peine nous étions-nous embrassés, je bredouillai : Qui est Mme Mayfield ?

4

Ses traits se figèrent. Puis, avec une superbe nonchalance, il répondit :

— Quelqu'un que je ne vois plus. Prépare-moi un drink, chérie, veux-tu ? J'ai eu une sacrée journée.

Il se faufila à côté de moi et s'étira en bâillant avant de tendre le bras vers l'*Evening Star* que je n'avais même pas déplié. On aurait dit un gros félin se détendant enfin après une expédition meurtrière mouvementée dans un parc-safari.

Ma première réaction fut l'admiration face au sang-froid de ce zigoto qui venait de prendre un coup en dessous de la ceinture sans sourciller ou presque. Puis le désir m'envahit. La plupart des femmes apprécient un homme coriace, imperturbable en cas de crise ; je ne faisais pas exception. En définitive, je cédai au soulagement. Mme Mayfield, comme je m'en étais doutée, était une maîtresse oubliée à laquelle Sophie avait fait allusion dans l'espoir de me choquer — comme si j'ignorais que Kim lui avait été infidèle !

Pour finir, la consternation prit le dessus. Pourquoi ne me demandait-il pas où j'avais entendu ce nom-là ? Parce qu'il était encore trop ébranlé pour réagir autrement qu'en prenant cet air dégagé, voilà la réponse et cela ne me plaisait pas du tout. Je me rendis compte ensuite qu'il y en avait une autre encore moins satisfaisante : loin d'être bouleversé, Kim opérait avec un maximum d'habileté, me mettant en attente en me gratifiant de quelques formules désinvoltes tandis qu'il concoctait une explication satisfaisante.

Je lui préparai un whisky-soda corsé et quand je le lui tendis, il posa finalement la question que j'attendais depuis le début.

— Qui t'a parlé de Mme Mayfield ? me demanda-t-il d'un ton détaché. (Mais avant que j'eusse le temps de répondre, il dissipait le mystère en ajoutant :) Je suppose que ce doit être

Steve ou Mandy Simmons. Comment se fait-il que tu sois tombée sur eux à nouveau ?

Il faisait référence à un couple que nous avions rencontré par hasard à un cocktail un mois plus tôt. Steve Simmons était avocat et ancien collègue de Kim, sa femme, Mandy, travaillait dans la publicité. Ils habitaient à l'est de la City dans un ancien entrepôt réaménagé qui donnait sur la Tamise. Je n'avais jamais été chez eux bien que les Simmons eussent beaucoup insisté pour nous inviter, parce que Kim avait décrété qu'il n'avait pas la moindre intention de renouer avec eux sous prétexte que, par le passé, il avait eu à repousser les avances de Mandy.

Peu encline à fréquenter une voleuse de mari, j'avais accepté sa décision de bon cœur. Il semblait néanmoins que les Simmons eussent ressurgi dans nos vies.

— Mandy et Steve connaissent Mme Mayfield ? m'enquis-je en le dévisageant.

— C'est une des raisons pour lesquelles je ne tenais pas à les revoir.

En me laissant tomber à côté de lui sur le canapé, je parvins à dire d'une voix douce :

— Aurais-tu l'amabilité de m'expliquer qui est Mme Mayfield, s'il te plaît ?

— Bien sûr, répondit-il comme si l'idée qu'il pût chercher à cacher cette information le surprenait. Mais d'abord, dis-moi qui t'a parlé d'elle. Si ce n'est pas Mandy et Steve, je ne vois vraiment pas qui...

— Prends une grande inspiration, dis-je, et prépare-toi au pire. C'est Sophie.

Il réagit si brutalement que je fis un bond. Il était vautré sur les coussins, l'image même de la détente et l'instant d'après, il se dressait sur son séant, droit comme un piquet, au bord du sofa.

— Elle t'a encore appelée ?

— Plusieurs fois.

— Pourquoi ne m'en as-tu rien dit, bon sang ?

— Je ne voulais pas que tu t'inquiètes.

— Si j'avais su...

— Elle n'a jamais réussi à avoir une conversation avec moi. Je raccroche systématiquement avant qu'elle se lance...

— Mais elle t'a parlé de Mme Mayfield.

— Pas au téléphone. Elle m'est tombée dessus ce soir au supermarché.

Il se leva brusquement.

— Mais t'a-t-elle...

— Détends-toi ! Elle était manifestement à côté de la plaque. Elle m'a raconté des âneries à propos de Dieu... Impossible de la prendre au sérieux !

Il engloutit son verre et s'approcha de la desserte pour s'en servir un autre.

— Je veux savoir exactement ce qui s'est passé, se borna-t-il à dire.

J'essayai de lui résumer la scène aussi succinctement que possible.

— Je faisais des courses avec Alice Fletcher pour le dîner de vendredi. Une femme s'est approchée de moi. Taille anglaise 40, taille américaine 12, taille européenne, bref... tu vois ce que je veux dire. Elle avait de jolies boucles brunes et portait un manteau bleu roi assorti à sa robe. Très élégante, beaucoup de classe. Naturellement je ne l'ai pas reconnue étant donné la description que tu m'en avais faite, de sorte que, quand elle s'est présentée, j'en suis restée comme deux ronds de flan. Encore plus quand elle m'a dit que tu donnais dans l'occulte. Après quoi elle m'a chaudement recommandé de te poser des questions sur Mme Mayfield. A ce moment-là, je lui ai dit d'aller se faire foutre avant d'inspecter le rayon fromages... Chéri, qu'est-ce qui t'a pris de me brosser un portrait aussi peu flatteur de Sophie ?

— Mais c'était la vérité. Elle a dû perdre des kilos à cause de tout le stress et se donner la peine de s'arranger avant d'affronter sa rivale !

— Bon, je suppose que c'est possible, mais...

— Comment a-t-elle pu savoir que tu serais là ?

— Elle a reconnu qu'elle avait embauché un détective qui avait pris des photos de moi. Cette folle m'a aussi déclaré qu'elle avait été appelée par Dieu pour me sauver et puis elle s'est mise à déblatérer au sujet des sables mouvants de l'immoralité, de l'occulte, etc.

— Bon. La situation est simple. Sophie a dramatisé les choses en faisant d'un épisode saugrenu de mon passé — je répète, de mon passé — un mélodrame gothique qu'elle s'imagine encore d'actualité.

— Elle débloque complètement !

Il haussa les épaules, but une gorgée de whisky. Je notai que cette fois-ci, il s'était passé de soda.

— Les chrétiens sont farouchement opposés aux sciences occultes, dit-il d'un ton catégorique, et, de nos jours, ils les confondent souvent avec des activités New Age parfaitement respectables. Cette hostilité totalement irrationnelle agaçait tellement Mme Mayfield, qu'à ses yeux, la chrétienté faisait figure d'« ennemie ». Elle n'a probablement pas changé d'avis, mais je ne peux pas le savoir. J'ai cessé de la voir quand je t'ai rencontrée.

— Alors, dis-je en articulant chaque mot, Mme Mayfield est...

— ... une adepte du New Age.

— Quelle est sa spécialité ? ajoutai-je après un laps de temps.

— La guérison psychique.

Il y eut un autre silence avant que je parvienne à dire :

— Qu'est-ce qu'un homme sain et rationnel comme toi fabrique avec une vieille chipie qui se mêle de ces folies New Age ?

— Carter, tu ne te rends pas compte à quel point tu es pathétique quand tu nous ressors ton positivisme logique éculé ? Tu es aussi ridicule qu'un fanatique religieux incapable de comprendre quoi que ce soit au-delà de sa vision pitoyablement étriquée du monde ! Comment une femme intelligente supporte-t-elle d'ignorer la réalité à ce point ?

— Okay, je suis ignorante. Alors éclaire ma lanterne ! Je ne comprends toujours pas comment tu as pu frayer avec cette bonne femme, à moins, bien sûr, que tu te sois trouvé dans la panade au point de ne plus savoir où tu en étais.

Il éclusa son whisky pur et contempla un moment son verre vide.

— Eh bien, dit-il quand il n'y eut plus moyen de gagner du temps, le moins que l'on puisse dire, c'est que j'étais dans la panade, je te l'avoue franchement.

Il s'affala sur le canapé à côté de moi et commença à me raconter une histoire très singulière.

5

— Il y a trois ans, commença-t-il, j'ai eu des problèmes de dos. Je ne souffrais pas tout le temps, mais quand j'avais mal, c'était intolérable. Les deux spécialistes que je consultai à Harley Street furent dans l'impossibilité de m'aider bien que le deuxième attribuât ma souffrance à une cause psychosomatique.

« Je finis par engloutir des analgésiques comme des Smarties tout en redoutant que tous ces médicaments n'eussent un effet néfaste sur mon travail. En désespoir de cause, je contactai un guérisseur dont j'avais trouvé le nom dans un journal du dimanche, mais c'était un charlatan qui me raconta des sornettes en prenant mon argent. Le seul intérêt de mon rendez-vous avec lui fut qu'au cours de la consultation, il mentionna une librairie qui, selon lui, était une mine d'informations sur la médecine alternative. Je me dis que si je voulais me sortir de ce cauchemar avec un dos en bon état sans me ruiner, il me faudrait entreprendre de sérieuses recherches sur les possibilités de ce que tu appellerais sans doute les limites de la folie.

« La librairie en question abondait en ouvrages ésotériques, mais personne ne proposa de me lire les lignes de la main ou de consulter une boule de cristal. J'y traînai un moment. Je finis par tomber sur un panneau d'affichage où, parmi d'innombrables annonces, je remarquai une carte qui disait : "MME ELIZA-

BETH MAYFIELD : GUÉRISON PSYCHIQUE. CLARIFIER LE PASSÉ, ANALYSER LE PRÉSENT, ÉVALUER L'AVENIR."

« Tu peux imaginer pourquoi cette carte attira mon attention. Elizabeth Mayfield ! Un nom si anglais, si respectable ! Et "clarifier, analyser, évaluer" me paraissaient une formule si terre à terre, si réaliste ! Et puis je me disais que si vraiment je souffrais d'un problème psychosomatique, une guérisseuse était sans doute la personne qu'il me fallait.

Après avoir rempli son verre, il continua :

— Je suis allé la voir. C'était une veuve, la cinquantaine probablement, très sympathique. Calme. Sereine. Elle habitait à Fulham, une de ces petites maisons qu'on pouvait acquérir pour une bouchée de pain il y a trente ans et qui doit valoir une petite fortune de nos jours. Un intérieur ordinaire. Rien n'indiquait qu'elle gagnait des fortunes en guérissant les gens, ce qui me parut rassurant.

« En tout cas, pas de boule de cristal. Quand je lui eus expliqué ce qui se passait dans ma vie, elle me demanda de poser les mains sur la table, paumes tournées vers le ciel. "Je ne lis pas les lignes de la main, me précisa-t-elle, mais j'aime bien regarder les mains. Elles me permettent d'y voir plus clair." Elle savait admirablement écouter. Elle me parut saine, responsable... Après avoir examiné mes mains, elle les prit l'une après l'autre. Il ne se produisit rien de spécial. Pas de vibrations particulières. Et puis...

— Que s'est-il passé ? demandai-je, le cœur battant.

— Elle s'est mise à me parler de choses qu'elle n'avait aucun moyen de connaître. Elle savait que j'étais allemand...

— Si tu t'es présenté sous le nom de Joachim Betz...

— Ne sois pas bête ! J'ai utilisé un pseudonyme, évidemment ! Je lui ai dit que je m'appelais Jake Barton. Elle savait d'autres choses sur mon passé...

— Par exemple ?

— A propos de mon enfance. De mon père. De l'Argentine... C'était si étrange. Finalement, après que je lui eus fourni d'autres renseignements à mon sujet, elle me dit : « Vous avez été gravement traumatisé dans votre enfance, traîné d'un pays à l'autre, totalement dépendant des amants de votre mère. Vous n'avez jamais pu parler des horreurs que vous avez vécues à qui que ce soit et maintenant que vous atteignez l'âge mûr, votre organisme finit par lâcher sous l'effet de tant de souffrances réprimées. Le problème est compliqué par la présence d'un patron antipathique et d'une épouse qui ne vous comprend pas. Votre guérison passera par quatre étapes, ajouta-t-elle : D'abord, vous devez parler à une personne compatissante de votre passé. Ensuite, il vous faut vous débarrasser de votre femme. En troisième lieu, vous devez changer de travail et finalement, vous remarier avec une femme qui vous convient. » Elle conclut en disant qu'elle pouvait me garantir la guérison si je suivais ses conseils et obéissais à ses consignes.

— Combien est-ce que tout cela allait te coûter ?

— Elle m'informa qu'une fois guéri, je pourrais faire un don à sa société. En attendant, elle ne me demandait que vingt-cinq livres par séance. Son tarif habituel. Après mes expériences à Harley Street, je trouvais que c'était une affaire !

— De quelle société s'agissait-il ?

— Elle avait plusieurs activités. Des groupes de thérapie, en plus de ses consultations. L'un de ces groupes figurait dans l'étape finale de mon traitement, sous sa supervision. C'est à ce moment-là que j'ai rencontré Steve et Mandy Simmons.

Il reprit du whisky.

— Combien de temps durait la thérapie de groupe ?

— Eh bien, au bout de trois mois, j'étais guéri. Plus de maux de dos, mais Mme Mayfield ne voulait pas que je laisse tomber. Elle me rappela que ma thérapie requérait trois autres étapes avant que je puisse m'estimer tiré d'affaire. En attendant, je devais continuer à participer aux séances. « Le problème ressurgira, dit-elle, si vous ne suivez pas scrupuleusement mes consignes. » Je parlai donc à Sophie de divorce, et lorsque Graf-Rosen m'offrit ce pont d'or, je décidai de saisir l'occasion... En définitive, j'obéis à la lettre aux instructions de Mme Mayfield jusqu'à ce que...

Il s'interrompit à nouveau.

— Jusqu'à... ?

— ... ce que je me querelle avec elle. Je rompis alors mes liens avec le groupe...

— Mais pourquoi ? demandai-je en le dévisageant.

Il éclusa son verre et, en me regardant droit dans les yeux pour la première fois depuis qu'il avait commencé à me parler de sa guérisseuse, il répondit simplement :

— Parce que je t'avais rencontrée.

6

— Tu veux dire que...

— Mme Mayfield désapprouvait. Du coup, le groupe aussi.

— Quel culot ! m'exclamai-je, outrée.

— Elle estimait qu'il me fallait une femme de mon âge, qui ne travaillait pas et se préoccupait avant tout de sexe et de shopping.

— Tu plaisantes !

— Ce fut exactement ma réaction, mais elle l'ignora. « Ne faites jamais confiance à une femme qui porte un nom d'homme, me dit-elle, surtout si elle refuse de vous présenter à sa famille. »

— J'ai la ferme intention de te présenter à eux ! Quant à mon nom...

— Je lui expliquai tout ça, mais elle renchérit en disant...

— Dans le genre bulldozer, elle se pose là !

— ... qu'elle avait une image très claire de toi. « Elle est ignare sur le plan spirituel à tel point qu'elle finira par flirter avec l'ennemi. Une fois qu'elle sera tombée dans le piège, ils feront tout pour anéantir votre mariage. »

— C'est ignoble !

Je me retrouvai debout sans trop savoir comment.

— Comment ose-t-elle faire des prédictions sans fondement qui ne peuvent que tourmenter les gens !

— Je suis désolé, chérie, dit-il en se redressant à son tour, je n'aurais pas dû te dire...

— Oh que si ! Tu aurais même dû me parler de cette sorcière depuis le début, mais peu importe. Je comprends que tu aies voulu me protéger de toutes ces âneries.

Je serrai le poing droit et frappai le dos du canapé pour me soulager.

— Si ce n'était pas aussi révoltant, ajoutai-je quand je me sentis un peu plus calme, on pourrait trouver cela drôle ! Tu m'as dit plus tôt qu'elle qualifiait les chrétiens d'« ennemi », n'est-ce pas ? Eh bien, je n'en connais pas et je ne veux pas en connaître. Il n'y a aucune chance que je fraie avec ces gens-là ! Alors ces prédictions sont des conneries !

— Je le lui ai dit. D'ailleurs, c'est à ce moment-là que j'ai décidé de laisser tomber.

— Ce n'était pas trop tôt ! Comment cette vieille chipie l'a-t-elle pris ?

— Pas très bien. Le groupe aussi me tannait pour que je reste, mais ils ont tous fini par me laisser tranquille dès que nous nous sommes mariés.

— Pas étonnant que tu ne tenais pas à revoir Mandy et Steve !

— Quelle malchance d'être tombés sur eux à ce cocktail... Carter, dit-il en m'enlaçant, je suis tellement désolé que toutes ces imbécillités passées soient venues te hanter, mais au moins, tu comprends maintenant pourquoi je tenais tant à te protéger, n'est-ce pas ?

— Je comprends, fis-je, mais tu as tort de vouloir m'envelopper dans du coton. S'il y a des problèmes dans ton passé, nous devons les partager.

Il acquiesça et me précisa qu'il ne prévoyait pas d'autre difficulté surgissant du passé. Nous nous bécotâmes un moment pour manifester notre soulagement mutuel. Mais, bien sûr, comme Kim le comprit avant moi, le problème des harcèlements de Sophie n'était pas réglé.

7

— Que vais-je faire à propos de Sophie, ma chérie ? A l'évidence, elle est obsédée et je ne supporte pas l'idée qu'elle puisse te harceler comme ça.

— Tu vas sans doute être obligé de t'y habituer.

Le droit coutumier ne prévoyait rien à cet égard, et autant que je puisse en juger, le droit civil n'offrait pas plus de remède. Je n'avais pas suffisamment d'arguments pour une injonction.

Nous ruminâmes tristement cette énigme juridique. Nous mangeâmes des sandwichs au beurre de cacahuète, regardâmes les nouvelles de 22 heures. Ensuite, nous rangeâmes la cuisine. Kim se servit un verre d'eau d'Evian pendant que je remplissais le lave-vaisselle.

— Alice Fletcher pense que Sophie me laissera peut-être tranquille maintenant qu'elle a réussi à me mettre en garde, soulignai-je, alors que nous nous acheminions vers la chambre.

— A supposer que Sophie pense rationnellement, dit-il en se laissant tomber sur le lit pour enlever ses chaussures. Comment est-elle, cette Alice ?

— Très compétente, à n'en point douter. Je suis sûre qu'elle fera du bon travail.

— C'est la petite amie de Tucker ?

— Non, mais il y a un homme dans sa vie.

— Tucker sort-il avec quelqu'un ?

— Je ne parle jamais, *jamais*, de choses personnelles avec Tucker. Cela fait partie de ma stratégie pour maintenir les hormones en sommeil.

— Tu lui as fait part du dîner de vendredi. C'est personnel !

— Il est simplement venu à ma rescousse, comme tout bon assistant alors que je m'arrachais les cheveux. A propos d'assistant, je me demande si le détective de Sophie aurait pu cuisiner Mary pour recueillir des informations à mon sujet. Peut-être ta secrétaire aurait-elle été ravie de se montrer solidaire envers elle et de manifester sa réprobation à l'égard de la nouvelle Mme Betz ?

Sophie lui ayant laissé toute latitude d'organiser la vie londonienne de son mari dans les moindres détails depuis plusieurs années, Mary avait subi une nette réduction de son pseudo-rôle d'épouse depuis que j'étais entrée dans la vie de Kim. Je la voyais assez bien fouinant dans son agenda électronique afin de transmettre mes coordonnées au détective, mais Kim prit loyalement sa défense en affirmant qu'elle était incapable d'une telle trahison.

— Fatiguée ? murmura-t-il un peu plus tard alors que je me glissai au lit.

— Non, énervée. Si on dansait le tango ?

Bien qu'il répondît avec enthousiasme à cette invitation, il dut finalement déclarer forfait.

— C'est le whisky, dit-il d'un air piteux. Je n'aurais pas dû en boire autant à la fin d'une longue journée harassante.

Je me blottis contre lui et lui caressai gentiment la poitrine pour le réconforter, mais une demi-heure plus tard, je ne dormais toujours pas. Je pensais à tout ce whisky en me demandant pourquoi il lui avait fallu en boire tellement plus que d'habitude.

8

En me réveillant, je résolus de chasser de mon esprit toute vision de vieilles harpies devineresses et de démentes harcelantes pour concentrer mon attention sur le dîner. Depuis le début, j'avais des sentiments mitigés à cet égard parce que j'avais peur de faire un faux pas qui autoriserait nos invités anglais, le juge et sa femme, à me classer parmi les vulgaires arrivistes, mais aussi parce que Kim et moi en étions encore au stade où nous nous efforcions d'organiser notre vie de couple. Nous avions bien fait de décider qu'il s'installe chez moi dans un premier temps ; il avait besoin de tirer ses finances au clair, et après les tensions suscitées par les changements de fonctions et le divorce, nous avions préféré ne pas compliquer les choses en nous mettant en quête d'un nouvel appartement. Le mien présentait de nombreux avantages, mais il n'était pas spacieux ! Sur les trois chambres que je possédais, nous en avions attribué une aux affaires de Kim et une autre aux miennes lorsqu'il m'avait fallu comprimer mon barda pour libérer un peu de place à son intention. (Bien évidemment, nous n'avions jamais le temps de trier.) Tout ce chaos signifiait que nous vivions assez à l'étroit entre le salon et notre chambre à coucher, ce qui n'offrait pas vraiment un cadre idéal à un dîner élégant.

Pour ajouter à mon impression de désorganisation, je n'avais pas encore eu le temps de trouver une femme de ménage digne de confiance. J'avais juste été capable de dénicher un traiteur, une démarche qui avait fait chou blanc. En conséquence, ce matin-là, je n'étais pas d'humeur à jouer la gracieuse hôtesse. A vrai dire, l'idée même de recevoir me donnait une envie presque irrésistible de mettre une goutte de vodka dans mon jus d'orange.

Quoi qu'il en soit, comme sombrer dans les stupeurs de l'alcool ne me paraissait pas une solution viable, je me levai à 5 h 30 et passai une bonne heure à nettoyer à fond le salon et la salle de bains avant de m'habiller pour aller travailler en me bichonnant au maximum. J'arrivai au bureau à 8 heures pour une réunion. La matinée passa en un éclair au fil d'une succession de crises. J'avais prévu d'aller acheter des fleurs pendant l'heure du déjeuner et de passer rapidement à l'appartement pour les mettre dans de l'eau, mais je dus renoncer à cette idée lumineuse parce qu'à 13 heures, le fax, pris de folie, déballait une suite ininterrompue de documents émanant de Pékin et il me fallut joindre notre associé en Chine pour lui demander des explications. J'avais notre branche chinoise en horreur, mais en tant que bureau d'avocats-conseils international, nous avions pour mission d'acquérir des terrains pour nos clients partout dans le monde, de régler les problèmes de bail et de rédiger leurs contrats tout en leur garantissant une propreté absolue sur le plan fiscal, même s'ils se prenaient pour des clones de Marco Polo.

Si je parvins à m'échapper du bureau à 17 h 30, ce fut grâce à Tucker, le super-intérimaire qui prit le contrôle du fax dément et parvint à retrouver la trace de notre partenaire pékinois qui nous avait envoyé cette masse de paperasserie qu'on aurait dit rédigée au milieu d'une rizière. Il s'avéra que ledit partenaire avait sombré dans la dépression nerveuse. Personne ne parut s'en étonner en dehors de notre directeur qui prit cela comme un affront personnel et décréta que l'individu en question avait manqué à tous ses devoirs en ne manifestant pas l'esprit qui avait bâti l'Empire. Il faut entendre ce que disent parfois ces dinosaures pour le croire !

Dans les toilettes, une petite voix me dit : « Je déteste ce fichu boulot et j'en ai marre de ne jamais avoir le temps de faire quoi que ce soit. J'en ai par-dessus la tête que ma vie soit une crise perpétuelle et puis j'ai horreur d'organiser des dîners pour des gens dont je n'ai rien à foutre. » Bien évidemment, ce flot d'hérésies émanait de mon état de stress extrême. Il fallait que je me ressaisisse sur-le-champ avant que quelqu'un ne tente de me piétiner.

Je pris un taxi pour me rendre chez la fleuriste de Moorfields à laquelle j'expliquai que je voulais trente livres de flore jaune et blanc agrémentée d'une brassée de jungle, et remontai bientôt en titubant dans la voiture, chargée de ce qui me parut être une véritable forêt vierge. Dans l'ascenseur, j'eus du mal à appuyer sur le bouton de l'étage ; fort heureusement, un aimable co-résident s'en chargea avant que je ne fasse sauter le panneau.

En entrant dans l'appartement, je trouvai le salon sens dessus dessous. Un tableau était tombé, heurtant la desserte et entraînant une lampe dans son sillage ; il s'était fracassé sur le parquet avec une force telle que la vitre était en mille morceaux. Je déposai mes fleurs dans la baignoire en jurant et retournai dans le salon afin d'évaluer les dégâts de plus près, pour en conclure que je pouvais redresser la situation sans trop de peine. Je fus soulagée de voir que s'il fallait un nouveau cadre, le tableau lui-même — une gravure du collège d'Oxford où Kim avait fait ses études — n'avait pas souffert. Sans perdre de temps, je fourrai le tout dans un sac et ramassai les débris de verre.

Tout compte fait, cet épisode n'avait rien de surprenant. Lorsqu'on vit au trente-cinquième étage au-dessus de l'esplanade du Barbican, on s'attend à ce que son logement bouge un peu de temps en temps. Les grands immeubles ayant besoin d'une certaine flexibilité, j'avais l'habitude des fissures qui apparaissaient régulièrement dans les plâtres.

Ce fut seulement lorsque Alice arriva quelques minutes plus tard que je songeai à Sophie. A l'évidence, sa présence fit ressurgir la scène du supermarché dans mon esprit, mais je me souvins du même coup du commentaire que j'avais fait à propos de sa volonté de se venger au nom de la justice. Je me dis que si elle était parvenue à ses fins durant notre confrontation, je l'avais envoyée promener sans mâcher mes mots. Estimait-elle à présent que Dieu lui ordonnait de me rendre la vie impossible en faisant irruption chez moi dans le but de détruire un tableau dont elle savait qu'il avait une valeur sentimentale pour Kim ? C'était une hypothèse des plus déconcertantes, mais heureusement, je ne tardai pas à la démanteler. Comment aurait-elle pu accéder à l'appartement ? Le hall d'entrée était gardé vingt-quatre heures sur vingt-quatre et dans le garage, au niveau de la rue, il y avait presque toujours une sentinelle en faction pour écarter d'éventuels intrus.

En chassant de mon esprit toute pensée liée à Sophie, je disposai les fleurs dans deux vases, un pour le salon, l'autre pour la chambre où nos invités déposeraient leurs manteaux. Je résolus ensuite d'arranger le reste des fleurs en un petit bouquet raffiné destiné à la table, mais vite convaincue que cela prendrait plus de temps et de talent que je n'en avais, j'abandonnai l'excédent dans ma chambre-dépotoir. Mieux valait s'abstenir que d'obtenir un résultat imparfait.

Pour finir, je me glissai non sans difficulté dans ma robe noire favorite en songeant que les dîners mondains devraient être proscrits par la loi.

9

Il serait difficile de trouver les mots pour exprimer le soulagement que j'éprouvai quand la soirée se révéla un succès. Ce triomphe n'était peut-être pas vraiment une surprise puisque je suis capable de tout pour éviter l'échec, mais je dois reconnaître, en toute honnêteté, que ce fut le cas non pas parce que j'avais réussi à métamorphoser mon logement en un modèle pour *House & Garden*, mais parce qu'Alice avait concocté un repas digne de plusieurs étoiles dans le Michelin. Et cela dans ma minuscule cuisine antique, ce qui doit figurer parmi les tours de force culinaires de la décennie

Elle avait choisi une recette basque : un gigot d'agneau accompagné d'amandes, de pommes de terre et d'une béarnaise à la menthe. En entrée, elle servit une salade maraîchère destinée à séduire nos convives américains, dans le style toscan afin de mettre en transe l'épouse du juge, qui, tout comme Alice l'avait supposé, tint à faire étalage de ses connaissances de la cuisine du pays du Chianti. Un sorbet au citron suivit le plat de résistance, histoire de limiter les dégâts du cholestérol pour ceux qui s'en souciaient, offrant un agréable contraste acide après l'agneau savoureux, puis le plateau de fromage composé d'un Stilton, d'un Cheddar et d'un Brie à vous mettre l'eau à la bouche circula à l'intention des convives toujours disposés à faire fi de leur ligne. Un grand bol de raisins accompagnait les fromages dans leur cheminement.

— Magnifique ! chuchotai-je à Alice quand j'allai voir où en était le café. Félicitations !

Ses joues rondes rosirent de plaisir. Elle portait des lunettes ce soir-là et m'avait précisé qu'elle ne s'était mise aux verres de contact que depuis peu et qu'elle n'arrivait pas encore à les garder longtemps. Elle avait revêtu une robe noire toute simple, des bas sombres, des chaussures plates et un tablier blanc qui formait une proue sur sa resplendissante poitrine. Je songeai incongrûment à ces cartes de visite affichées dans les cabines téléphoniques du West End vantant les services de prostituées disposées à satisfaire les désirs de loufoques en revêtissant des uniformes pour des séances de sexe scabreuses.

Nous passâmes au café accompagné de petits chocolats à la liqueur. Derrière la porte close de la cuisine, Alice avait entrepris la phase de nettoyage. En allant chercher la boîte de cigares, Kim s'approcha de moi et chuchota : « Comment rentre-t-elle ? »

— Son fiancé doit venir la chercher. Elle l'appellera de la chambre quand elle sera prête à partir.

— Superbe cuisinière. Un grand dîner ! Et quel uniforme ! dit-il en me faisant un clin d'œil.

Je le poussai discrètement du coude avant de tourner mon attention vers les non-fumeurs qui se regroupaient autour de mon télescope tandis que les mordus du cigare prenaient la direction du balcon. A mon grand soulagement, la nuit était claire. Nos invités passèrent un temps infini à se pâmer sur la vue.

Quand je retournai voir Alice, elle m'annonça qu'elle avait fini de ranger et appelé son petit ami, mais il était retardé. Cela m'ennuyait-il qu'elle l'attende dans l'appartement ou préférais-je qu'elle aille dans le hall d'entrée ? Il ne va pas tarder, m'assura-t-elle.

— Restez ici, bien sûr ! m'exclamai-je. Allumez la télévision dans la chambre et mettez-vous à l'aise.

Je n'avais guère l'habitude de me montrer aussi hospitalière envers des étrangers, mais je tenais à lui manifester ma gratitude.

Le portier finit par sonner au moment où la porte venait de se refermer sur notre dernier invité.

— Mike au garage dit qu'il y a quelqu'un pour votre cuisinière, madame Betz.

Je raccrochai le récepteur de l'intercom et filai dans la chambre où Alice regardait un vieux film en noir et blanc. J'aperçus Joan Crawford très émue sous des sourcils assez épais pour soutenir une pile d'assiettes.

— Votre ami est là, m'exclamai-je. Si nous l'invitions à boire un verre ? Pourquoi n'y ai-je pas pensé plus tôt ? Si quelqu'un mérite un verre, c'est bien vous.

Cette humeur généreuse suivait une phase de stress extrême, faut-il le préciser. Un énorme soulagement avait engendré une véritable euphorie alimentée par la vodka, le porto et le vin rouge.

— Il n'est pas question que nous vous dérangions, madame Betz.

Kim insista. Je rappelai le portier.

— Pourriez-vous demander à Mike de dire au monsieur qui attend en bas qu'il est invité à prendre un verre au trente-cinquième étage ?

Le monsieur en question refusait de monter. C'était très gentil de la part de M. et Mme Betz, mais il venait juste chercher Mlle Fletcher.

— Il a besoin d'un petit coup de pouce personnel ! déclarai-je, déterminée à attirer ce timide jeune homme au cœur de l'action.

— Venez, Alice, allons le chercher. Kim, reste ici et ouvre une bouteille de champagne pour célébrer le repas le plus succulent jamais servi dans la tour Harvey !

La pauvre Alice, qui bien entendu n'avait pas bu une goutte, tenta de protester, mais elle dut déclarer forfait face à la brigade Betz respirant l'autoritarisme imbibé d'alcool. Nous prîmes l'ascenseur et émergeâmes dans le sous-sol pour trouver une Peugeot blanche immaculée garée juste devant les ascenseurs. Dès que nous apparûmes, le conducteur sortit du véhicule. Il était grand, mince, la quarantaine avec des cheveux bruns bien coupés et un visage curieux, pâle, osseux et tout en angles. Il portait un jean et une veste en cuir. Comme il approchait, je remarquai qu'il se déplaçait avec une grâce presque fluide, qui m'incita à me demander s'il ne s'agissait pas d'un acteur rompu aux meilleures scènes de la ville.

— Je vous présente Nicholas Darrow. Nicholas, voici madame..

Elle hésita entre mes deux noms.

— Carter Graham, dis-je, indiquant mécaniquement celui que je donnais à tous les gens que je rencontrais par mon travail, et comme il me tendait la main, les revers de sa veste s'écartèrent et je vis que sous sa chemise bleue, il portait autour du cou une bande de plastique blanc qui ne trompait pas.

C'était un ecclésiastique.

10

J'étais tellement frappée par cette coïncidence de me retrouver face à face avec un chrétien alors que la veille, j'avais juré qu'aucun d'entre eux n'entrerait jamais dans ma vie ! L'espace d'un instant, je restai comme tétanisée. Je dus me rappeler sévèrement qu'il y avait peu de chances que je le revoie un jour.

— Bonjour, dit-il aimablement alors que je luttais toujours contre l'ahurissement.

L'instant d'après, je serrai sa main tendue. Ses longs doigts minces se refermèrent fermement autour des miens.

— Alice ne m'avait pas dit que vous étiez prêtre, fut tout ce que je trouvai à dire.

— Je ne vois pas pour quelle raison vous auriez abordé la question, me répondit-il à juste titre. Je ne faisais pas partie du menu. Tout va bien ? demanda-t-il en se tournant vers Alice.

— Très bien, répondit-elle avec un sourire radieux.

— Alors allons-y. Madame Graham, pardonnez-moi de décliner votre gentille invitation, mais je dois me lever de bonne heure demain.

Je marmonnai quelques paroles aimables avant qu'Alice me souhaite bonne nuit en se portant volontaire pour de futurs dîners. Je les remerciai et les regardai partir avant de remonter au trente-cinquième étage.

— Tu n'as pas réussi à l'attirer ici ! commenta Kim qui avait judicieusement évité d'ouvrir la bouteille de champagne. Comment a-t-il pu te résister ?

— Je me le demande, dis-je en gagnant la chambre pour me débarrasser de toute ma quincaillerie.

— Il est bien ?

— Ce n'est pas mon genre.

Je jetai un coup d'œil à mon reflet dans la glace et décidai que je ressemblais à une héroïne de Hitchcock qui venait de survivre à une rencontre particulièrement sinistre. (Grace Kelly quand elle vient d'échapper à Raymond Burr dans *Fenêtre sur cour*.) J'étais vraiment curieuse de savoir pourquoi je n'arrivais pas à dire à Kim : « Tu ne le croiras jamais, mais il se trouve que le petit copain d'Alice est prêtre ! Tu ne trouves pas ça comique ? »

Mais sans doute une rencontre sinistre, par définition, pouvait-elle difficilement être comique.

Dieu merci, j'étais trop ivre pour méditer plus avant sur la prédiction de Mme Mayfield concernant mon « flirt avec l'ennemi ». Après avoir absorbé une dose maximale d'Alka-Seltzer, je me démaquillai, me déshabillai et plongeai dans l'oubli aussi vite qu'un immeuble en béton englouti par des sables mouvants.

11

Le lendemain matin, je ressentis le besoin de me consacrer entièrement à ma gueule de bois bien qu'a priori, je n'en eusse guère le temps. J'avais un emploi du temps serré le samedi. Je devais nettoyer l'appartement, faire la lessive, passer chez le teinturier, piller le supermarché, aller chez le coiffeur et la manucure, reconstituer mon stock de produits de maquillage, trier le courrier que je n'avais pas ouvert de la semaine, faire mes comptes et parcourir plusieurs kilomètres sur le tapis de jogging qui se trouvait quelque part dans mon foutoir. L'avantage, cette semaine, c'était que j'avais déjà fait le ménage à fond dans le salon ; il ne me restait plus qu'à ranger un peu, et Alice avait laissé une cuisine impeccable, sauf le sol que je pouvais généralement remettre en état en l'espace d'une minute.

Kim avait ses propres besognes à accomplir. Il faisait lui-même sa lessive et portait ses costumes à la teinturerie. Nous avions essayé de mélanger nos vêtements à laver et ceux que nous donnions à nettoyer, mais pour ce qui était de la machine à laver, il semblait qu'il nous fallût des programmes différents. Quant à la teinturerie, cela faisait trop pour qu'une seule personne pût tout prendre en une fois. Kim se chargeait parfois des courses, mais je ne pouvais pas compter sur lui parce qu'il ne suivait jamais ma liste et imposait ses choix dont la plupart me déplaisaient par principe. Il refusait catégoriquement de faire le ménage — cela se comprenait ! Tant que je n'aurais pas mis la main sur une femme de ménage convenable, je ne pouvais en dire autant. En conséquence du divorce, il avait plus de correspondance que moi à affronter le week-end, et ce samedi-là, il devait se mettre en quête d'un encadreur pour sa gravure, à son retour de la piscine. Il lui arrivait souvent d'aller travailler quelques heures au bureau. En bref, nous étions très occupés le samedi, et soigner ma gueule de bois n'était certainement pas la meilleure manière de démarrer le week-end.

Nous étions encore sous la couette en train de boire du café noir avec la conviction qu'on devrait rapidement nous relier à des machines destinées à nous maintenir en vie quand le téléphone sonna.

— Ce sont sans doute nos invités qui nous appellent pour nous complimenter sur notre somptueux dîner, dis-je.

— Déjà ? Tu crois vraiment qu'ils sont conscients ? Hé, décroche avant que ce bruit me fende le crâne !

J'obtempérai et parvins à bredouiller :

— Ou-i ?

Une voix féminine lança avec un entrain terrifiant :

— Bonjour. Jake est-il là, s'il vous plaît ?

— Désolée. Vous avez dû vous tromper de numéro.

— Attendez. Carter ?

J'étais tellement sidérée que je répondis par l'affirmative, au lieu de demander à qui j'avais affaire.

— ... Oh, Carter. Ici Mandy Simmons — vous vous souvenez de moi ? Nous nous sommes rencontrées récemment à un cocktail à Mayfair...

— Je me souviens. Qui est Jake ?

— Oh ! Ce que je suis bête, j'avais oublié, on l'appelle Kim en général, n'est-ce pas ? Dans le groupe, tout le monde le connaît sous le nom de Jake... Avez-vous entendu parler de notre petit groupe, par hasard ?

— Et comment ! ripostai-je, regrettant d'avoir l'esprit embrouillé par des substances chimiques. J'ai adoré les recommandations que vous avez faites à Kim au sujet de notre mariage.

A côté de moi, l'intéressé s'était dressé sur son séant.

— Passe-moi le téléphone, m'ordonna-t-il en tendant la main, mais je m'y cramponnais.

Mandy continuait à jacasser, aussi effervescente qu'un Alka-Seltzer.

— Pour l'amour du ciel, ne prenez pas la mouche pour une petite erreur idiote ! Nous nous rendons compte à présent que nous avons dramatisé, et c'est précisément la raison de mon appel ! Dites à Kim que nous serions ravis de le revoir et... serait-il là par hasard ? Puis-je lui parler ?

— Cours toujours, répliquai-je en faisant mine de raccrocher, mais Kim me saisit le poignet au passage.

— Mandy ?

— Jake ?

Blottie contre Kim, l'oreille à quelques centimètres du combiné, je l'entendais très clairement :

— Qu'avez-vous dit à Carter à notre égard, mon cœur ? Elle a l'air d'écumer de rage.

— Soyons clairs, Mandy. Je vous suis reconnaissant de toute l'aide que vous m'avez apportée, mais...

— Vous manquez terriblement à Elizabeth !

— C'est une dure-à-cuir. Elle s'en remettra.

— Mais c'est pour vous que nous nous inquiétons, mon chéri ! Dites-moi, avez-vous parlé à Carter de votre passé nazi ?

Kim raccrocha brutalement, puis il expédia le téléphone contre le mur avec une violence telle que le coffrage en plastique se fendit. Après quoi, il se rua dans la salle de bains.

IV.

« Nous sentons que la trame qui nous unit à autrui s'effiloche et se déchire... Les habitudes de communication dans la confiance sont trahies. »

David F. Ford
The Shape of Living

1

Je restai là sans bouger, adossée aux oreillers. Je ne m'étais jamais rendu compte auparavant qu'on pouvait être pétrifiée, littéralement, sous l'effet d'un choc. Pour finir, mon cerveau se remit en branle et je parvins à me lever, à ramasser le téléphone et à raccrocher. J'approchai de la porte de la salle de bains sur la pointe des pieds en retenant mon souffle ; aucun bruit ne me parvint. Dans la salle de douche voisine, je me passai de l'eau froide sur la figure, mais je n'arrivais toujours pas à penser clairement. Je savais juste que je détenais désormais une information que Kim était déterminé à ne jamais me révéler et que si je ne réagissais pas correctement, la bombe amorcée par Mandy aurait un effet dévastateur sur notre couple. Je devais me montrer compatissante, soutenir Kim et réprimer ma colère et ma stupeur.

Il n'empêche que j'étais furieuse et interloquée. J'allai boire deux verres d'eau à la cuisine dans l'espoir de noyer ma gueule de bois, puis je m'installai devant mon télescope. Il pleuvait et il y avait trop de brume pour voir loin, mais je suivis les méandres de la Tamise, de Westminster jusqu'à la statue dorée de la Justice brandissant son épée au-dessus des tribunaux de Old Bailey. J'étais toujours là en train de méditer sur la manière dont on avait châtié les criminels de guerre nazis à Nuremberg quand j'entendis Kim s'activer dans la cuisine.

— Désolée, lançai-je sans me retourner, j'aurais dû refaire du café.

— Ce n'est pas grave, répondit-il calmement.

Je supposai qu'il s'était ingénié tout comme moi à recouvrer un semblant d'équilibre et cette similitude entre nous me redonna brusquement du courage. Il me sembla que la scène à laquelle j'allais devoir faire face ne requérait pas de stratégie complexe, qu'il me suffisait de croire en la pérennité de notre relation.

— Je connais ce genre de femmes, dis-je d'un ton détaché. Elles minaudent et roucoulent dans leur robe de petite fille jusqu'au moment où elles brandissent un couteau, prêtes à vous éviscérer. Elle savait pertinemment que, même quand elle t'aurait au bout du fil, je ne manquerais pas un mot de votre conversation.

— Effectivement.

Il émergea de la cuisine, un grand verre de lait à la main, et s'approcha de moi.

— Regarde, dis-je en tapotant le télescope, ça fait du bien. Cela permet de relativiser les choses.

Il secoua la tête.

— J'aurais trop peur de voir la City sauter sous les bombes.

— Il y a des années de cela et tu n'étais qu'un bébé, m'empressai-je de souligner.

— C'est vrai. J'étais un bébé... mais pas en Argentine. Tu ne t'en es jamais doutée ?

Je ne pus que bredouiller avec peine :

— Je te faisais confiance, dis-je, puis je parvins à ajouter : En quelle année vous êtes-vous installés en Argentine ?

— 1947. Je suis né à Cologne en 1940 et mon père, évidemment, n'était pas juif. Il a adhéré au parti nazi en 1929, l'année où Hans Frank en est devenu le conseiller juridique... Ce nom te dit-il quelque chose ?

Je secouai la tête, si ébranlée par cette énumération rapide de faits que j'avais à peine entendu le nom en question. Comme s'il était pressé de parler avant que ses nerfs craquent, Kim se hâta de continuer :

— Mon père était avocat. C'était un homme cultivé issu d'une bonne famille. Je veux dire que ce n'était pas simplement un robot de la OKH qui obéissait aux ordres sans réfléchir...

— La OKH ? répétai-je machinalement.

— Le haut-commandement de l'armée allemande. Peu importe... Il suffit de dire que mon père trouvait les militaires très rasoir. Avant la guerre, il travaillait avec Hans Frank sur le système juridique de la *Gleichschaltung*, puis il s'intégra à l'Académie de droit allemande fondée par Frank. Ils étaient bons amis. Frank est connu pour avoir dit : « L'attachement au Führer est devenu un précepte de la loi »... Bref, il fut pendu à Nuremberg après la guerre.

Il marqua une pause, mais j'étais trop abasourdie pour réagir. Finalement, il reprit d'une voix aussi neutre que possible :

— Frank fut nommé gouverneur général de la Pologne occupée. Il s'installa dans le château de la Wavel à Cracovie. Il fut à l'origine de la politique systématique de destruction et d'avilissement de la nation polonaise peu à peu réduite à une société d'esclaves et massacra des juifs, bien évidemment. En masse. Il y eut davantage de morts en Pologne pendant la guerre que partout ailleurs... Bref, mon père travailla à Cracovie au côté de Frank. Il faisait des affaires avec un dénommé Reinhard Heydrich... As-tu jamais entendu parler de lui ? Non ? Il fut assassiné en 1942. Il forma le *Sicherheitsdienst* ou SD — les services secrets à la solde des SS —, et fut le principal agent nazi de la campagne contre les juifs. Le SD était étroitement associé à la Gestapo.

Il s'interrompit à nouveau, et l'instant d'après, sa main, hésitante, m'effleura l'épaule. Peut-être voulait-il s'assurer que je ne reculerais pas de dégoût, mais à ce stade, j'avais réussi à concentrer mon attention sur le fait que Kim, né en 1940, ne pouvait pas être responsable des choix de son père en matière d'amitié.

— Toi aussi, tu étais à Cracovie ? demandai-je en me forçant à poser brièvement ma main sur la sienne.

— Oh non ! La Pologne était un territoire dangereux peuplé de gens que mon père considérait comme moins qu'humains. Il s'arrangea pour que ma mère et moi nous installions près de la frontière du côté allemand afin de pouvoir nous rendre visite. Ma mère allait le voir de temps en temps à Cracovie, mais elle ne m'emmenait jamais avec elle. Je restais avec ma nurse et le chien.

— Alors la photo que tu m'as montrée...

— ... fut prise dans la maison où nous habitions alors.

— Comment tout cela s'est-il terminé ?

— Dans le chaos le plus total.

Quelques minutes s'écoulèrent avant qu'il fût en mesure de reprendre la parole. Il posa son verre de lait en frissonnant.

— Frank avait pris la fuite en Allemagne avant l'avance russe de 1944. Mon père resta encore quelque temps. L'armée rouge ne fit son ultime percée en Pologne qu'en janvier 1945. Lorsqu'il quitta finalement le pays, mon père reçut l'ordre de demeurer à l'est de l'Allemagne, et je suis sûr qu'il nous aurait renvoyés à Cologne si cela avait été possible, mais la ville était en ruine et les Alliés progressaient sur l'autre front. Ma mère avait peur. Nous sommes restés. Naturellement, mon père savait que la fin était proche ; il prit des dispositions pour s'enfuir le moment venu.

— Et alors ?

— Il dut se rendre à Berlin, mais cela faisait partie de ses plans. Lorsqu'il envoya un message à ma mère en lui disant de filer, elle mit la nurse à la porte, relâcha le chien et me traîna dans ce qui devait être l'un des derniers trains en partance. Pour me faire taire, elle me dit que les Russes arrivaient et qu'ils tuaient tous les enfants de moins de cinq ans... Le pire pour moi fut de ne pas pouvoir dire au revoir à ma nurse et à mon chien.

Elle s'appelait Helga et le chien Wotan. Je pense toujours à eux, chaque année, à cette date-là.

— Peut-être Helga s'en est-elle tirée...

— Tu ne comprends pas. Les Russes arrivaient.

— Quelqu'un a dû prendre soin du chien en tout cas, fis-je en avalant ma salive.

— Non ! Non ! Tu vis sur une autre planète ! Tu ne te rends pas compte. Tout le monde mourait de faim. Il n'a pas dû survivre vingt-quatre heures.

J'avais cessé de tripoter mon télescope.

— Qu'est-il advenu de ta mère et toi ?

— Nous prîmes une kyrielle de trains. Mon père n'avait pas prévu l'ampleur du chaos. Je ne me souviens pas de grand-chose à part que je restai sans manger pendant trois jours et que les toilettes étaient bouchées. Pour finir, nous arrivâmes en Italie, dans une sorte de château où nous attendîmes mon père. Heureusement il avait beaucoup d'argent parce qu'il s'était débrouillé pour avoir un compte secret en Suisse.

— Secret ? demandai-je d'une voix faible parce que je me souvenais de fortunes confisquées, mais il ne me laissa pas finir.

— Dès qu'il nous eut rejoints au *schloss*, nous partîmes pour Rome, poursuivit-il. La ville grouillait de réfugiés. L'Europe entière était sens dessus dessous et c'était facile de se perdre dans la foule. Nous attendîmes quelque temps, mais à ce stade, nous étions engagés dans la course vers la liberté, comme on disait. Nous savions que nous finirions par avoir les papiers dont nous avions besoin. En définitive, nous nous embarquâmes sur un navire rempli d'émigrés venus de toute l'Europe. Je me souviens de ma mère faisant un scandale parce qu'elle était obligée de manger à la même table que des juifs. C'était typique. Elle n'a jamais changé. Mon père non plus, d'ailleurs.

Il s'assit sur l'accoudoir du canapé, posa son verre sur la table basse et se pencha en avant, les mains en appui sur les genoux. Son front étincelait de sueur et il regardait fixement la moquette comme si sa couleur neutre l'aidait à se concentrer.

— Ils n'éprouvèrent jamais ni remords, ni regrets, reprit-il. Ils détestèrent l'Argentine et passaient leur temps à parler de l'Allemagne. Mon père se mit à boire... Ma mère... peu importe ! Ils ne m'étaient d'aucune utilité. Pour finir, mon père succomba à des troubles hépatiques. Je trouvais que c'était plutôt une bonne nouvelle. Ma mère mit le grappin sur un yankee pour obtenir la nationalité américaine. Tout le monde voulait aller en Amérique à l'époque. C'était la terre d'abondance et l'Europe était toujours un terrain vague, mais, Seigneur, quel cauchemar, ces années en Amérique ! Mon beau-père était encore plus salaud que mon père. Dieu merci, quelqu'un finit par lui faire sauter la cervelle... Puis ce fut le tour de l'Anglais. Evidemment, en temps normal, ma mère n'aurait jamais songé à se dégoter un Britannique — nettement inférieur aux Américains à ses yeux —, mais elle ne savait plus quoi faire parce que son époux précédent avait dépensé tout ce qui restait sur le compte suisse. On s'est donc retrouvés en Angleterre. Quelle ironie ! Giles savait-il la vérité à notre sujet quand il l'a épousée, ou l'avait-elle trompé en lui disant, comme elle le faisait toujours à l'époque, que son premier mari était un réfugié juif ? Je l'ignore. Il était loin d'être bête et je suppose qu'il savait, mais qu'il n'en avait rien à faire. Elle présentait bien...

Il se leva, s'essuya le front et s'approcha de la desserte. A ma consternation, je le vis verser une rasade de cognac dans son demi-verre de lait.

— Au moment où ma mère était sur le point de mourir, je me résolus à lui poser les questions essentielles, poursuivit-il. Ne crois pas que je me sois dérobé. « Que faisait mon père exactement ? » lui demandai-je. « Comment veux-tu que je le sache ? Il ne m'en a jamais parlé », fut tout ce qu'elle trouva à me répondre. Comme j'insistai, elle ajouta : « Il était dans l'administration. C'était un bon Allemand. Il aimait beaucoup son pays. » Il y avait belle lurette qu'elle avait fermé les yeux sur la vérité, mais du fait des relations de mon père avec Heydrich, j'étais certain que son « administration » concernait les juifs... « Nous n'aurions pas eu besoin de faux papiers pour quitter l'Europe s'il n'avait pas figuré sur la liste des personnes recherchées », dis-je à ma mère, mais elle protesta : « Il n'a jamais été sur aucune liste, ni tué personne. Il s'occupait de paperasseries et puis de toute façon, qu'est-ce que ça peut faire ? Ce n'était qu'une poignée de juifs ! » Elle niait tout, comme tant d'autres Allemands à l'époque... Sais-tu qu'après la guerre, les Alliés forcèrent les Allemands à regarder des films sur les camps ? Le savais-tu, Carter ?

— Non, fis-je, les lèvres serrées.

— Eh bien, ce fut le cas. Et les Allemands sortirent des salles en disant que c'était de la propagande produite par Hollywood. J'ai découvert ça au cours de mes recherches. J'ai découvert des tas de choses et je n'ai pas pensé une seconde qu'elles avaient été fabriquées de toutes pièces. Je ne serai jamais comme mes parents, je ne serai jamais antisémite... Evidemment, à présent il ne fait aucun doute dans mon esprit que le fameux compte secret contenait des fonds confisqués à des juifs.

— ... Tous tes amis juifs... Toutes ces firmes juives pour lesquelles tu as travaillé...

— J'ai fait tout ce que j'ai pu pour mettre mes talents à leur disposition, et bien évidemment, l'argent que je donne à des œuvres de bienfaisance sert leurs bonnes causes. Que veux-tu que je fasse d'autre ?

Il se tourna brusquement vers moi et repoussa ses cheveux d'une main tremblante.

— Durant cette fichue guerre, dit-il, des gosses de mon âge sont morts dans des camps. J'ai vu leurs cadavres en photos.

Je me relevai d'un bond et m'approchai de lui, mais il s'était détourné entre-temps.

— Après la mort de ma mère, j'ai craqué et j'ai tout dit à Sophie. Ce fut une grave erreur. Elle n'a pas supporté. Nous n'avons plus jamais couché ensemble.

Sans hésitation, je l'enlaçai pour lui montrer à quel point je différais de son ex-femme.

2

Après que nous nous fûmes étreints farouchement, il continua sur le même ton neutre :

— Ce fut la tromperie qui l'anéantit. Evidemment, elle tolérait mal ce passé, mais elle pouvait me le pardonner. En revanche, elle ne pouvait pas admettre que je ne me sois jamais confié à elle.

— Certaines personnes oublient que pour d'autres êtres moins favorisés qu'elles, il y a des sujets intolérables.

Il fut si soulagé par ma compréhension qu'il lui fallut un moment avant de murmurer :

— Ton père ?

Je hochai la tête en le serrant à nouveau dans mes bras.

— Raconte-moi.

— Ce qu'il y a d'idiot, c'est que ça ne te paraîtra pas si grave parce qu'il n'a jamais rien fait de bestial. Il ne m'a ni violée, ni battue, ni enfermée dans un placard. Il doit y avoir des milliers d'enfants qui supportent un père obnubilé par le jeu, mais le fait est que lorsqu'on est gamin, on a l'impression d'être le seul à endurer ça. C'est une illusion, mais elle est si forte que, du coup, la question devient tabou.

Il parut plus soulagé que jamais et, finalement, nous nous rassîmes sur le canapé.

— Il doit y avoir des milliers d'hommes en Allemagne aujourd'hui dont le père était nazi, dis-je, et tous ne pouvaient pas être des monstres comme Hans Frank. Peut-être le tien était-il vraiment un bon avocat qui s'est trouvé trop intimement mêlé à un régime cauchemardesque pour pouvoir s'en sortir s'il n'obtempérait pas.

— C'est sans doute la défense qu'il aurait invoquée à Nuremberg.

— Rien ne prouve qu'il se serait retrouvé là !

— Peut-être pas avec les grands criminels de guerre. Mais il y eut de nombreux procès à Nuremberg... et tout indique qu'il était conscient de devoir quitter l'Europe. Nous nous sommes réfugiés en Argentine. C'était le mode d'évasion classique des Nazis.

— Et d'un grand nombre de réfugiés qui voulaient tout bonnement refaire leur vie ailleurs ! protestai-je, mais il ne m'écoutait plus.

— Après le rejet de Sophie, j'ai eu euh... pas vraiment une dépression nerveuse. Disons que je me suis absorbé dans mon travail pour tâcher de ne plus penser au passé, mais c'était impossible, alors j'ai entrepris de faire des recherches. Je ne pouvais pas m'en empêcher. En définitive, j'ai étudié toute cette fichue guerre... mais je n'ai jamais pu découvrir précisément ce que mon père avait fait. Je suppose qu'il a dû brûler le pire de sa « paperasserie » en 1944, après le départ de Frank de Cracovie. J'aurais tout donné pour connaître la vérité. Je suis même allé à Auschwitz dans l'espoir que cela me remette en mémoire des propos tenus par mes parents sur les camps de la mort. Y es-tu jamais allée ?

— Non.

— C'est atroce, mais d'une manière qui défie toute logique, ce fut aussi une expérience spirituelle pour moi. Du coup, je me suis intéressé à Dieu et je me suis mis à étudier la question, mais je n'ai rien trouvé qui m'impressionne ou qui me touche. En revanche, je pouvais comprendre le concept des Puissances des ténèbres, dimension démoniaque de la réalité, parce que je savais que j'avais eu affaire à eux dans mon enfance. De fait, toute ma vie, j'avais eu l'impression de me battre contre eux.

— Inutile d'en dire davantage, chéri. Tu n'as pas besoin de parler de ces choses-là...

— Mais tout le problème était là ! Ne comprends-tu pas ? Je ne pouvais pas en parler ! Je m'acharnai sur mes recherches jusqu'au moment où je souffris de tels maux de dos qu'il me fallut arrêter. Mon corps me disait de laisser mon esprit se reposer, mais je n'y arrivais pas. J'étais obsédé. J'avais si peur de craquer, je vivais au jour le jour et j'en étais là quand je suis tombé sur l'annonce de Mme Mayfield. Je n'aurais jamais cherché à la consulter si je m'étais senti bien, mais je n'en pouvais plus, j'étais au bout du rouleau...

— Oui, je comprends... Tout est clair à présent...

— ... et elle m'a aidé, elle a su quoi faire pour dissiper mon mal. Elle m'a guéri l'esprit et il aurait fallu que cela en reste là, mais ce ne fut pas le cas. Pas du tout.

— Je ne te suis plus très bien.

— Eh bien, lorsque tu vas chez le médecin, une fois qu'il t'a soigné, tu ne traînes plus dans son cabinet après. Ta vie reprend son cours ; la sienne aussi. Mais quand on a affaire à Mme Mayfield, les choses ne se passent pas ainsi. On est supposé venir régulièrement et puis un beau jour, on s'aperçoit qu'on s'est fait avoir...

— Avoir ? Désolée. Je ne comprends toujours pas...

— Laisse tomber. Disons simplement que c'est moins facile de se débarrasser de Mme Mayfield que je ne le pensais. Par exemple, je suis sûr qu'elle a décidé que le moment était venu pour elle de se servir de Mandy pour m'attirer de nouveau au sein du groupe.

— Mais pourquoi ne pas dire tout simplement à cette vieille chipie d'aller se faire voir ?

— J'aimerais bien, mais je dois agir avec prudence.

— Pour quelle raison, bon sang ?

— Parce qu'elle sait trop de choses sur moi. On m'a déjà fait du chantage une fois dans ma vie, je ne tiens pas à répéter l'expérience.

3

Trop choquée pour parler, je sentis vaguement le baiser que Kim me déposa sur la tête en se redressant. Je restai assise sur le canapé, comme paralysée.

— Ce n'est pas grave, me lança-t-il d'un ton désabusé du

seuil de la cuisine. Inutile de paniquer. Je ne cours aucun risque pour le moment. Je redoute juste que cela recommence.

Je réussis finalement à me lever pour le suivre.

— Je vais faire du café, dit-il. Tu en veux ?

— Tout ce que je veux, ce sont des informations complémentaires. Que s'est-il passé quand on t'a fait chanter ?

— A ton avis ? Quelqu'un a découvert ma véritable identité et a menacé de dire à mes collègues juifs que j'étais le fils d'un criminel de guerre nazi.

— Mais comment cette personne...

— J'ai joué de malchance. J'ai rencontré un Américain d'origine allemande qui travaillait dans la branche londonienne de sa société. Il se trouve qu'il avait vécu en Argentine après la guerre et qu'en plus, nous avions voyagé à bord du même bateau en 1947. J'avais sept ans à l'époque, et lui douze. Ce n'est donc pas très étonnant que nous ne nous soyons pas reconnus. Il me pria de répéter mon nom, et quand je le fis, il me dit : « Non, pas Betz, votre prénom. » Je lui expliquai alors que je me faisais appeler Kim parce que les Anglo-Saxons avaient du mal à prononcer « Joachim » et aussitôt, il s'est exclamé : « N'étiez-vous pas le petit garçon qui se présenta un jour par erreur sous le nom de Joachim Lange, ce qui lui valut une claque de sa mère ? » J'ai acquiescé sans hésiter. Il ne m'avait jamais dit qu'il était juif. On n'en parle pas lorsqu'on passe l'essentiel de la guerre à se cacher. « Oui, lui dis-je, Betz était le nom qui figurait sur nos nouveaux papiers. Lange était mon vrai nom. Vous aussi, vous deviez avoir un nouveau nom. » Je fus horrifié de l'entendre répliquer : « Je n'en ai changé que plus tard. Je m'appelais Goldfarb et je me souviens bien du scandale que votre mère fit parce qu'elle refusait de manger avec des juifs. »

— Oh mon Dieu !

— Il n'aurait pas eu de preuves si j'avais nié toute l'histoire par la suite, mais sa parole aurait suffi à convaincre les chasseurs de Nazis. Ils m'auraient dénoncé sans la moindre hésitation auprès de mes amis et collègues juifs, nous le savions l'un et l'autre. En définitive, je l'ai payé pendant trois ans. Ce fut une source de stress supplémentaire et mon capital en prit un coup. Pour finir, alors que je me demandais vraiment comment j'allais m'en sortir, il est passé sous un train, et avant que tu évoques ton cher Hitchcock, laisse-moi te préciser que j'étais en réunion avec huit personnes au moment où il est mort et que de toute façon, il n'a pas été assassiné. Plusieurs témoins l'ont vu se jeter sur les rails. Sa maîtresse venait de le quitter.

— La police...

— Oui, elle m'a interrogé parce que j'avais un rendez-vous avec lui plus tard ce jour-là, mais je leur ai dit que c'était une relation de travail.

— Tu ne leur as pas parlé de...

— Evidemment que non ! Comme il s'est suicidé, il était inutile qu'on fouille dans ses finances dès lors que l'histoire avec sa maîtresse avait été mise au jour...

— Mais Kim, bredouillai-je, cherchant mes mots, si tu as déjà vécu ça, pour quelle raison as-tu dévoilé la vérité sur ton passé à Mme Mayfield, sachant à quel point cela te rendrait à nouveau vulnérable ?

— Je te l'ai dit. Il fallait que je parle à quelqu'un et j'avais confiance en elle.

— Mais ce groupe...

— Elle contrôlait tous ses membres et puis nous nous faisions tous des révélations au nom de la thérapie, de sorte que nous savions que personne ne sortirait du rang de peur de représailles.

— Que va-t-il se passer si tu refuses d'y retourner ? Songe à la facilité avec laquelle Mandy a lâché ton secret alors qu'elle savait pertinemment que j'écoutais !

— Elle prétendra qu'elle n'imaginait pas une seconde que tu puisses l'entendre. Ne t'inquiète pas pour Mandy. Je réglerai le problème. J'irai parler à Mme Mayfield.

— Je ne veux pas que tu ailles lui parler ! hurlai-je, incapable de me maîtriser plus longtemps.

Puis je courus jusqu'à la chambre, enlevai ma robe de chambre et me réfugiai au lit.

4

En position de fœtus, j'enfouis la tête sous la couette et frissonnai dans le noir.

Kim vint se glisser à côté de moi. Quand il me prit dans ses bras, je dépliai les jambes et pressai mon visage contre sa poitrine, ce que je faisais souvent quand je cherchais à échapper à de profonds sentiments d'insécurité. Cette fois-ci, pourtant, la manœuvre n'eut pas le moindre effet. Je frottai mes mains moites contre son dos et attirai son visage vers le mien pour effacer par un baiser toutes ces horreurs, mais j'étais par trop consciente de ses joues mal rasées et des effluves répugnants de cognac.

Je me dérobai.

— Ma chérie, mon amour...

J'écartai le duvet et m'assis.

— Habillons-nous, fis-je brutalement. Ressaisissons-nous. Reprenons le contrôle de la situation.

Il rit en me ramenant sur les oreillers.

— On croirait entendre un Allemand ! dit-il, amusé en essayant de m'embrasser.

Je m'écartai à nouveau.

— Je ne peux pas admettre que tu plaisantes ainsi avec tant de désinvolture ! Je pouvais encore te comprendre quand tu parlais de tes parents, de tes recherches et de l'enfer que tu as vécu pour tenter de faire face à ton passé. Tu paraissais sincère. Mais dès que tu as évoqué Mme Mayfield, tu es devenu... quelqu'un d'autre, un inconnu, artificiel et...

— Pardonne-moi. J'essayais seulement de...

— Comment peux-tu parler de chantage comme s'il s'agissait d'un contretemps passager ?

— Je voulais juste t'épargner ces horreurs dans toute leur ampleur. Tu avais déjà suffisamment de choses à digérer.

— Je trouve ça un peu arrogant ! Permets-moi de décider ce que je peux ou non digérer, veux-tu ?

— D'accord, mais...

— Je tiens à ce que tu sois sincère. Tu dois me dire la vérité, sinon comment pourrais-je te faire confiance ?

— Je comprends. Bien sûr. Ecoute, si j'ai minimisé la situation, c'est parce que tu étais déjà dans tous tes états...

— Entendu. On s'est mal compris, mais maintenant, sois honnête et réponds à cette question : pourquoi ne pas avoir contacté la police ?

— Je n'avais pas confiance.

Je le dévisageai.

— Tu crois que tous les flics sont corrompus ?

— Evidemment non, mais j'avais peur qu'ils n'aient pas oublié le Blitz.

— Le *Blitz* ?

— Bon, je vais trouver la police et je leur dis : Excusez-moi, je suis le fils d'un Nazi et j'ai de gros ennuis parce que...

— Aucun policier de nos jours n'est assez vieux pour avoir fait la guerre !

— Tu crois que les Anglais ne se souviennent pas ? Bon sang, tu n'as donc pas lu les journaux ce mois-ci ? La vache folle serait-elle la seule nouvelle qui soit parvenue à tes oreilles ?

— Oh tu veux dire...

— Je veux parler du grand débat qui a lieu actuellement à la chambre des Lords sur la question de savoir s'il convient ou non de poursuivre en justice les anciens Nazis vivant en Angleterre pour leurs crimes de guerre. Alors, s'il te plaît, n'essaie pas de me dire que la guerre est une histoire finie !

— Okay, je reconnais que les vieux continuent à radoter là-dessus, mais moi par exemple, je ne passe pas mon temps à penser...

— Tu ne penses à rien à part ton boulot !

— Ce n'est vraiment pas sympa de me dire ça !

— Tu m'as demandé d'être honnête !

Je fis mine de le frapper, mais il me saisit le poignet et se hissa sur moi. Je me débattis, en vain. Il était trop lourd, trop fort.

— Je t'aime, me dit-il dès que je cessai de gigoter, pardonne-moi. Tu as été merveilleuse... On a tort de se disputer ainsi.

Je hochai la tête, faute de pouvoir répondre, et le laissai me faire l'amour.

5

Je pensais que tout l'alcool qu'il avait englouti l'empêcherait d'atteindre le stade de la pénétration, mais il était reposé après une bonne nuit de sommeil et le café noir lui avait redonné de l'énergie. Le rapport fut bref et il parut ne pas attendre de réponse de ma part. J'attendis docilement qu'il eût fini.

Quand nous nous fûmes douchés et habillés, il décréta que les protéines étaient recommandées en cas de gueule de bois et entreprit de préparer des œufs brouillés au jambon. J'en mangeai un peu pour lui faire plaisir.

— Maintenant, je veux que tu me promettes de ne pas t'inquiéter à propos de Mme Mayfield, me dit-il finalement. Je me charge d'elle.

— Mais si elle veut te faire chanter...

— Je ne pense pas que le danger soit réel, et pour être franc, je redoute plus que Sophie continue à te harceler.

Je fus surprise de me sentir soulagée en concentrant à nouveau mon attention sur Sophie. Et soudain, j'eus une illumination.

— Mais bien sûr ! m'exclamai-je. Je comprends à présent ce que Sophie cherche à faire ! Elle veut bousiller notre relation en me révélant ton passé nazi parce qu'elle pense que je serais aussi incapable qu'elle de le supporter.

— C'est ça ! Elle prétend vouloir te sauver sous prétexte que je suis « mêlé à l'occulte », mais en fait...

— ... en fait, c'est sa manière à elle de justifier son comportement. Au fond, elle est folle de rage à l'idée que tu l'aies larguée pour une femme plus jeune et ne supporte pas que je puisse être Mme Betz !

— C'est logique, en effet.

— Je suis au courant maintenant. Sophie ne peut plus me faire de mal. A moins que...

Je m'interrompis au souvenir de la gravure tombée et de la vision cauchemardesque de Sophie saccageant mon appartement.

— ... à moins qu'elle tienne tellement à se venger dans l'état de déséquilibre où elle se trouve, dit Kim, finissant ma phrase à ma place, qu'elle veuille continuer à te mener la vie dure pour le plaisir.

Je résolus de lui parler de ma vision.

6

— Non, non, me dit-il d'un ton rassurant quand j'eus fini. Ta théorie ne tient pas. Comment se serait-elle introduite ici ?

— Il lui suffit d'avoir une seule clé, puisque la porte d'entrée au niveau de l'esplanade est toujours ouverte. Peut-être Mary Waters t'a-t-elle chipé la tienne pour la copier ?

— *Mary ?* Tu plaisantes ?

— Ecoute, je sais que tu n'aimes pas qu'on critique ta dévouée esclave, mais il n'est pas impossible qu'elle ait pris le parti de Sophie, et si c'est le cas...

— Ma chérie, encore une fois tu te laisses influencer par ta passion des vieux films ! C'est seulement au cinéma que la secrétaire vieille fille sublime son amour pour son patron en prenant le parti de l'ex-femme rejetée contre la blonde resplendissante ! Dans la vraie vie, Mary considère les épouses comme autant d'informations qu'elle doit enregistrer dans son ordinateur afin de pouvoir me rappeler leurs dates d'anniversaire, leurs fleurs préférées, si elles aiment ou si elles sont allergiques au chocolat...

— C'est pas vrai. Je rêve ! Combien de femmes as-tu et combien d'entre elles sont allergiques au chocolat ?

Nous parvînmes enfin à rire.

Etourdie par le soulagement, je me rendis compte que la crise touchait à sa fin.

7

— Le moment est peut-être venu d'acheter un répondeur, suggérai-je avant de clore le chapitre Sophie. J'aurais insisté pour qu'on s'en procure un quand elle a recommencé à téléphoner, mais je ne voulais pas que tu saches qu'elle s'était remise à me harceler.

Il hésita un instant avant de dire :

— Bon. Entendu, mais je pense que ses messages enregistrés te seront tout aussi intolérables.

— Je comprends que tu répugnais à l'idée d'avoir un répondeur quand tu voulais empêcher Sophie de me dire la vérité, mais maintenant que je sais tout, tu n'as plus à t'inquiéter.

— C'est vrai... Mais je persiste à croire qu'un répondeur l'incitera à te harceler davantage.

— Tu n'auras qu'à effacer les messages pour m'éviter le problème, répondis-je en jetant un coup d'œil à ma montre. Il faut que j'y aille.

Nous nous séparâmes. Je filai chez le coiffeur et il promit de ranger la cuisine avant d'aller travailler quelques heures au bureau.

Plus tard, tandis que des mains habiles amadouaient mes cheveux afin qu'ils prennent cette discrète nuance blonde qui s'harmonisait si bien avec mes tailleurs austères, j'en vins à la conclusion qu'il m'était impossible de déterminer lequel de ces dialogues déchirants m'avait le plus minée. Mon point de vue changea quand mon cerveau fut enfin capable de traiter convenablement les informations. A présent, cette histoire de chantage — aussi terrifiante fût-elle — me paraissait moins importante que l'image qui s'était formée dans mon esprit d'un homme dérangé, mal en point, au bord de la dépression au point de se faire embobiner par cette pseudo-guérisseuse. Je n'admettais pas que Kim pût être ainsi. Je voulais qu'il fût solide, équilibré, qu'il maîtrisât sa vie, son monde. Je voulais qu'il fût l'homme que je croyais avoir épousé.

Ce fut seulement un peu plus tard, à la teinturerie, que je commençai à me sentir franchement déroutée. J'aurais certainement dû découvrir le côté névrotique de Kim avant de l'épouser. Après tout, je m'y étais bien prise. J'avais abordé ce mariage de manière rationnelle et sensée en prenant en compte tous les facteurs essentiels, y compris la qualité de son sperme. Je l'aimais, bien sûr, mais je ne m'étais pas laissé berner par toutes sortes de chimères romantiques. J'avais lucidement analysé les avantages et les inconvénients. J'avais dîné avec lui, bu avec lui, voyagé avec lui, couché avec lui. J'avais même vécu avec lui. Assurément, j'avais pris toutes mes précautions. Alors pourquoi me retrouvai-je en butte à une série de révélations que, même dans mes rêves prémaritaux les plus fous, je n'aurais jamais pu imaginer ? Je n'arrivais pas à le croire. Ma situation n'avait strictement rien à voir avec mon plan de vie.

Je regagnai l'appartement et pendis mes vêtements propres avant de me mettre en route pour le supermarché. En arrivant dans le garage, je m'aperçus que la Mercedes n'était plus là, ce qui signifiait que Kim avait fini ses heures sup chez Graf-Rosen et s'était rendu chez l'encadreur. Cela voulait également dire qu'il ne me restait que la Porsche, loin d'être idéale pour faire les courses, mais je songeai qu'à ce stade, c'était le cadet de mes soucis.

Je fus prise d'anxiété dans le supermarché, mais pas de Sophie en vue. Il y avait un monde fou. Je détestais faire les courses le samedi après-midi et je m'en voulais à mort d'avoir perdu presque toute la matinée à cause de ma gueule de bois. En plongeant la tête la première dans la foule, je m'efforçai de me concentrer sur le remplissage de mon chariot. En définitive, je me retrouvai en plan dans une des allées comme un train privé de vapeur. Je considérai l'ample gamme de papiers de toilette, tous dans des emballages pastel. Etions-nous à court ? Je n'arrivais pas à m'en souvenir, et pour une fois, je n'avais pas fait de liste. Je ne me rappelais qu'une seule chose : les révélations de la matinée.

Je m'aperçus alors que je les considérais d'ores et déjà sous un autre angle. Ce n'était pas une décision consciente. Mon esprit s'était mis à fonctionner comme il avait appris à le faire dans mon métier : en me remémorant les scènes cruciales comme si Kim était un client. Je me rendis compte que plusieurs questions s'imposaient : m'avait-il menti à un moment donné de la conversation, et dans ce cas, à quel sujet et pourquoi ? Même s'il avait cessé de me mentir, m'avait-il dit *toute* la vérité ? Fallait-il lire entre les lignes pour déterminer ce qu'il n'avait pas exprimé ouvertement ?

En repensant à ces réminiscences concernant l'Allemagne, je décidai qu'elles sonnaient juste. Sa volonté de faire amende honorable envers les juifs m'avait paru convaincante. Quant à son obsession pour les recherches... Je saisis un paquet de papier hygiénique au hasard, puis m'approchai du rayonnage de biscuits à apéritif. Des montagnes de cochonneries immondes s'étendaient devant moi à perte de vue, mais je cessai brusquement de voir les emballages criards. Une voix dans ma tête me disait : « Les chasseurs de Nazis devaient savoir ce que son père avait fait et s'il méritait de finir à Nuremberg. Et puis Kim aurait certainement pu prendre un pseudonyme, concocter une histoire et se connecter sur leurs systèmes d'informations s'il tenait vraiment à savoir ce qui s'était passé ? Quoique. Même les chasseurs de Nazis ne pouvaient pas tout savoir. L'Europe était sens dessus dessous à l'époque. Bon nombre d'archives avaient été détruites. »

Je passai ensuite en revue le monologue de Kim à propos de ses parents. A l'évidence, il les détestait. Il ne l'avait pas exprimé comme tel, mais ses propos étaient lourds de mépris et de rage.

Cela donnait le frisson. Je n'éprouvais pas de haine envers mes parents, même si je n'avais rien à leur dire. Si j'apprenais que ma mère était à l'article de la mort, je ne m'exclamerais pas : « Bonne nouvelle ! » Je prendrais le prochain train pour Newcastle. J'irais trouver mon père dans des circonstances similaires, une fois que je me serais assurée que ce n'était pas un nouveau stratagème pour m'extorquer de l'argent.

Il arrive des choses étranges aux enfants qui n'ont pas eu suffisamment d'amour. Parfois, en grandissant, ils restent retardés sur le plan affectif au point de ne pas avoir la capacité d'être parents eux-mêmes. D'un autre côté, fort heureusement, Kim avait eu sa nurse pour prendre soin de lui, et il ne faisait certainement pas preuve d'un manque d'affection à mon égard.

Devant le rayon des viandes, je marquai une nouvelle pause en pensant à Sophie et je vécus alors le moment le plus terrifiant de la matinée.

J'étais partie de l'hypothèse que Sophie était perturbée émotionnellement et Kim équilibré. Et si c'était l'inverse ? Si la mise en garde de Sophie à propos de l'occulte était en fait un effort désespéré pour me convaincre que la raison et le bon sens motivaient son attitude.

« Ça y est ! Je perds la boule ! » fis-je à haute voix. Plusieurs personnes se retournèrent pour me jeter un coup d'œil rapide, mais personne ne parut surpris. Les cinglés étaient pléthore dans les rues de Londres, surtout depuis que le gouvernement avait entrepris de fermer les hôpitaux psychiatriques.

J'achevai mes courses en quatrième vitesse et rentrai à la tour Harvey dans ma Porsche. La Mercedes avait repris sa place. J'appelai l'appartement depuis l'entrée et Kim descendit pour m'aider à porter les sacs.

Plus tard dans la cuisine, alors que nous déballions le tout, il s'exclama, étonné :

— Pourquoi as-tu acheté du bacon ? On n'en mange jamais.

— Oh, je croyais que c'était du jambon !

— Et pourquoi ces Special K à la place des corn flakes ? Je rêve ! Du papier toilette à fleurs !

Je ris en voyant son expression, mais des larmes me brûlaient les yeux.

— J'avais l'esprit ailleurs, fis-je en me détournant.

Il perçut les tremblements dans ma voix.

— Carter...

— Ça va ! ripostai-je d'un ton farouche.

J'ai horreur de pleurer et je suis convaincue que se laisser aller devant quelqu'un est une perte de contrôle qui mène au désordre.

— Je ne peux pas te dire à quel point je suis désolé, l'entendis-je dire. Tu as été si courageuse...

— Laisse tomber.

Je m'efforçai d'étudier le motif floral au bord du papier hygiénique, mais dès qu'il me toucha, je me jetai dans ses bras. Il resserra son étreinte. Il resta un moment sans rien dire, me laissant le temps de me ressaisir, mais quand je levai le visage vers lui, il posa sa bouche sur la mienne en disant :

— Je m'en veux à mort de t'avoir fait souffrir ainsi.

Il s'était rasé, les relents d'alcool avaient disparu. Ses yeux étaient d'un bleu intense, sexy. Ses cheveux légèrement ébouriffés et ses pattes grisonnantes, impeccablement coupées, ajoutaient encore à son sex-appeal digne d'une vedette de cinéma. Il sentait la lotion après-rasage, le savon et le dentifrice à la menthe qui me faisait toujours saliver. Je ne songeais plus qu'à le déshabiller, à le clouer au lit et à profiter de lui.

Mais je me retins.

— Kim, je voudrais te dire une dernière chose à propos des révélations de ce matin...

— Si tu y tiens.

— Je voudrais que tu m'écoutes attentivement.

Je m'écartai de lui et rangeai la boîte de Special K dans le placard, histoire de gagner un peu de temps.

— Je t'aime du fond du cœur et je compatis sincèrement avec toi, mais moi aussi, j'ai connu des traumatismes dans mon enfance et cela veut dire que nous risquons d'avoir de sérieux problèmes à l'avenir si tu ne comprends pas que le mensonge de la part des gens que j'aime m'est insupportable. Les bobards de mon père ont détruit ma confiance en lui, c'est peut-être idiot mais c'est comme ça et je suis sûre que je ne suis pas la seule à avoir ce genre de séquelles.

J'entrepris d'ouvrir un paquet de biscuits avec des gestes mesurés pour lui montrer à quel point j'étais calme.

— Voilà, je n'ai rien d'autre à te dire si ce n'est que si tu as d'autres aveux à me faire, j'aimerais que ce soit maintenant et non pas plus tard, en conséquence de nouveaux entretiens avec cette Mme Mayfield.

Il y eut un silence. Je mordis dans un biscuit et mâchai tranquillement en regardant la pendule électrique marquer les secondes.

— Je n'aurais pas pu mieux faire moi-même, dit-il au bout d'un moment d'un ton mêlant l'admiration à l'amusement.

— Que veux-tu dire ?

— Un speech s'imposait, n'est-ce pas ? Bien qu'à un moment, j'ai cru que tu allais te rabattre sur une partie de jambes en l'air.

— Etait-ce ce que tu espérais quand tu m'as embrassée ?

— Je t'ai embrassée parce que tu étais jolie à croquer après ta visite chez le coiffeur. Naturellement j'aurais préféré te séduire plutôt que de t'écouter. Tu me prends pour qui ?

— Un grand maître de la tactique du retardement, répondis-je en le regardant droit dans les yeux. Aurais-tu la gentillesse de répondre à la question posée ?

— Message reçu et enregistré.

— Plus d'aveux ?

— Non.

— En es-tu sûr ?

— Aurais-tu quelque chose à confesser ?

— Non, juste une question. Pourquoi ne pas avoir consulté les chasseurs de Nazis pour savoir ce que ton père avait fait ?

— Je pensais que c'était évident. J'étais terrifié à l'idée qu'ils mènent une enquête sur l'histoire que j'aurais concoctée et révèlent ma véritable identité. De toute façon, j'étais convaincu de découvrir la vérité moi-même. Et puis j'avais honte, je me sentais coupable et toute cette histoire me rendait malade.

Il y eut une autre pause avant que je conclue brusquement :

— Merci. Pardonne-moi, mais il fallait que je sache.

Je refermai le paquet de biscuits et le rangeai dans le placard.

— Puis-je te séduire maintenant ? demanda-t-il en faisant courir son doigt le long de ma colonne vertébrale.

— Non, répondis-je, c'est moi qui vais te séduire.

Nous allâmes nous coucher.

8

Plus tard, comme je gisais dans ses bras, je manquai de m'évanouir de soulagement. Nous avions enfin surmonté la crise et tout était à nouveau d'une clarté limpide entre nous...

Quoique...

V.

« Dans les faits, la religion de la plupart des gens de notre société pourrait être qualifiée de polythéisme. Il existe quantités de croyances, d'objets d'estime et de désir, de "dieux" vénérables explicitement ou implicitement, et nous répartissons notre temps et notre énergie entre ces divers "cultes"... Prétendre à l'impartialité, à la neutralité ou à la souplesse face aux options religieuses est en soi une option par trop catégorique et controversée. Les grandes questions relatives à la vérité qui façonne la vie, la beauté et l'observance n'autorisent pas la neutralité. Chacun prend forcément position ! »

David F. Ford
The Shape of Living

1

— J'ose me permettre de formuler l'espoir que votre dîner fut un succès, madame Graham, me dit Tucker le lundi matin.
— Sur toute la ligne !
— Le repas était bon ?
— A se pâmer ! A propos, parlez-moi un peu de ce zigoto mince comme un fil du nom de Darrow qui est venu chercher Alice ?

— C'est le recteur de l'église St Benet, dans Egg Street.

— Oh ! C'est l'une de ces églises de la City ! Je croyais qu'elles restaient juste ouvertes pour qu'on puisse en admirer l'architecture... Comment avez-vous rencontré Alice ?

— Mon frère connaît Nick Darrow.

— C'est original de fréquenter un prêtre. On n'en voit plus beaucoup de nos jours.

— Parce que la plupart d'entre eux choisissent de ne plus porter leur col clérical en dehors des églises.

— Mais c'est de la triche !

— Les médecins ne se promènent pas en blouse blanche hors des hôpitaux, que je sache !

— Vous voulez dire qu'il existe toute une armée secrète de curés ?

— Vous devriez peut-être écrire au *Times* pour suggérer qu'on les munisse d'un détecteur électronique.

— Pourquoi ne portent-ils pas leur col ? Enfin bref ! Quelles sont les dernières nouvelles de Pékin ?

En soupirant, nous renonçâmes à notre petit numéro de pince-sans-rire pour attaquer une nouvelle journée truffée de catastrophes juridiques.

2

La semaine s'écoula sans événement particulier. J'entends par là qu'il n'y eut pas plus de crises, de paniques, de pagaïes ou d'effondrements qu'à l'ordinaire au bureau, tandis qu'à la maison, Kim et moi avions retrouvé notre bonne humeur. Les lundi et mardi, il travailla tard, mais c'était aussi bien car j'avais besoin d'un peu de solitude pour achever de me remettre. Les deux soirs suivants, nous nous installâmes confortablement pour regarder des cassettes de vieux Hitchcock. Kim appréciait son œuvre presque autant que moi.

J'envoyai Tucker m'acheter un répondeur, mais Sophie s'abstint de rappeler et de hanter le supermarché. Pas de nouvelles non plus de Mandy Simmons. Je commençai à respirer.

— Je rentrerai tard ce soir, annonçai-je à Kim, le vendredi matin, tandis qu'il mangeait des Special K. Le moment est venu d'offrir à Tucker un poste permanent chez Curtis-Towers. J'ai l'intention de lui faire une proposition qu'il ne pourra pas refuser.

— Il en a de la chance ! répliqua Kim, mi-figue, mi-raisin en reposant son bol de céréales vide. Je ne suis pas certain d'approuver ton choix d'un assistant hétérosexuel.

— Je pourrais en dire autant !

— Si tu es sûre qu'il ne te causera pas d'ennuis...

— J'en fais mon affaire. Tucker sait se tenir.

— Assure-toi que Jacqui ne te colle pas un procès pour licenciement injustifié.

— Ne t'inquiète pas. Un de nos associés l'a déjà embauchée et je vais m'arranger pour qu'elle ait une augmentation.

— Tu as réponse à tout !

Nous nous embrassâmes et il partit pour son bureau à pied.

Je l'imitai peu après. J'étais impatiente de faire ma proposition à Tucker.

3

— Tucker, dis-je, puisque c'est votre dernier jour, j'ai l'intention de vous inviter à prendre un verre ce soir. Ne refusez pas, s'il vous plaît.

— Merci, madame. Vous serez soulagée d'entendre qu'en règle générale, l'idée de refuser un verre ne me traverse pas l'esprit.

Il portait son costume bleu marine qui lui allait mieux que le noir ou l'anthracite, ainsi qu'une nouvelle cravate austère. Ses chaussures noires étincelaient. Ses avant-bras, qui avaient suscité tant de spéculations, disparaissaient comme d'habitude chastement sous un coton blanc immaculé. Je me demandai si je ne commençais pas à avoir des affinités avec ces légendaires gentlemen de l'ère victorienne qui frémissaient de désir à la pensée d'une cheville féminine dévoilée !

Je l'emmenai dans un bar baptisé *The Lord Mayor's Cat*, spécialisé dans le champagne. Cet ancien pub obscur qui avait survécu Dieu sait comment aux bombardements allemands n'avait été que partiellement rénové. L'enseigne récente représentait Lord Dick Whittington, célèbre maire de Londres du Moyen Age, en compagnie de son ami le chat, dressé sur ses pattes arrière bottées et serrant contre sa poitrine une bouteille de champagne.

Je me frayai un chemin parmi les yuppies et trouvai le box que le gérant avait réservé pour moi dans la salle du fond. Celui-ci apparut aussitôt en personne pour s'enquérir de ce que nous souhaitions boire.

— Apportez-nous deux coupes de Veuve avec un maximum de bulles, un minimum de mousse et assez fraîches pour glacer l'enfer, dis-je.

Si Tucker n'aimait pas le Veuve Clicquot, tant pis pour lui.

Dès que nous fûmes servis, j'abandonnai les babillages pour parler de choses sérieuses.

— Je vais être franche avec vous, dis-je. Vous êtes le meilleur assistant que j'ai jamais eu. Maintenant que nous ne sommes plus au bureau et que votre mission est terminée, je me sens libre de vous faire des excuses pour mon comportement glacial digne d'une féministe. En vérité, une femme dans ma position doit prendre ses précautions et ne jamais oublier que vous pourriez être un rouleau compresseur.

— Comme c'est excitant ! De quoi s'agit-il ?

— Un homme qui déteste les femmes et s'évertue à laminer la carrière de tous les cadres du sexe faible, et cela n'a rien d'excitant. C'est même franchement insupportable ! Bon, Tucker, puisque vous m'avez prouvé que vous ne faisiez pas partie du lot, je voudrais vous faire une offre. A dire vrai, j'ai l'intention de vous jouer la musique des sphères financières, en d'autres termes, vous proposer un deal qui vous fera décoller...

Je lui expliquai ce qu'il en était. Il me regardait avec ses grands yeux noirs, d'un air profondément attentif, comme s'il apprenait par cœur chaque mot que je prononçais dans le but de le consigner plus tard pour la postérité. Il me donnait l'impression d'être la reine Victoria en présence de Disraeli, ce stratège charmant et rusé qui n'avait pas son pareil avec les femmes puissantes.

En m'interrompant au milieu de mon récapitulatif des primes accordées aux employés, je m'exclamai brusquement :

— Bon, vous n'avez toujours pas décollé et vous attendez que je la boucle pour pouvoir m'envoyer promener. Mais avant, dites-moi juste une chose : ces deux semaines ont-elles été détestables pour vous ?

— Absolument pas ! protesta-t-il, outré.

— Le problème tient-il à mon appartenance au sexe féminin ?

— Pas le moins du monde ! fit-il en s'éclaircissant la voix. Vous observer de près a été une expérience passionnante. Je rencontre rarement des gens nantis de talents tels que les vôtres, aussi ma mission a-t-elle été une précieuse source d'enrichissement.

Bizarrement, si à l'entendre, j'aurais pu croire qu'il se moquait de moi, il parlait avec une sincérité telle que je le crus sur parole. Mais qu'est-ce que cela pouvait bien signifier ? A quel genre d'excentrique avais-je affaire ? Je me demandai soudain avec inquiétude s'il n'allait pas se révéler être un voyeur obscène.

— Bon, dis-je avec brusquerie, jouons cartes sur table. Qui êtes-vous, Tucker, et comment avez-vous atterri dans mon bureau ?

— Puis-je d'abord répondre à votre proposition des plus gentilles, flatteuses et généreuses ?

— C'est chose faite puisque vous vous êtes roulé par terre en extase, les quatre fers en l'air en attendant que je vous chatouille le poitrail.

— A la réflexion, je vais peut-être accepter. L'idée que vous me...

— Allons, Tucker !

— Bon, laissons cela. En vérité, madame G, je ne recherche pas un emploi permanent. Je me borne à faire des petits boulots pour améliorer mes revenus quand ma véritable activité ne me rapporte pas suffisamment d'argent.

— Et de quelle activité s'agit-il ?

— Je suis romancier.

— Romancier !

Je n'aurais pas été plus horrifiée s'il m'avait avoué qu'il était croque-mort.

— Vous avez dû en entendre parler. Ce sont ces fous qui s'enferment pour le plaisir.

— Vous avez déjà publié ?

— Oui. Deux romans sur la Seconde Guerre mondiale. Ils s'intègrent dans la série des livres d'aventures, et tous les écrivains qui ne gagnent pas des fortunes doivent soumettre des œuvres que l'on peut classer dans une catégorie existante pour des questions de marketing.

— Vous avez un nom de plume ?

Il me l'indiqua.

— Je ne me souviens pas d'avoir vu...

— C'est normal. Mes livres ne restent pas longtemps sur les rayonnages. Je ne fais pas partie des best-sellers.

— Mais ça viendra !

— J'espère seulement progresser, répondit-il. Rares sont les romanciers qui font du bon travail avant l'âge de quarante ans. J'en ai trente-cinq. J'apprends sans cesse, j'écris dès que je peux et j'espère qu'un jour, je serai capable de pondre quelque chose d'intéressant. En attendant...

— ... pas de gros sous. Je vois. Plus tard, vous aurez une Aston Martin, une femme-trophée, un manoir dans les Cotswolds et une villa en Italie...

— Je ne vois pas l'intérêt de tout ça.

— Ne soyez pas ridicule ! Bien sûr que si ! Comment pourrait-il en être autrement ?

— Je vous assure que le succès tel que je le conçois n'a rien à voir avec l'argent ou les signes extérieurs de richesse.

— Je ne comprends pas, fis-je en le dévisageant. Pourquoi pas ?

— J'estime que cela n'a aucun lien avec la réalité.

— Mais Tucker, m'exclamai-je d'un air ahuri, vous ne pouvez pas être là au cœur de la City où l'argent et les symboles de la réussite sociale sont vénérés comme des dieux et exprimer des opinions pareilles ! C'est de la propagande subversive ! Vous défiez la *Zeitgeist* !

— Ah ! Je fais donc partie de la cinquième colonne, madame G ! s'écria-t-il, amusé. Quand vous m'avez invité à boire un verre ce soir, vous ne vous attendiez pas à frayer avec un anarchiste ou, comme on disait pendant la guerre, à flirter avec l'ennemi !

Je renversai ma coupe qui se fracassa par terre.

4

— Seigneur ! Je n'arrive pas à croire que j'ai fait une chose pareille !

— Attendez ! J'appelle un serveur.

— Bon sang ! Mon tailleur neuf !

— Eh ! Pourriez-vous nous donner un coup de main, s'il vous plaît ?

Un torchon apparut. Ainsi que *Mine Host* se frottant les mains d'un air compatissant tout en supervisant l'opération d'épongeage.

— Encore du mousseux pour la dame, s'il vous plaît, dit Tucker, se changeant brusquement du faux eunuque docile en un mâle sûr de lui, et dès que le gérant s'en fut chercher la commande et que le serveur se fut retiré, il ajouta à mon adresse : Est-ce une habitude chez vous de bondir comme si vous vous étiez électrocutée après une demi-coupe de champagne ?

— Non, c'est juste que je me sentais d'humeur guillerette. Où en étions-nous ?

— Nous venions de conclure que nous vénérions des dieux distincts.

— Je ne vénère rien, dis-je en écartant une mèche rebelle avant de lisser ma jupe trempée. Je suis neutre sur le plan idéologique.

— Je doute que cela soit possible ontologiquement et épistémologiquement parlant.

— Pardon ?

J'en oubliai mon tailleur fichu.

— Je ne pense pas que l'on puisse être idéologiquement neutre ni que ce concept soit jugé valide par les théories modernes du savoir. Tout jugement a une valeur.

— Excusez-moi, fis-je en battant des paupières, auriez-vous la gentillesse de recommencer depuis le début ?

Il répéta ce qu'il venait de dire avant de s'expliquer.

— Il nous est impossible de nous soustraire aux influences de notre culture, de notre environnement, de nos gènes et de notre éducation pour adopter une position qualifiable de neutre. En d'autres termes, nous souscrivons tous, consciemment ou non, à des idéologies et religions, même si on ne les reconnaît pas en tant que telles.

— Mais je ne crois en rien ! En plus j'en ai rien à faire. Je m'en sors très bien sans dieu ni foi !

Mine Host arriva avec une nouvelle coupe de Veuve Clicquot.

— Il n'y a pas de raison que je consomme plus que vous, dis-je à Tucker en lui en donnant la moitié.

— Merci, madame G. Puis-je me permettre de vous faire une ou deux observations fondées sur le temps que j'ai passé en votre compagnie ?

— Si vous parlez de moi dans votre prochain roman, je vous colle un procès.

— Même si c'était le cas, vous ne vous reconnaîtriez probablement pas. Ecoutez, vous avez bel et bien une religion et je vous considère même comme très dévote. Voulez-vous que je vous dise de quoi il s'agit ?

— Le droit ?

— Non, ça, c'est juste le moyen que vous avez choisi pour parvenir à vos fins. Votre religion, madame G, c'est l'ordre.

— L'ordre ?

— Oui, c'est le dieu que vous vénérez. Toute votre vie tourne autour de ça. Vous vivez dans une jungle chaotique, au milieu des champs de bataille financiers de la City, mais vous consacrez toute votre existence à restaurer l'ordre. Vous vous apparentez à ces religieuses intrépides qui, jour après jour, apportent la parole du Christ aux hordes qui grouillent à Calcutta.

J'éclatai de rire.

— Je n'ai jamais entendu...

— Attendez, je n'ai pas fini ! Votre dévouement à l'ordre est la première chose que j'ai remarquée chez vous. Votre apparence est irréprochable. Coiffure impeccable. Pas un pli à vos vêtements. Vos fichiers sont remarquablement logiques et rationnels. Vos rapports, vos mémos, vos lettres brillent d'une intelligence superbement ordonnée. Vos clients vous trouvent d'une organisation indestructible et totalement maîtresse de la situation et tout est là, n'est-ce pas ? Quand on élimine le chaos au profit de l'ordre, on contrôle tout. Comment vous y prenez-vous ? Vous faites appel à votre raison, votre logique et votre intelligence pour réussir admirablement sur le plan professionnel. Que génère ce succès ? Argent, pouvoir, statut social. Mais ces choses-là, vous ne les désirez pas par cupidité, madame G, et c'est ce qu'il y a de si touchant chez vous. Je suis persuadé qu'au fond de vous, vous n'avez rien d'une consommatrice invétérée. Cependant, ces trois atouts se combinent pour vous garantir un contrôle maximal sur votre existence, et plus vous en acquérez, plus il est aisé pour vous de vous livrer avec délice à l'ordre, de communier avec votre dieu. Oh si, madame G, vous êtes profondément religieuse, cela ne fait aucun doute ! Vous vénérez chaque jour pendant des heures au bureau votre Sainte Trinité : l'argent, le pouvoir et le statut social, mais au-dessus d'eux, il y a l'ordre, fondement de votre être, et source de tout ce qui est bien, votre raison d'être, votre amour, votre vie.

Je bus une gorgée de champagne. Les bulles dansèrent dans ma gorge.

— En d'autres termes, d'après vous, je suis complètement zinzin, remarquai-je finalement avec détachement.

— Pas du tout ! Je dis simplement que vous n'êtes pas neutre sur le plan idéologique et que, loin de vous passer d'un dieu, vous avez besoin de l'ordre autant que de l'air que vous respirez. La question intéressante étant bien sûr de savoir pourquoi.

— Mais tout le monde aime l'ordre et tient à contrôler sa vie ?

— Bien au contraire, des tas de gens se complaisent dans le chaos. Ils trouvent cela stimulant. Et puis, dans quelle mesure contrôlons-nous vraiment nos vies, surtout lorsqu'on est le jouet de forces qui échappent totalement à notre pouvoir ?

Je bus encore. De grandes gorgées cette fois-ci.

— Mais il est toujours possible de s'organiser dans une certaine mesure. Si on établit un plan de vie...

— Un plan de vie !

— Dès lors qu'on en dresse un très précis, dicté par la raison et la logique, insistai-je avec véhémence en voyant qu'il riait, pourquoi ne serait-on pas en mesure de contrôler notre avenir de manière satisfaisante ?

— Je reconnais que nous avons tous besoin d'objectifs, mais « un plan de vie précis dicté par la raison et la logique » a toutes les chances de dérailler un jour ou l'autre ! Le futur est si imprévisible.

— Pas le mien !

— De quoi avez-vous peur à la fin, madame G ? Il semble qu'un avenir ouvert au changement, à la chance, au hasard, à l'innovation, à la créativité soit pour vous un enfer. Vous ne vous rendez donc pas compte qu'en fermant la porte à l'imprévisible, vous vous restreignez de façon intolérable ? Comment voulez-vous que Dieu vous confère un rôle satisfaisant dans sa création si vous considérez celle-ci comme un immense chaos et refusez de sortir de votrc coquille aseptisée ?

J'engloutis le reste de ma coupe. Dès que j'eus repris mon souffle, je m'exclamai :

— Cette conversation est incontrôlable !

Il s'esclaffa de plus belle.

— Non, c'est juste que c'est moi qui exerce le contrôle et pas vous. Je parie que vous n'aviez pas prévu ça quand vous m'avez invité à boire un verre.

Il but à son tour puis ajouta brusquement :

— Bon, assez parlé de religion. A présent, madame G, avant d'aller plus loin, je brûle de satisfaire ma curiosité. Me giflerez-vous si je vous pose une question personnelle ?

— Je pense être à peu près capable de contrôler mes doigts même s'ils me démangent.

— Dans ce cas, je me lance : je n'ai jamais entendu de parents baptisant leur fille Carter. Quel est votre vrai nom ?

En considérant mes doigts avec intérêt pour voir s'ils allaient agir sans mon intervention, je répondis sans détour :

— Catriona.

— C'est joli. Pourquoi en avoir changé ?

Je repliai les doigts dans le creux de mes mains et mon poing droit s'abattit avec force sur la table.

— Essayez donc de porter un nom pareil ! sifflai-je. Essayez ! En un rien de temps, vous deviendrez Cat, Catty, Kitty ou Kit-Kat, voire... (Je pris une inspiration avant de cracher :) *Pussycat* ! En définitive, j'ai changé l'ordre des lettres et je suis arrivée à CARTA. J'ai adopté une orthographe plus familière pour faciliter les choses.

— Mais Catriona Graham, c'est ravissant ! On dirait une héroïne d'un roman gothique...

— ...c'est précisément la raison pour laquelle j'ai eu vite fait de m'en débarrasser. Que pensez-vous de votre prénom ?

— Je m'en suis mieux sorti que mes frères.

— De quels noms les a-t-on affublés ?

— Athelstan et Gilbert. Mon père étant professeur d'histoire anglaise, il n'a pu résister à Athel pour les Saxons, Gil pour les Normands et moi, pour les Vikings.

— Votre mère n'a pas eu son mot à dire dans ces décisions brutales ?

— Elle était censée choisir les prénoms des filles, mais elle n'en a jamais eu.

— Les femmes se font toujours avoir ! Que font vos frères ?

— Athel est comptable. Marié. Trois enfants. Il habite à Winchester, près de chez mes parents. Il a passé sa vie à se rebeller contre son nom en étant aussi conventionnel que possible. En revanche, Gil est un militant du mouvement gay.

— Au secours !

— Vous êtes contre l'homosexualité ?

— Non, non, c'est juste que je n'en ai jamais compris l'intérêt. Je veux dire que ça n'a jamais fait partie de mon programme. Enfin, euh...

— Vous voulez dire que vous êtes hétérosexuelle.

— Oui, mais...

— Vous ne voulez pas que je vous considère comme homophobe. Je comprends. Je n'ai rien contre les homos moi-même, mais toute forme de militantisme me rend dingue et quelquefois, après une dispute avec Gil, j'ai l'impression d'être le pire homophobe de la ville... Vous avez des frères ?

— Deux demi-sœurs, plus jeunes que moi.

J'évoquai brièvement ma famille. Puis la conversation prit un nouveau cours, zigzaguant autour de nos histoires personnelles et prenant diverses tangentes.

— Si nous reprenions un peu de mousseux, suggéra-t-il. Ma tournée, cette fois-ci, mais je vous laisse commander parce que je tiens à noter votre formule. Je la reprendrai peut-être un jour dans un de mes livres.

Je réitérai donc pendant qu'il gribouillait dans un calepin. Ensuite nous ricanâmes comme deux adolescents en reconnaissant l'un et l'autre que c'était un grand soulagement de ne plus avoir à prendre un air sérieux pour échanger des galéjades.

— Parlez-moi du grand félin que vous avez épousé, me demanda-t-il quand le champagne arriva. Selon la rumeur, c'est un Américain qui s'est hissé avec souplesse au sommet du pouvoir dans une banque d'investissements internationale.

— Il est de nationalité britannique, mais vous avez raison, c'est un grand félin. Il est le roi de la jungle juridique à Graf-Rosen... Etes-vous marié ?

— Avec ce que je gagne !

— Vous auriez pu épouser une riche héritière. Non, c'est absurde. Dans ce cas, vous ne vous coltineriez pas des petits boulots.

— Oh que si ! Je n'accepterais jamais qu'on m'entretienne.

— Mais vous n'avez jamais été marié ?

— Je n'ai jamais été en position de faire vivre le type de femme qui m'attire dans le style auquel elle serait habituée depuis longtemps.

— Evidemment, si vous vous contentez d'une tête de linotte qui s'attend à être cajolée...

— Toutes les femmes n'ont pas votre intelligence et autant de capacités que vous à gagner de l'argent. Soyez un peu indulgente à l'égard de vos sœurettes qui ont besoin d'un soutien masculin solide pour bâtir un foyer et élever des enfants.

— Certes, mais...

— A vrai dire, il y a des années que j'ai renoncé aux écervelées.

— Qui chassez-vous à présent ? Des señoras torrides ?

— Non, de celles-là aussi je me suis désintéressé bien que j'avoue être parfois tenté de recommencer. J'avoue que ce qui reste dans le registre des célibataires ne m'excite guère.

— Seigneur ! Cette remarque est d'un sexisme !

— N'est-ce pas ? J'ai été pris de l'irrésistible désir de dynamiter votre beau sang-froid pour vous voir déchaînée, sortant de vos gongs...

— Cours toujours, mon pote ! Comment se fait-il que vous connaissiez si bien les gens ?

— Je suis romancier. C'est mon boulot.

— Oui, mais pénétrer quelqu'un comme vous l'avez fait tout à l'heure quand vous m'avez analysée requiert...

— J'adore la pénétration.

— Tucker, vous êtes à deux doigts de la gifle !

— Je me sens à deux doigts de tout un tas de choses, madame G. Si vous n'étiez pas jeune mariée et si je n'avais pas renoncé aux...

— Ma main droite est en flexion...

— ... mais comme vous sortez à peine de votre lune de miel et comme je m'apprête à reprendre mon existence monacale pour écrire mon nouveau roman sur la Seconde Guerre mondiale...

— Je suis le navire que vous avez croisé dans la nuit, Tucker. Aucun doute là-dessus !

— Mais quel navire ! Et quelle nuit !

— Du calme !

Je me rendis compte alors que j'avais eu drôlement raison d'imposer des limites strictes à nos relations au bureau. Le problème avec les hommes, c'est que dès qu'on leur cède un centimètre, ils halètent comme des bêtes. Cela doit faire une drôle d'impression de vivre avec ces montées inattendues de testostérone. Pas étonnant que les débats en salle de conférence soient si souvent truffés de jugements impulsifs et de décisions prises à la va-vite.

— Pouvons-nous y aller ? suggérai-je poliment de mon ton le plus professionnel sans parvenir à réprimer un petit soupir de regret.

— La question serait plutôt de savoir si nous pouvons tenir debout.

— On ferait peut-être mieux de payer d'abord.

— Bonne idée. J'ai toujours les jambes qui flageolent quand on me brandit une note de champagne sous le nez.

— Ce n'est pas vous qui payez.

— Si c'est moi.

— Ne soyez pas macho, Tucker !

— Mais vous adorez ça ! Vous ne supportez pas les mauviettes ! Vous aimez la fermeté, les couilles...

— Bon. Apportez-moi la tête du serveur sur un plateau d'argent et assurez-vous qu'il a l'addition autour du cou.

Nous continuâmes à jouter à propos de l'addition et résolûmes finalement de faire fifty-fifty.

Puis nous émergeâmes en flottant dans la lumière dorée du crépuscule en ce joli mois de mai.

5

— Je vous raccompagne, annonça mon chevalier, ressuscitant une ère de la préhistoire féministe.

— Non. Nous sommes en 1990. C'est moi qui vous ramène, en tout cas jusqu'à votre station de métro. Laquelle est-ce ?

— Pas de métro, madame G ! Moi aussi j'habite dans la City.

J'étais des plus surprises. La City n'était pas vraiment une zone résidentielle.

— Vous vivez dans le Barbican ? m'exclamai-je.

Le Barbican est un vaste complexe comportant plus d'une vingtaine d'immeubles, outre des bureaux, des écoles et le Arts Centre. Si nous étions voisins, nous n'aurions pas pu manquer de tomber l'un sur l'autre.

— Non, je vis à Fleetside. Mon frère Gilbert me cède une chambre au dernier étage de sa maison.

— Fleetside ? Je ne vois pas très bien...

— C'est une des ruelles voisines de New Bridge Street, pas très loin de la Tamise.

Je ne me souvenais pas d'avoir vu des maisons dans ce coin, mais je connaissais à peine l'ouest de la City.

Nous dérivâmes vers Bank, le cœur palpitant de la City où se trouvait la Banque d'Angleterre et nous engageâmes dans Queen Victoria Street. Pour échapper aux gaz d'échappement, nous virâmes finalement vers le labyrinthe de rues au sud de la cathédrale. Nous ne parlions guère ni l'un ni l'autre. Portés par une vague de champagne, nous savourions la tiédeur de la soirée en nous bornant à échanger de temps à autre une remarque anodine.

— Shana-la-libertine a-t-elle réussi à vous convaincre d'exhiber vos avant-bras ?

— Elle voulait en voir bien davantage !

— Mais elle a fait chou blanc.

— Je suis allergique au silicone. Qu'est-ce que c'est que cette histoire à propos de mes avant-bras ?

— Les filles du bureau voulaient savoir si vous étiez un vrai roux.

— Eh bien, je peux vous assurer que je n'en suis pas un. J'ai décidé ça de très bonne heure.

— Vous arrive-t-il de dévoiler vos avant-bras en public ? insistai-je.

— Pourquoi vous fascinent-ils tant ?

— C'est qu'ils sont toujours dissimulés sous des chemises blanches comme neige... si mystérieux, si suggestifs...

A l'entrée de Fleetside, nous plongeâmes brusquement dans la pénombre hors des lueurs dorées du coucher de soleil. Des immeubles de bureaux délabrés, au bord de la démolition, jalonnaient la chaussée. Au bout de la ruelle lugubre se dressait une église victorienne toute noircie, sans doute bâtie jadis par quelque dignitaire de la City entiché de religion et fermée depuis belle lurette. Je remarquai bientôt une grande bâtisse voisine, sinistre, entourée d'une grille insérée dans le trottoir au-dessus du sous-sol. C'était la seule maison de la rue.

— Alors, c'est là que vous logez ! m'exclamai-je, intriguée. Votre frère doit bien gagner sa vie pour s'offrir une bicoque aussi énorme.

— Ça fait partie de son travail.

— A savoir ?

— Il est vicaire à St Eadred.

Je m'arrêtai net et regardai fixement la façade un long moment jusqu'à ce que je m'aperçoive que j'avais les yeux rivés sur la plaque qui proclamait : VICARIAT. Au-delà de la maison, l'église me parut alors trôner agressivement au-dessus de la rue étroite.

— Vous avez l'air fascinée, madame G ! C'est la première fois que vous voyez un vicariat ?

Je me tournai finalement vers lui et pris une profonde inspiration.

— Vous êtes chrétien, bredouillai-je, finissant par formuler l'évident.

— Oui, mais ne vous inquiétez pas. Je ne suis pas encore très bon.

— Je suppose que j'avais déjà compris... vous avez déjà évoqué Dieu...

— ... quand je parlais d'affronter le chaos. Nous avons eu une superbe discussion sur nos religions respectives, n'est-ce pas ? J'ai trouvé ça agréable. Venez donc. Je vais vous présenter mon frère.

— Merci, mais je dois rentrer, répondis-je automatiquement.

Pourtant j'étais tellement sidérée que je restai figée sur place.

— Comment un militant homosexuel peut-il être prêtre ? Cela ne va-t-il pas à l'encontre de la morale chrétienne ?

— Gil n'est certainement pas le chouchou de l'évêque de Londres, mais c'est un bon prêtre et il croit profondément en Dieu. On ne peut pas en dire autant de tous les membres de l'Eglise d'Angleterre de nos jours. Allez, venez, je vais vous faire un café.

— Non vraiment. Il faut que j'y aille...

— Vous avez peur que Gil vous fasse le numéro de Dracula et plante ses crocs dans votre cou ? A moins que vous ne soyez allergique à la chrétienté ?

— Evidemment non ! Après tout, chacun peut croire ce qu'il veut désormais, n'est-ce pas, puisque la vérité absolue a été abolie et toute vérité est considérée comme valide...

— ... comme dit le nihiliste d'avant-garde en riant comme un fou jusqu'à l'asile ! Bon, madame G, si le moment de se séparer est arrivé, je vous remercie pour le champagne, la proposition de travail et l'élévation de ma conscience masculine et je tiens à vous dire que ça a été un plaisir de travailler avec vous.

Je parvins enfin à me ressaisir. Avec mon sourire le plus chaleureux, je lui dis gracieusement :

— C'est gentil ! Un grand merci à vous pour votre assistance et bonne chance pour votre nouveau roman. Puis-je prendre congé en vous appelant finalement par votre prénom ?

— Seulement si vous m'autorisez à en faire de même ! A bientôt, Pussycat, dit-il avec le plus grand sérieux, puis il s'élança sur les marches du perron en riant avant que j'aie le temps de bondir sur lui pour le tabasser.

6

Je trouvai un taxi et un peu avant 20 h 30, j'étais de retour à l'appartement. Les effets du champagne se faisaient encore nettement sentir au point que j'eus à peine besoin d'utiliser l'ascenseur pour atteindre mon trente-cinquième étage.

— J'ai commandé une pizza, m'annonça Kim à mon arrivée, quand j'ai vu que le frigidaire ne contenait rien qu'un radis sec.

— Mais j'avais un délicieux dîner tout prêt au congélateur.

— Laisse tomber. La pizza chauffe dans le four. Alors comment ça s'est passé avec Tucker ?

— Il m'a envoyée promener !

— Non ! Il voulait faire monter les enchères ?

— L'argent ne l'intéresse pas.

— Tout le monde s'intéresse à l'argent ! Il est fou ou quoi ?

— Non, il est romancier.

— C'est bien ce que je disais ! Un cinglé.

— Pas du tout. Il est intelligent, drôle, solide et courageux. Il faut du cran pour faire un pied de nez aux conventions ! rétorquai-je d'un ton enflammé, encore trop ivre pour me montrer aussi prudente que j'aurais dû l'être dans mes propos concernant l'homme qui m'avait tenu compagnie au bureau pendant deux semaines.

Kim éclusa son scotch et lança d'une voix destinée à glacer toute une salle de conférence :

— Je ne vois pas ce qu'il y a de courageux dans le fait d'être un raté antisocial ?

— Ce n'est pas un raté et il n'a rien d'antisocial ! C'est un très bon assistant et il a déjà été publié.

— S'il écrivait si bien que ça, il n'aurait pas besoin de jouer le rond-de-cuir ! Imagine sa vie ! Quelles sont ses chances de réussite ? Et qu'est-ce qui te prend de larmoyer tout à coup au sujet d'un type qui est manifestement un loser invétéré ?

Je réagis automatiquement comme si j'avais été agressée par un dinosaure. La première étape consistait à tenir bon et à défendre ma position aussi fermement que possible. Si cette approche échouait, je passais en un éclair à la deuxième étape que j'avais baptisée « le marteau piqueur ». J'entreprenais de hurler tel un sergent-major face à une jeune recrue sur le terrain de manœuvre. Les hommes sont généralement si stupéfaits quand une femme se comporte ainsi qu'ils en perdent tous leurs moyens. Profitant de leur stupeur, je peux alors les achever en susurrant une petite rebuffade bien sentie. Certaines de mes collègues de haut vol préfèrent verser une petite larme afin de prendre l'agresseur mâle à contre-pied, mais je crois qu'elles s'exposent au risque d'être qualifiées d'« hystériques » — l'expression favorite des rouleaux compresseurs lorsqu'un membre du sexe opposé leur dame le pion.

Suivant l'étape numéro un, je dis à Kim poliment, mais d'un ton ferme :

— Tucker voit les choses sous un autre angle que nous parce qu'il n'a pas les mêmes repères. Il est chrétien.

— Ah ! Ça explique tout. Les chrétiens inversent tout. Pour eux, le succès est un échec et la pauvreté synonyme de richesses...

— Pourquoi tant d'hostilité tout à coup ?

— Peut-être parce que je crève de faim et que je voudrais manger. Ou bien parce que je t'en veux d'avoir passé la moitié de la soirée à te soûler la gueule avec un imbécile que tu trouves manifestement à ton goût. Ou parce que...

Sans perdre une seconde, je brandis le marteau piqueur.

— Je te trouve vraiment casse-pied, Betz. Reprends-toi, grandis un peu et sois raisonnable, pour l'amour du ciel, avant que quelqu'un s'avise de te renvoyer au jardin d'enfants !

— ... peut-être aussi parce que je me souviens de cette prophétie à propos de ton « flirt avec l'ennemi », enchaîna-t-il en beuglant plus fort que moi, esquivant habilement mon attaque. Peut-être aussi parce que je viens de voir Mme Mayfield !

Totalement décontenancée, je me laissai tomber sur le tabouret près de mon télescope et écoutai le silence insoutenable qui suivit.

7

— Bon, dit-il finalement avec brusquerie. Nous avons eu notre petite prise de bec. A présent, mangeons.

— Mais Kim...

— Mangeons.

Il alla chercher la pizza dans le four et commença à la découper. En le rejoignant, je m'aperçus que l'euphorie due au champagne s'était volatilisée, comme le carrosse de Cendrillon au douzième coup de minuit.

— C'est une pizza de luxe, m'informa Kim en la disséquant avec une précision chirurgicale. J'ai commandé des champignons en plus pour ta moitié et du chorizo pour la mienne.

— Si tu voulais te plaindre de Mandy Simmons, un coup de fil aurait suffi, non ? demandai-je d'une voix étonnamment égale.

— J'exige cinq minutes de silence absolu pendant que je mange.

— Mais...

— Cinq minutes. Silence absolu. Ou je vais me mettre sérieusement en colère.

Je savais que je devais prendre position. Je n'avais pas le

choix. C'était un moment crucial de notre relation parce que si je cédais cette fois-ci, cela se reproduirait et la situation irait en s'aggravant.

— Je suis désolée, dis-je d'un ton parfaitement courtois mais ferme, je n'admettrai pas qu'on me donne des ordres sous mon propre toit.

— Je fais ce que je veux. Je suis chez moi autant que toi !

— Pas légalement.

Il blêmit. J'étais déjà livide, non pas de peur, mais de rage. Nous restâmes figés, chacun attendant que l'autre abaisse sa garde, jusqu'à ce que, finalement, il s'exclame : « Et puis merde ! » en expédiant le couteau sale sur le tapis si violemment qu'il s'y enfonça et résonna contre le béton en dessous.

— Ferme-la ! beuglai-je. Arrête ton char, veux-tu ! Je ne tolère pas la violence, verbale ou physique. Ne t'avise pas de recommencer ! A présent, je te donne cinq minutes de calme pour reprendre tes esprits, t'éclaircir la cervelle et revenir à la raison, sinon je te fous dehors !

Après quoi, je gagnai le seuil d'où je lançai d'une voix suave mon ultime rebuffade.

— Il n'y a pas de place dans cette maison, crois-moi, pour l'esprit qui a construit le Troisième Reich !

Sur ce, je sortis de la pièce. Dans le couloir, je trébuchai, mais retrouvai mon équilibre. Dès que je fus dans la chambre, je sortis sur le balcon pour respirer l'air à grandes goulées tandis qu'une sueur froide me dégoulinait dans le dos et que des larmes réprimées me brûlaient les yeux.

Il apparut cinq minutes plus tard avec une tranche de pizza enveloppée dans du papier absorbant.

— Je t'ai apporté une offrande de paix.

— Je n'ai pas faim.

— Allons, mon cœur, ne sois pas comme ça ! Je suis vraiment désolé de t'avoir fait de la peine.

— J'aime mieux ça, dis-je en prenant la tranche de pizza et en mordillant la pointe.

— Il ne fait pas chaud. Rentrons. Je vais apporter le reste de la pizza ici pour que nous pique-niquions.

Nous abandonnâmes le balcon. La pizza était bonne, mais je ne pus que grignoter. J'avais mal à l'estomac. A la fin, je renonçai à manger et me contentai de boire l'eau d'Evian que Kim avait apportée.

— Je te prie de m'excuser pour cette remarque à propos du Troisième Reich.

— Tu étais fâchée. A cause de moi. Tirons un trait sur toute cette scène, veux-tu ?

Je hochai la tête avec gratitude sans le regarder. Je ne voulais pas qu'il voie les larmes qui m'embuaient de nouveau la vue.

Un peu plus tard, il retourna à la cuisine faire du café, et quand nous nous assîmes côte à côté sur le canapé, nos tasses brûlantes entre les mains, je commençai enfin à me détendre.

Mais c'était prématuré. Il ne m'avait pas encore fait part de son entrevue avec Mme Mayfield.

VI.

« Dans les relations étroites, la communication prend un aspect pressant, voire risqué. Quand et comment dois-je exprimer ce que je ressens ? Quelles sont les limites de l'engagement et de l'intimité physique ou affective ? Que faut-il partager ? Or, tout cela est au cœur du mystère de l'autre et de ce qui se passe entre nous. »

David D. Ford
The Shape of Living

1

— Je l'ai appelée en début de semaine, m'expliqua Kim quand je trouvai finalement le courage de remettre le sujet de Mme Mayfield sur le tapis. Elle s'est platement excusée quand je lui ai fait part du désastreux coup de fil de Mandy, mais elle a reconnu qu'elle les avait priés, elle et son mari, de faire de leur mieux pour me convaincre de réintégrer le groupe. J'ai compris alors que je devais organiser un tête-à-tête avec elle !

— Je ne vois pas pourquoi !

— Tu sais ce que c'est quand on veut se débarrasser des gens. Il est parfois nécessaire de leur parler en personne pour garantir une séparation définitive sans conséquences fâcheuses.

— D'accord, mais...

— Bref, pour l'amadouer, je l'ai invitée à boire un verre dans le bar situé sur le toit du Park Lane Hilton. Elle aime bien ce genre d'endroit.

— Et alors ?

— J'ai réussi à la persuader qu'il était inutile que je reste au sein du groupe puisque ma vie avait repris un sens et que je n'avais plus besoin de thérapie. Elle a émis des doutes sur le fait que ma vie avait repris un sens, et nous en avons discuté. En revanche, elle a reconnu que la thérapie de groupe ne m'était plus nécessaire. C'est une première étape. La deuxième consistera à me séparer d'elle. Cela prendra plus de temps, mais je finirai par y arriver.

— Tu veux dire que tu envisages de la revoir ?

— Une fois par mois seulement. Je sais que ce n'est pas ce que tu voulais entendre, mais...

Mieux valait refréner ma colère. J'étais trop à vif pour faire autrement. En outre, je devais reconnaître qu'il faisait de son mieux pour se délester de ces parasites qui se cramponnaient à lui.

— Tu as au moins réussi à fausser compagnie au groupe, fis-je en essayant d'être encourageante, mais je ne pus m'empêcher d'ajouter : Quand comptes-tu la revoir ?

— Bientôt, mais notre prochaine rencontre n'a rien à voir avec nos séances mensuelles. Elle m'a suggéré de venir chez les Simmons mardi prochain pour prendre congé du groupe. Ce sera une brève visite, mais elle pense qu'il est important que mes relations avec eux s'achèvent sur une note amicale.

— Oui.

J'allai m'installer sur mon tabouret et calai mon œil sur le télescope afin d'admirer les multiples prismes de lumière au-delà de la fenêtre.

— Carter ?

Il se leva à son tour et quand sa main effleura mon épaule, je sus qu'il m'incitait à être sincère avec lui.

— Pourquoi ne pas m'avoir dit plus tôt que tu la voyais ce soir ? demandai-je d'un ton impérieux après avoir pris une profonde inspiration. Et pourquoi ne pas m'avoir confié que tu lui avais parlé en début de semaine pour te plaindre de Mandy ?

— Je ne voulais pas que tu le prennes mal. Après cette scène de samedi dernier...

— J'apprécie ta sollicitude, poursuivis-je d'un ton prudent, mais comme je te l'ai déjà dit, la meilleure solution consiste non pas à m'envelopper de coton pour me protéger de tes problèmes, mais à les partager avec moi afin que je puisse te soutenir comme il convient. Pour être honnête, j'ai du mal à admettre que tu revoies ce groupe, ne serait-ce que pour leur dire adieu, et je ne supporte pas l'idée que tu t'entretiennes avec cette femme, même une seule fois, mais je comprends qu'étant donné les circonstances, tu dois faire preuve de beaucoup de tact... Mme Mayfield t'a-t-elle demandé de mes nouvelles ?

— Oui, dit-il.

Il s'éloigna pour aller prendre sa tasse et, en s'asseyant sur l'accoudoir du canapé, il précisa :

— Elle m'a demandé si tu flirtais avec l'ennemi !

— Bon sang !

— Laisse tomber, dit-il d'un ton railleur. Le flirt est déjà fini. Tu ne reverras plus Tucker ?

— Non.

Je pivotai sur moi-même pour me replonger dans la contemplation de la vue.

— Il ne te plaisait pas vraiment ?

Pour la deuxième fois, j'abandonnai mon télescope.

— Kim, pourquoi te comportes-tu subitement comme si tu n'étais plus sûr de ton charme ?

— Qu'est-ce que tu me chantes là ? C'est juste que tu es *ma* femme et il n'est pas question que je tolère une madame-je-sais-tout défaitiste batifolant sur mon territoire.

Sous l'effet d'une illumination subite, je compris comment Mme Mayfield sapait notre couple. Elle avait commencé par dire à Kim, qui respectait son opinion, que je n'étais pas l'épouse qui lui convenait, puis elle avait lancé une prédiction à propos de mon comportement futur qui l'avait rendu anxieux. Pour finir, maintenant que, par le plus grand des hasards, ce présage s'était révélé exact, elle remuait le couteau dans la plaie en lui rappelant sa mise en garde afin de changer son anxiété en colère mêlée de suspicion.

J'étais épouvantée, mais je compris aussitôt quelle était la meilleure stratégie à adopter. Je m'approchai du canapé, pris doucement la tasse des mains de Kim et la posai sur la table. Puis je lui donnai un baiser fougueux avant de murmurer d'un ton amusé :

— Tucker ne pense qu'à son stylo-plume, et non à son zizi, mon chéri. Notre relation était platonique du début jusqu'à la fin, je te le jure !

Il parvint à dissimuler son soulagement et nous allâmes prendre notre douche ensemble.

Quoi qu'il en soit, je n'avais pas du tout apprécié la manière dont il avait dénigré Tucker.

Mais alors pas du tout.

2

Un peu plus tard, pendant que nous faisions l'amour, Kim s'exclama tout à coup :

— Tu as été formidable ce soir !

J'étais sidérée, moins par la teneur de ses propos que par le fait que j'avais mal interprété le motif de cette brusque interruption. Je pensais qu'il s'efforçait de se retenir. J'étais restée inerte pour éviter de provoquer une fin prématurée, mais dès qu'il parla, je compris que sa retenue n'avait rien à voir avec une volonté de contrôle. Comme si maintenant qu'il était sans conteste l'homme qui me possédait, il avait éprouvé le besoin de marquer une pause afin de méditer avec satisfaction sur sa conquête et de la gratifier du compliment ad hoc. En outre, cet éloge me paraissait curieux. Qu'avais-je donc fait pour être si géniale ? Selon moi, je m'étais bornée à survivre à une redoutable dispute conjugale.

— Formidable ? répétai-je d'une voix faible, contente de pouvoir bouger un peu sous lui.

Il s'enfonça aussitôt en moi jusqu'à la garde et interrompit mon halètement par un brusque baiser.

— Ouais, formidable ! répéta-t-il lorsqu'il releva finalement la tête.

Bizarrement, il rit et me libéra. Je le sentis glisser hors de moi tandis que sa main gauche se promenait le long de mon corps.

— Hé, ajouta-t-il, si on changeait un peu !

L'instant d'après, il avait passé son bras gauche sous moi pour me faire rouler sur le côté de façon à ce que je lui tourne le dos.

— Attends, protestai-je, qu'est-ce...

— Même destination.

— Ah bon...

Pour je ne sais quelle raison, je me sentais mal à l'aise. Peut-être était-ce plus ardu que je ne le pensais d'effacer de mon esprit la pénible conversation que nous avions eue plus tôt. J'avais eu envie de faire l'amour, mais j'imaginais notre réconciliation comme une explosion de passion qui aurait eu raison de tous les souvenirs désagréables et non comme une partie de jambes en l'air prolongée, langoureuse, qui semblait sous-entendre qu'il n'y avait jamais eu de dispute.

— Tu es super-excité, hein ? fis-je d'un ton léger quand il se retira à nouveau pour m'allonger sur le dos avant de reprendre le chemin habituel. Ma question va peut-être te paraître idiote, mais qu'ai-je fait pour te mettre dans cet état ?

Il ne répondit pas, trop occupé à nous faire rouler tous les deux de sorte que je me retrouvai au-dessus de lui tandis qu'il prenait ses aises parmi les oreillers. Il était si remonté que l'angle de connexion m'était inconfortable. Je me penchai pour tâcher de remédier à la situation sans trop y parvenir.

— Kim ?

— Oui.

— Alors, dis-le-moi.

— Plus tard, répondit-il, et il fit durer le plaisir un long moment au fil de toute une gamme de positions.

3

Ma consternation provoqua une tension au moment où j'en avais le moins envie ; la tension exacerba mon malaise. C'était on ne peut plus frustrant ; j'avais l'impression que mon corps me laissait tomber alors qu'en réalité, je m'en rends compte maintenant, il me transmettait fidèlement un message selon lequel les choses n'allaient pas très bien sur le plan affectif. En définitive, je feignis l'orgasme pour encourager Kim à en finir, mais il n'en fit aucun cas et continua son manège comme si de rien n'était. A ce stade, j'étais non seulement perplexe, mais franchement agacée. Je m'étais habituée aux ébats fréquents, passionnés, mais sans fioriture et de courte durée. Je trouvais cela réconfortant, parfois satisfaisant. Je n'étais certainement pas malheureuse et me faisais souvent la réflexion que Kim me convenait à merveille. Si nous nous embarquions à présent, sans raison apparente, dans une forme d'intimité plus expansive, j'étais ravie de suivre le mouvement, mais ce revirement signifiait-il qu'il s'ennuyait secrètement depuis des mois ? Pourquoi s'était-il abstenu de faire monter la température auparavant ? Et pourquoi cette volte-face ?

Le changement n'avait rien d'alarmant en soi. Il n'était pas question de pratiques obscènes et le requin qui avait fait son apparition durant notre prise de bec s'était volatilisé. Je jouais de nouveau avec le dauphin et il était plus affectueux et gentil que jamais. Si je n'avais pas été aussi abasourdie — et inquiète à l'idée que nos ébats précédents aient pu lui paraître inadéquats —, j'aurais été au comble du bonheur.

— Tu es parfaite. J'ai tellement de chance, me dit-il plus tard tandis que nous buvions de l'Evian pour étancher notre soif.

Je l'embrassai et lui renvoyai le compliment avant de me décider finalement à lui demander :

— Pourquoi ne m'as-tu jamais fait l'amour comme ça auparavant ?

— Peut-être cela requiert-il des circonstances particulières ?... Mon Dieu, on s'est sacrément disputés tout à l'heure !

— Tu veux dire...

Ma phrase resta en suspens.

— Non, je ne dis pas que j'y ai pris du plaisir, enchaîna-t-il, mais ça m'a électrisé de te voir te battre comme une diablesse pour te sortir de l'impasse.

Je n'en croyais pas mes oreilles.

— Eh bien, j'espère que tu ne te réjouis pas à l'idée de réitérer ce genre de scène !

— Non, mais j'adore quand tu joues à la dure !

— La plupart des hommes ont horreur de ça ! rétorquai-je sans pouvoir me retenir.

— Ce sont des mauviettes, lâcha-t-il d'un ton méprisant avant d'éteindre la lampe de chevet en bâillant de satisfaction.

L'un de nous au moins avait fait du cauchemar de ce soir une expérience positive. J'étais plus perplexe que jamais.

Et j'avais le sentiment de n'avoir rien compris.

4

Le lendemain matin au petit déjeuner, je ne pus m'empêcher de lui faire part de ma consternation ; il s'empressa de me rassurer.

— Ecoute, ne commence pas à te dire que j'ai manqué de sincérité dans nos rapports sexuels jusqu'ici sous prétexte que j'ai choisi de rester dans le conventionnel ! J'ai toujours adoré te faire l'amour, mais, pour te dire la vérité, l'année dernière, j'étais tellement stressé entre le divorce et le changement de boulot que je n'ai jamais eu envie de donner dans la fantaisie.

Le sexe sans fioriture te convenait d'ailleurs aussi bien qu'à moi, j'en suis sûr.

— Pourquoi en es-tu si sûr ?

— Eh bien, tu m'avais confié que tu avais réprouvé le comportement de ton précédent amant dans ce registre quand votre relation allait à vau-l'eau. J'ai voulu te donner tout le temps nécessaire pour te réajuster.

— Je vois ! dis-je, soulagée par la simplicité de cette explication jusqu'au moment où je me rendis compte qu'elle ne tenait pas la route. Mais cela fait près d'un an et demi que nous couchons ensemble, protestai-je en tâchant de prendre un ton détaché. Tu t'es fait du souci pour moi tout ce temps-là ?

— J'avais peur de te contrarier en faisant un faux pas. Je voulais attendre que tu me prouves que tu pouvais enfin être toi-même avec moi et ce moment est venu hier soir, pendant notre querelle.

— Mais ce n'était pas moi du tout ! ripostai-je en le dévisageant. J'ai juste fait mon numéro de femme d'affaires intraitable pour m'en sortir !

— Je ne sais pas, mais en tout cas, tu as été superbe !

Il repoussa son bol de céréales vide et but une gorgée de café avant de jeter un coup d'œil à sa montre.

— Il faut que j'y aille.

— Mais Kim...

— Qu'y a-t-il, ma chérie ? Tu ne vas pas me dire que tu es encore fâchée ?

— Pas vraiment, mais... écoute, tu es un homme avisé, sûr de toi et cela a dû te paraître évident que j'avais relégué ma précédente liaison aux oubliettes dans les jours qui ont suivi notre rencontre. De ce fait, je ne vois vraiment pas ce que tu pouvais avoir à craindre.

— Je tenais tellement à toi que j'étais prêt à tout pour ne pas risquer de te perdre.

Sa réplique bidon fit tilt dans mon esprit.

— Mon Dieu, m'exclamai-je avec horreur. C'est encore une prophétie de Mme Mayfield, n'est-ce pas ? En plus de te dire que je n'étais pas la femme qui te convenait, elle t'a assuré que notre vie sexuclle était vouée à l'échec.

Je le vis décider qu'il eût été inutile de nier.

— Je reconnais qu'elle m'a laissé entendre que nous aurions des problèmes sur ce plan-là, dit-il en haussant les épaules. La seule chose qui compte maintenant, c'est que nous avons prouvé qu'elle avait tort.

— Je donnerais cher pour l'occire, celle-là ! Que t'a-t-elle dit exactement ?

— Juste que l'essentiel de ton énergie serait absorbé par ton travail, que du coup, ta libido aurait des ratées, que tu aurais de la peine à te détendre au lit...

— Bon, je ne la zigouillerai pas tout de suite. Je vais commencer par lui faire un procès en diffamation. Comment ose-t-elle tenir des propos pareils au sujet d'une femme qu'elle ne connaît même pas ?

— Tu estimes qu'il n'y a rien de vrai dans cette évaluation ? murmura Kim d'une voix très douce.

— Que veux-tu dire ? demandai-je en ouvrant des yeux grands comme des soucoupes.

— Evidemment, on peut tous avoir un problème de ce côté-là de temps en temps quand on a trop de soucis en tête...

— De quoi parles-tu ?

— Tu crois peut-être que je ne m'en rends pas compte quand tu fais semblant.

— Je ne fais jamais semblant !

— Vraiment ? A quand remonte ton dernier vrai orgasme ?

— A hier soir ! Tu veux un rapport détaillé des symptômes ?

— Quels symptômes ? Tes seins changent de couleur ?

— Ce ne sont pas des feux de signalisation !

Il se mit à rire.

— Des bornes jumelles à l'entrée d'un passage clouté alors ?

Je compris tout de suite que l'humour me fournirait une échappatoire. En riant moi aussi, je glissai les bras autour de son cou, l'embrassai à la hâte en déclarant d'un ton ferme :

— Plus de questions idiotes, d'accord ? Et la prochaine fois que tu vois cette sorcière, sois gentil, mets un peu d'arsenic dans sa tasse de thé !

Sur ce, je filai dans la douche.

5

C'était samedi et pour se faire pardonner son comportement de la veille, Kim proposa de m'accompagner au supermarché après qu'il eut passé quelques heures dans son bureau. Nous faisions la queue à une caisse après avoir pillé les rayonnages quand il s'exclama tout à coup :

— Voilà Sophie !

J'eus l'impression de me trouver dans un ascenseur fou.

— Où ça ? Où ça ? Où ça ?

— Près de la sortie.

Il s'élança dans cette direction en se faufilant parmi la foule, me laissant paralysée avec mon caddie. Je finis par repérer le manteau bleu roi, mais une seconde plus tard, plusieurs clients sur le départ me bouchèrent la vue. Les portes coulissantes s'ouvrirent. Quand elles se refermèrent, le manteau avait disparu.

Quelques secondes plus tard, Kim contourna la dernière personne sur son chemin et plongea dehors à la poursuite de Sophie.

J'étais dans un tel état que j'en oubliai d'emballer mes provisions au fur à mesure qu'elles arrivaient sur le tapis roulant. Je fouillai frénétiquement dans mon sac à la recherche de mon carnet de chèques alors que la moitié des courses s'entassait encore sous mon nez quand Kim réapparut.

— Tu as réussi à la rattraper ?

— Non, je ne sais pas comment elle a fait pour m'échapper.

— Il y a deux sorties, une donnant sur la rue, l'autre sur le centre commercial. Si elle a pris celle de la rue et si sa voiture était garée à proximité...

— Un peu de nerf, poulette ! lança la cliente derrière moi dans la queue. J'ai pas que ça à faire !

Kim se hâta de fourrer le reste des provisions dans des sacs. Je trouvai mon chéquier et, une minute plus tard, nous avions réussi à nous extraire du chaos.

— Fichue bonne femme ! A l'évidence, elle avait l'intention de m'accoster à nouveau, mais en te voyant, elle a pris la fuite !

Kim promit de la menacer d'une injonction. Plus tard, il m'avoua que Sophie avait refusé de lui parler quand il l'avait appelée.

6

Le prochain épisode du feuilleton Sophie eut lieu le lundi suivant après un week-end paisible. Car malgré notre récente partie de jambes en l'air, nous ne fîmes aucune tentative de séduction ni l'un ni l'autre. Peut-être Kim s'était-il rendu compte que la conversation explicite que nous avions eue m'avait mise mal à l'aise. J'ai toujours trouvé très risqué de parler de ces choses-là et je savais que je m'en tirais bien au lit. Certes, je redoutais qu'il remît le sujet sur le tapis, mais le cas échéant, j'étais prête à jurer que j'avais adoré les débordements de vendredi soir et que personne, pas même mon mari, n'avait le droit de prétendre le contraire. Je venais d'achever mes réflexions lorsque Sophie réapparut dans ma vie.

Lundi soir, je quittai le bureau vers 18 h 30 et rentrai à pied, une habitude que j'avais contractée depuis longtemps et que je trouvais apaisante. Je traversai le carrefour bruyant de Bishopsgate et pénétrai à la hâte dans le grand jardin entourant l'église de St Botolph pour échapper à la puanteur du diesel. L'église me fit penser à Tucker. Je m'étais aperçue que je les remarquais toutes à présent.

Je pris ensuite la direction du parc de Finsbury Circus où, l'été, on joue à la pétanque sur les pelouses immaculées. Au-delà, je franchis Moorgate, une autre rue passante, où se trouvait le bureau de Kim, et à la station de métro voisine, Moorfields, j'empruntai l'ascenseur menant à l'esplanade du Barbican, un immense dédale d'allées et de terrasses reliant les différentes parties de cette zone résidentielle qui couvre une vingtaine d'hectares et compte un total de douze entrées, baptisées « portes ».

Je m'enfilai sous les piliers soutenant l'un des immeubles peu élevés et longeai la rangée de palmiers bordant les toits de Brandon Mews, d'étroites maisons attenantes face aux lacs et aux cascades en deçà de l'esplanade. Au moment où je débouchai sur Highwalk, qui surplombait Silk Street au nord de la résidence, je distinguai au loin les marches qui donnaient accès à un autre niveau, où se trouvait l'entrée principale de la tour Harvey. Un coup de vent frais m'ébouriffa les cheveux et j'étais en train de remettre en place une mèche vagabonde quand j'aperçus une femme au pied de l'escalier. Elle était trop éloignée pour que je puisse discerner ses traits, mais je reconnus instantanément le manteau bleu roi.

Je portais les souliers plats que j'enfilais toujours en partant du bureau, mais ils n'étaient pas faits pour courir. Quoi qu'il en soit, pendant un long moment, je restai plantée sur place à la regarder fixement. Finalement, je m'élançai pour m'arrêter presque aussitôt. Je n'avais pas la moindre envie d'être confrontée à Sophie. Elle filait déjà en direction de l'allée couverte qui conduisait au Arts Center. Je la suivis des yeux jusqu'à ce qu'elle disparaisse au bout, dans la pénombre. Puis je dévalai le Highwalk à fond de train, montai les marches quatre à quatre et me précipitai dans l'entrée de la tour Harvey.

7

Je sus que quelque chose n'allait pas dès l'instant où je pénétrai dans l'appartement. La porte de la chambre que j'avais laissée entrebâillée était grande ouverte.

— Kim ? appelai-je, pensant que son dernier rendez-vous avait peut-être été annulé.

Pas de réponse.

J'entrai dans le salon d'un pas prudent pour découvrir qu'un autre tableau avait chu, une œuvre moderne baptisée *Paradoxe en aigue-marine* dont Kim m'avait fait cadeau pour mon anniversaire. Dans le silence le plus total, je m'agenouillai pour inspecter les dégâts. Miraculeusement, la toile était intacte, mais le cadre était à l'évidence irréparable.

J'inspirai un bon coup, me redressai avec peine et partis à la cuisine chercher de la glace pour mon apéritif du soir. Sur le seuil, je m'arrêtai net. Le bol à céréales de Kim était par terre, en mille morceaux, et la poubelle, qui aurait dû être sortie, était tombée en déversant presque tout son contenu sur le carrelage.

Je m'assis sur la chaise la plus proche.

J'étais partie plus tôt que Kim ce matin-là dans l'intention de passer en revue certains documents en prévision d'un rendez-vous à 8 heures. Il arrivait parfois qu'il abandonne son bol sur le plan de travail au lieu de le ranger dans le lave-vaisselle et il se pouvait qu'il eût oublié de sortir la poubelle, mais il n'aurait jamais laissé le bol en question si près du bord qu'il risque de tomber et même s'il avait accidentellement renversé la poubelle, il n'aurait pas laissé les détritus par terre.

Je me relevai pour aller jeter un coup d'œil dans le reste de l'appartement, mais tout était en ordre. Je ramassai les fragments du bol, ainsi que le contenu de la poubelle tout en m'efforçant de déterminer comment Sophie avait pu entrer dans l'appartement.

8

— C'est impossible ! s'exclama Kim quand il rentra.

— *Quelqu'un* s'est introduit chez nous ! Et comme j'ai vu Sophie sur l'esplanade...

— Es-tu sûre que c'était elle ?

— J'admets qu'elle n'était pas tout près, mais nous savons que samedi, elle rôdait dans le coin avec un manteau bleu roi...

— Si elle voulait saccager l'appartement, pourquoi ne serait-elle pas venue plus tôt quand elle ne courait aucun risque d'être surprise par l'un de nous deux ?

— Elle a probablement pensé que ce serait plus facile de pénétrer dans le hall d'entrée sans se faire remarquer à une heure où la plupart des occupants de la tour rentrent de leur travail, m'empressai-je de répondre.

J'avais déjà réfléchi à la question.

— C'est vrai. Bon, elle s'engouffre dans le hall, tripote son trousseau de clés pour donner l'impression qu'elle réside là ou qu'elle séjourne chez un ami...

— ... et elle passe devant le portier. Elle prend l'ascenseur et monte au trente-cinquième étage, et...

— ... elle brandit une baguette magique pour ouvrir notre porte. On en revient à la même grande question : comment a-t-elle pu obtenir la clé ? Et s'il te plaît, mon cœur, pas de scénario impliquant ma secrétaire.

J'émis un grognement et me passai la main dans les cheveux.

— Etudions le problème de façon systématique, reprit Kim, se décidant enfin à prendre les choses au sérieux. Il existe trois clés. Tu en as une, j'en ai une et les portiers en ont une qu'ils ont interdiction de donner à qui que ce soit sans notre accord. Personne n'a cette permission à l'heure qu'il est, pas même les laveurs de carreaux qui n'en ont de toute façon pas besoin puisqu'ils peuvent accéder aux balcons par l'escalier de secours.

— Et la porte qui donne sur cet escalier est toujours fermée à clé, n'est-ce pas ? En outre, si Sophie était passée par là, elle n'aurait pas pu ouvrir les fenêtres du balcon de l'extérieur, alors...

— ... alors l'explication la plus plausible, c'est qu'elle dispose d'une copie de la clé de la porte.

— Si seulement j'avais fait mettre une serrure supplémentaire ! m'exclamai-je inutilement. Mais quand on vit au trente-cinquième étage d'un immeuble gardé vingt-quatre heures sur vingt-quatre, dans un quartier de Londres où le taux de criminalité est bas...

— Où ranges-tu tes clés quand tu es au bureau ?

— Dans mon sac que j'enferme dans un tiroir. Et toi ?

— Je les garde sur moi, et je t'assure que Mary ne m'a jamais suffisamment approché pour s'en emparer. Mais attends une minute... oui, j'ai une idée ! A une époque, souviens-toi, nous sortions ensemble et Sophie connaissait ton existence, mais je ne vivais pas encore ici !

Je compris instantanément où il voulait en venir.

— Tu logeais encore dans ton pied-à-terre de Cliffords Inn. Sophie...

— Oui, et là-bas, rien ne l'empêchait de se procurer un double de la clé à la réception puisqu'elle était encore ma femme. Je n'ai jamais songé à annuler mon autorisation pour la bonne raison qu'une fois séparés, je n'aurais pas imaginé une seconde qu'elle veuille s'introduire chez moi. Ce qui signifie qu'elle et son détective privé ont très bien pu fouiller mon logement en quête d'informations te concernant, trouver la clé d'ici, la copier et la rapporter, tout cela en une journée afin que je ne m'aperçoive de rien. Je n'ai jamais gardé les clés d'ici sur moi tant que nous ne vivions pas ensemble, mais tu m'avais donné un trousseau plus tôt pour les fois où...

— ... nous décidions de nous retrouver ici après le travail et que je ne savais pas précisément à quelle heure je rentrerais, conclus-je triomphalement, ravie que le mystère soit finalement élucidé. Bravo ! Au moins, on n'aura pas de difficultés à trouver un remède. Je ferai changer la serrure demain matin à la première heure.

— Attends ! J'ai une meilleure idée. Si on la laisse faire, elle se fera prendre à son propre piège. Rien n'est prouvé, n'oublie pas ! Un avocat de la défense pourrait affirmer qu'une souris est à l'origine de ces dégâts.

— C'est un peu tiré par les cheveux, tu ne trouves pas ! protestai-je. Comment une souris pourrait-elle monter trente-cinq étages sans se faire remarquer ?

— Il lui suffit de grimper dans la tuyauterie. Il se pourrait qu'une souris ait fait tomber mon bol et renversé la poubelle.

— En tout cas, si elle a réussi à décrocher *Paradoxe en aigue-marine* du mur, ce doit être un des miracles de la génétique !

Nous parvînmes finalement à rire. Kim alla examiner le mur et, bien que le crochet fût toujours en place, je m'entendis dire :

— Cet incident est forcément lié à la chute de la gravure.

— Pas nécessairement.

— Ce serait une sacrée coïncidence tout de même !

— La vie est bourrée de coïncidences.

Il entreprit d'étudier le cadre endommagé.

— La meilleure solution est de mettre les portiers en garde contre la présence d'une femme en manteau bleu roi en les priant de noter les heures où elle arrive et où elle quitte l'immeuble. De cette manière, si elle réitère ses méfaits, nous aurons des témoins et nous pourrons corroborer nos dépositions grâce aux preuves fournies par les caméras vidéo de l'entrée et du parking. J'interrogerai Milton, mais ça devrait être suffisant pour lui coller une injonction.

— Ne devrions-nous pas poser une caméra dans l'appartement pour la prendre sur le fait ?

— Ce ne serait pas une mauvaise idée si nous cherchions à l'inculper d'un délit, mais je ne veux pas d'un tel scandale. Contentons-nous d'une injonction. Je suis convaincu qu'il faut moins de preuves et ce serait un moyen plus civilisé de l'en empêcher.

— En tout cas, une chose est sûre, commentai-je sentant que je commençais enfin à me détendre, elle est complètement à côté de la plaque. Folle à lier. C'est pitoyable.

Il ne fit même pas mine de me contredire.

9

J'avais espéré qu'il tenterait de profiter de moi ce soir-là, mais à la fin des nouvelles sur ITV à 22 h 30, il déclara qu'il était fatigué. Je restai un moment éveillée en m'efforçant de ne pas trop m'inquiéter de ces ratées sexuelles qui finissaient toujours par passer. Quand je sentis que j'allais m'assoupir, je fus soulagée, mais le sommeil cette nuit-là ne m'apporta aucun réconfort et je me réveillai en sursaut à 2 heures du matin, le cœur battant, trempée de sueur. En me forçant à respirer calmement, je passai en revue, scène par scène, le rêve qui m'avait mise dans un tel état d'agitation.

Des événements ressurgis de mon passé se mêlaient étrangement à l'imaginaire. Des huissiers étaient venus prendre nos meubles et l'un d'eux avait laissé tomber la plus jolie théière de ma mère qui s'était fracassée par terre ; un fait réel. Puis ils avaient brandi des matraques et au lieu d'emporter le mobilier, ils l'avaient brisé en mille morceaux ; pure fantaisie. Je courais dans tous les sens pour tâcher de trouver mon chat, Hamish, et je finis par le dénicher sous l'évier. Un fait réel. Puis Hamish rétrécit dans mes bras jusqu'à la taille d'une boîte d'allumettes. L'instant d'après, je faisais promettre à mon père de prendre soin de mon chat. Un fait. Mais les huissiers entreprirent de réduire mon père en lambeaux et se proposaient de faire sauter la maison. Pure fiction, bien entendu. Je m'étais réveillée à l'instant où le plus gros des huissiers s'apprêtait à me décapiter. Rien d'étonnant à ce que mon réveil eût été violent.

Avec des précautions infinies pour ne pas réveiller Kim, je me glissai hors du lit et gagnai le salon en prenant ma robe de chambre au passage. J'étais tout à fait sortie du sommeil à présent. Je décidai de me faire un lait chaud, mais à peine entrée dans la cuisine, le souvenir du bol cassé et de la poubelle renversée me revint en mémoire. La violation de mon domicile, cette forteresse où aucun huissier ne mettrait jamais les pieds, me parut tout à coup insupportable. J'extirpai le seau du placard sous l'évier et entrepris un nettoyage rituel : d'abord, le carrelage de la cuisine.

Je me rendis vite compte que ce n'était que le début de ma tâche. Il fallait que je lave les portes des placards et les plans de travail. La plaque. Le four. Je frottai, frottai, chaque atome de mon être concentré sur la volonté d'effacer le souvenir du désordre, mais quand la cuisine fut nickel, je n'étais toujours pas apaisée. Faute de pouvoir utiliser l'aspirateur, trop bruyant, j'époussetai toutes les surfaces du salon et polis la rondelle en cuivre de mon télescope. Une fois cette besogne accomplie, alors seulement, je m'assis pour me désaltérer. Mais je bus du scotch et non pas du lait.

Je compris alors que j'étais très perturbée, et ceci parce que quelque chose avait mis ma sécurité en péril. Je ne rêvais jamais d'huissiers à moins d'avoir peur d'être submergée par quelque force échappant à mon contrôle. J'en attribuai d'abord la cause aux agissements de Sophie, mais peu à peu il me vint à l'esprit que cette explication évidente de mon anxiété ne tenait pas. Après tout, Kim avait suggéré un plan d'action efficace pour juguler son ex-femme. De sorte que si je me mettais à nettoyer l'appartement avant l'aube comme une ménagère obnubilée, c'était que je devais identifier une autre source de menace dont je sentais intuitivement qu'elle serait beaucoup plus difficile à désamorcer.

Tout en m'efforçant en vain d'élucider ce mystère, je fixai la toile tombée plus tôt, posée contre le mur. Ce n'était pas la première fois que je me prenais à regretter que Kim ne m'eût pas acheté un autre cadeau. Il avait dépensé une fortune pour ce tableau ; il devait avoir de la valeur, mais son prix ne m'aidait pas à l'apprécier davantage. Sur un fond aigue-marine, trois tubes blancs parallèles, pareils à des battes de cricket, occupaient le centre de l'œuvre. C'était tout. Je n'en voyais pas l'intérêt, mais il est vrai que je ne m'y connaissais guère en art. Je n'avais jamais eu le temps de m'y initier. A l'école, je devais me concentrer exclusivement sur les matières qui me permettraient d'accéder à Oxford, et à Oxford, j'avais choisi de miser sur le droit afin d'obtenir les meilleures notes possibles. L'art faisait partie des nombreux domaines que j'avais ignorés afin de mener à bien mon plan de vie. En littérature également, j'étais à peu près aussi ignorante qu'un fanatique de jeux vidéo.

En finissant mon scotch, je songeai que j'avais vraiment besoin de diminuer ma consommation d'alcool si je voulais éviter une prise de poids catastrophique. J'avais peut-être intérêt à prendre des chemins détournés en allant au travail et en rentrant le soir, histoire de faire un peu plus d'exercice. A cette pensée, Sophie me revint en mémoire.

Entre-temps, mes réflexions avaient pris une tout autre tournure. Je me disais que si j'étais Sophie et que je voulais m'introduire incognito dans la tour Harvey, je ne porterais certainement pas un manteau bleu roi, repérable à des lieues ! Et que si j'étais Sophie avide de saccager un appartement en une orgie de revanche, je ne me contenterais certainement pas de casser un bol, de renverser la poubelle et de fracasser un cadre. Je mettrais toutes les pièces à sac et je finirais par débiter les costumes de Kim en lanières.

J'entrepris d'arpenter la pièce en me demandant si le comportement de Sophie l'autre soir dans le supermarché était compatible avec cette nouvelle image d'une harpie aux yeux fous assez déchaînée pour entrer de force chez moi et pourtant suffisamment maîtresse d'elle-même pour ne causer que des dégâts minimes. Je venais de me rendre compte que je pataugeais dans un scénario qui n'avait ni queue ni tête.

J'en conclus qu'il fallait absolument que je parle avec Alice Fletcher, observatrice neutre de la scène du supermarché. Qu'avait-elle pensé de Sophie ? Pouvait-elle être la sorcière qui avait violé mon intimité ? J'aurais voulu m'entretenir avec elle sur-le-champ, mais cela n'aurait servi à rien de l'appeler au beau milieu de la nuit.

Je m'installai à mon télescope pour regarder le jour se lever. La City émergeait de l'obscurité dans la brume matinale. Les flèches des églises étaient à peine visibles, mais j'en voyais une ou deux perçant le brouillard et peu à peu, le dôme de St Paul, d'une rondeur parfaite, apparut au-dessus de Ludgate Hill. A l'est, le ciel pâle se teintait d'ocre, et quelques secondes plus tard, les premiers rayons du soleil effleuraient la croix dorée au sommet de la cathédrale.

— Chérie !

Je bondis si brusquement que je faillis tomber de mon tabouret.

— Désolé !

Kim eut la grâce de prendre un air contrit. Il se tenait sur le seuil, adossé contre le chambranle. Depuis combien de temps m'observait-il ?

— Je viens de me réveiller, dit-il, et en voyant que tu n'étais pas là, j'ai eu peur que quelque chose n'aille pas.

— Tout allait bien jusqu'au moment où tu as failli me provoquer une crise cardiaque ! rétorquai-je en tâchant de prendre un ton léger, mais je sentais le nœud de l'angoisse se resserrer inexplicablement au creux de mon estomac.

— Quelle vue ! fit-il en s'approchant de moi d'une démarche nonchalante.

— N'est-ce pas merveilleux ? répondis-je en un quart de tour, mais j'avais de plus en plus de mal à respirer.

Je me demandais même si je n'étais pas sur le point de tourner de l'œil parce que j'avais finalement mis le doigt sur ce qui menaçait ma sécurité et qui avait fait de moi une insomniaque obsédée par le ménage. J'affrontais la redoutable possibilité que Kim lui-même eût mis l'appartement sens dessus dessous avant de partir au travail. C'était la clé la plus logique, la plus évidente de toute cette énigme. Pourtant, comme je ne voyais pas de raison valable pour que Kim eût pris une pareille initiative, cette hypothèse me paraissait presque insupportable.

— Tu es sûre que ça va, ma chérie ?

— Oui, oui. Je suis fascinée par l'aube, c'est tout.

— Par la City, tu veux dire ! Comment vais-je pouvoir t'arracher à cet endroit quand le moment sera venu d'acheter une maison à Chelsea ?

Je saisis l'occasion qui s'offrait de détourner mon attention des pensées terrifiantes et illogiques qui m'envahissaient l'esprit.

— Je n'ai pas très envie d'aller vivre là-bas ! m'exclamai-je impulsivement. Est-ce vraiment si important ?

— C'est une question de statut social, voyons ! Les gens de notre monde habitent à Chelsea ou Knightsbridge ou encore à Kensington ou à Belgravia.

— Oui, mais...

J'avais toutes les peines du monde à soutenir la conversation.

— Je reconnais que cet appartement est beaucoup trop petit, m'empressai-je d'ajouter, mais pour être honnête, je n'ai jamais adhéré à ton idée d'emménager dans un quartier plus chic. Ne pourrions-nous pas acheter une maison dans le Barbican ? Les Brandon Mews seraient trop exiguës aussi, je suis d'accord, mais les maisons de Wallside et de Postern sont spacieuses et elles ont une vue magnifique sur le mur romain et St Gile Cripplegate...

— Je ne veux pas que mes fenêtres donnent sur une fichue église.

— Que dirais-tu des résidences de Lambert Jones Mews ? Elles dominent un parc magnifique. Et puis au Barbican, on trouve tout — il y a l'Arts Center, des restaurants, une bibliothèque, des écoles, des parcs, des terrains de jeux... Je trouve que ce serait un endroit merveilleux pour élever des enfants.

Il se tourna brusquement vers moi et je l'entendis aboyer :

— Quels enfants ?

Je sus alors que non seulement il était à l'origine du désordre dans l'appartement, mais qu'en plus il me dupait de multiples manières.

DEUXIÈME PARTIE

LA LUTTE CONTRE LES PUISSANCES

« Les grandes questions religieuses et philosophiques subsistent. Les êtres humains ne peuvent renoncer à la quête du sens de la vie sans perdre une part essentielle de leur humanité. C'est pourquoi l'agnosticisme qui tente d'écarter ces questions est à mon avis une forme d'évasion. »

« Ce n'est pas sans raison que, de tout temps, les relations intimes ont été protégées par des conventions, des cérémonies et des tabous. Elles ne vont pas sans de périlleux moments où l'on s'expose tant sur le plan physique que psychologique. D'intenses sentiments de honte, de rage et de haine peuvent naître si cette intimité est bafouée... Les personnalités fragiles courent encore plus de risques dans cette mise à nu indispensable. »

John Habgood
Confessions d'un libéral conservateur

I.

> « Les blessures de cœur les plus cruelles sont infligées entre amants, époux et femmes, parents et enfants, amis, relations et associés de longue date — toute relation où une confiance et une loyauté profondes engendrent potentiellement une tragique vulnérabilité. »
>
> David F. Ford
> *The Shape of Living*

1

Je me rends compte à présent combien il est étrange que Kim et moi n'eussions jamais abordé auparavant la possibilité d'avoir des enfants, mais je connais exactement la cause de cette absence de communication. Au tout début de notre relation, il m'avait précisé que l'infertilité de Sophie avait été une déception ; j'en avais déduit, logiquement, qu'il regrettait de ne pas être père. J'en avais conclu, tout aussi logiquement me semblait-il, qu'en épousant une femme nettement plus jeune que lui, il pensait entre autres choses se donner une deuxième chance d'avoir une famille. Ce n'était pas inhabituel chez les hommes d'âge mûr.

De la même façon, je n'avais jamais caché à Kim que j'étais une femme moderne aux aspirations tout aussi modernes. Certes, j'avais évité de lui révéler en détail mon plan de vie, l'expérience m'ayant appris que les femmes se flattant de tels projets n'attiraient guère. En outre, j'avais jugé inutile de lui préciser noir sur blanc les souhaits d'une femme d'affaires de haut vol déterminée à « réussir sur toute la ligne ».

Le problème aurait sans doute surgi plus tôt si nous ne nous étions pas trouvés dans une période aussi transitoire. Puisque nous comptions déménager à plus ou moins longue échéance, j'avais estimé qu'il n'aurait servi à rien d'évoquer la question des enfants tant qu'une grossesse n'était pas une option envisageable. J'avais attendu sans peine, convaincue que Kim serait enchanté de fonder une famille au moment propice. Découvrir que non seulement j'avais mal interprété son point de vue et qu'en plus, il ne m'avait absolument pas comprise fut un tel choc que j'en perdis l'usage de la parole. Je restai clouée sur mon tabouret et le dévisageai. Il me rendait mon regard, tout aussi stupéfait.

— Mais tu es une femme de carrière !

— Et alors ?

— La vie domestique ne t'intéresse pas.

— Pas pour le moment, non.

— ... je suis désolé, quelque chose m'échappe. Recommençons depuis le début. Carter, comment aurais-je pu savoir que tu voulais des enfants ?

— Je suis une femme. Les femmes ont des enfants.

— Mais tu as un mode de vie complètement masculin !

— Je n'ai pas vraiment le choix. Comment veux-tu que je m'en sorte autrement, professionnellement ?

— Mais...

— N'était-ce pas évident que je voulais des enfants ? De nos jours, toutes les femmes qui réussissent fonctionnent de la même façon. Tu construis ta carrière, tu atteins un certain échelon, tu prends tes distances quelque temps pour bâtir ta vie de famille, tu fais des enfants, tu reviens entre chaque grossesse et en définitive, avant que tu aies quarante ans, ta vie privée et ta vie professionnelle sont parfaitement réglées. C'est le credo des femmes comme moi !

Il se passa distraitement la main dans les cheveux.

— Je ne sais pas si je dois rire ou pleurer ! Ma chérie, connais-tu beaucoup de femmes carriéristes qui atteignent tous ces objectifs grotesquement astreignants sans négliger leur mari, leurs enfants et sans sombrer dans la dépression nerveuse ?

Je m'abstins de répondre. J'essayai de régler mon télescope, mais l'objectif restait désespérément flou.

— J'ai l'impression que tu ne te connais vraiment pas, Carter. Tu n'as rien à faire d'une vie de famille et la maternité ne t'intéresse pas non plus. Si c'était le cas, tu m'en aurais parlé depuis belle lurette.

— Mais je pensais...

— Tu dis ça parce que c'est à la mode, mais tu n'as pas besoin de faire semblant d'être ce que tu n'es pas, surtout vis-à-vis de moi, ma chérie ! Je t'aime telle que tu es, et non pas parce que l'époque dit que tu dois être telle ou telle personne. Quand je t'ai épousée, j'ai accepté sans problème que nous serions un couple sans enfants.

— Ah !

— J'admets qu'il y a longtemps, lorsque Sophie et moi nous sommes mariés, j'ai eu envie d'avoir des enfants. En définitive, je me suis aperçu que j'étais soulagé que cela n'arrive pas. Je n'aurais pas été un bon père. Personne ne m'a donné l'exemple.

— Je vois.

Je renonçai à régler le télescope et concentrai mon attention sur mes mains sagement croisées.

— Je suis désolé, reprit Kim d'une voix douce, je m'y prends très mal, n'est-ce pas ? Je vais essayer de faire mieux. Tu veux des enfants ? Très bien. Je ne dis pas non. Mais je souhaiterais avoir un peu de temps pour m'habituer à cette idée, et pardonne-moi, je pense qu'il t'en faudra aussi pour réfléchir froidement et sans complaisance à ce que tu es et à ce que tu veux. Ce serait dommage de commettre une grave erreur parce que tu refuses de regarder la vérité en face.

— Oui, dis-je. De toute façon, je ne prévoyais pas de tomber enceinte avant que nous ayons emmenagé ailleurs.

— C'est plus sage ! Nous en reparlerons à ce moment-là !

Il se pencha pour me déposer un baiser sur le front.

— Reviens te coucher. Tu vas te sentir affreusement mal si tu ne dors pas un peu.

— J'ai envie de regarder le jour se lever.

— Je t'admire d'arriver à garder les yeux ouverts...

Il m'embrassa à nouveau et s'en alla.

Dès que je fus seule, je me frottai les yeux pour chasser les larmes et parvins à régler le télescope. St Paul scintillait à présent dans une lueur dorée et les tours et les flèches des églises de la City brillaient sous un ciel sans nuage. Pourquoi est-ce que je ne vois que les églises ? me demandai-je. Pourquoi ai-je cessé de contempler le modernisme étincelant de la City pour ne plus voir que ces vestiges d'un passé vibrant qui nous hante encore ? Des larmes me brouillèrent à nouveau la vue ; on aurait dit que toutes ces flèches se penchaient vers moi, comme si elles me reconnaissaient et me faisaient signe.

J'allai à la cuisine chercher une feuille de papier absorbant en guise de mouchoir. Puis je m'allongeai sur le canapé, les paupières closes, en me demandant si le monde m'avait jamais semblé aussi désordonné et hors de contrôle.

2

Au prix d'un énorme effort, je réussis à m'endormir. Kim me réveilla une heure plus tard, à 7 heures.

— Comment te sens-tu ?

— Ne me pose pas la question.

L'idée d'une journée qui avait commencé à 2 heures du matin m'était intolérable.

Au bureau, je parvins à me concentrer sur mon travail. Jamais je n'avais aussi bien accueilli les réunions rasoir et les crises de routine. En fin de matinée seulement, je me souvins de mon intention de téléphoner à Alice Fletcher.

Un répondeur prit mon message. Elle préparait peut-être le

déjeuner ailleurs. Incapable d'accepter un délai, je m'emparai du bottin, cherchai St Benet et découvris ainsi, avec surprise, qu'il y avait trois numéros : un pour le presbytère, un pour la sacristie et un troisième pour un certain Centre de guérison, un terme qui fit surgir dans mon esprit des images désagréables de charlatans tels que Mme Mayfield. Je composai le premier numéro en frissonnant. A la troisième sonnerie, une voix d'homme me répondit :

— Presbytère ?

— Nicholas Darrow ?

— Non. Ici Lewis Hall. Que puis-je pour vous ?

— J'essaie de joindre Alice Fletcher. Avez-vous une idée de l'endroit où elle pourrait se trouver ?

— Elle est à trois mètres de moi en train de servir le déjeuner. Donnez-moi votre numéro. Elle vous rappellera.

— J'attendrai, dis-je, curieuse de savoir comment ce spécimen autoritaire réagirait à une femme qui refusait qu'on lui donne des ordres.

— C'est de la part de qui ?

M. Macho avait pris la mouche.

— Carter Graham, Carter comme...

— ... le président Jimmy. Attendez, dit-il d'un ton impérieux avant de poser le combiné sur une surface dure.

Quelques instants plus tard, j'entendis la voix d'Alice.

— Carter ?

— Alice, je sais que je choisis mal mon moment et je m'en excuse, mais j'ai besoin de vous voir rapidement pour parler d'une affaire confidentielle. Auriez-vous quinze minutes à me consacrer dans la journée ?

Elle parut étonnée, peut-être par l'idée que sa journée puisse être répartie en quarts d'heure.

— Après le travail ? suggéra-t-elle d'un ton hésitant. Vers 18 h 30 ?

— Très bien. Puis-je vous offrir un verre quelque part ?

— Oh !

Cette suggestion parut la déconcerter, comme si c'était la première fois que quelqu'un avait une idée pareille.

— ... C'est gentil à vous, mais j'attends deux amis pour dîner chez moi à 19 heures ce soir et...

— Peu importe. Je serai chez vous à 18 h 30 et à moins le quart, je m'éclipserai, fis-je, concluant la conversation.

3

— C'est à propos de la scène qui s'est déroulée l'autre jour au supermarché, expliquai-je à Alice en acceptant le verre de sherry qu'elle me tendait.

J'avais quitté le bureau de bonne heure et j'avais fait une halte rapide pour boire une petite coupe de champagne afin de garder les yeux ouverts, de sorte que je pouvais affronter le sherry sans faire la grimace. L'appartement d'Alice était étonnamment clair pour un sous-sol, les murs d'un crème étincelant, le parquet laqué et brillant, les rideaux mêlant des tons bruns à du jaune soleil. Plusieurs meubles dans le salon donnaient l'impression d'être de vraies antiquités. Elle avait dû en hériter et, l'espace d'un instant, je lui enviai ce milieu bourgeois, stable, dont elle était manifestement issue.

— J'ai beaucoup apprécié votre tact sur le moment, lui dis-je, mais pour diverses raisons, je souhaiterais que vous me disiez précisément ce que vous avez pensé de cet épisode, et, s'il vous plaît, soyez franche. J'ai besoin de l'opinion honnête d'un témoin indépendant.

Alice ne parut pas le moins du monde troublée par ma requête et demanda simplement :

— Par où faut-il que je commence ?

A cet instant, un chat roux entra du jardin par la chatière.

— Commencez par : Nous étions devant le rayon boucherie.

Alice se lança dans son récit. Pendant qu'elle parlait, le chat bondit sur ses genoux et fit tout un tas de tours sur lui-même comme s'il lui massait les cuisses dans le but d'en faire un matelas orthopédique. Je pensai à Hamish. Ma mère avait refusé d'acquérir un autre chat pour moi, mais, par la suite, elle en avait donné un à ses deux autres filles en me disant que je pourrais le partager avec elles. Je n'avais jamais pris cette peine. J'étais trop grande à l'époque pour vouloir partager quoi que ce soit avec mes demi-sœurs et puis le nouveau chat était un mou, trop gâté, nourri presque à en mourir dans cette sinistre maison où il ne se passait jamais rien.

— ... aussi cette scène m'a-t-elle fait une forte impression, disait Alice, se résumant. Il est rare qu'on assiste à ce genre d'incident dans un supermarché.

— Je ne vous le fais pas dire ! A présent, Alice, dites-moi ce que vous avez pensé de cette femme ? Quelle opinion avez-vous d'elle ?

— C'est une femme aisée, s'empressa-t-elle de répondre. Je suis sûre que ses vêtements étaient faits sur mesure, parce qu'ils lui allaient à la perfection. Et puis son accent est irréprochable. Elle m'a paru très sûre d'elle. C'est le genre de personne à s'occuper de ventes de charité et à faire des visites dans les hôpitaux.

— Dans quel état d'esprit était-elle selon vous ?

— Elle était agitée. Très inquiète, mais maîtresse d'elle-même.

— Maîtresse d'elle-même ?

— Disons qu'elle ne vous a pas attrapée par les revers de votre veste, elle n'a pas crié ni donné l'impression qu'elle avait besoin d'un psychiatre de toute urgence. Un jour, j'ai vu une femme en pleine crise psychotique et je peux vous dire que son comportement n'avait rien à voir avec ça... Vous pensez toujours qu'elle a perdu la tête ?

Maintenant que j'avais obtenu d'elle ces données vitales, j'estimai que mon interrogatoire pouvait prendre la tournure d'une conversation bon enfant.

— C'est tentant de le penser, dis-je, le problème étant que je ne suis pas impartiale. Sophie a beaucoup compliqué la procédure du divorce après avoir assuré à Kim qu'elle n'en ferait rien.

Cela n'expliquait pas pourquoi je tenais tant à déterminer si

Sophie était déséquilibrée ou non, mais j'espérais qu'Alice serait suffisamment distraite par la mention du « divorce ».

Ce fut le cas.

— Oh, je comprends ! s'exclama-t-elle. Nous nous débattons actuellement avec le même problème, Nicholas et moi : celui de la femme qui commence par dire qu'elle veut divorcer, mais qui s'accroche et provoque le chaos !

— Votre fiancé divorce ? Je croyais que les ecclésiastiques ne faisaient jamais ce genre de choses !

— En règle générale, non, mais cela se produit parfois de nos jours et c'est très difficile pour Nicholas car les administrateurs du Centre de guérison y sont opposés. C'est la raison pour laquelle je ne dis jamais qu'il est mon fiancé et que...

— ... et que votre vie est tellement pénible en ce moment. Mais pourquoi cette femme est-elle si crampon ?

— Eh bien, leur fils aîné a eu des problèmes de drogue et Rosalind estime qu'elle ne peut pas faire face toute seule...

— Vous vivez un cauchemar ! Etes-vous sûre de vouloir épouser cet homme ? Après tout, vous êtes séduisante. Vous ne devez pas manquer d'admirateurs.

— Moi ? s'écria-t-elle en ouvrant des yeux grands comme des soucoupes.

Je compris tout à coup le problème. Je ne cesserai jamais de m'étonner de la manière dont tant de femmes désirables ont une si piètre opinion d'elles-mêmes qu'elles se sacrifient pour des hommes qui ne leur correspondent pas.

— Oui, vous ! aboyai-je, ne résistant pas à la tentation de lui faire entendre raison. Ne gaspillez pas votre temps pour cet homme s'il est trop mou envers son ex-femme pour vous traiter comme vous le méritez !

— Oh, Nicholas est loin d'être mou ! Je sais qu'il m'aime et qu'il veut m'épouser, mais...

— Ecoutez, mon amie, vous devez vous montrer beaucoup plus sévère avec ce lambin si vous ne voulez pas qu'il vous malmène. Cessez d'être si stoïque et complaisante et faites-lui savoir sans mâcher vos mots que vous commencez à vous impatienter !

— Oh, mais...

— Fait-il partie de vos invités ce soir ?

— Non, il est allé voir sa femme dans le Surrey.

— Eh bien, tout ce que je peux dire, c'est qu'il a de la chance de ne pas être fiancé avec moi ! Je lui défoncerais la mâchoire !

A cet instant on sonna à la porte.

— Je suis restée trop longtemps, dis-je en me levant, et en plus, je me suis montrée franchement grossière à votre égard, mais je vous aime bien, Alice, et j'estime que vous méritez tout le soutien possible.

— J'apprécie votre sympathie. Pour tout vous dire, j'ai le moral un peu bas ces temps-ci et...

— Un peu ? Seigneur, vous êtes vraiment courageuse ! A votre place, la plupart des femmes auraient plongé dans une dépression aussi profonde que le grand canyon et se bourreraient de Prozac !

On sonna à nouveau.

— Attendez ici, dit Alice, non plus seulement ébahie, mais clairement fascinée par ma loquacité. Attendez. Ne partez pas.

Elle sortit précipitamment de la pièce.

Je me servis un doigt de sherry pour garder les méninges alertes et l'engloutis pendant qu'elle allait ouvrir.

— Bonjour, ma chère...

J'identifiai instantanément la voix que j'avais entendue plus tôt lorsque j'avais appelé le presbytère ; on reconnaîtrait entre mille ces intonations sèches, impérieuses, associées à cet accent démodé propre aux pensionnats chics. Consciente que j'étais sur le point de me retrouver face à face avec un rouleau compresseur, je jetai un coup d'œil à mon reflet dans la glace au-dessus de la cheminée et me préparai à lui laisser un souvenir qui lui donnerait la chair de poule.

— Carter Graham est ici, lança Alice par-dessus son épaule en entraînant son visiteur dans la salle à manger, et elle ajouta : Carter, voici Lewis Hall. Il travaille avec Nicholas à St Benet.

Ebranlée de voir qu'une fois encore j'avais affaire à un prêtre, il me fallut un moment pour me rendre compte qu'il était aux antipodes de Darrow. Pour commencer, il était âgé. Il avait les cheveux argentés, de grandes poches sous ses yeux noirs, un nez aquilin et un air aguerri, comme s'il avait tout vu et tout fait non pas une fois mais au moins trois. Sa carrure d'athlète s'accordait mal avec sa tenue cléricale traditionnelle réhaussée par un épais col blanc et agrémentée d'une petite croix pectorale étincelante.

— Comment allez-vous, mademoiselle Graham ? dit-il en me tendant la main avec une aisance toute professionnelle. J'ai beaucoup entendu parler de vous.

— *Madame* Graham, dis-je, persuadée que ça le mettrait en colère. Comment allez-vous, monsieur Hall ?

— *Père* Hall, riposta-t-il. Je suis ravi de faire votre connaissance.

Un fieffé rouleau compresseur, s'ingéniant aussitôt à me remettre à ma place en faisant étalage de son autorité paternaliste ! Cependant, j'ai toujours respecté les fonceurs qui gardent leur sang-froid.

— Carter, dit Alice, je n'ai pas besoin de vous présenter mon deuxième invité !

En jetant un coup d'œil par-dessus son épaule, j'aperçus Eric Tucker.

4

Il portait une chemise qui faisait mal aux yeux — bleu ciel avec de larges rayures crème — et une ceinture à boucle argentée qui ondulait autour de la taille de son étroit pantalon noir. Son col ouvert révélait des poils foncés tout frisottés qui auraient pu avoir une teinte cuivrée s'ils avaient été exposés à une lumière plus forte, bien que rien ne fût moins sûr, mais ses manches étaient pudiquement boutonnées aux poignets, volonté d'élégance qui aurait à coup sûr provoqué un regain de spéculations fébriles parmi les filles du bureau. Je me sentais presque fiévreuse moi-même, mais décidai que c'était à cause du sherry.

— Salutations, madame G !

— Bonjour, Tucker ! Comment se fait-il que vous ne soyez pas enfermé chez vous à trimer sur votre livre ?

— J'avais faim. Tout le monde sait que nous autres écrivains affamés comptons sur les braves femmes de ce monde pour nous jeter une miette de temps en temps, au nom de la charité chrétienne, bien entendu.

— Je suis heureuse que vous ayez droit à autre chose que du champagne, enchaînai-je, le plus sérieusement du monde.

— A propos de manger, et si vous restiez dîner, Carter ? suggéra Alice. Il y a bien assez et vous équilibreriez magnifiquement mon plan de table. Je vous en prie, dites oui !

Je songeai un moment combien il serait agréable de m'attarder dans cette pièce chaleureuse et accueillante pour jouter de verve avec Tucker et le rouleau compresseur et apporter ma solidarité féminine à Alice, mais je devais m'en aller. Je ne pouvais tolérer que la prophétie de Mme Mayfield s'accomplisse — ou plutôt, sa conjecture outrageusement juste —, et puis de toute façon, cela ne servait à rien de m'impliquer davantage dans un monde qui n'avait pas sa place dans mon plan de vie.

— Merci, Alice, mais mon mari m'attend. Il faut que je rentre.

— J'ai le sentiment que nous nous reverrons, dit le prêtre en plongeant son regard vif dans le mien. En attendant, je souhaite que tout aille bien pour vous.

Encore un prophète ! En réprimant un frisson, je murmurai une politesse et pivotai sur mes talons.

— Passez au centre de St Benet un de ces jours ! me lança Tucker impulsivement. Je fais partie de l'équipe des Amis du jeudi soir.

— Les Amis ?

— En d'autres termes, des oreilles formées pour écouter les gens qui ont des ennuis. Nous sommes un peu comme les Samaritains.

Je ne pus m'empêcher de m'attarder encore un instant :

— Vous voulez dire que vous faites du bénévolat ?

— C'est la condition *sine qua non* pour pouvoir vivre chez mon frère au vicariat... Au fait, comment va le type qui a perdu la boule à Pékin ?

— Il continue à m'envoyer des citations de Confucius.

Je l'entendis rire. J'avais tellement envie de rester. Ma main hésita même avant d'atteindre le loquet de la porte d'entrée.

— Merci de votre aide, Alice, dis-je dans l'entrée. Si vous avez besoin d'un petit coup de pouce moral un jour, n'hésitez pas à m'appeler.

Elle parut ravie de ma proposition. Sa gratitude était même touchante. Je trouvai surprenant qu'une Londonienne de trente-cinq ans pût sembler à ce point à l'abri de la pure malveillance de la vie urbaine et je me demandai si elle n'avait pas passé la décennie précédente cloîtrée dans quelque couvent. Elle avait l'air d'une Cendrillon qui venait d'arriver au bal, et j'éprouvais bizarrement le besoin de la protéger, comme si elle était quelque reflet de moi quand j'étais plus jeune, lorsque j'avais débarqué à Oxford pour jouer moi-même à Cendrillon dans les années 70.

Je pris un taxi pour rentrer. Les tours minces aux bords acérés du Barbican, visibles au loin, évoquaient des dents de requins et, en pensant à ces animaux, j'en vins à songer à Kim en frissonnant. J'avais menti à Alice. Mon mari ne m'attendait pas à la maison. On était mardi soir et il était allé chez les Simmons pour faire ses adieux au groupe. Il m'avait dit qu'il serait rentré à 21 heures ; je savais que d'ici là, je passerais mon temps à déterminer ce que j'allais lui dire, le problème étant que, à présent, mon esprit répugnait à admettre l'avis d'Alice selon lequel Sophie était une femme équilibrée. Je ne pouvais pas en accepter les retombées. J'étais trop fatiguée et trop ébranlée encore par la révélation de Kim à propos de sa répugnance à être père. Ma cervelle ne demandait qu'à décrocher.

Je redoutais à moitié de trouver à nouveau l'appartement sens dessus dessous mais, à mon grand soulagement, tout était en ordre. Brusquement, la fatigue eut raison de moi. Je me rendis dans la chambre en titubant et m'endormis sur la couette.

Quand Kim me réveilla un peu plus tard en fermant la porte d'entrée, je me demandai aussitôt quelle heure il pouvait bien être. Et, me souvenant de sa promesse d'être de retour à 21 heures, je jetai un coup d'œil aux aiguilles lumineuses du réveil.

Elles indiquaient 00 h 20.

5

Je me précipitai hors du lit, allumai la lumière dans le couloir et le surpris alors qu'il se dirigeait vers le salon en marchant sans bruit sur l'épaisse moquette.

— Que se passe-t-il, pour l'amour du ciel ?

Il se retourna brusquement vers moi.

— Tu n'as pas eu mon message ? dit-il.

— Quel message ? demandai-je, puis je me souvins que je m'étais assoupie avant de vérifier le répondeur tout neuf. Désolée, ajoutai-je, gênée, j'ai foiré.

Je le suivis dans le salon et repassai la bande du répondeur.

« Je quitterai le groupe de bonne heure, comme promis, avait-il dit, mais je rentrerai plus tard que prévu. Je t'expliquerai. »

— Alors explique-moi, dis-je en remontant la bande.

— Il a fallu que je ramène Mme Mayfield chez elle.

— Oh, cette bonne femme ! Alors tu as dû aller de Wapping à Fulham, à l'autre bout de la ville, avant de rebrousser chemin pour regagner la City. A cette heure-ci, au moins, tu ne risquais pas de te retrouver coincé dans les embouteillages. Pourquoi as-tu mis si longtemps ?

— Mme Mayfield m'a invité un moment chez elle.

— Pour quoi faire ?

— Pour boire une tasse de thé.

— Tu as bu du thé pendant... plus de deux heures ? achevai-je après un calcul rapide. De quoi avez-vous parlé, je voudrais bien le savoir !

— De tout et de rien.

Il bâilla, puis partit dans la cuisine d'une démarche nonchalante pour aller se servir un verre d'Evian. Je l'observai sans rien dire. Ses réactions mitigées et la langueur de ses mouvements m'incitèrent à me demander s'il avait bu. On aurait dit que quelqu'un avait étouffé sa personnalité en en émoussant les aspérités.

— Comment s'est passée ta séparation d'avec le groupe ? demandai-je d'un ton sec, changeant de tactique afin de me donner plus de temps pour analyser son comportement.

— Très bien. Pas de difficulté. Mme Mayfield s'est arrangée pour que tout se passe à merveille.

Il bâilla de nouveau avant de boire un peu d'eau.

— Pardonne-moi d'insister, dis-je d'un ton aussi calme que le sien en le suivant dans la chambre, mais de quoi avez-vous parlé *exactement* ?

— De mes problèmes, comme toujours. Je ne m'étais pas rendu compte à quel point j'étais tendu après les agissements de Sophie et la dénonciation de Mandy, outre le fait que tu m'aies brusquement annoncé que tu voulais des enfants, mais dès que j'ai commencé à lui dire ce que...

— Pour l'amour du ciel, m'écriai-je, ulcérée, la conversation que nous avons eue à ce sujet ne regarde personne ! Comment as-tu osé en faire part à cette sorcière ?

— Mais elle est géniale ! Elle m'a aidé à me détendre. Je me sens beaucoup mieux maintenant.

Une pensée atroce me vint à l'esprit tandis que je le regardais défaire maladroitement sa cravate.

— Kim, as-tu pris des drogues ?

Il se ressaisit aussitôt.

— Non, sauf si tu comptes la tisane de Mme Mayfield ! riposta-t-il d'un ton choqué. Allons, Carter, tu sais très bien que je ne ferais jamais une chose pareille !

Je ne répondis rien. Je savais que nous avions un point de vue similaire au sujet de l'usage de stupéfiants, une pratique de plus en plus courante dans la City, quoiqu'il fallût être franchement enclin à l'autodestruction pour enfreindre la loi en arrivant défoncé au bureau. Curtis-Towers avait une politique de renvoi immédiat si quelqu'un était pris sur le fait ; chez Graf-Rosen, les règlements étaient tout aussi draconiens. Ce que les roquets et les écervelées faisaient en dehors du bureau les regardait, mais aucun banquier ou juriste de haut vol qui souhaitait rester en altitude ne risquait de ruiner sa carrière en devenant dépendant d'une drogue, ou de l'alcool. Il était impératif d'avoir l'esprit en alerte à tout moment. Je ne buvais jamais au déjeuner. Cette activité était strictement réservée aux heures de loisir.

— Il n'empêche qu'on dirait que tu as pris quelque chose, m'entendis-je dire d'un ton égal. Qu'y avait-il dans cette tisane ?

— Tu deviens paranoïaque dès qu'il est question de Mme Mayfield, ma chérie !

— Ecoute, dis-je en tâchant de garder mon calme sans vraiment y parvenir. Cette femme pense que je te suis néfaste et elle ne s'en est pas cachée. Te rends-tu compte à quel point ça fait mal de savoir que tu es allé la consulter derrière mon dos, sans parler de lui faire part de la conversation intime que nous avons eue ce matin ?

— Je suis désolé, j'avais besoin de ses conseils pour rectifier la situation...

— Mais nous avons tout réglé ! Je ne vois pas pourquoi...

— Il faut que j'aille aux toilettes, m'interrompit-il avant de s'échapper.

Je me déshabillai, enfilai ma robe de chambre et m'assis raide comme un piquet au bord du lit. Ma cervelle, apaisée par plusieurs heures de profond sommeil, fonctionnait à pleins cylindres alors que celle de Kim était à l'évidence très embrouillée. Si je voulais lui tomber dessus pour lui soutirer des informations cruciales, c'était le moment. Je répugnais à l'idée d'une nouvelle querelle, mais il fallait à tout prix que je sache la vérité à propos de Sophie et du désordre dans l'appartement.

Histoire de me préparer psychologiquement, j'imaginai Kim en train de faire des confidences à Mme Mayfield. Cela déclencha immanquablement le flot d'adrénaline dont j'avais besoin. Comme je prenais une profonde inspiration en prévision du décollage, Kim revint de la salle de bains d'un pas nonchalant.

— Mes pupilles ont l'air normal, commenta-t-il. Je crois que nous pouvons disculper Mme Mayfield pour ce qui est de son thé.

— Génial ! lâchai-je, mais c'est toi que je souhaiterais innocenter. A présent, dis-moi une chose : est-ce toi qui as mis tout ce chambard dans l'appartement hier tout en m'incitant à croire que Sophie était coupable ?

Il écarquilla les yeux. Il luttait à l'évidence pour déterminer s'il avait bien entendu, de quelle manière j'avais pu en arriver à une telle conclusion et comment il devait réagir, mais malheureusement, cet enchaînement ne prouvait pas qu'il fût innocent ou coupable, seulement que j'avais réussi à le désarçonner. Je résolus de remuer le couteau dans la plaie.

— Tu aurais très bien pu faire ça hier matin avant d'aller au bureau, dis-je. C'est même l'explication la plus logique.

— Tu as perdu la tête, répondit-il platement, puis il se laissa tomber sur le lit avant de demander : Pour quelle raison aurais-je fait une chose pareille, pour l'amour du ciel ?

— C'est à toi de me le dire.

Il grogna et commença à déboutonner sa chemise.

— Je n'ai qu'une seule chose à dire : je suis mort de fatigue et dans vingt secondes, je vais sombrer dans le sommeil. On en parlera demain.

— On est déjà demain, Kim. Si je ne t'aimais pas autant, je laisserais courir, mais...

— Tu ne crois pas sérieusement à cette théorie grotesque...

— Je pense en tout cas qu'il se passe quelque chose de franchement bizarre et que Mme Mayfield n'y est pas étrangère.

Il jeta sa chemise par terre et se releva.

— Soyons clairs, tu es fâchée parce que tu estimes que je t'ai trahie en parlant avec Mme Mayfield d'une question personnelle. Or, mes entretiens avec elle sont totalement confidentiels et si c'était une thérapiste qualifiée, tu ne ferais pas tant d'histoires !

— Elle n'a aucune qualification ! Et puis, comment pourrait-elle te donner des conseils objectifs à propos de ton mariage puisqu'elle a reconnu y être catégoriquement opposée ?

— Je pense qu'elle finira par changer d'avis. Avec le temps...

— Comment ça avec le temps ? Tu m'as dit que tu comptais rompre avec elle aussi tôt que possible !

— C'est vrai, mais si elle en vient à accepter notre mariage...

— Mon Dieu, elle cherche à te faire revenir sur ta décision de l'envoyer promener ! Tu ne vois donc pas qu'elle te manipule, Kim ! Ne comprends-tu pas ?

— C'est toi que je ne comprends pas !

Subitement, il s'était débarrassé de son envie de dormir aussi aisément que de sa chemise et, remonté à bloc, il contre-attaquait.

— Le problème avec toi, c'est que tu refuses de reconnaître la dimension spirituelle de la vie, reprit-il d'un ton exaspéré. Tu es tellement avide d'échapper à la réalité que tu te mets des œillères ! Tu ne vois que la route droit devant toi et la vue de chaque côté t'échappe complètement.

— Eh bien, si le paysage de part et d'autre comporte des horreurs telles que Mme Mayfield, heureusement que j'ai des œillères ! Dommage que tu n'en aies pas toi aussi !

— Ferme-la et écoute-moi, lança-t-il en prenant le contrôle de la conversation.

Cependant, je n'avais pas encore perdu la partie, parce qu'il était tellement agacé qu'il risquait fort de se trahir par inadvertance.

Consciente que la conversation s'engageait sur une voie encore plus déconcertante, je m'adossai au mur en affectant un air décontracté et attendis l'occasion de bondir pour la curée.

6

— Je t'ai peut-être donné l'impression que je ne croyais pas en Dieu, reprit Kim d'un ton ferme. En fait, ce que j'ai voulu dire quand je t'ai parlé de ma quête spirituelle après ma visite à Auschwitz, c'est qu'il n'a jamais rien fait pour moi. Je pense qu'il existe quelque part, mais c'est une divinité de deuxième rang. Il s'est retiré du monde après l'avoir mis sens dessus dessous de sorte que les forces auxquelles nous sommes confrontés au quotidien, ce sont les Puissances. Mme Mayfield les appelle ainsi.

« J'ai vécu avec ces Puissances en grandissant. J'ai vu ce qu'elles faisaient aux gens, à mes parents, mais je n'avais aucune influence sur elles, pas plus que les enfants qui moururent dans les camps. Elles me malmenaient régulièrement et je ne pouvais rien faire hormis me promettre qu'un jour, je trouverais la force de les combattre. C'est la raison pour laquelle j'ai commencé à courir après l'argent et le succès. J'ai travaillé comme une bête et j'ai acquis du pouvoir, mais jamais assez : les Puissances me poursuivaient toujours, je n'arrivais pas à les semer et finalement j'en arrivai au point, au moment du chantage, où je pensais qu'elles avaient eu raison de moi. Mme Mayfield m'a sauvé. Elle m'a sauvé parce qu'elle est détentrice du vrai pouvoir, celui qui s'exerce sur les Puissances. Si elle est capable de les manipuler, c'est parce qu'elle a accès à la Puissance suprême sous sa forme primitive, seule à même de les contrôler en définitive. Alors ne me demande plus jamais pourquoi je vois Mme Mayfield. Elle seule peut me sauver quand je lutte contre les Puissances.

Il se laissa tomber sur le lit comme si cette tirade l'avait épuisé, mais une seconde plus tard, il se relevait, trop agité pour rester tranquille.

— Le mal constitue la réalité de ce monde, poursuivit-il en arpentant la pièce, et ce dont les êtres humains rêvent avant toute chose, c'est d'échapper à la souffrance. Schopenhauer l'a bien compris. Bien évidemment, tu n'as rien lu de lui ! Tu n'ouvres jamais un livre mis à part les derniers textes de loi sur la fiscalité.

— Je suis peut-être ignorante, dis-je avec peine, mais je sais une chose et je n'ai pas eu besoin de lire un livre pour le découvrir : ce que les gens désirent le plus au monde, c'est aimer et être aimés.

— Ne viens pas me raconter ces sornettes ! L'amour n'est rien d'autre qu'un impératif biologique intégré à l'être humain pour perpétuer la race !

— C'est ce que j'ai entendu de plus abject depuis longtemps et en plus, c'est une connerie de première ! ripostai-je sans hésitation.

— Je ne suis certainement pas le seul à le penser.

— Oui, Mme Mayfield est de cet avis ! Ainsi que tous les cinglés du pouvoir obnubilés par la domination. Kim, honnêtement, ne vois-tu pas qu'une fois que tu dénigres l'amour, tu dénigres les êtres humains, et là tu vas droit à Auschwitz ?

— Si tu me traites de Nazi, je te jure que...

— Je sais que tu détestes les Nazis ! criai-je. Mais c'est justement ce qui rend cette conversation odieuse. On dirait que tu t'apprêtes à proclamer « *Heil Hitler !* ».

— Connasse ! Tu n'as pas compris un traître mot de ce que je viens de dire, hurla-t-il. Le Troisième Reich a été généré par les Puissances et Hitler a abusé de son pouvoir pour s'y conformer. Il a tout fait pour les aider à gagner alors que mon objectif à moi a toujours été de les désamorcer. C'est le seul moyen de se sentir en sécurité et d'avoir une vie normale et convenable !

— Très bien, enchaînai-je rapidement (consciente de la sincérité de sa détresse), en gros, tu fais partie des gentils, mais je persiste à croire que ta vision du monde n'est pas juste. Elle comporte un vide... une sorte d'absence... du bien peut-être, oui, c'est ça. Tu concentres ton attention sur les ténèbres. Et la lumière, alors ? Que fais-tu de la beauté, de la joie, de toutes les expériences qui font qu'on est heureux de vivre ? Par exemple la scène torride que nous avons vécue l'autre soir. N'était-ce pas merveilleux de se témoigner mutuellement notre amour de cette façon ? Tu ne vas pas me faire croire que ce n'était rien d'autre à tes yeux que la manifestation d'une impulsion biologique ?

Son agressivité se dissipa d'un seul coup.

— J'ai eu peur que ça ne t'ait pas plu, dit-il d'un ton douloureux.

— Mon chéri...

— Tu n'aurais pas dû faire semblant...

— Bon, je vais être honnête : j'avais un peu mal à la fin. Mais cela ne change rien au fait que c'était super. Je me sentais coupable de devoir t'interrompre. Je trouvais que tu ne méritais pas d'être déçu par une partenaire moins que parfaite et c'est la raison pour laquelle...

— On faisait l'amour, Carter ! On n'était pas en train de passer un examen de droit ! s'exclama-t-il encore trop contrarié pour rire, mais cherchant à l'évidence une réponse humoristique à même de mettre fin à notre querelle.

L'instant d'après, nous étions dans les bras l'un de l'autre.

— Reconnais que l'amour est plus important que le pouvoir, murmurai-je après un baiser fougueux.

— L'amour est dépendant du pouvoir.

— Que veux-tu dire ?

— Quand mon père s'est effondré sous mes yeux après la guerre, j'ai compris qu'un homme doit être macho et puissant s'il veut qu'une femme continue à l'aimer. Sinon, elle s'empresse d'aller coucher avec quelqu'un d'autre.

— Pas si elle l'aime ! protestai-je, consternée.

— Voilà que tu recommences avec ton sentimentalisme absurde. Avoue que c'est le pouvoir que j'exerce qui t'a attirée chez moi au départ ! J'ai bien vu ta réaction quand je t'ai dit ce que je faisais dans la vie, dès que tu as pu déterminer combien je gagnais !

Je me forçai à répondre calmement :

— Au début, la seule chose qui m'intéressait, c'était de coucher avec toi. Notre relation a fait du chemin depuis.

— Si je perdais mon boulot demain, tu me quitterais.

— Ne sois pas ridicule !

— Si tu découvrais que je n'avais aucun pouvoir, tu te désintéresserais de moi. Ainsi va le monde. C'est la réalité.

— Non, protestai-je avec entêtement. Tu te trompes. La réalité, c'est que je t'aime. La réalité, c'est l'amour.

Il se jeta aveuglément dans mes bras et je l'étreignis de toutes mes forces. Nous gardâmes le silence un moment, mais quand finalement il se libéra, il chuchota :

— J'aimerais pouvoir le croire. J'aimerais vraiment.

— Ne peux-tu au moins accepter que je t'aime ?

— Si, mais j'ai peur que les Puissances n'anéantissent ton amour à moins que je trouve le moyen de les repousser. Il faut que j'aie la force de lutter sans cesse contre elles, ajouta-t-il en se détournant de moi, et en ce moment, sans Mme Mayfield, j'en serais incapable. Un jour, je pense que je serai suffisamment fort pour les surmonter tout seul, mais c'est trop tôt. J'ai tant souffert. Il me faut encore un peu de temps.

— Bon, repris-je, après une longue pause, restons-en là pour l'instant.

Je me dressai sur la pointe des pieds pour lui déposer un baiser sur la joue.

Mais il m'avait à peine entendue.

— Carter, tu ne penses pas sérieusement que c'est moi qui ai dérangé l'appartement ?

— Non, c'était une tactique pour t'obliger à te confier à moi. Laissons tomber, dis-je n'ayant plus ni le cran ni l'énergie de réattaquer le sujet, mais plus tard, j'attendis en vain le sommeil, en proie à toutes mes angoisses jusqu'au moment où le jour se leva sur la City.

7

Je savais qu'il m'avait doublement dupée en éludant les aveux que j'avais cherché à lui soutirer à propos de l'appartement et en m'incitant à cautionner sa volonté de rester en contact avec Mme Mayfield. Quoi qu'il en soit, j'avais acquis une vision nettement plus claire de la situation. Je comprenais mieux ses névroses — pires que je ne l'imaginais —, ainsi que ses rapports avec la harpie. Elle avait réussi à le rendre dépendant d'elle psychologiquement en exploitant ses troubles affectifs. Je m'étais imaginé qu'il faisait preuve d'une perversité impardonnable en entretenant cette relation ; je comprenais maintenant que son comportement émanait non pas d'un choix, mais d'une fixation irrationnelle. Cela ne justifiait pas pour autant ses liens avec cette femme opposée à notre mariage, mais je pouvais désormais considérer ses agissements comme névrotiques et non plus délibérément malveillants. Du coup, j'arrivais à lui pardonner.

A l'évidence, il avait besoin d'un soutien psychiatrique, mais il refuserait à coup sûr de consulter un spécialiste. Assise une fois de plus sur le canapé aux premières heures du jour, un scotch à la main, je m'efforçai de me calmer en énumérant les points positifs qui subsistaient en dépit de la crise. Nous nous aimions ; nos rapports sexuels étaient bons et allaient en s'améliorant et quand il se contentait d'être un dauphin au lieu de jouer au requin, tout allait bien. Nous avions beaucoup de choses en commun, nous nous entendions bien et nous avions de quoi nous rendre mutuellement heureux. Le problème des enfants était épineux, mais pas insurmontable. J'étais presque sûre de pouvoir lui faire changer d'avis, peut-être en le laissant libre de déterminer le site de notre prochaine résidence. Je devais cesser de considérer la question de la maternité comme un problème à long terme.

Le vrai problème à long terme, c'était Mme Mayfield. Il allait falloir l'expédier au diable vauvert en espérant que Kim survivrait à la perte de cette béquille psychologique. Mais comment allumer la mèche qui la dynamiterait ?

Subitement je pensai à Sophie et à la mise en garde qu'elle m'avait faite au supermarché. Elle était saine d'esprit, j'en étais convaincue à présent, de même que je ne doutais pas un instant que Kim eût dérangé délibérément l'appartement tout en cherchant à me faire croire que son ex-femme était en cause. Il était essentiel pour lui que je n'attribue pas une once de crédibilité à Sophie. Cela signifiait qu'elle connaissait d'autres faits difficiles à digérer que Kim était résolu à me cacher. J'étais sûre que certaines de ces pénibles réalités avaient trait à Mme Mayfield.

« Il est mêlé à l'occulte... »

Je me rendis compte tout à coup que, trop avide de prouver la démence de Sophie, je n'avais jamais pris cette allégation au sérieux, sans compter qu'en entendant le mot « occulte », je pensais toujours : « Balivernes » et je faisais la sourde oreille. Quelle était au fond la définition de l'occulte ? Au-delà des boules de cristal et des oui-ja, il se pouvait que ce fût quelque chose de beaucoup plus dangereux. La loi contre la sorcellerie, je le savais, avait été abrogée au début du siècle. Peut-être toutes sortes de loufoques avaient-ils surgi de nulle part depuis lors pour exploiter les gens vulnérables.

J'ignorais si sorcellerie et occulte étaient une seule et même chose, mais je présumais qu'en tout état de cause, ladite loi les concernait l'une et l'autre. Le fait que ces activités ne soient plus illégales limitait à coup sûr mes chances de me débarrasser de Mme Mayfield, mais les activités louches s'accompagnaient souvent d'entorses à la loi. Je pensais instantanément au chantage. Si je pouvais prouver qu'elle avait commis un acte criminel, je la tenais ! Il me suffisait d'avoir les informations nécessaires, ce qui signifiait que je n'avais pas d'autre solution que d'aller trouver Sophie.

Cette perspective ne m'enchantait guère, mais dans des situations désespérées, on est parfois forcé de recourir à des mesures extrêmes. Je ne pouvais pas continuer à partager Kim avec Mme Mayfield, cela ne faisait aucun doute.

Je retournai me coucher en me demandant s'il m'avait menti en me jurant qu'il n'avait pas pris de drogues ce soir-là. Je parvins à dissiper cette angoisse en me disant qu'au moins, il s'était délesté de ce fichu groupe.

Au prix d'un formidable effort, je parvins enfin à m'endormir.

8

Une tension s'insinuait inexorablement dans mon corps et mon esprit. J'essayai de chasser mes anxiétés en me concentrant sur mon travail, en vain cette fois-ci. Le manque de sommeil me minait aussi, et à 3 heures de l'après-midi, je n'en pouvais plus. Je priai Jacqui de bloquer tous les appels et tentai de faire une petite sieste, mais ma cervelle passa aussitôt à la vitesse supérieure : je ne pouvais m'empêcher de penser à cet être névrotique que j'avais épousé. J'eus vite mal à la tête ; je pris une aspirine qui n'eut aucun effet. Pour finir, de peur de prendre de mauvaises décisions, je décidai que le plus intelligent serait de me retirer.

Je trouvai un taxi à Bishopsgate ; quelques minutes plus tard, je pénétrai dans le parking de la tour Harvey. Le gardien me fit un aimable signe de tête, mais je n'avais pas la moindre envie de faire la causette. Je me précipitai dans l'ascenseur où je m'effondrai contre la paroi.

Dans le couloir du trente-cinquième étage, j'eus soudain l'impression que j'allais tourner de l'œil. Je m'appuyai contre le mur pour me ressaisir. Heureusement, le vertige ne tarda pas à se dissiper. J'ouvris la porte d'entrée et sentis aussitôt que quelque chose n'allait pas. Kim était parti le premier ce matin-là ; l'appartement devait être immaculé. Pourtant, j'étais convaincue que j'allais le trouver en désordre. J'allai jeter un coup d'œil dans la chambre voisine et émis une sorte de râle. Les portes des placards étaient grandes ouvertes. Les costumes de

Kim jonchaient la moquette ; je les examinai sans trouver signe de dommages. Mes vêtements à moi n'avaient pas bougé. Je restai plantée là, le souffle coupé, à passer en revue cette scène bizarre, mais avant de pendre les costumes que j'avais déjà ramassés et soigneusement alignés sur le lit, il me vint à l'esprit que je devais inspecter le reste de l'appartement. Je me précipitai au salon.

Les coussins du canapé étaient par terre, on avait renversé mon tabouret, mais le télescope lui-même n'avait rien et les tableaux étaient toujours aux murs. Curieusement, la télévision était allumée bien que le son fût coupé. Je m'emparai de la télécommande et éteignis. Ce fut alors que j'entendis un bruit de dégoulinade dans la cuisine.

La porte du réfrigérateur était ouverte, coincée par un berlingot de lait qui coulait goutte à goutte du couvercle fermé, mais non scellé.

Le saccage était donc récent. Je redressai le berlingot, refermai la porte du Frigidaire à toute volée et retournai dans le salon pour téléphoner chez Graf-Rosen.

Kim avait très bien pu repasser à mon insu à l'heure du déjeuner.

9

— Mary, ici Carter, fis-je dès que la secrétaire de Kim me répondit. Mon mari est-il là ?

Elle prit aussitôt ce ton mielleux qui masquait son antipathie pour moi.

— Il est en rendez-vous, je le crains.

Il était 16 h 20 et le berlingot n'aurait pas pu fuir depuis plus de cinq minutes. Peut-être le lait ne s'était-il pas mis à couler tout de suite ?

— Avait-il un déjeuner ? demandai-je d'un ton abrupt.

— Oui, il a déjeuné en haut avec deux de ses associés.

— Il n'est pas sorti de vos murs ?

— Il n'aurait pas eu le temps. Que se passe-t-il, Carter ? Vous n'avez pas l'air dans votre assiette.

— C'est juste que j'ai cru l'apercevoir tout à l'heure sur l'esplanade, dis-je en faisant un effort pour me reprendre. Bon, ne vous donnez pas la peine de lui dire que j'ai appelé. De toute évidence, je l'ai confondu avec quelqu'un d'autre.

Je raccrochai, profondément soulagée. Qui que soit le coupable, Kim était hors de soupçon.

Une seconde plus tard, je plongeai à nouveau dans la confusion la plus totale. Si Kim était innocent, toutes mes déductions fondées sur sa culpabilité étaient fausses, ce qui signifiait que Sophie, bel et bien folle, avait elle-même saccagé mon appartement. En outre, puisque les ravages étaient récents, elle était peut-être encore dans les parages. J'ouvris la porte-fenêtre d'une poussée et me précipitai sur la terrasse.

Les appartements du Barbican sont tous entourés de balcons qui font office de sorties de secours et facilitent la vie des laveurs de carreaux. Ma vue à l'est et au nord était limitée, mais je dominais toute l'esplanade. En jetant rapidement un coup d'œil, je repérai une tache bleu roi sur un des bancs qui surplombaient les jardins.

Je me ruai à l'intérieur, enfilai à la hâte une paire de chaussures plates, saisis mon sac au passage et sortis de l'appartement en courant. Par miracle, l'ascenseur arriva instantanément. Dans le hall, je filai sous le nez du portier, étonné, et me précipitai dehors. Ma fatigue s'était dissipée, balayée par une montée d'adrénaline. Je traversai l'esplanade d'une traite en direction des jardins encadrés sur trois côtés par des immeubles et là, je vis Sophie dans son manteau bleu roi, le dos tourné, qui contemplait cette vue paisible comme si elle savourait un repos bien mérité. Pourquoi ne prendrait-elle pas un moment pour se détendre ? J'étais censée être au bureau et elle devait s'imaginer en parfaite sécurité.

En m'approchant, je vis qu'elle portait un chapeau, un vilain feutre noir, ce qui me surprit car je savais qu'elle s'habillait avec goût. Mais j'étais trop occupée à me délecter de mon triomphe pour m'en étonner vraiment.

Je ralentis le pas pour reprendre mon souffle. Maintenant qu'elle était à portée de main, je pouvais m'offrir un instant de répit afin d'être en pleine possession de mes moyens au moment de la confrontation, mais brusquement, elle sentit ma présence. Je vis ses épaules se raidir. Aussitôt, elle se leva, mais quand elle se retourna, je ne pus que la dévisager d'un air incrédule.

Je ne connaissais pas cette femme, mais elle savait pertinemment qui j'étais. Elle me sourit gaiement. Sous l'épaisse couche de poudre qui lui couvrait le visage, elle avait les joues roses de plaisir. Ses lèvres étaient légèrement écartées et elle me considérait comme quelque objet luxueux qu'elle mourait d'envie de s'acheter. Ses yeux bleus étaient sereins, mais humides, comme si son bonheur était presque insoutenable. Des boucles grises s'échappaient de son galurin bon marché. On aurait dit une grand-mère démodée admirant le dernier-né d'une vaste famille unie.

— Eh bien, quelle agréable surprise ! dit-elle d'une voix suave. Vous êtes Carter, n'est-ce pas ? Je vous ai reconnue d'après les photos. Dois-je me présenter ou avez-vous deviné qui j'étais ?

— Vous êtes madame Mayfield, m'entendis-je dire, et une vague de répulsion me parcourut la colonne vertébrale.

II.

« Quand on nous blesse profondément, on connaît l'une des pires formes d'accablement. »

David F. Ford
The Shape of Living

1

— Je suis ravie de faire votre connaissance, ma chère, dit-elle.

Et je sentis sa personnalité puissante, sinueuse, m'envelopper tel un anaconda. Par contraste, son contralto suave au fort accent du sud de Londres évoquait des images d'une mère de famille banlieusarde servant le thé dans un salon aux rideaux de dentelle. De près, le manteau bleu roi ne ressemblait en rien à celui de Sophie. Il était ample, mal coupé ; peut-être l'avait-elle confectionné à la va-vite à la machine à coudre quand elle avait eu l'idée de se faire passer pour l'ex-femme de mon mari. Déboutonné, il révélait une robe à fleurs agrémentée d'un mince cardigan gris. Le temps ne justifiait guère le port d'un gilet en plus du manteau, mais ce genre de personne est toujours très attaché à son cardigan. Cela devait faire partie de son uniforme.

J'essayai de déterminer son âge. Elle avait de jolies jambes et ses pieds étroits et élégants étaient enfermés dans des souliers à hauts talons, comme si elle cherchait à détourner l'attention de son torse volumineux. D'après sa tenue, on lui aurait certainement donné la soixantaine, mais ses boucles grises faisaient l'effet d'une perruque et elle avait une jolie peau. En définitive, je décidai qu'elle pouvait avoir entre quarante-cinq et soixante-dix ans et appartenir à diverses professions allant de la comptabilité à la prostitution.

— Si nous nous asseyions un moment ? dit-elle. C'est charmant ici près des jardins. Il y a même des poissons rouges dans la mare, bien que je doute qu'ils tiennent le coup bien longtemps. Pauvres amours, ils vont se faire kidnapper pour nourrir les chats du voisinage. Figurez-vous que j'allais voir une amie qui vit dans Ben Jonson House, ajouta-t-elle en désignant l'immeuble à proximité, mais comme j'étais en avance, j'ai eu l'idée de m'arrêter pour contempler les beautés de la nature qui parviennent à s'épanouir dans les endroits les plus singuliers. Et on ne fait pas plus singulier que ce Barbican, vous ne trouvez pas ? Vingt hectares de béton brut aménagés, j'en mettrais ma main au feu, par des hommes sans aucun avis féminin. Des femmes auraient adouci toutes ces lignes droites et construit le tout au niveau de la rue. Ce serait tellement plus commode pour les courses, mais les hommes ne pensent jamais aux besoins des ménagères ! Qu'est-ce qui leur a pris, je vous le demande ! C'est la gent masculine dans toute sa splendeur, pas vrai ? Connaissance de soi minimale et aptitude maximale à compliquer les choses !

Quand elle marqua une pause pour reprendre son souffle, je pus enfin dire de ma voix la plus dure :

— Vous avez saccagé mon appartement.

— Eh bien, j'ai entendu dire que vous aviez des soucis, mais...

— Aujourd'hui, je veux dire. Tout à l'heure.

— Je n'y suis pour rien, ma chère, bien que j'avoue que je viens de la tour Harvey ! Qui porte le nom de ce scientifique à l'origine de toutes ces découvertes sur la circulation du sang. Je me suis laissé dire qu'il travaillait au Bart Hospital voisin. Je trouve charmant que tous les immeubles du Barbican aient des noms de célébrités attachées à la City : Lauderdale, Defoe, Shakespeare, Cromwell...

— Si vous n'avez pas mis mon appartement à sac, que faisiez-vous à la tour Harvey ?

Son discours décousu et elliptique m'épuisait bizarrement ; j'avais l'impression de me débattre avec du caramel mou.

— Votre époux a oublié son agenda électronique chez moi hier soir, ma chère, et lorsqu'il a appelé ce matin pour s'assurer qu'il était là, je lui ai dit que je devais venir voir Pauline cet après-midi et que je pouvais très bien le déposer chez le gardien.

— Je suis prête à parier que vous avez convaincu le portier de vous laisser entrer, que vous avez pénétré dans l'appartement avec une clé que mon mari vous a donnée hier soir et que...

— Vous pouvez parier tout ce que vous voulez, ma chère. C'est de la pure fantaisie...

— Mais...

— Je vais vous dire ce qui s'est passé. Je suis sortie de la station de métro Barbican, j'ai emprunté le passage qui se faufile sous ce joli jardin. Votre mari avait déjà téléphoné à la réception pour annoncer ma venue, mais bien sûr, l'entrée ayant été conçue par des hommes et donc parfaitement incommode, donne sur l'esplanade. J'ai dû passer par le parking, expliquer ma présence au gardien et attendre qu'il appelle son collègue du lobby pour s'assurer que je n'étais pas quelque terroriste de l'IRA. Quelle histoire ! Au moins, vous pouvez vous féliciter de la qualité de votre système de sécurité. Bref, une fois le gardien averti, j'ai pris l'ascenseur jusqu'à l'entrée et...

— Vous êtes montée directement au trente-cinquième étage sans vous arrêter au niveau de l'esplanade !

— Non, ma chère, je suis allée dans le hall où j'ai déposé l'agenda dans son petit sac, et puis je suis ressortie par les jardins. Si votre appartement est à nouveau chamboulé, je n'y suis pour rien.

— Je ne vous crois pas !

— Comme vous voulez, ma chère, reprit-elle d'un ton serein, mais vous devriez vous calmer. Votre niveau de stress est bien trop élevé et je comprends que vous ayez dû quitter votre travail plus tôt. Vous avez mal à la tête, n'est-ce pas ? C'est la tension. Et le manque de sommeil vous donne le vertige...

— Ecoutez, madame Mayfield...

— Vous allez au-devant de gros problèmes de santé si vous continuez comme ça, mon ange, vraiment, et je l'ai dit à Jake hier soir. J'espère que vous ne m'en voulez pas de l'appeler Jake, mais c'est le nom qu'il m'a donné la première fois qu'il est venu me voir et je crois qu'instinctivement, il a toujours su que ce prénom lui convenait mieux que Kim. Jake a une consonance si forte, si mâle et il est tellement macho.

— Epargnez-moi ce genre de commentaire. Je voudrais vous parler de...

— Les noms sont si importants, vous ne trouvez pas ? poursuivit-elle, éludant sans effort mon interruption. J'ai toujours refusé qu'on m'appelle « Betty », « Lizzie » ou « Ellie ». Ces abréviations sont si laides ! C'est une question de ton, de classe. Elizabeth Mayfield, c'est si joli, si élégant, si anglais. J'adore mon nom, vraiment ! Ça me rend heureuse, rien que de l'entendre ! Quant à votre nom à vous, ma chère, pardonnez-moi de vous le dire, mais c'est une erreur. S'affubler d'un prénom d'homme, histoire de se conformer à un style de vie masculin. Du coup, une grande partie de votre nature profonde se trouve réprimée, et je pense que le pauvre Jake commence seulement à s'en rendre compte. « Carter Graham », non, non, ma chère, ça ne va pas, mais pas du tout ! Avez-vous jamais songé à vous faire appeler Kate ?

— Madame Mayfield, dis-je (si hors de moi à ce stade que je l'aurais volontiers jetée dans un bain d'acide), arrêtez vos conneries. Parlons peu, mais parlons bien. Je sais...

— Pardonnez-moi, ma chère, mais je pense que vous ne savez rien. Vous êtes très perturbée. C'est la raison pour laquelle vous gérez très mal cette conversation. Je suis tout à fait disposée à être gentille. Pourquoi vous obstinez-vous à me sauter à la gorge ?

— Parce que vous avez dit à Kim de ne pas m'épouser ! Parce que vous lui avez raconté toutes sortes de balivernes à propos de mon « flirt avec l'ennemi » ! Parce que vous nous avez prédit des problèmes sexuels dans l'espoir de bousiller notre couple.

— J'ai toujours pensé que c'était une mauvaise idée de se précipiter dans un second mariage après un divorce, mon ange. Quant à votre flirt avec l'ennemi, eh bien, ce n'était pas des balivernes, n'est-ce pas ? Vous aimez bien ce jeune homme qui est venu travailler avec vous. Et vous avez bien un peu flirté avec lui...

— Absolument pas ! Je réfute catégoriquement...

— ... et je vais vous dire une chose, ma jolie. Vous n'en avez pas fini avec l'ennemi, c'est le moins que l'on puisse dire.

— Ecoutez, cela ne sert à rien de me faire votre numéro de voyante, car je ne crois pas...

— Il faisait sombre, reprit-elle d'un ton rêveur en promenant ses regards sur les parterres fleuris. Une belle obscurité, riche, velouteuse, ni sinistre ni glauque. Voluptueuse. J'étais fascinée, aux anges, et là, je vous ai vue courir dans cette rue lugubre. Ces ténèbres vous faisaient horreur. Petite fille si sotte et si ignorante que vous êtes sous ces absurdes dehors pseudo-masculins, pseudo-sophistiqués et pseudo-intelligents. En arrivant devant une maison, vous vous êtes mise à frapper comme une hystérique. Je voyais mal la façade, il faisait si noir, mais j'ai su qu'il y avait une église à proximité parce que l'instant d'après... Enfin, tout n'était que symboles, vous ne pouvez pas comprendre, mais je sais interpréter les symboles. Vous frappiez à une porte close, sans poignée, et j'ai su que l'instant d'après, il serait là — vous voyez qui je veux dire, je n'ai pas besoin de dire son nom...

— Je ne vois pas du tout, et je ne veux pas le savoir, et je vous dirai juste...

— Un prêtre vous a répondu et bien sûr, il était là à la place de l'autre. C'est alors que j'ai vu au-delà des symboles. J'ai compris que vous vous étiez fait embrigader par l'ennemi, manger toute crue...

— On devrait vous enfermer, dis-je en me levant. Vous êtes complètement folle.

— Vraiment, ma chère ? Etes-vous sûre que vous ne projetez

pas sur moi toutes ces inquiétudes à propos de votre santé mentale que vous refusez de reconnaître ?

— Qu'est-ce que vous racontez ?

— Vous êtes en train de craquer sous la tension nécessaire pour conserver cette façade masculine, mon ange. Le désordre de votre appartement n'est que le reflet de celui qui règne dans votre esprit et je vous prédis que d'ici peu, d'autres signes de perturbation surgiront. Vous devez avoir une si jolie vue depuis la terrasse, mais vous êtes très haut, n'est-ce pas, et un jour, bientôt, vous allez sortir sur le balcon, vous allez regarder cette esplanade en béton trente-cinq étages plus bas et vous aurez envie de vous y écraser. VOUS ÉCRASER. Vous en mourrez d'envie. Vous ne pourrez pas résister à la tentation. Oh, vous essayerez, bien sûr, vous lutterez avec acharnement, mais en définitive, vous vous approcherez de la balustrade et...

— Vous êtes le mal incarné, dis-je alors que chaque goutte de sang dans mon corps semblait se changer en glace. Vous êtes méchante. Diabolique.

— Je vous ai un peu secouée, hein ? Eh bien, il était temps que quelqu'un vous ébranle ! Vous vivez une illusion, ma petite fille, et si vous ne vous ressaisissez pas sans tarder, si vous ne réalisez pas que Jake n'est pas du tout le mari qu'il vous faut, je vous garantis qu'un jour, vous irez sur ce balcon...

J'étais en sueur, mes genoux tremblaient, mais je parvins à trouver la force de hurler pour la faire taire :

— Allez vous faire foutre ! Laissez-nous tranquilles, mon mari et moi, ou je préviens la police.

— Je n'ai enfreint aucune loi, ma chère. Quant à votre mari, pourquoi ne me verrait-il pas s'il en éprouve le désir ? Je peux lui faire davantage de bien qu'un médecin !

— Un ostéopathe lui aurait réglé ses problèmes de dos sans le hanter par la suite comme un fichu vampire !

— Pardonnez-moi, mon ange, dit Mme Mayfield d'une voix suffisamment huileuse pour s'insinuer entre toutes mes défenses, vous avez dit « problème de dos » ?

Je me laissai tomber brutalement sur le banc.

2

Il y eut un silence abject. J'aurais dû l'interrompre, mais j'ouvris la bouche en vain.

— Ça alors ! s'exclama-t-elle pour finir placidement en reprenant un ton plus affable. Ma foi, s'il veut vous faire croire que son problème était lié à son dos, ce n'est certainement pas à moi de vous dire le contraire.

Elle jeta un coup d'œil à sa montre.

— Doux Jésus ! Il faut que je file !

— Attendez.

J'étais irrémédiablement empêtrée et soudain, je compris que je m'étais débattue non pas avec un caramel, mais avec une tarantule qui m'avait prise dans sa toile.

— Quel était son problème ?

— Oh, rien de grave, me répondit-elle en ajustant coquettement le col de son manteau. Un trouble bien masculin, mais je savais qu'il se remettrait dès que je l'aurais présenté à un groupe à même de lui rendre sa confiance en lui.

Elle sortit des gants fins de son sac et les enfila lentement en s'assurant qu'il ne reste aucun pli. On aurait dit un médecin légiste se préparant à éviscérer un cadavre.

— Je ne vous crois pas, m'entendis-je dire dans une sorte de torpeur.

— Pour la bonne raison que j'ai réussi à le guérir de son impuissance, ma chère, mais évidemment, le problème pourrait revenir si sa relation avec vous devait cafouiller comme celle qu'il a eue avec Sophie. A propos, ma poulette, cessez donc de lui parler d'enfants. Il n'en veut pas, n'en a jamais voulu, et s'il vient à penser que seuls ses pouvoirs de fertilisation vous intéressent, il n'aura plus jamais d'érection avec vous et je peux vous garantir qu'il aura vite fait d'aller voir ailleurs. Après tout, ce ne serait pas la première fois.

— Vous voulez dire...

— Evidemment, il ne vous dira jamais lui-même que son premier mariage était une catastrophe ! Pas étonnant que Sophie ne pense qu'à se venger maintenant qu'il l'a envoyée sur les roses, elle qui est restée auprès de lui toutes ces années alors qu'elle aurait pu avoir des enfants avec un autre homme. Je comprends qu'elle brûle de vous parler de son impuissance, de ses tentatives pour se guérir avec d'autres femmes et de tous ces merveilleux moments qu'il a vécus avec mon groupe. Je comprends qu'elle crève d'envie de vous dire qu'à moins que vous vous fassiez à l'idée de ne pas avoir d'enfants, votre couple ne fera pas long feu !

— Mais il m'a dit qu'il était prêt à envisager d'en avoir !

— C'est normal, ma chère, il tient tellement à vous en ce moment, mais ça ne durera pas, c'est impossible. Votre vie sexuelle est vouée à l'échec. Il y a longtemps que je suis consciente du problème. Il vous croyait si obnubilée par votre carrière qu'il s'imaginait que la notion d'enfants ne vous viendrait même pas à l'idée. Pourtant, je l'ai mis en garde : « Ne soyez pas ridicule ! Cette fille réprime l'essentiel de sa féminité et un jour, elle en aura assez d'être un pseudo-homme. Elle deviendra une femme au foyer, se mettra à mijoter des petits plats, tombera amoureuse de son aspirateur et naturellement, elle voudra un bébé. La nature réclamera ses droits. Elle arrêtera de travailler, se débarrassera de son identité masculine et tombera enceinte en deux temps trois mouvements. Souvenez-vous de ce que je vous dis. N'épousez pas cette fille. Il vous faut une femme qui s'est mariée jeune et qui s'est débarrassée de bonne heure de la question des grossesses. » Il a refusé de l'admettre. Ce cher amour était si entiché de vous qu'il n'a pas vu plus loin que le bout de son nez ! Je n'arrivais pas à croire qu'il pût être si naïf !

Je me redressai malgré l'impression que mes jambes tenaient à peine à mon corps. Je dus m'agripper au bord du banc pour retrouver mon équilibre.

— Que s'est-il passé hier soir quand il a fait ses adieux au groupe ? demandai-je, les lèvres pincées.

— J'ignorais qu'il comptait leur dire au revoir. C'est la première fois que j'entends parler de ça... A présent, il faut vraiment que je m'en aille. Ravie de vous avoir rencontrée, ma chère, bien que je sois désolée de vous trouver à cran et si perturbée. N'hésitez pas à me contacter à l'avenir, je vous en prie, si vous décidez que vous avez besoin d'aide pour régler votre petit problème d'orgasme. J'ai un autre groupe qui vous conviendrait très bien et je suis sûre qu'ils seraient ravis de faire votre connaissance.

Avec un sourire radieux, elle esquissa un petit geste de la main digne de la Reine Mère avant de s'élancer prudemment vers l'esplanade sur ses élégants talons hauts.

Le soleil illuminait encore les parterres alentour, mais j'avais l'impression d'étouffer sous un épais nuage noir. Je me laissai tomber sur le banc et enfouis mon visage dans mes mains.

3

Je me sentais écharpée, comme rouée de coups, au point que je n'arrivais pas à croire que mes habits ne fussent pas en lambeaux. J'avais l'impression que tout mon être avait été lacéré, réduit en charpie, souillé de crachats. Pas seulement ma personnalité de tous les jours, que j'étais si habituée à projeter, mais aussi le moi secret que j'avais gardé bien à l'abri, dissimulé derrière la Carter coriace, capable de faire d'un roquet une serpillière et de dynamiter tous les dinosaures en vue. Je comprenais vaguement ce qui s'était passé. Carter avait été mise à mal et maintenant que ma ligne de défense primordiale était anéantie, j'étais exposée, la fragilité faite femme, au bord d'un précipice surplombant un vide sans fond. Qui était ce « moi » mystérieux qui regardait les ruines de Carter ? Je savais que c'était le vrai moi, mais cet être-là ne pouvait survivre ailleurs que derrière les murailles d'une forteresse puissamment défendue.

Je me mis en devoir de reconstruire Carter. Qu'allait-elle faire ? Je pensais qu'elle cracherait un « Merde ! », folle de rage, ou un « Qu'elle aille se faire foutre, cette vermine ! », histoire de générer l'adrénaline nécessaire à sa survie. Mais si je tentai d'articuler ces mots, ils furent pathétiques. Apparemment Carter était encore zinzin. Je m'aperçus que je pleurais. C'était tout aussi pathétique. Pathétique, honteux et horrifiant ! J'étais en train de me décomposer conformément aux monstrueuses prédictions de cette vipère... La terreur m'envahit. Je m'imaginai plongeant du balcon et m'écrasant à terre, mais avant de tourner de l'œil à la pensée de la manière dont cet élan d'auto-destruction avait été programmé en moi, la voix de Carter s'écria, vacillante : « Allez au diable, vieille folle ! », et je compris qu'elle annonçait son retour.

J'essuyai mes larmes et, quand je rouvris les yeux, j'étais redevenue Carter. Je serrai les poings pour tester la force de ma volonté et aussitôt, une phrase vitale refit surface dans mon cerveau embrouillé, me donnant un regain d'espoir : « C'était la version de Mme Mayfield, mais rien ne m'oblige à y prêter foi. »

Mes pensées commencèrent à s'organiser. Je cautérisai la blessure profonde que Mme Mayfield m'avait infligée en me disant que Kim lui avait fait part de mes défaillances sexuelles, aussi passagères soient-elles. J'effaçai de mon esprit la possibilité qu'en conséquence, il m'avait peut-être été infidèle la veille au soir. Je trouvai la force de dissiper les pires allégations de Mme Mayfield. Il y avait deux faits que je devais à tout prix affronter, me semblait-il, pour éviter de céder à la facilité du déni. D'abord que cette harpie était déterminée à détruire le deuxième mariage de Kim avec autant d'habileté qu'elle en avait eu pour le premier, ensuite que j'avais gravement sous-estimé le fatras de corruption d'où mon mari tentait de s'extraire — ou plutôt d'où j'espérais qu'il tentait de s'extraire. Mme Mayfield m'avait probablement menti effrontément en prétendant tout ignorer de son intention de se séparer du groupe, mais, bien entendu, je n'avais que la parole de Kim pour croire que cette séparation faisait bel et bien partie du programme.

En définitive, je décidai que, pour ne pas perdre l'esprit, je devais partir de l'hypothèse que Kim souhaitait sincèrement rompre ses liens avec le groupe et, à terme, avec Mme Mayfield. Il m'avait révélé des choses quasi inavouables à son sujet la veille au soir, et, en conséquence de la pression que j'avais fait peser sur lui, je pensais qu'il m'avait dit la vérité : il avait fait ses adieux au groupe et, bien qu'il eût voulu se séparer de Mme Mayfield, il ne se sentait pas encore assez fort pour ce faire.

Certaines observations se faisaient jour et je constatai avec soulagement que je raisonnais froidement, comme tout bon avocat. Pour commencer, en tant que guérisseuse, Mme Mayfield avait commis une terrible indiscrétion en parlant du cas d'un de ses patients ; même si elle avait fabriqué l'histoire de l'impuissance de Kim de toutes pièces pour me saper le moral, elle n'en avait pas moins violé le secret professionnel. En outre, en essayant d'insuffler en moi le désir d'autodestruction, elle avait perpétré un acte de guerre psychologique que toute personne saine d'esprit jugerait profondément malveillant. Enfin, il était plus important que jamais que j'apprenne la vérité de la bouche de Sophie.

Après m'être remaquillée, je me levai péniblement. A cet instant, les propos que Kim avait tenus au sujet de sa « lutte contre les Puissances » me revinrent en mémoire, et je me rendis compte que j'avais commis une grossière erreur. Il avait soutenu que Mme Mayfield avait la capacité de contrôler ces Puissances, comme si elle n'était rien d'autre qu'une magicienne tirant profit de quelque savoir secret, alors qu'elle *était* l'incarnation de cette force primitive à l'origine des Puissances ! En elle, cette forme maléfique vivait, agissait et existait.

Ces niaiseries métaphysiques ne me ressemblaient guère, mais je ne trouvais pas d'autres termes pour la décrire. A n'en point douter, j'avais été mentalement brutalisée, humiliée, souillée par une force qui surpassait largement ce qui aurait dû émaner d'une vieille harpie banlieusarde en cardigan. Je m'étais battue avec la Puissance primitive et elle m'avait terrassée. Mais je n'avais pas dit mon dernier mot.

Il fallait que je téléphone à Sophie, mais auparavant je devais prouver que Mme Mayfield avait pu se glisser dans l'appartement avant de remettre l'agenda de Kim au portier.

Je pris une profonde inspiration et regagnai finalement le hall d'entrée de la tour Harvey.

4

— Oui, madame Betz, c'est tout à fait exact, m'informa le gardien en faction. Votre mari a téléphoné plus tôt pour dire qu'une dame viendrait déposer un paquet pour lui. Elle est arrivée par le garage et j'ai donné mon accord pour qu'elle monte.

— Est-elle venue tout de suite ?

— Je pense que oui. J'étais occupé avec des déménageurs à ce moment-là et comme l'un des ascenseurs leur était réservé, il a sans doute fallu qu'elle attende quelques minutes au sous-sol, mais je me souviens quand elle a apparu dans l'entrée. Elle avait un manteau bleu vif. J'ai fait bien attention parce que M. Betz nous avait avertis de surveiller toute dame en manteau bleu roi, mais manifestement, c'était une coïncidence.

— Est-elle redescendue dans le parking après vous avoir laissé le paquet ?

— Non, elle est ressortie par l'esplanade.

Ce n'était pas une preuve aussi irréfutable que je l'avais espéré, mais je continuais à penser que Mme Mayfield s'était probablement rendue du sous-sol au trente-cinquième étage où elle avait pris quelques minutes pour mettre l'appartement sens dessus dessous, avant de redescendre dans le hall pour y déposer son paquet. J'étais certaine qu'elle était venue exprès à la tour Harvey pour chambouler mon logement ; sa présence n'avait aucun sens autrement. Si Kim avait vraiment laissé son agenda chez elle par inadvertance, il aurait envoyé un coursier à Fulham pour le récupérer dès son arrivée chez Graf-Rosen. Il n'aurait pas voulu en être privé un instant de plus que nécessaire.

Je supposai que le sac contenait non pas l'agenda, mais de la ouate dissimulant la clé qu'il lui avait laissée la veille au soir. En rentrant, il se serait introduit dans l'appartement en empruntant le double que nous laissions à la réception et qu'il aurait déposé ce matin en partant travailler. Je n'avais aucun moyen de vérifier cette théorie pour le moment, car le portier en faction n'était plus le même, mais c'était plausible, aussi plausible que ma conjecture selon laquelle Mme Mayfield s'était servie de sa clé cet après-midi-là pour pénétrer dans l'appartement avant de la déposer dans le hall afin que Kim puisse la récupérer plus tard.

Je voyais plus clairement la conspiration élaborée par Kim et Mme Mayfield et destinée à discréditer Sophie en donnant l'impression qu'elle était suffisamment détraquée pour mettre mon appartement à sac. Si je n'avais pas vu cette sorcière sur l'esplanade, quelles conclusions aurais-je tirées du désordre d'aujourd'hui ? Le portier m'aurait annoncé qu'une femme en manteau bleu roi était venue dans notre immeuble après qu'un homme se faisant passer pour Kim et s'exprimant avec un léger accent américain eut téléphoné pour s'assurer qu'elle puisse entrer. Kim aurait affirmé qu'il n'avait rien à voir dans cette histoire et m'aurait dit que le paquet ne contenait que de la ouate. J'en aurais aussitôt conclu que Mme Louftingue avait frappé à nouveau, avec l'assistance de son aimable détective privé.

Je montai en ascenseur tandis que ces pensées dansaient dans mon esprit, mais dès que j'eus atteint le trente-cinquième étage, je me rendis compte que je devais redescendre.

Il fallait à tout prix que j'intercepte le sac afin de confirmer mes soupçons.

5

Si je m'étais abstenue de réclamer le sac tout de suite, c'était uniquement parce que je n'étais pas certaine que le portier serait disposé à me le confier. Il devait y avoir un règlement lui interdisant de remettre un paquet à qui que ce soit hormis son destinataire, mais entre-temps, je m'étais préparée à interpréter un de mes rôles favoris : la blonde écervelée.

— C'est encore moi ! lançai-je d'une voix enjôleuse en me glissant hors de l'ascenseur avant de venir me coller contre le bureau de la réception. Oh, j'espère que vous allez pouvoir m'aider. C'est à propos du paquet que la dame en bleu a déposé. Mon mari vient d'appeler alors que j'entrais dans l'appartement et figurez-vous que le sac en question contient son agenda Psion ; il souhaiterait que je lui communique au plus vite une information qu'il y a notée pour une réunion qui a lieu dans dix minutes ! N'est-ce pas terrible comme nous dépendons de la technologie de nos jours ? On se demande vraiment où tout cela nous mènera...

Le portier, qui avait largement dépassé la soixantaine et abhorrait la technologie à peu près autant qu'il adorait les petites blondes écervelées aux yeux doux, devint très volubile et je l'écoutai parler du bon vieux temps toute une minute avant de foncer dans l'ascenseur, mon paquet sous le bras.

Quand je pénétrai chez moi, j'eus un frisson de peur en pensant au balcon. Heureusement, j'étais tellement pressée d'ouvrir le paquet que j'eus vite fait d'effacer l'image d'un corps écrabouillé qui m'était venue à l'esprit. Mon attention fut encore plus distraite par le fait que l'agenda de Kim se trouvait bien dans le sac. Je le considérai d'un œil fixe en me demandant si ma théorie de la conspiration était tombée à l'eau, mais presque aussitôt, je compris que la présence de cet objet ne prouvait rien. Peut-être Kim l'avait-il vraiment oublié et avait-il estimé qu'il n'en avait pas besoin tout de suite. La seule chose qui importait, c'était de savoir si le sac contenait aussi la clé. Auquel cas, Mme Mayfield aurait très bien pu s'introduire dans l'appartement cet après-midi.

Je retournai le sac et le secouai.

La clé tomba sur la moquette.

6

J'ouvris la bouche pour proférer une bordée de jurons. En vain. Emettre une hypothèse totalement bouleversante est une chose. S'apercevoir qu'elle est vraie en est une tout autre.

Il fallait que je boive un verre. Une double vodka-martini, pour être précise. J'allai à la cuisine. La petite mare de lait était toujours là ; je ne me donnai même pas la peine de l'éponger. Je sortis un bac à glaçons du réfrigérateur et me mis en devoir de préparer mon tranquillisant, puis je regagnai le salon, mon verre à la main. Seulement il y avait tellement de fenêtres et le balcon était si vaste que je compris tout de suite que je ne pourrais jamais me ressaisir dans cette pièce. Je battis en retraite dans la chambre. Il y avait encore un balcon, mais moins de fenêtres et je pouvais toujours me ruer sur la porte d'entrée voisine si les prédictions de Mme Mayfield me hantaient trop.

J'engloutis mon verre en moins de deux minutes. J'estimai toutefois qu'après ce que cette harpie m'avait fait subir, cette rapide absorption d'alcool était bien méritée. Je résolus de me resservir. Après tout, les circonstances étaient exceptionnelles.

Quand je regagnai la chambre avec mon verre plein, je m'aperçus que je parvenais de nouveau à réfléchir logiquement. Je me demandai alors à nouveau ce que Kim s'efforçait encore de me cacher — et que Sophie savait. L'impuissance me parut une explication plausible au départ ; si Mme Mayfield avait dit vrai, Kim m'avait menti à propos de la stérilité de Sophie. Elle voulait des enfants qu'elle était parfaitement en mesure d'avoir, mais Kim n'était pas disposé à lui en donner. A telle enseigne qu'il avait été victime d'une impuissance que Mme Mayfield avait guérie en lui présentant d'autres femmes et en lui faisant découvrir les plaisirs du sexe en groupe. Cependant, quelque chose ne collait pas dans cette histoire. Il était possible que Kim eût consulté la folle s'il souffrait d'impuissance, mais il m'avait affirmé l'avoir rencontrée il y a seulement trois ans. Or, à l'époque, Sophie et lui vivaient déjà séparés depuis longtemps. S'il était impuissant à ce moment-là, son trouble n'avait rien à voir avec le désir de Sophie d'avoir des enfants, sujet qui aurait surgi bien plus tôt.

D'un autre côté, Kim m'avait-il dit la vérité en affirmant qu'il ne connaissait Mme Mayfield que depuis trois ans ?

Tandis que je buvais à grandes rasades, je commençai à avoir la sensation de me noyer dans un océan de mensonges. Si je ne prenais pas rapidement des initiatives pour découvrir la vérité, j'allais couler à pic. Quand j'eus fini mon verre, ma décision était prise. La première chose à faire, c'était d'appeler Kim pour lui dire que je ne serais pas là ce soir. La deuxième : aller voir Sophie.

7

Il était 18 heures passées, l'heure à laquelle la plupart des employés de bureau rentraient chez eux tandis que les gros bonnets calculaient combien de temps encore ils devaient rester à leur poste afin d'échapper à toute médisance relative à leur manque de zèle. J'appelai Kim sur sa ligne privée ; il décrocha avant la fin de la première sonnerie. Mon cœur faillit s'arrêter de battre.

— Bonjour, dis-je en faisant un immense effort pour paraître normale. Ça va ?

— C'est la question que j'allais te poser, dit-il d'un ton inquiet. J'ai téléphoné chez Curtis-Towers ; on m'a dit que tu étais rentrée de bonne heure et que tu avais la migraine.

— Ça va mieux maintenant. J'appelle juste pour te dire que je ne serai pas là ce soir. Sarah vient de téléphoner, en pleurs. Je lui ai proposé de l'emmener dîner quelque part pour l'aider à noyer son chagrin.

— Elle s'est fait virer ? s'enquit-il d'un ton compatissant.

— Non. Larguée. Son amant est retourné auprès de sa femme, comme je l'avais prédit... Pourquoi as-tu essayé de me joindre ?

J'étais sûre que Mme Mayfield lui avait fait part de notre rencontre, mais il se borna à me répondre :

— Warren Schaeffer est en ville. Il souhaiterait parler stratégies avec moi avant de partir pour Tokyo demain matin. Je lui ai donné rendez-vous au Savoy ce soir. Dieu sait à quelle heure je rentrerai ! Tu sais comment sont les gens énergiques quand ils arrivent d'outre-Atlantique. Il sera probablement encore en pleine forme à minuit.

— Tu n'as qu'à glisser quelque chose dans son Perrier ! dis-je tout en me demandant si Mme Mayfield avait réussi à l'atteindre.

Il avait un ton si naturel que j'étais tentée de croire qu'il allait vraiment retrouver son collègue américain au Savoy.

— Bon, chéri, dis bonjour à Warren de ma part...

— Je n'y manquerai pas. Mes salutations à Sarah...

Il me dit qu'il m'aimait avant de raccrocher.

J'extirpai instantanément le bottin du placard de l'entrée et cherchai le numéro du Savoy.

— M. Warren Schaeffer, s'il vous plaît, demandai-je dès que la réceptionniste décrocha.

Elle fit sonner un moment dans sa chambre, mais personne ne répondit.

Je me consolai en me disant qu'au moins, Kim m'avait dit la vérité concernant la présence de Warren à Londres. Ensuite, j'appelai les renseignements pour obtenir le numéro de Sophie.

8

Aucun Betz ne figurait sur la liste d'Oakshott. A l'évidence, Sophie avait choisi de se mettre sur la liste rouge après le départ de Kim, une sage décision pour une femme vivant seule, mais pas très commode pour quiconque cherchait à la joindre d'urgence.

Je commençais à me dire que j'étais dans une impasse quand je me souvins tout à coup de l'agenda électronique de Kim. En poussant un petit cri de soulagement, je courus le chercher dans le salon et considérai longuement le clavier en m'obligeant à rester calme. J'en possédais bien un moi-même, mais uniquement pour la galerie. Je continuais à utiliser mon bon vieux Filofax. J'avais toujours peur d'effacer par inadvertance quelque information vitale ou de me retrouver avec une pile à plat.

Kim avait un Psion LZ, une terrifiante petite machine qui, comme il s'en vantait, contenait, outre toutes sortes de systèmes d'archivage, un journal, un calepin, un dispositif de mots de passe, une horloge indiquant l'heure dans le monde entier ainsi qu'un répertoire d'adresses et de numéros de téléphone. Convenablement branché, il pouvait même communiquer avec des ordinateurs et des imprimantes. Pour l'heure, je voulais juste qu'il me communique, à moi, ce que je cherchais. Je tâchai de me convaincre que ces agendas devaient être faciles à manier, mais je fus saisie par la peur de m'emmêler les pinceaux, et seul le désespoir me poussa à risquer la catastrophe. Je n'avais aucun doute que Kim avait dû noter le nouveau numéro de Sophie ; bien qu'il connût l'adresse par cœur, je pensais qu'il avait dû l'enregistrer quand même pour plus de netteté. Il aimait autant que moi les informations ordonnées.

Je finis par me décider à appuyer sur les touches. Quelques secondes plus tard, le répertoire apparut et je marquai une pause pour me féliciter. Cependant, je fis rapidement défiler la liste des B sans trouver de Betz.

Peut-être l'avait-il mis sous S. Je tapai encore et décrochai la timbale. J'avais sous les yeux l'adresse dont je me souvenais à moitié pour l'avoir vue écrite sur la première lettre qu'elle m'avait envoyée, et en dessous du code postal, le numéro de téléphone.

Je le composai. Au bout de deux sonneries, un répondeur se déclencha, ce qui me surprit car je ne pensais pas que Sophie fût le genre de femme moderne à en posséder un. Mais je la connaissais si mal ! Je n'avais d'elle qu'une vision confuse faite d'idées préconçues, de préjugés et de mensonges.

— Sophie, c'est Carter, dis-je dès que le bip retentit. Il faut que je vous parle de Kim, de Mme Mayfield et de ce fichu groupe. Je vous fais mes excuses pour toutes les fois où je vous ai envoyée promener. Sophie, si vous m'entendez, je vous en prie, décrochez.

J'attendis, en vain.

— Bon, ajoutai-je, je pars de Londres. Il est 19 heures. J'espère être chez vous à 20 heures.

Je recopiai l'adresse et le numéro de téléphone. Je fus tentée de jeter un coup d'œil à MAYFIELD, mais me ravisai. Mieux valait éteindre cet agenda avant de commettre des erreurs qui me trahiraient. En outre, j'étais prête à parier qu'aucune information la concernant n'était accessible sans un mot de passe.

Je retournai dans le salon et remis l'agenda sur la table basse avec la clé de Kim, puis j'allai à la cuisine me faire un café corsé. Je regrettais déjà mes deux doubles vodka-martini.

J'enfilai un jean et un sweatshirt. Dans la salle de bains, je vis que mon maquillage laissait à désirer, mais je me contentai d'enlever ce qui restait et de me passer un peigne dans les cheveux. En temps normal, je n'aurais jamais affronté mon ex-rivale ainsi, mais j'étais dans un tel état que cela m'était égal. Mon reflet dans la glace me parut plus jeune et bizarrement nu, comme privé d'une assurance que je tenais depuis longtemps pour acquise.

Quelques minutes plus tard, j'étais au volant de ma Porsche.

9

Je savais qu'Oakshott se trouvait à un kilomètre environ de la A3, l'une des principales artères qui sortaient de Londres au sud, mais je n'y étais jamais allée. Comment trouver la maison ? Je risquais de tourner en rond et de me retrouver complètement perdue. En route, je fis halte dans une station-service et rappelai Sophie sur mon portable, mais le répondeur était toujours branché. Je raccrochai sans laisser de message.

Il y avait beaucoup de circulation sur la A3, bien que l'heure de pointe fût passée, et il était 20 heures passées quand je m'engageai finalement sur l'embranchement d'Oakshott. Le soleil était couché et, tandis que je m'enfonçais dans des bois épais, je ressentis cette vieille méfiance du citadin confronté à l'angoissante solitude de la campagne et aux déploiements terrifiants de la nature à l'état libre. Ces bois ne me plaisaient pas du tout ; ils me rappelaient ces contes germaniques où il arrive des choses atroces à des enfants qui s'aventurent dans la forêt. L'absence de réverbères était tout aussi désagréable. Je fus soulagée quand je vis des lumières au loin. Je comptais m'arrêter au village pour demander mon chemin, mais tout était fermé, y compris la station-service, et il n'y avait apparemment pas de pub. Je continuai ma route et me retrouvai bientôt en pleine forêt. Cet endroit me donnait décidément la chair de poule. Je méditais encore ce jugement vain quand j'aperçus une grande pancarte indiquant les noms des rues. Après m'être arrêtée de manière à ce que mes phares éclairent les noms, je lus : Sandhurst Road, Woodville Place, et finalement Elm Drive.

Je tournai à gauche pour m'engager dans Sandhurst Road. De nombreuses maisons, dont certaines inondées de lumière pour décourager les envahisseurs, se profilaient de part et d'autre de la route au-delà de jardinets à demi dissimulés sous une oppressante abondance d'arbres. Quand j'atteignis finalement Elm Drive, j'avais l'estomac si noué qu'après m'être garée, je pris plusieurs inspirations profondes.

Une fois le moteur éteint, le silence était si accablant que je me sentis plus nerveuse que jamais. Je songeai que c'était absurde de me laisser démoraliser à cause d'un environnement différent de celui auquel j'étais habituée, mais je commençais à me rendre compte que mon problème tenait non seulement à l'étrangeté du lieu, mais au fait que ce sentiment de dépaysement permettait à toutes les horreurs des dernières heures de remonter à la surface de mon esprit. Il fallait à tout prix que je bouge pour éviter un flash-back complet de la scène de l'esplanade.

Je me remis en route et avançai lentement en zigzaguant afin de pouvoir lire le nom des maisons sur les portails. Heureusement la rue n'était pas longue et, bien que « Les mélèzes » fût tout au bout, je la repérai en quelques minutes. Je me garai quelques mètres au-delà du portail ouvert, tournai la clé de contact et sortis à contrecœur dans l'air frais et humide.

Le chemin conduisant à la maison était beaucoup plus long que je ne le pensais, mais il y avait apparemment quelqu'un. Bien que les rideaux fussent tirés, je vis que le rez-de-chaussée était éclairé.

J'avançai sur le gravier qui crissait sous la semelle de mes tennis, sans quitter la maison des yeux. Elle était énorme ; il y avait un garage à trois portes, toutes fermées. Du lierre couvrait la façade — à moins que ça ne fût des ronces ! C'était sinistre. Le crépuscule devenait opaque, obscurcissant ma vue du jardin, mais la pelouse à droite était visible. Sous le faible éclairage provenant des fenêtres, je distinguais l'herbe tondue qui étincelait tel un plan d'eau reflétant le clair de lune.

J'atteignis finalement la porte et sonnai.

Pas de réponse. J'essayai de regarder entre les rideaux. En vain. J'appuyai à nouveau sur la sonnette. Faute de réponse, je décidai que je n'avais rien à perdre en allant fureter derrière la bâtisse avant que la nuit ne tombe tout à fait. Je contournai le garage et me retrouvai dans une petite cour pavée contenant des poubelles. J'aperçus une porte qui devait donner sur la cuisine.

J'essayai la poignée. A mon grand étonnement, la porte s'ouvrit. J'avais entendu parler d'endroits à la campagne où les gens ne verrouillaient pas leur porte, mais je pensais ne jamais rencontrer ce genre de phénomène. J'attendis un moment. Une alarme allait sûrement se déclencher. Mais rien n'interrompit le silence et à la fin, la curiosité eut raison de ma nervosité. J'entrai dans la maison.

— Sophie ? criai-je. Vous êtes là ?

Pas de réponse.

La porte à l'autre bout de la cuisine était ouverte et la lumière provenant du couloir éclairait la pièce. Elle était spacieuse, ce qui tendait à indiquer que dans un passé récent, un décorateur avait dû opérer une réfection totale des lieux. La maison ne devait pas avoir plus de soixante ans, mais dans les années 30, on multipliait remises, réserves et recoins où domestiques suaient sang et eau pour préparer les repas. Il ne restait plus qu'un vaste espace meublé d'éléments en chêne où l'on avait astucieusement dissimulé tous les appareils ménagers.

Sur la grande table en bois qui occupait le milieu de la pièce, il y avait un chapeau de paille à larges bords, ainsi qu'un objet que je pris tout d'abord pour un plateau rempli de viscères, ce qui prouvait à quel point j'étais perturbée. Il s'agissait en fait d'un curieux panier en bois, presque plat, contenant des gants de jardinage sales et un sécateur. La dame de la maison avait sans doute taillé ses rhododendrons avant de se volatiliser.

J'étais sûre d'être seule à présent, mais tout en progressant dans le couloir vers une caverne lointaine qui devait être le hall d'entrée, j'appelai encore Sophie au cas où elle aurait été en haut et ne m'aurait pas entendue. Toujours pas de réponse. A l'évidence, elle était sortie et je n'avais certainement pas le droit de faire intrusion ainsi chez elle, mais les gens qui ne ferment pas leur porte et ne branchent pas leur système d'alarme ne demandent qu'à accueillir dans leur résidence les étrangers de passage.

Je songeai tout à coup que si Kim était accoutumé à un cadre aussi grandiose, il était étrange qu'il eût accepté de s'installer ne serait-ce que temporairement dans mon logement étriqué.

Même s'il savait que j'étais attachée à mon appartement, il aurait pu être tenté de suggérer que nous louions quelque chose de plus vaste en attendant de trouver une maison, d'autant plus qu'il gagnait énormément d'argent maintenant. Le chantage avait-il creusé un plus grand trou dans son capital qu'il ne l'avait admis ? Quelque chose d'autre grignotait-il ses revenus ? Avec un pincement au cœur, je me rendis compte que je ne savais rien de sa situation financière, et dans l'espoir d'oblitérer cette désagréable réalité, je concentrai à nouveau mon attention sur mon environnement.

J'avais atteint le hall d'entrée, magnifique gaspillage d'espace, très haut de plafond, d'où un escalier s'élevait en courbe sous un somptueux lustre dont les innombrables lumières inondaient les couleurs chatoyantes d'un tapis circulaire. Comme mon regard se portait au-delà du tapis, je vis que l'éclairage illuminait aussi un tailleur rouge foncé négligemment posé au pied de l'escalier.

Une seconde plus tard, je réalisai qu'il y avait quelqu'un dans ce tailleur. Sophie gisait recroquevillée par terre, la tête bizarrement désaxée par rapport à son cou.

Je compris tout de suite qu'elle était morte.

III.

> « Nous sommes parfois incapables d'assurer, tout au moins selon les normes du succès imposées par nos familles, les autres ou nous-mêmes. Cet échec en lui-même est un événement qui complique considérablement nos vies. On finit parfois dans un asile psychiatrique... »
>
> David F. Ford
> *The Shape of Living*

1

Elle avait perdu un de ses souliers qui traînait à proximité. Comme je me rapprochais machinalement du cadavre, mon cerveau enregistra que le talon manquait ; une seconde plus tard, je le vis à quelques mètres de là. J'imaginai aussitôt Sophie dévalant l'escalier, se cassant le talon et perdant l'équilibre, mais alors même que cette tragique succession d'événements défilait dans mon esprit, je me pris à espérer qu'elle vivait encore. Je m'agenouillai près d'elle et lui saisis le poignet, mais je ne sentis pas le pouls et la peau était glaciale.

Combien fallait-il de temps pour qu'un mort refroidisse ? Peut-être Sophie était-elle déjà morte quand j'avais téléphoné de Londres, bien que le chapeau de paille et cet étrange accessoire d'horticulture, le panier en bois, suggérassent qu'elle était dans le jardin à ce moment-là.

Le choc m'ébranla finalement. J'étais subitement si terrifiée que j'arrivais à peine à respirer. Je tentai de bouger, mais je restai paralysée tandis que la formule classique : « Est-elle tombée ou l'a-t-on poussée ? » faisait écho dans ma cervelle. Qui aurait pensé qu'un cliché pareil puisse déclencher un tel déferlement de terreur à l'état pur ? J'avais la nausée, mais fort heureusement, les muscles de mon estomac étaient en panne. Je me mis à panteler. C'était la première fois de ma vie que je pantelais ainsi de peur. Pendant un long moment, je restai là à écouter ce bruit rauque qui m'était étranger, puis je sortis précipitamment de la maison et détalai dans l'allée obscure en direction de ma voiture.

2

Une fois hors de portée d'un éventuel assassin, je me ressaisis rapidement. Ma panique avait quelque chose d'humiliant, mais je me dis qu'en de telles circonstances, c'était pardonnable.

Je ressortis de la voiture et me rapprochai du portail. La maison n'avait pas changé. Pas de nouvelles lumières allumées ni de psychopathe à la Hitchcock (Bruno dans *L'Inconnu du Nord-Express*) bondissant dans l'allée pour me tuer. Il me semblait donc raisonnable de présumer que je ne courais aucun danger, mais malheureusement, mon esprit était de nouveau si embrouillé que je n'étais plus d'humeur à me laisser convaincre par des hypothèses rationnelles.

Je m'étais rendu compte que j'allais devoir retourner dans la maison.

3

Il fallait que j'efface le message que j'avais laissé sur le répondeur. Il y aurait une enquête. La police allait procéder à des interrogatoires. Le coroner en demanderait davantage. Même si Sophie avait succombé à un accident, je n'avais aucune envie qu'on me traîne au tribunal pour expliquer un message vocal qui prouvait ma présence sur les lieux et soulevait toutes sortes de questions quant aux motifs qui m'avaient poussée à voir l'ex-épouse de mon mari. Une fois que les enquêteurs commenceraient à fureter dans les eaux troubles de la vie privée de Kim, Dieu seul savait ce qu'ils découvriraient, et bien que je fusse avide de voir Mme Mayfield aux prises avec la justice, je ne tenais pas à ce que Kim ou moi soyons mêlés à ses ennuis.

D'un autre côté, si Kim avait tué son ex-femme, je devais coopérer avec la police. De fait, s'il était coupable, je serais ravie de le faire. Pour l'heure, toutefois, je n'avais pas de preuve que Sophie eût été assassinée ni que le meurtrier fût Kim.

Kim était un type coriace qui n'avait pas froid aux yeux. Je l'imaginais fonçant à Oakshott avant moi afin de négocier avec Sophie, mais j'avais peine à le voir s'y prenant si mal qu'elle finisse par passer de vie à trépas, d'autant plus qu'il avait un argument de première classe pour la faire taire.

Je résolus d'agir en partant de l'hypothèse que Sophie était morte accidentellement alors que Kim se trouvait à des kilomètres de là, mais j'aurais bien voulu que l'idée qu'il m'eût précédée chez Sophie fût moins plausible. S'il avait quitté son bureau tout de suite après mon coup de fil, il aurait eu au moins une demi-heure d'avance sur moi, voire plus, pendant que je tentais de joindre Sophie, que je buvais du café et me changeais. S'il était effectivement venu, sa présence et la chute de Sophie ne constituaient-elles qu'une coïncidence ?

Je décidai de ne pas essayer de répondre à cette question de peur de me remettre à panteler et l'instant d'après, une idée subite me rassura quelque peu. Mme Mayfield aurait très bien pu tuer Sophie après avoir donné à Kim la consigne de se trouver un alibi. Je n'avais aucun mal à imaginer cette sorcière poussant Sophie dans l'escalier.

Je me rendis compte brusquement que j'étais toujours devant le portail, le regard rivé sur la maison, à l'affût, le silence était rempli de petits bruits émis par des créatures nocturnes occupées à fureter dans le sous-bois parmi les dernières feuilles d'automne. Une chouette hulula. La campagne était incontestablement un univers cauchemardesque. Comme ma tour citadine me manquait !

Il me fallait agir avant de perdre à nouveau mes moyens : je me forçai à retourner à la porte d'entrée. Toujours pas de psychopathe hilare en vue. Un peu plus sûre de moi, je pénétrai de nouveau dans la cuisine à pas de loup ; en voyant les gants de jardinage sur la table, je pensai tout à coup aux empreintes digitales. Ces gants-là étaient trop épais pour servir à quoi que ce soit à l'intérieur, mais il y en avait une paire en caoutchouc près de l'évier et je songeai que Sophie avait dû être une assez bonne ménagère pour en avoir une en réserve. Je ne voulais pas me servir de ceux que j'avais sous les yeux de peur que la police se demande où ils étaient passés et il allait falloir que j'emporte ceux que j'utiliserais pour ne pas laisser de traces.

J'en trouvai effectivement une paire de rechange sous le plan de travail et enfouis l'emballage dans mon sac. Une fois gantée, je pris un torchon pour essuyer le bouton du tiroir, la poignée de la porte de la cuisine et l'interrupteur. J'essayai de me souvenir si j'avais touché autre chose. J'avais saisi le poignet de Sophie pour lui prendre le pouls, mais je ne pensais pas qu'on puisse relever des empreintes digitales sur la peau. Quoique, de nos jours ! Cela signifiait que j'allais devoir... J'interrompis le cours de ma pensée. Avant toute chose, il fallait que j'efface mon message.

Il y avait un appareil dans la cuisine, mais ce n'était qu'un téléphone ordinaire. En gagnant le hall d'entrée sur la pointe des pieds, je trouvai une porte qui donnait sur le salon. J'allumai et vis tout de suite ce que je cherchais : un répondeur relié à un téléphone posé sur une table près du canapé. Je poussai déjà un soupir de soulagement quand je me rendis compte que quelque chose n'allait pas. Il n'y avait pas de petite lumière rouge clignotante pour indiquer que quelqu'un avait laissé un message, ni de bip.

Je vérifiai la bande. Le message avait été effacé.

4

Je restai figée devant le répondeur en me disant que si Kim aurait sans doute voulu effacer mon message pour me protéger, Mme Mayfield, elle, ne se serait pas donné cette peine.

Cela signifiait-il que c'était Kim, et non Mme Mayfield, qui était venu à Oakshott ? Pas nécessairement. Il y avait une autre possibilité. Sophie elle-même avait pu effacer le message. Elle serait rentrée du jardin, aurait écouté ses messages et remis la bande au début avant l'arrivée de Mme Mayfield.

En retournant dans le hall, je vis le cadavre et partis chercher un torchon à la cuisine pour essuyer le poignet que j'avais tenu. Après cela, mon organisme réagit finalement au choc, mais je parvins à trouver les toilettes avant de vomir. Je me sentis beaucoup mieux ensuite. Après avoir bu un peu d'eau dans mes mains, je me traînai jusqu'à la cuisine pour remettre le torchon en place.

Une pensée me traversa alors l'esprit. C'était la seule et unique chance que j'aurais jamais d'explorer le territoire de Sophie afin de trouver une explication aux mystères qui m'avaient conduite jusque-là. Je retournai dans le salon et trouvai un bureau ancien, presque vide, ce qui tendait à suggérer qu'il avait un usage exclusivement décoratif. Un autre bureau situé dans une petite pièce de l'autre côté de l'entrée semblait plus prometteur ; il était moderne, fonctionnel. Il contenait du papier à lettres, mais aussi des chemises, certaines suspendues sur une tringle dans le tiroir du bas, d'autres empilées dans les autres tiroirs. Ni machine à écrire, ni ordinateur, mais je notai la présence d'une petite photocopieuse sur une table voisine près de la fenêtre et supposai que Sophie gardait des copies de toutes ses lettres d'affaires rédigées à la main.

Les dossiers composaient un véritable arc-en-ciel : brun ocre, rouge vif, vert émeraude, bleu ciel — il y avait même un ton de jaune nauséeux qui me rappela mon récent passage aux toilettes. Il ne me fallut guère de temps pour comprendre que les rouges avaient trait à la maison et à la voiture, les bruns au jardin (beaucoup de correspondance avec un paysagiste), les bleus à ses activités au sein de l'église locale et diverses œuvres de bienfaisance, et les jaunes dégueulis à ses avocats. Je songeai que ce n'était probablement pas par hasard qu'elle avait alloué aux hommes de loi une teinte aussi ignoble.

Je sortis les dossiers jaunes. L'un d'eux concernait le décès de sa mère et son testament. Le deuxième contenait du courrier relatif à un fonds de fidéicommis dont elle était chargée ; il y avait un dossier similaire lié à un fonds dont elle était bénéficiaire. Je trouvai aussi de la correspondance à propos de la législation de l'emploi. Apparemment son jardinier avait eu des ennuis avec le fisc parce que... J'interrompis ma lecture.

Il n'y avait aucun dossier concernant le divorce.

Je remis les chemises jaunes en place et vérifiai le contenu des tiroirs du dessous, mais ils étaient réservés à des dossiers beiges renfermant toute une correspondance avec son comptable et son courtier. Je les feuilletai rapidement, mais c'était le blabla habituel de ces professionnels embauchés pour chouchouter un client fortuné.

En explorant le reste du bureau, je découvris que le tiroir du bas de l'autre côté de l'espace pour les genoux était verrouillé. Du coup, je m'assis. J'en déduisis que si Sophie faisait confiance à sa femme de ménage pour ne pas fouiller dans ses dossiers sans intérêt, il y en avait au moins un qu'elle devait garder sous clé.

Je retournai dans le salon où j'avais aperçu son sac à main posé sur un fauteuil. Dans un compartiment à fermeture Eclair, je trouvai son trousseau et repérai une petite clé qui devait pouvoir s'insérer dans le tiroir d'un grand bureau moderne.

C'était le cas.

J'ouvris le tiroir. Il était vide. Quelqu'un était passé là avant moi.

5

Je me répétai que je n'avais toujours pas prouvé la présence de Kim dans la maison. Sophie pouvait très bien avoir sorti le contenu du tiroir qu'elle avait ensuite verrouillé sans réfléchir ; peut-être avait-elle décidé de transférer ces précieux documents dans un endroit plus sûr. Je me demandai si elle possédait un coffre, mais je n'avais rien vu de tel en bas et j'étais incapable de monter à l'étage. Mon courage déclinait. Il était temps de partir.

Je dus faire un grand effort sur moi-même pour passer en revue une dernière fois les pièces où j'étais allée pour m'assurer que je n'avais pas laissé de trace de mon passage. Aussitôt après, je me précipitai dehors.

Une fois la porte de la cuisine refermée, j'enlevai les gants, les fourrai dans mon sac et regagnai ma voiture en courant.

6

J'estimai préférable de ne pas m'arrêter sur la A3, mais à peine arrivée dans Londres, je trouvai une ruelle tranquille pour téléphoner. Chez moi, le répondeur enregistra mon appel, mais je m'abstins de laisser un message ; il me suffisait de savoir que Kim n'était pas rentré. Je songeai que s'il était allé dans le Surrey, la Mercedes ne serait plus au garage ; en revanche, pour aller au Savoy, il aurait sûrement pris un taxi, sachant que Warren et lui auraient un dîner bien arrosé.

J'essayai de me souvenir si j'avais vu sa voiture quand j'étais allée chercher la Porsche, mais nos places de parking se trouvaient à une certaine distance l'une de l'autre et j'en fus incapable.

Je rappelai le Savoy ; on m'informa que le poste de M. Warren Schaeffer ne répondait toujours pas. En jetant un coup d'œil à ma montre, je songeai qu'il était probablement encore à table et me gardai de le faire chercher. Il finirait par regagner sa chambre et je pourrais alors lui parler. Je me remis en route et atteignis la City peu avant 22 heures. Cinq minutes plus tard, je pénétrai dans le garage de la tour Harvey.

La Mercedes n'était pas là. Le gardien m'informa que Kim l'avait prise vers 18 h 15. « Il est entré par la rue, dit-il, il devait venir directement du bureau. »

Cet indice évoquait l'image d'un Kim pressé après l'appel téléphonique de Mme Mayfield lui annonçant que leur conspiration avait été découverte et que j'allais à coup sûr foncer dans le Surrey en quête de la vérité. Mais là encore, je n'avais aucune preuve. Peut-être avait-il eu hâte de se rendre chez Sophie, mais il aurait aussi pu éprouver le désir d'aller rapidement au Savoy pour boire un verre, et peut-être s'estimait-il assez grand pour ne pas s'inquiéter à la perspective de prendre le volant après avoir fait des excès. Je songeai qu'il aurait sans doute eu envie de passer à la maison prendre une douche et se changer s'il comptait dîner au Savoy, mais il aurait très bien pu le faire au bureau où il gardait toujours une chemise propre.

J'étais presque convaincue qu'il était bel et bien allé au Savoy quand je me rendis compte que pour un rendez-vous d'une telle importance, il aurait difficilement pu se passer de son agenda.

Je montai dans le hall d'entrée pour interroger le portier à son poste depuis 18 heures : « Excusez-moi, mon mari est-il passé tout à l'heure pour prendre un paquet ? » Il me répondit qu'il ne l'avait pas vu de la soirée.

J'étais sûre à présent que le dîner avec Warren n'avait jamais eu lieu et que Kim avait foncé à Oakshott après mon coup de fil.

Dans l'ascenseur, je tapai sur le bouton, puis me laissai tomber contre la paroi. Je venais d'atteindre un nouveau seuil de tension, mais quand j'ouvris ma porte quelques instants plus tard, je découvris que le cauchemar était loin d'être fini.

L'appartement était dévasté.

7

Avant d'ouvrir la porte, j'avais cherché désespérément mes clés dans mon sac ; j'étais dans un tel état de nervosité que je finis par m'agenouiller par terre pour vider son contenu et faire le tri. Quand j'eus enfin mon trousseau de clés en main, je tentai de me redresser, mais retombai sur mes talons. Ce fut alors que j'entendis une succession de bruits sourds et de fracas au loin, comme si quelqu'un claquait des portes tout en faisant voler des casseroles dans une cuisine. A l'endroit où je me trouvais dans le couloir, j'étais à la même distance des trois portes du trente-cinquième étage. Trop abasourdie pour déterminer d'où provenait ce chahut, mais sachant qu'il ne devait y avoir personne chez moi, j'attendis tel un zombie que le vacarme cessât. Je parvins finalement à me relever et à ouvrir ma porte.

A peine entrée, je vis que la porte de la chambre était fermée alors que j'étais certaine de l'avoir laissée ouverte, mais j'oubliai cette anomalie en m'apercevant que tous les tableaux ornant les murs du couloir étaient de guingois. En jetant un coup d'œil dans la deuxième salle de bains par la porte ouverte, je découvris que le rideau de la douche pendait de la barre détachée d'un de ses supports. Trop stupéfaite pour m'arrêter, je filai dans le salon.

Aucun meuble n'était à sa place. Le canapé penchait à un drôle d'angle, les deux fauteuils étaient couchés sur le côté. L'étagère était par terre où tous les bibelots ainsi que les rayonnages en verre s'éparpillaient en mille morceaux. Les magazines sur la table basse avaient giclé comme soufflés par un ouragan et le tabouret à côté de mon télescope était retourné, bien que l'instrument lui-même fût intact.

Consternée, je battis en retraite, mais en passant devant la cuisine, je vis que ce n'était pas fini. La tasse dont je m'étais servie plus tôt pour boire un café s'était fracassée sur le carrelage, la bouilloire était tombée dans l'évier et le grille-pain pendait au bout de son cordon toujours branché. Tandis que je considérais cette scène incompréhensible d'un air hagard, les lumières se mirent à clignoter, comme si le courant allait être coupé, mais avant que j'eusse le temps de grincer des dents à la perspective de me retrouver dans le noir, la situation redevint normale.

Je redressai le grille-pain et retournai dans le salon. Sur la moquette parmi le tas de magazines, je découvris l'agenda de Kim ainsi que sa clé, la clé que j'avais trouvée dans le sac.

Je la regardai fixement un moment.

Grâce au témoignage du portier, je savais que Kim n'était pas monté à l'appartement depuis mon départ ; il aurait fallu qu'il emprunte de nouveau le double que nous laissions à la réception. On ne l'aurait jamais remis à Mme Mayfield, à moins, bien sûr, que Kim eût appelé plus tôt pour donner son autorisation, mais le portier n'avait pas mentionné de coup de fil.

Si Kim n'était pas entré dans l'appartement, ni Mme Mayfield, ni Sophie, alors qui...?

Je n'arrivais pas à élucider cette énigme qui défiait tant la raison que le bon sens. Je ne pus que rester plantée au milieu du chaos en me répétant : « Cela n'a pas pu se produire, donc ça ne s'est pas produit. » Il devait bien y avoir une explication rationnelle. Mais laquelle ?

La peur s'insinua en moi et un flot d'adrénaline explosa dans mon esprit, effaçant ma fatigue et faisant encore monter d'un cran mon niveau de tension. Soudain, je vis la scène sous mes yeux si clairement qu'on aurait dit que chaque objet était cerné de noir. Toutes les couleurs me parurent anormalement vives, presque criardes. On aurait dit que quelqu'un m'avait injecté du LSD directement dans la tête pour m'embrouiller.

Je retournai dans la cuisine où tout me parut étrange, en particulier les gants en caoutchouc rouges près de l'évier. Je savais qu'ils étaient rose pâle et non pas rouge écarlate. En me frottant les yeux dans le vain espoir de clarifier ma vision, je me souvins des gants jaunes que j'avais pris chez Sophie. Je devais les sortir de mon sac et les jeter à la poubelle. En éliminant cette pièce à conviction, je pourrais commencer à remettre de l'ordre dans tout ce chaos. Mais je restai sans bouger. « De l'ordre ! », dis-je à haute voix, mais ces syllabes me parurent bizarrement vides de sens. ORDRE. Cinq lettres de l'alphabet rangées d'une certaine manière. Un mot désormais obsolète qui ne voulait plus rien dire.

Je me rendis compte brusquement que la porte-fenêtre coulissante donnant sur le balcon devait être entrouverte. Le rideau qui cachait partiellement la vitre s'agitait dans le vent. Je constatai du même coup qu'il faisait anormalement froid dans la pièce.

J'avançai sur la moquette en faisant attention où je mettais les pieds. Je devais à tout prix fermer cette fenêtre pour ne pas risquer de sortir. Une fois sur le balcon, j'éprouverais à coup sûr l'envie d'enjamber la balustrade. Dans un monde ordonné, je n'aurais jamais eu une pensée pareille, mais il n'y avait plus d'ordre et je me sentais prédestinée à tomber de très haut. Mes ailes étaient en train de fondre ; la cire me dégoulinait dans le dos, mais si je fermais la fenêtre et si je restais dans cette pièce glacée, elles se raffermiraient et je serais sauvée. Le balcon m'attirait pourtant, comme s'il m'enjoignait d'accomplir ma destinée.

J'écartai le rideau et me heurtai à la vitre. La porte-fenêtre était fermée. J'avais pourtant vu le rideau bouger.

Je me figeai brusquement en entendant un bruit provenant du fond de l'appartement. Il y avait quelqu'un dans la chambre, mais comment était-ce possible puisque personne n'avait pu entrer dans l'appartement ? Alors logiquement, rationnellement... Je ne comprenais plus ce que cela voulait dire. Ces mots étaient si précaires, si déplacés dans ce monde chaotique qui m'entraînait inexorablement vers la chute. Le dieu Ordre avait été anéanti et les Puissances envahissaient le vide de ma conscience, ces incontrôlables forces cosmiques face auxquelles aucun être fragile et désarmé n'avait le moindre espoir de survivre.

J'entendis de nouveau un bruit. C'était forcément Mme Mayfield, même si je ne voyais toujours pas comment elle aurait pu entrer dans l'appartement. J'étais tellement terrifiée que mon corps passa sur le dispositif de pilote automatique ; mon cerveau grésillait comme sous l'effet de substances chimiques que je produisais moi-même. Je regagnai tel un robot le seuil du salon et fixai mon attention sur la porte au fond du couloir. Je ne pensais pas pouvoir parler, mais je m'entendis dire soudain, d'une voix bizarre, avec une politesse contrainte : « Madame Mayfield, pourriez-vous sortir, je vous prie ? Ça ne me plaît pas du tout que vous vous cachiez ainsi. »

La porte s'ouvrit instantanément. Si vite qu'elle heurta violemment le mur.

Au-delà du seuil se tenait une femme.. J'aperçus l'éclat de son manteau bleu roi, mais je n'eus pas le temps d'inspecter ses vêtements parce que j'étais fascinée par son visage. Il n'y avait pas d'erreur. Chaque trait était nettement défini, ma perception aiguisée me la montrait dans une clarté inouïe.

C'était Sophie.

Nous nous dévisageâmes un long moment. Quand la porte se referma sur elle, je me mis à hurler, hurler comme si un fou me dépeçait avec une hache.

TROISIÈME PARTIE

LA DÉSINTÉGRATION DES TÉNÈBRES

« La porte ouverte ; la porte close. Un thème profondément sacré. De tout temps, la religion s'est préoccupée de ce que les anthropologues qualifient de “seuils”, ces périodes de grande transition dans la vie où l'on pénètre dans l'inconnu par une nouvelle porte... Ce sont des moments potentiellement dangereux... Et les questions de savoir qui se tient sur le seuil, si l'on perçoit les portes comme ouvertes ou fermées, outre ce que nous nous attendons à trouver de l'autre côté, dépassent l'imagerie religieuse. Nous devons être à même d'évoluer et avoir l'assurance nécessaire pour franchir chaque seuil important. »

John Habgood
Confessions d'un libéral conservateur

I.

« Nos défenses et notre sentiment de sécurité varient... Au fond de nous, toutefois, nous sommes d'une effroyable fragilité. Affronter cette vérité est une grande étape dans la constitution d'un cœur. »

David F. Ford
The Shape of Living

1

Le monde était chamboulé. Il avait été brutalement désaxé et n'avait plus aucun sens. Aucun mot n'aurait pu décrire l'abîme dans lequel je sombrais à présent, où mon esprit et ma volonté ne fonctionnaient plus, où le pouvoir salvateur d'une autonomie durement acquise et dont j'étais si fière n'était plus désormais qu'une illusion. Mes ailes avaient fondu. Je tombais en chute libre vers une terre si chaotique et dénuée de repères familiers qu'on aurait dit une autre planète.

Je hurlai jusqu'à ce que je fusse à bout de souffle. Puis je me ruai hors de l'appartement en claquant la porte derrière moi et me précipitai dans l'escalier de service. J'étais trop épouvantée pour attendre l'ascenseur. Je dévalai les marches, mais pour finir, mes genoux fléchirent, j'eus des élancements dans les mollets et je dus m'asseoir. Il me restait encore une vingtaine d'étages à descendre pour parvenir à l'esplanade. En définitive, je gagnai en titubant le palier le plus proche. Toujours essoufflée, je surveillai la porte donnant sur l'escalier de peur de voir surgir Sophie, mais personne n'apparut et je me souvins enfin que je devais appeler l'ascenseur.

Il finit par arriver. J'appuyai sur la touche « Parking », mais en atteignant ma Porsche, je me rendis compte que je n'avais pas les clés de la voiture. Je n'avais aucune clé. Ni argent. Ni cartes de crédit. J'avais fui l'appartement si vite que j'avais oublié mon sac. J'avais l'impression d'être ligotée toute nue sur une fourmilière.

Je m'adossai, pantelante, contre la carrosserie, et avec cette même étrange clairvoyance qui m'avait permis de voir chaque trait du visage de Sophie, je perçus à quel point mon monde était fragile. On aurait dit qu'après s'être concentrée sur ma forteresse étroitement gardée, la caméra avait pris du recul pour révéler que ce n'était qu'un grain de sable dans le désert, et qu'au-delà du désert s'étendait un vaste paysage multicolore dont je n'avais jamais imaginé l'existence.

Je m'efforçai de réfléchir. Je pouvais aller récupérer le double de la clé à la réception et remonter à l'appartement pour récupérer mon sac. C'était la solution la plus logique. Mais j'en étais incapable. Je ne pouvais pas retourner là-haut de peur que Sophie m'y attende pour me pousser du balcon. Ce qui signifiait...

Je songeai tout à coup que si je traînais encore longtemps dans le garage, elle renoncerait peut-être à m'attendre pour s'élancer à ma poursuite. Je me dirigeai aussitôt vers l'entrée du parking d'une démarche incertaine. Je passai devant le gardien qui me regarda d'un drôle d'air et émergeai dans le passage brillamment éclairé de Beech Street. Au bout, je vis des voitures passer comme si la vie poursuivait son cours normal dans quelque dimension à laquelle je n'avais plus accès. J'avançai dans le tunnel ; quand j'aperçus la station du Barbican devant moi au croisement de rues, j'eus envie de m'y engouffrer au plus vite, mais je n'avais pas d'argent pour acheter un billet. Je n'avais pas d'autre solution que de marcher, et il fallait que je me mette en route car en levant les yeux vers le ciel, je vis l'obscurité *voluptueuse* qui avait enchanté Mme Mayfield, et je compris qu'elle m'étoufferait tôt ou tard si je ne trouvais pas un endroit où me cacher.

En longeant la façade ouest du Barbican pareille aux murailles d'un château médiéval, je m'efforçai de penser à des gens susceptibles de me venir à l'aide. Plusieurs connaissances me vinrent à l'esprit, qui m'accueilleraient sans doute avec sympathie, mais leur compassion serait certainement de courte durée si je débarquais chez eux tard le soir en leur disant : « On n'arrête pas de saccager mon appartement, je crois que mon mari a assassiné son ex-femme et, au fait, je viens juste de voir son fantôme. » Je finirais à coup sûr dans un asile. Quand le bruit circulerait que je faisais une dépression nerveuse, il en serait fini de moi. A l'évidence j'étais tombée par un trou noir dans un autre univers, mais je devais à tout prix me convaincre que je pouvais m'en sortir. J'étais perdue, en lambeaux, rétamée. J'avais besoin de quelqu'un que rien ne déroutait.

Je songeai aussitôt à Tucker et à ses activités de bénévolat. Il m'écouterait. Il saurait quoi faire. Il ne s'offusquerait pas que je débarque à une heure avancée de la nuit dans un état second.

En sanglotant de soulagement, je me mis à courir avant d'opter pour une cadence plus raisonnable. J'avais du chemin à faire. Il fallait que j'épargne mon énergie.

La City était tranquille à cette heure-ci et au moins, je ne serais pas importunée par les dragueurs motorisés trop affairés dans le West End. Je retrouvai peu à peu mon calme. Mon étrange acuité visuelle s'était dissipée et en progressant sous les enseignes au néon, je parvins à oublier qu'au-delà de cet éclairage s'étendaient les ténèbres prêtes à s'abattre sur moi dès l'instant où je perdrais mon sang-froid.

En approchant de la sinistre tour du Musée de Londres entourée d'immeubles élevés qui semblaient sur le point de me tomber dessus, je pensai aux propos névrotiques que Kim m'avait tenus sur les Puissances et je crus que j'allais craquer. Epouvantée, j'accélérai l'allure. J'avais le sentiment que si je réussissais à franchir cette place lugubre, je pourrais peut-être tenir le coup.

Pour m'y aider, je m'inventai un compagnon invisible. « Repoussez les Puissances, lui dis-je à haute voix, je vous en prie, éclairez l'obscurité », et bizarrement, en prononçant ces mots, j'eus vraiment l'impression que quelqu'un m'emboîtait le pas. Je prenais sûrement mes désirs pour des réalités. Comment pourrait-il en être autrement ? Cependant, je m'aperçus, perplexe, que mon protecteur invisible ne ressemblait en rien à ce que j'aurais souhaité. Dans l'idéal, j'aurais fait appel à un colosse bourré de stéroïdes, brandissant une Kalachnikov et à même de répondre à la violence par la violence. Or, je savais que cet inconnu près de moi n'était pas armé. En outre, il m'aidait non pas parce que je l'avais engagé pour le faire, mais parce qu'il avait vécu ce que je vivais à cet instant et comprenait que ce dont j'avais le plus besoin, c'était d'une présence, d'encouragements et d'inspiration, juste pour continuer alors que mon univers était en ruine, que j'étais à bout de forces et que je reconnaissais à peine mon esprit tant il était meurtri.

Les ténèbres s'ouvraient devant lui et quand je m'engageai finalement sur la longue courbe qui menait à King Edward Street, je découvris au loin une grande explosion de lumière : le dôme étincelant de St Paul. Le ciel tout autour était d'un noir d'encre à tel point que le toit gris paraissait blanc et la croix au-dessus scintillait comme de l'or en fusion.

Je gravis la colline à grands pas et la cathédrale me parut soudain si proche qu'on aurait dit qu'elle venait de surgir parmi les immeubles de bureaux modernes, sinistres, qui me séparaient encore d'elle. Je songeai aux innombrables fois où je l'avais parcourue des yeux avec mon télescope. J'avais été si éloignée, si hermétique à sa puissante réalité que j'avais l'impression de la voir pour la première fois maintenant qu'on m'avait jetée hors de ma tour d'ivoire pour me précipiter dans le noir. Et tandis que mon compagnon me guidait vers la lumière, il me vint à l'esprit que si je me mettais à réciter les noms des rues avoisinantes évocatrices du passé de la City, cette psalmodie m'apaiserait et m'empêcherait de perdre la tête.

« St Martin's Le Grand, dis-je à voix haute, Cheapside, Poultry, Milk Street, Egg Street, Love Lane... » J'énumérai tous ces noms les uns après les autres en me souvenant que, quand les terroristes se faisaient arrêter en Irlande du Nord, ils survivaient aux interrogatoires en débitant inlassablement les noms des rues de Belfast. Il me semblait que moi aussi, j'étais tombée aux mains d'un ennemi, bien qu'il fût invisible, aussi invisible que l'étranger plein de compassion qui me suivait.

J'étais tout près de la cathédrale à présent. L'enceinte était déserte. Pendant un moment, je fus coupée du bruit de la circulation, mais le silence n'avait rien d'effrayant car tout baignait dans la lumière. Je contournai l'imposant édifice et émergeai finalement au sommet de Ludgate Hill.

J'entamai la descente vers Ludgate Circus, mais dès que j'eus dépassé la zone éclairée aux abords de la cathédrale, je recommençai à avoir peur de l'obscurité. Mon compagnon m'incitait à avancer à une cadence de plus en plus rapide comme s'il était déterminé à m'arracher aux rets oppressants de mon ennemi. « Continue à réciter ! » m'exhorta-t-il, et je me remis à ânonner comme une pauvre vieille clocharde expulsée d'un asile. Au-delà de la place, je traversai New Bridge Street et poursuivis mon chemin vers la Tamise.

En haut de Fleetside, je m'immobilisai, cédant finalement à la panique. La rue était plongée dans le noir. Probablement une panne d'électricité, mais... C'était si sombre là-bas, affreusement sombre bien qu'une fenêtre fût encore éclairée au-dessus de la porte d'entrée de la maison près de l'église. « Recommence à énumérer les noms ! » cria mon compagnon, conscient que je fléchissais, et dans sa détermination à me sauver, je sentis combien il tenait à moi. Pourtant, je ne pus que bredouiller : « Pater Noster Row, Ave Maria Lane, Amen Court » tout en avançant à l'aveuglette en direction de la lumière au bout de la rue.

J'étais à dix mètres du vicariat quand elle s'éteignit.

— Cours ! hurla mon compagnon avant que j'eusse le temps de gaspiller mon souffle en poussant un cri, et je pris aussitôt mes jambes à mon cou. L'adrénaline générée par la terreur me donna un tel élan que je couvris en un éclair les derniers mètres et bondis en haut du perron.

Il faisait trop sombre pour trouver la sonnette. J'entrepris de tambouriner sur la porte.

— Aidez-moi ! beuglai-je. Aidez-moi ! Laissez-moi entrer !

La lampe extérieure s'alluma instantanément tandis que quelqu'un enlevait la chaîne et tirait les loquets. Je vis une haute silhouette se profiler dans le couloir éclairé. Je criais encore, bien que ce fût inutile. On aurait dit que mon compagnon invisible s'était finalement matérialisé dans l'homme qui se trouvait devant moi, au point que j'avais l'impression que cet étranger me connaissait par cœur. Il tendit la main et m'attira fermement à l'intérieur, et comme j'émergeais en titubant de l'obscurité, je l'entendis dire d'une voix infiniment douce : « Tout va bien. Venez. Vous êtes en sécurité ici. »

2

Je me laissai tomber sur la chaise la plus proche dans un grand vestibule au pied d'un escalier en fer forgé. La porte d'entrée se referma. Mon sauveteur s'accroupit près de moi.

— Vous a-t-on attaquée ?

Je secouai la tête. J'avais été attaquée à maintes reprises, mais il me semblait plus sage de ne pas parler de mon combat contre les Puissances qui avaient eu raison de moi ou de mes démêlés avec les ténèbres. En même temps, parce que je sentais mystérieusement que mon protecteur n'était autre que cet homme, je me rendis compte que je lui parlais comme s'il avait été avec moi pendant tout le trajet. J'estimais que je devais au moins tenter de lui témoigner ma reconnaissance et de lui faire part de mon étonnement et de mon accablement.

Je me mis à débiter à toute vitesse :

— Je ne sais pas comment vous remercier. Ce que vous avez fait est si extraordinaire que je ne parviens pas à trouver les mots justes, mais je sais que les Puissances étaient désarmées face à vous, elles ne pouvaient pas pénétrer ce cercle que vous aviez créé autour de moi. Par votre sollicitude, vous les avez empêchées de m'atteindre. Je ne pensais pas qu'un étranger pût tenir autant à moi, mais c'est arrivé, je l'ai vécu. En même temps, je peux à peine le croire parce que je ne méritais pas tant d'attention, pas du tout.

Les larmes m'inondaient les joues, mais je m'en rendais à peine compte. J'étais surtout consciente de sa présence à côté de moi, toute proche afin que nous puissions converser plus aisément bien qu'il ne fît même pas mine de parler. Il continua à me tenir la main, à être là, plein de bienveillance sans que je susse pourquoi. Toutefois, à mesure que les secondes passaient, ma cervelle quitta peu à peu son état de perception suraiguë pour percevoir à nouveau la réalité normalement, et je finis par comprendre que je n'avais jamais vu cet homme de ma vie. Il était brun, la quarantaine. Des cheveux raides, des yeux sombres et une bouche sensible. Seul le menton carré me parut familier. Il était manifestement troublé par ma détresse, mais pas gêné le moins du monde. Son regard était aussi doux que sa voix ; avec précaution, je tendis la main pour effleurer son col clérical. Je crois que je voulais m'assurer qu'il existait vraiment, qu'il ne s'agissait pas d'une hallucination.

— C'est drôle que nous portions encore ces cols, vous ne trouvez pas ? dit-il d'un ton désinvolte. Je pense parfois que l'Eglise est bien trop enracinée dans la tradition.

Il était bien réel. Son ton rusé, humoristique, m'en persuada.

— Je cherche Tucker, fis-je d'une voix vacillante.

Etonné, il me répondit :

— Je suis Tucker. Que puis-je faire pour vous ?

— Non, je ne veux pas dire vous.

J'essayai de lui expliquer, mais c'était trop difficile. Je me remis à pleurer.

— Ah, s'exclama-t-il tout à coup, j'y suis ! C'est mon frère que vous voulez. Accordez-moi un instant.

Il disparut dans une pièce de l'autre côté du vestibule. Il appuya sur le bouton d'un interphone posé sur une grande table en désordre et un instant plus tard, je l'entendis dire :

— J'ai ici une de tes amies. Elle a l'air un peu perturbée. Tu serais gentil de descendre tout de suite... Merci.

Avant qu'il eût le temps de regagner l'entrée, j'entendis une porte claquer à l'étage. En m'essuyant les yeux du revers de la main, je considérai mon jean en me demandant si Tucker allait me reconnaître.

Des bruits de pas résonnèrent dans l'escalier et se turent brusquement sur le palier à mi-chemin.

— Doux Jésus, madame G ! s'exclama Tucker, abasourdi. Que vous est-il arrivé ?

Une seconde plus tard, il dégringolait le reste des marches en en sautant une sur deux pour réduire au plus vite l'espace qui nous séparait.

Je fis tout ce que je pus pour être Carter Graham, pour trouver une réplique bien envoyée digne de l'astucieuse femme d'affaires que j'étais. Mais en définitive, je ne pus que bredouiller :

— Oh, Tucker, je suis tellement contente de vous voir !

Je me jetai dans ses bras et m'effondrai en sanglotant contre sa poitrine comme quelque écervelée pâmée, égarée dans un autre monde, une autre époque, à des années-lumière.

3

— Ça va aller ! Calmez-vous ! Je suis là. Je vais vous écouter. Je ne vais pas m'en aller.

Il m'apaisa à grand renfort de gestes vieux comme le monde et de platitudes modernes, m'enveloppa dans une étreinte solide et respectable et me tapota gentiment le dos. J'étais vaguement consciente qu'il portait un sweat-shirt et un jean blanc. Le sweatshirt sentait le produit assouplissant, comme s'il sortait du séchoir. Ses cheveux bouclés me parurent plus longs que la dernière fois que je l'avais vu chez Alice, et ce look bohémien était accentué par la barbe de deux jours qui lui obscurcissait le menton. Je lus son inquiétude dans son regard, son étonnement et quelque chose d'autre, de très gentil, que je ne fus pas en mesure de définir tout de suite. On aurait dit que ma vulnérabilité extrême l'avait touché avec une intensité qu'il n'avait pas imaginée, mais qu'il ne trouvait pas désagréable.

En attendant, la réduction de ma personne à l'état d'écervelée m'écœurait tellement que je luttais pour me ressaisir et couper court à mes sanglots. Tout en m'essuyant le visage, je parvins à dire faiblement :

— Désolée, Tucker, je ne suis plus tout à fait moi-même. Je viens de vivre un enfer !

— Venez dans ma chambre et racontez-moi tout.

— Eric, intervint le frère aîné, Mme Graham est manifestement très choquée, elle préférerait peut-être un environnement plus neutre. Pourquoi ne l'emmènes-tu pas dans la salle de réception pendant que je vais faire du thé ?

— Je vais m'occuper d'elle, Gil, si ça ne t'ennuie pas.

— Cela m'ennuie. Je suis responsable des gens en détresse qui viennent nous trouver et j'ai le droit de déterminer la manière dont ils sont reçus.

— Cesse d'être aussi pompeux, veux-tu !

— Mieux vaut être pompeux qu'irresponsable !

Je ravivais apparemment de vieilles querelles datant de la petite enfance.

— Je ne veux pas provoquer d'ennuis. Je resterai ici dans l'entrée.

— C'est inutile, répondit le plus jeune des Tucker, se reprenant à la hâte. Nous suivrons le conseil de Gil.

Son frère enchaîna aussitôt :

— Cela vous convient-il, madame Graham ? La seule chose qui importe, c'est vous.

Je fus si surprise par cette marque de considération inhabituelle et pleine de subtilité qu'au début, je ne pus que marmonner mon assentiment, mais ma curiosité reprit vite le dessus.

— Comment savez-vous qui je suis ?

Gilbert Tucker me gratifia d'un petit sourire ironique avant de répondre d'un ton railleur :

— Votre nom a surgi de temps à autre dans la conversation ces dernières semaines. Je vais aller préparer le thé dont j'ai parlé, ajouta-t-il en se détournant.

— Par ici, Carter, m'indiqua son frère d'un ton impérieux en me pilotant vers une porte qui donnait sur une petite pièce lugubre ne contenant que deux fauteuils en cuir fatigués qui se faisaient face à côté d'un vieux poêle à gaz.

Un crucifix composé d'une croix en bois clair et d'une figurine en métal couleur étain surmontait la cheminée.

— Voulez-vous attendre le thé ou préférez-vous vous lancer tout de suite dans votre récit ? me demanda-t-il en s'installant dans le fauteuil en face du mien.

Je n'en avais pas la moindre idée.

— Mon Dieu, je n'arrive pas à croire que je me suis effondrée dans vos bras comme ça ! fut tout ce que je trouvai à répondre.

— Je peux vous assurer que mes bras étaient ravis de vous rendre ce service.

— J'en suis sûre. Ecoutez, Tucker...

Ma phrase resta en suspens.

— Oui, madame G ?

— Quelqu'un m'a planté un virus informatique directement dans le cerveau. On m'a... piratée !

— Je vais arranger ça.

Mes yeux se remplirent de larmes.

— Oh, madame G, madame G...

— Fichez-moi la paix, Tucker. Il faut que je réfléchisse, dis-je fiévreusement. Que je *réfléchisse*.

A ce stade en effet, ma raison, aussi perturbée fût-elle, me disait que je devais à tout prix éviter de le plonger dans les ennuis jusqu'au cou.

4

Le problème était ma conduite à Oakshott.

Quand un avocat trouve une personne qui a peut-être été assassinée, sans qu'on en soit sûr, mais qui est décédée sans aucun doute d'une manière requérant une enquête, il ne rôde pas alentour avec des gants en caoutchouc en essuyant ses empreintes digitales avant d'aller fouiller dans des documents personnels. A priori, il appelle la police. Ou au moins une ambulance. Si Sophie avait succombé à une mort accidentelle, j'avais des chances de m'en tirer, même encore maintenant, en plaidant un comportement tout bonnement non professionnel, mais si elle avait été assassinée, je risquais d'être accusée de complicité. Rétrospectivement, j'étais effarée par mon attitude imbécile, même si je comprenais comment cela avait pu se produire. Le choc m'avait fait perdre la raison et il ne fallait pas oublier que les événements survenus à Oakshott n'étaient que les derniers d'une série de coups qui avaient sérieusement ébranlé mon équilibre. Si j'avais finalement craqué dans cette maison sinistre au milieu de ces bois lugubres, cela n'avait rien de surprenant. Quoi qu'il en soit, je me retrouvais dans une situation pour le moins difficile.

A l'évidence, la première chose à faire était de protéger Tucker afin qu'il ne fût pas impliqué dans la débâcle d'Oakshott. Si Sophie avait été assassinée et si je me confiais à lui, il pourrait lui aussi faire figure de complice à moins qu'il n'avoue tout à la police sur-le-champ. Je ne pouvais donc pas lui dire que Sophie était morte. Seulement, dans ce cas, comment pouvais-je lui parler de son fantôme ? Me croirait-il d'ailleurs ? Je pensais que, chevaleresque, il essayerait de me croire, mais je ne tenais pas à ce qu'on se montrât chevaleresque à mon égard. J'avais besoin de quelqu'un qui acceptât mon récit et me fît des suggestions pratiques. En d'autres termes, une oreille attentive aussi formée, compatissante et charmante fût-elle ne suffirait pas à m'aider. J'avais besoin d'un expert — et pas seulement d'un bon vieux SOS fantôme surgi des frontières de la folie. Il me fallait un professionnel protégé par les règles de la confidentialité.

Je venais d'arriver à cette conclusion rationnelle bien que déconcertante quand le révérend Gilbert Tucker entra dans la pièce avec une tasse de thé.

5

Il parut alarmé par le profond silence qui y régnait.

— Comment vous sentez-vous ? me demanda-t-il aussitôt en posant le thé sur la petite table près de mon fauteuil.

— Assommée, mais je crois que je suis sortie du coma !

Puis je me tournai vers son frère :

— Tucker, dis-je, ne sautez pas au plafond ! Il faut que je parle à Gilbert seule. Je viens de me rendre compte que j'ai besoin d'un prêtre.

— Ça arrive à tout le monde, madame G ! Au moins vous avez le lapin blanc à col clérical sous la main. Je n'ai pas besoin de faire un tour de magie.

Il se leva.

— Inutile d'aller trop loin.

— Je serai dans la cuisine.

Il me sourit d'un air encourageant avant de quitter la pièce.

— Jusqu'où le secret de la confession va-t-il par les temps qui courent ? m'enquis-je auprès de Gilbert dès qu'il eut remplacé son frère dans le fauteuil en face de moi.

— Rien de ce que vous me direz ne sera répété à qui que ce soit.

J'écoutai ma respiration faible pendant quelques secondes avant de dire :

— C'est sûr ?

— Absolument. Je marche à la confiance et non à la trahison.

— Tout le temps ? demandai-je en avalant ma salive.

— Il ne peut pas en être autrement. Après tout, on ne saurait être à moitié digne de confiance, de même qu'on ne peut être à demi enceinte.

Je tripotai mentalement ces phrases comme les éléments d'un puzzle compliqué qu'il fallait remettre en ordre, mais pour finir, je décidai que l'image se tenait sans qu'il fût nécessaire de la recomposer. Je me rappelai que je n'étais pas sur le point d'avouer un meurtre. Mes mauvaises actions, si terribles fussent-elles de la part d'une avocate, ne suffiraient sans doute pas à inciter un ecclésiastique à se désintéresser de moi et à appeler la police. Je pouvais tenter une manière de confession, même si je résolus de limiter mes références aux horreurs d'Oakshott.

— Bon, repris-je, je vous fais confiance. Vous ne me dénoncerez pas, mais je me demande si je peux compter sur vous pour ne pas vous moquer de moi : j'ai vu un fantôme.

Il parut étonné, mais je ne lus pas une ombre d'incrédulité dans son regard.

— Où ça ?

— Chez moi tout à l'heure. C'était l'ex-femme de mon mari.

— Quand est-elle morte ?

— Un peu plus tôt dans la soirée à Oakshott. J'ai découvert le corps.

Il conserva son calme et continua à me poser des questions.

— Etes-vous absolument sûre qu'elle était morte ?

— Je n'ai pas senti de pouls. Elle est tombée dans l'escalier et s'est cassé le cou.

— Un accident ?

— Probablement.

— Mais vous n'avez pas appelé la police ?

— J'avais trop peur qu'il s'agisse d'un meurtre.

— Je comprends, mais soyons précis. Vous avez trouvé cette femme morte à Oakshott. Ensuite vous êtes rentrée chez vous...

— ... et j'ai découvert qu'elle était là, à m'attendre, sauf que c'est impossible, bien évidemment. Je ne crois pas aux fantômes. Il est donc impossible que j'aie vu ce que je suis sûre d'avoir vu. En même temps...

— ... vous avez bel et bien vu ce que vous êtes sûre d'avoir vu.

— Oui, et je ne peux pas l'admettre. Je n'arrive absolument pas à accepter ça.

Je marquai une pause pour prendre une inspiration avant d'ajouter :

— Tout ce que je sais, c'est que je ne peux pas retourner chez moi tant que tout cela ne sera pas réglé. Or, comment m'assurer qu'elle est partie ? Qu'elle n'essayera pas de me tuer en m'entraînant sur le balcon pour m'expédier par-dessus bord ? J'ai rencontré une horrible femme cet après-midi qui se prétend guérisseuse ; elle a essayé de me faire croire que j'allais sauter du balcon, alors j'ai peur que...

— Il vous faut le meilleur soutien possible, intervint-il aussitôt sans même me laisser le temps de finir ma phrase, et sans délai. Je ne suis pas expert dans ce domaine, mais j'en connais un. Il est prêtre lui aussi dans la City. Il s'appelle Nicholas Darrow...

6

L'église de St Benet était un étonnant petit édifice construit par Sir Christopher Wren, l'architecte de St Paul, au XVIIe siècle, après le grand incendie qui dévasta la City. Endommagée pendant la Seconde Guerre mondiale, elle avait été restaurée dans les années 50. A la différence de la sinistre bâtisse gothique de Gilbert Tucker à Fleetside, elle était inondée de lumière, blanche, immaculée et se dressait au milieu d'un petit cimetière orné de fleurs et de buissons qui donnait sur Egg Street. Je connaissais cette rue, mais je n'avais jamais remarqué la présence de cette église.

Ni celle du presbytère voisin. Sa belle façade de style géorgien m'était vaguement familière, mais je pensais que la maison abritait les bureaux d'une vieille firme disposée à supporter les inconvénients d'une construction antique. Je la considérai d'un œil nouveau quand Tucker gara la voiture de son frère dans la cour et éteignit le moteur.

Il était près de 23 heures, mais je continuais à avoir la sensation d'exister dans une dimension où la notion d'heure n'avait plus de sens. L'espace d'un instant, je me souvins de mon plan de vie élaboré à une époque où je pouvais ignorer le passé, contrôler le présent et où l'avenir restait soumis au pouvoir de ma volonté et quand je vis à quel point cette vision avait été anéantie, j'eus envie de hurler de rage et de désespoir.

— Ça va, madame G ?

— Non, mais peu importe.

— Vous voulez vous effondrer encore une fois dans mes bras ?

— On pourrait peut-être garder ça pour plus tard. J'ai grand besoin de croire qu'il peut encore m'arriver des choses agréables.

Il rit en détachant sa ceinture et je m'extirpai de la voiture.

Nicholas Darrow, le personnage pâle, osseux, beau parleur qui donnait tant de fil à retordre à la gentille Alice, nous ouvrit avant que nous eussions le temps de sonner. A l'évidence, il surveillait notre venue depuis la fenêtre de son bureau, une pièce austère où il nous fit entrer dès que nous pénétrâmes dans la maison. Je fus surprise de voir un ordinateur posé sur un bureau moderne. Je pensais que tous les prêtres vivaient encore à l'ère pré-technologique.

Les murs du bureau étaient d'un vilain blanc. Pas un tableau. Rien qu'un crucifix moderne très différent de celui que j'avais vu chez Gilbert. On aurait dit l'œuvre d'un artiste de talent. Taillé dans une unique pièce de bois, tout en angles inhabituels et en lignes fluides, il n'était pas sans rappeler l'apparence de Darrow lui-même. Je reportai mon attention sur son visage en m'efforçant de me concentrer sur ce qu'il disait.

— Lewis est allé chercher Alice. Restez donc jusqu'à ce qu'ils arrivent, Eric. Carter, asseyez-vous là...

Il me désignait une sorte de siège-baignoire en bois garni de mousse.

— ... Eric, si vous voulez rapprocher cette chaise...

J'étais tellement contente de me trouver en présence de l'expert dont j'avais besoin que j'étais prête à faire preuve d'une soumission qui ne me ressemblait guère, mais il y avait tout de même quelque chose chez cet homme-là qui me faisait grincer des dents. Le taxer d'arrogance eût sans doute été un peu exagéré ; il respirait l'assurance propre à tous les professionnels de talent quand ils opèrent sur leur terrain, mais il n'empêche que je pensais qu'au fond de lui, il ne se prenait certainement pas pour la queue de la poire. Je ne le trouvais toujours pas sexy, mais je me rendais compte à présent qu'il émanait de lui une sorte de singulier sex-appeal qui devait faire miauler les femmes sur les bancs d'église, voire se pâmer devant l'autel.

— Permettez-moi d'aborder brièvement quelques détails pratiques avant d'aller plus loin, dit-il en s'asseyant à sa table et en faisant pivoter son fauteuil dans ma direction. Gil m'a précisé que votre logement était inhabitable pour le moment. Je vous suggère par conséquent de loger ici ce soir. C'est la raison pour laquelle j'ai fait venir Alice, afin qu'elle vous tienne compagnie dans l'appartement que nous avons au dernier étage si vous désirez rester. Vous préféreriez peut-être prendre une chambre d'hôtel. C'est à vous de voir. En tout cas, vous êtes la bienvenue.

Je constatai qu'il s'efforçait de réprimer son autoritarisme naturel en évitant de m'imposer des solutions. Tant mieux. Mais l'idée qu'il puisse faire venir Alice ainsi en claquant des doigts à une heure pareille me donna envie de siffler comme une oie. Du coup, j'eus de la peine à refouler mon hostilité.

— Comme c'est gentil à vous, dis-je très froidement. Je serais ravie de rester, mais cela m'ennuie qu'il ait fallu déranger Alice.

— Oh, elle est parfaitement capable de me dire non, je vous l'assure ! répliqua-t-il aussitôt. Cependant, vous lui avez fait une forte impression et elle m'a assuré qu'elle serait ravie de vous aider.

C'était une phrase subtile, mais elle sonnait vrai, et quand je me laissai finalement aller à acquiescer d'un signe de tête, il m'adressa un bref sourire professionnel comme pour me signifier qu'il comprenait que je n'étais pas de ces femmes qu'il ébranlait sur les bancs d'église.

— Le deuxième élément important à prendre en considération est votre mari, reprit-il. Puisque vous êtes seule, je présume qu'il était pris ailleurs ce soir, mais quand est-il censé refaire surface ? Il va se demander où vous êtes passée.

C'était incontestablement un point de vue que j'avais omis de prendre en compte. Je le dévisageai tout en essayant de trouver une réponse appropriée.

— Ce n'est pas urgent, dit-il, voyant ma consternation. Si vous lui avez dit que vous sortiez ce soir, il ne s'inquiétera pas tout de suite. D'un autre côté, si vous disparaissez toute la nuit sans prévenir...

— Oui.

Je comprenais le problème, mais la solution m'échappait toujours, probablement parce que j'avais de plus en plus de difficultés à supporter la pensée de ce que Kim avait peut-être fait.

— Vous avez un répondeur ?

— Oui, mais je ne vois pas quel genre de message je pourrais lui laisser.

— Ne vous inquiétez pas, dit-il. Je m'en charge. Voyez-vous un inconvénient à ce que je lui dise où vous êtes ?

— Euh...

— S'est-il montré violent envers vous ?

— Oh non ! répondis-je aussitôt. Il m'aime !

Puis, le mot « violent » s'imprima dans mon esprit et je revis le corps recroquevillé de Sophie.

— Oh mon Dieu, m'entendis-je murmurer. Oh mon Dieu !

Des larmes m'inondèrent le visage.

— Eric, dit Nicholas, passez-lui la boîte de mouchoirs en papier, voulez-vous ? Merci. Carter, nous nous attaquerons aux points les plus difficiles tout à l'heure quand Lewis sera de retour. En attendant, tâchons de régler ce problème. Si je comprends bien, la situation est la suivante : rien ne vous oblige à parler à Kim pour le moment, ni à le voir, mais je pense que ce serait une bonne idée de lui fournir certaines informations. Dans le cas contraire, même s'il n'appelle pas la police pour l'informer de votre absence, il sera furieux et bouleversé demain matin, et les gens dans cet état-là sont plus difficiles à manier que s'ils sont juste perplexes et inquiets.

— Oui, certes. D'accord.

— Voulez-vous que j'appelle ?

— S'il vous plaît.

— Le numéro ?

— Oh, mon Dieu, je ne m'en souviens plus. Je suis tellement à côté de la plaque. Attendez une minute. Ça vient...

Je débitai le numéro qu'il composa.

— Monsieur Betz, dit-il d'un ton neutre quand le répondeur se mit en marche, ici Nicholas Darrow, recteur de l'église St Benet, dans Egg Street. J'appelle pour vous dire que votre femme va bien. Elle va dormir ici ce soir avec Alice Fletcher au presbytère.

Il indiqua son numéro de téléphone, qu'il répéta, puis raccrocha.

— Question suivante, me dit-il. Quand avez-vous mangé pour la dernière fois ?

— Je crois que j'ai déjeuné. Quoique... Je n'en suis pas sûre.

— Avez-vous bu de l'alcool dans les douze dernières heures ?

— Oui, mais ça fait des lustres !

— En quelle quantité ? Je suis désolé de vous poser la question. Ce n'est pas pour vous critiquer. Je m'efforce juste d'avoir une idée précise de votre état physique.

— J'ai bu deux doubles vodka-martini. J'avais reçu un choc terrible et...

— Inutile de vous justifier. Il faut que vous mangiez quelque chose. Dès qu'Alice sera là...

On entendit une portière de voiture claquer.

— Parfait ! lança Tucker d'un ton ironique en se levant pour aller ouvrir.

7

— Je suis vraiment désolée que les choses aillent si mal pour vous en ce moment, Carter, me dit Alice en se dirigeant droit vers moi.

J'en fus réduite à lui saisir la main pour lui témoigner ma gratitude.

— Alice, intervint Nicholas, il faut que Carter mange quelque chose. Peut-être un peu de viande froide, de la salade. Quelque chose de léger...

— Je m'en occupe, dit-elle en se retirant au moment où Lewis Hall, le rouleau compresseur aux cheveux d'argent, faisait son entrée.

— Ne vous avais-je pas dit, madame Graham, que nous nous retrouverions ? s'exclama-t-il en me voyant. Cependant je suis navré que les circonstances laissent apparemment tant à désirer... Bonsoir, jeune Tucker ! Vous m'avez l'air en pleine forme ! Jouer aux chevaliers vous convient à merveille, semble-t-il !

Tucker remua les pieds, mal à l'aise, mais sur le ton d'un homme déterminé à ne pas se laisser marcher dessus, il répondit :

— Je sais que cette entrevue est sur le point de devenir confidentielle, mais j'attendrai à la cuisine au cas où vous auriez besoin de moi plus tard.

Hall se contenta de se tourner vers son collègue :

— Avons-nous besoin d'un chevalier dans la cuisine à ce stade, Nicholas ?

— Je ne pense pas, répondit celui-ci, achevant l'opération d'évacuation, mais merci de votre aide, Eric. Je vous appellerai demain matin à la première heure.

Ce renvoi fut accepté sans protestation. Quand Nicholas se rassit tandis que Hall entreprenait de dégager un espace parmi les dossiers et les livres empilés sur la table ronde au milieu de la pièce, Tucker s'approcha de moi pour m'informer de sa répugnance à s'en aller.

— Si vous avez besoin de moi, dit-il en me glissant une carte dans la main, sifflez.

Hall s'éclaircit la gorge.

— Nicholas, auriez-vous un bloc-notes A4 à me passer ?

Nicholas en sortit un du tiroir de son bureau et le lui tendit sans un mot. Les deux ecclésiastiques évitèrent mon regard et je compris alors, comme Tucker quittait la pièce, qu'ils en savaient probablement plus que moi sur le passé auquel il avait fait allusion à la fin de notre soûlerie au champagne.

Je jetai un coup d'œil à sa carte. L'adresse et les numéros de Gilbert avaient été rayés ; au verso sous un numéro écrit à la main, Tucker avait gribouillé « ma ligne privée » en soulignant trois fois.

— En attendant votre petit en-cas, dit Nicholas alors que je glissais la carte dans une des poches arrière de mon jean, permettez-moi de vous dire quelques mots à notre sujet afin que vous compreniez comment nous opérons. Avez-vous entendu parler de mon ministère à St Benet ?

— Je sais que vous dirigez un organisme baptisé Centre de guérison, dis-je en m'enfonçant dans mon siège-baignoire.

— Dans ce cas, laissez-moi replacer ce centre dans son contexte avant que vous ne commenciez à vous inquiéter d'être entre les mains de charlatans. Comme toutes les églises de la Guilde au sein de la City, St Benet est ouverte la semaine et fermée le week-end. La plupart de ces établissements ont des ministères particuliers. Lorsque j'ai repris St Benet en 1981, j'étais déjà un spécialiste du ministère de la guérison. De tous temps, les chrétiens se sont intéressés à la question parce que Jésus était un grand guérisseur et que la santé du corps, de l'esprit et de l'âme font partie intégrante de son enseignement. Je travaille donc en collaboration avec un médecin, parce que je considère que mon ministère complémente la médecine traditionnelle. Je suis également assisté par un psychologue et nous coopérons avec d'autres spécialistes de la médecine. Le centre se trouve dans la crypte de l'église.

Il marqua une pause, comme pour me donner l'occasion de formuler des objections. Comme rien ne venait, il ajouta :

— Nos patients trouvent en général un réconfort certain dans le fait qu'il existe divers mécanismes visant à équilibrer les pouvoirs, si l'on peut dire, afin de s'assurer que je ne devienne pas un faiseur de miracles bidon avide de manipuler les gens. En cas de malhonnêteté de ma part, le corps médical me retirerait son soutien, les experts de l'évêché me tomberaient dessus à bras raccourcis et les administrateurs du centre, un organe de bienfaisance patenté, exigeraient ma démission.

Je pensais à Mme Mayfield et m'entendis répéter : « ...faiseur de miracle... manipuler les gens... »

— J'ai bien peur que notre domaine soit infesté de fraudeurs. Je vais vous expliquer ce que j'entends par « malhonnête ». Si je le deviens, j'oublie que je suis là pour aider les gens et non pas pour les dominer ou les exploiter. Je perds de vue Jésus-Christ et son évangile de foi, d'espoir et d'amour. J'oublie qu'il n'y a pas de place pour l'égocentrisme dans un ministère de la santé centré sur le Christ. La guérison doit être intègre et digne de la confiance d'autrui.

Il s'interrompit à nouveau.

— Je crois qu'il faut que je vous dise que je ne suis pas chrétienne, bredouillai-je cette fois-ci.

— Votre honnêteté vous honore, mais sachez que nous n'excluons personne. Tout individu a été créé par Dieu pour une raison et mérite d'être traité avec respect et sollicitude.

— Il nous arrive d'être confrontés à des semeurs de troubles qui tentent d'infiltrer le centre, enchaîna Hall, mais nous ne fermons jamais nos portes aux gens dans le besoin.

Il avait pris place à la table ronde, son bloc-notes devant lui, et tout en parlant, il commença à griffonner sur la page blanche.

— Nous traitons toutes sortes de cas, reprit Nicholas, dont certains comparables à celui que vous présentez, me semble-t-il... Gil ne nous a pas précisé de quel type de phénomène paranormal il s'agissait, mais laissez-moi vous rassurer tout de suite. Quoi qu'en disent les médias, à cet égard, la réalité est généralement beaucoup moins absurde et nettement plus intéressante qu'on ne veut nous le faire croire...

— Il s'agit juste de situations pastorales insolites, poursuivit Hall, fort occupé à dessiner. C'est la raison pour laquelle on fait appel à des prêtres. Dans la majorité des cas, nous avons affaire à des gens en détresse nécessitant un soutien pastoral.

— En d'autres termes, reprit Nicholas si naturellement que leur dialogue commençait à ressembler à un monologue, le paranormal est en principe enraciné ou étroitement lié au normal. On pourrait aller jusqu'à dire qu'il s'agit d'une dimension de la normalité à laquelle on est rarement confronté.

— Comme un sifflet accordé si haut que seul un chien peut l'entendre, précisa complaisamment Hall qui s'était mis à gribouiller un chien.

— Je crois qu'il vaut la peine de souligner que le paranormal n'a rien de particulièrement spirituel. Il est en fait question d'un phénomène de la conscience à l'origine de mystères, mais ces mystères peuvent en général être élucidés grâce à une combinaison de raison et de logique alliée à la perception et à l'expérience.

— Les symptômes de ce trouble peuvent être très bouleversants, bien sûr, mais une fois le désordre sous-jacent traité, ils disparaissent vite...

— ... aussi, l'important pour nous maintenant, dit Nicholas enchaînant à la perfection, est d'essayer de définir le problème fondamental à l'origine des symptômes dont vous souffrez. C'est la raison pour laquelle je vais devoir vous poser des questions sur vous afin d'avoir une vision précise de ce qui se passe. Lewis prendra des notes parce que, dans ce genre de cas, je travaille toujours avec quelqu'un susceptible de consigner consciencieusement les données de manière à protéger tant le patient que moi-même. Je vous promets que nous appliquerons scrupuleusement les procédures de sécurité : ces notes seront mises sous clé. Si à n'importe quel moment de votre récit, vous souhaitez que Lewis cesse d'écrire, il vous suffit de le dire.

— Normalement, Nicholas collabore avec un laïc, dit Hall qui venait d'affubler son chien d'un chapeau de clown et s'ingéniait à dessiner un cirque autour, mais comme Gilbert Tucker a souligné que le secret professionnel était vital, j'ai décidé de remplir le rôle de scribe et de témoin. J'espère que vous n'y voyez pas d'inconvénient. Je suis très vieux, mais pas encore sénile, Dieu merci.

— Il n'a que soixante-neuf ans, me dit Nicholas, mais pour une raison inexplicable, il parle souvent comme s'il en avait quatre-vingt-seize.

A cet instant, Alice réapparut, chargée d'un plateau.

8

— Bon, dit Nicholas en me servant une tasse de thé alors que je grignotais une carotte, commençons pendant que vous mangez. J'espère que vous aurez de plus en plus envie de manger à mesure que vous vous déchargerez.

Alice s'était retirée après m'avoir indiqué qu'elle montait à l'étage préparer les chambres. Hall avait arraché la première page de son bloc-notes, révélant une page blanche et inscrivant un titre d'une écriture trop excentrique pour que je puisse la déchiffrer de l'endroit où je me trouvais.

En se réinstallant dans son fauteuil pivotant, Nicholas ajouta :

— Avant que je ne vous pose des questions sur votre passé, voudriez-vous essayer de résumer en quelques phrases le problème paranormal dont il est question ? Cela vous aidera peut-être à vous détendre un peu. Toutefois, si cela vous paraît trop difficile pour le moment...

En l'interrompant d'un geste, je dis rapidement :

— Ce soir, j'ai trouvé mon appartement sens dessus dessous. Ce n'était pas la première fois, mais ce coup-ci, je ne voyais vraiment pas qui aurait pu tout chambouler. Et puis j'ai vu un fantôme. Ai-je droit à encore une phrase ?

— Bien sûr.

— Je n'arrête pas d'avoir des pensées terrifiantes : je me

vois me jetant de mon trente-cinquième étage parce qu'une pseudo-guérisseuse m'a mis ça dans la tête cet après-midi.

J'hésitai, mais parvins à ajouter :

— Je ne sais pas si cette phobie relève d'une activité paranormale ou si je suis en train de devenir folle, mais mon mari voit régulièrement cette femme, elle est déterminée à anéantir notre mariage et...

Je ne pus continuer.

— Comment s'appelle-t-elle ? me demanda aussitôt Nicholas.

Lorsque je leur répondis « Elizabeth Mayfield », je vis les deux hommes faire la grimace avant de se dévisager en silence.

II.

« Lorsque quelqu'un nous témoigne de la compassion, nous nous sentons vraiment perçus, écoutés, pris en charge... Si l'attention dont on fait l'objet est sincère, cela va au-delà de la prévenance. La personne en question est disposée à parler, à agir, à souffrir avec nous et pour nous. C'est dans cet état de passivité, alors qu'elle s'apitoie sur notre sort, que se forme l'essentiel des puissants dynamismes de nos sentiments et de nos activités. La reconnaissance stupéfiante face à tant de sollicitude peut durer une vie entière. »

David F. Ford
The Shape of Living

1

Ce fut moi qui rompis le silence.

— Vous la connaissez ?

— Oh oui, nous connaissons Mme Mayfield ! acquiesça Hall d'un ton sardonique. Ou plutôt nous avons entendu parler d'elle. Nous ne l'avons jamais rencontrée, mais nous avons eu affaire aux victimes qu'elle laisse dans son sillage.

— Elle garde ses distances vis-à-vis de nous, dit simplement

Nicholas en examinant son ongle de pouce. C'est généralement le cas de ces gens-là.

— Quels gens ?

— Les grands manipulateurs au sein de cultes ou de groupes qui, non contents d'être antipathiques à la chrétienté, y sont franchement hostiles.

— Elle a déclaré à Kim que j'allais me mettre à « flirter avec l'ennemi », m'exclamai-je instantanément. C'était sa formule. Or je ne connaissais pas de chrétiens lorsqu'elle a dit ça. Elle ne pouvait pas savoir, prévoir...

— Ces individus ont souvent des dons de clairvoyance, m'informa Nicholas, manifestement peu impressionné par les talents divinatoires de Mme Mayfield. Cela fait partie intégrante du problème. Au lieu d'offrir leur pouvoir à Dieu afin d'aider les autres, ils le mettent au service d'autre chose et en abusent dans leur propre intérêt.

En se tournant vers Hall, il ajouta :

— Il semble que nous soyons confrontés à trois problèmes : 1) le désordre récurrent dans l'appartement ; 2) le fantôme ; 3) la présence de Mme Mayfield.

— Ils sont probablement liés, souligna Lewis en écrivant frénétiquement mais, bien sûr, nous ne devons pas tirer des conclusions trop hâtives. Commençons...

— ... Commençons par jeter un coup d'œil sur votre passé, Carter. Pourriez-vous nous donner des renseignements sur vous, s'il vous plaît, vos origines, votre mariage ?

Je parvins Dieu sait comment à commencer mon récit d'un ton calme et posé.

2

A ce stade, je m'étais rendu compte que je m'apprêtais à tout leur raconter. Je risquais de gêner leurs investigations si je leur dissimulais des faits. En outre, ils me paraissaient tellement professionnels, si intègres et si manifestement à leur aise dans ce pays étranger dont j'ignorais tout que j'aurais été folle de ne pas me fier à eux. Ils n'avaient même pas sourcillé quand j'avais mentionné le fantôme. Ils n'avaient pas paru s'étonner du chamboulement dans mon appartement. Mais surtout, j'étais rassurée par leur réaction vis-à-vis de Mme Mayfield. En plus d'avoir une vision on ne peut plus lucide d'elle, ils la faisaient paraître moins puissante. Elle était dangereuse, mais pas plus que d'autres. Ils connaissaient ce genre d'individu, elle n'avait jamais eu le cran de venir les trouver ; sa clairvoyance n'avait rien de spécial, si ce n'était qu'elle en faisait mauvais usage. J'étais très soulagée de voir qu'ils avaient compris la situation en un clin d'œil et qu'en plus, ils étaient en mesure de la réinterpréter à mon intention d'une manière qui me permettait d'y faire face plus aisément.

Tout au long de ma narration, ils me posèrent des questions dans le but de clarifier certains points. Nicholas m'interrogea sur les clés et le dispositif de sécurité au Barbican. Hall me fit subir un contre-interrogatoire à propos des précédents désordres survenus dans l'appartement. Il ne se montra pas hostile mais, en accordant une grande attention aux détails, il fit preuve d'opiniâtreté et certaines de ses questions me parurent absurdes. (« Avez-vous vu des objets bouger d'eux-mêmes ou voler en virant brusquement ? Certains appareils ménagers se sont-ils mis en marche tout seuls ? Les lampes ont-elles clignoté sans qu'on touche à l'interrupteur ? ») Au début, je ripostai d'un ton sarcastique, étonnée qu'il puisse m'imaginer capable d'inventer des choses pareilles, mais au bout d'un moment, j'étais trop fatiguée pour répondre autrement que directement. « Les lumières ont cligné ce soir, dis-je finalement, et plus tôt, la télévision était allumée bien qu'elle fût sur “pause”, mais c'était sûrement dû à des problèmes de courant. »

A ce moment, Hall dit à Nicholas :

— Ce cas est manifestement authentique.

Sur ce, Nicholas ajouta à mon adresse d'un ton gêné :

— Pardonnez-nous, mais nous devions nous en assurer. Cela fait partie de la procédure normale. Ne vous sentez pas visée.

Hall avait coupé court à mon récit afin de se concentrer sur les désordres dans l'appartement. Je le repris alors et, quand j'en vins à ma visite à Oakshott, aucun des deux ecclésiastiques ne fit mine de m'interrompre.

— ... en revenant sur la A3, je me suis arrêtée dans une station-service et j'ai passé un coup de fil anonyme à la police d'une cabine.

Pourquoi avais-je menti ? Je le regrettai instantanément tout en sachant que j'avais été poussée par le désir extrême d'éviter toute discussion sur l'éventualité de rapporter à la police la mort de Sophie. Je ne pouvais imaginer parler à la police, pas plus que je ne supportais de penser au comportement contraire au code professionnel que j'avais eu dans cette horrible bicoque.

Après avoir glissé ce petit mensonge dans ma narration pour la rendre plus facile à digérer, je vis le stylo de Hall hésiter sur le papier. Il ne leva pas les yeux, mais je compris que mon mensonge avait été détecté. Peut-être ma voix avait-elle changé imperceptiblement. Je jetai un coup d'œil à Nicholas, mais il détourna aussitôt les yeux et se remit à examiner son ongle.

J'avais perdu le fil et je me démenais pour essayer de le retrouver.

— Vous avez repris la A3, dit Nicholas d'un ton encourageant (bien qu'il s'adressât à son pouce), vous êtes arrivée à Londres...

— ... A Londres, j'ai essayé à nouveau de joindre Warren au Savoy, mais il n'était toujours pas dans sa chambre. Ensuite je suis allée au Barbican...

J'avais retrouvé un ton neutre, mais j'étais toujours crispée et mal à l'aise. Je ne me souvenais pas d'avoir aussi mal menti dans ma vie.

Fort heureusement, mes auditeurs furent vite absorbés par le récit de mon retour à la tour Harvey. Pour me faire pardonner mon mensonge, je ne lésinai sur aucun détail, allant jusqu'à décrire l'état de lassitude extrême qui m'avait presque empêchée de me relever après avoir trouvé mes clés.

— Etiez-vous aussi fatiguée les autres fois où vous avez découvert votre appartement sens dessus dessous ?

— J'étais éreintée la première fois que je suis rentrée chez moi aujourd'hui après avoir quitté mon travail de bonne heure. Mais je ne rampais pas par terre comme un zombie incapable de mettre un pied devant l'autre.

— Pourriez-vous nous fournir davantage de précisions sur ces ultimes événements ? suggéra Hall. Vous nous avez permis de nous en faire une idée en mentionnant les lumières clignotantes, mais essayez de nous faire un compte rendu étape par étape de ce qui s'est passé.

J'achevai mon histoire en luttant pour conserver mon calme, et quand j'eus fini de raconter, avec un embarras profond, les phénomènes irrationnels qui s'étaient produits, Hall se borna à demander :

— Le télescope était-il cassé ?

— Le télescope ? Non, il était encore debout.

— Toujours intact, n'est-ce pas, alors que rien n'aurait été plus facile que de le renverser. Après tout, le canapé et les fauteuils étaient tout chamboulés, ainsi que l'étagère et les rayonnages...

— Que voulez-vous dire ?

— Rien. J'observe, c'est tout. C'est un détail curieux.

Il prit une autre note avant de tourner la page.

— Récapitulons, se hâta de dire Nicholas. Carter, vous avez dit que la porte s'était ouverte brutalement en cognant le mur. Faut-il en conclure que personne n'aurait pu la pousser de derrière ?

— Je suppose, fis-je en m'efforçant de me concentrer. S'il y avait eu quelqu'un derrière, la porte n'aurait pas pu cogner le mur.

— Ce n'est pas si sûr, souligna Hall en me considérant par-dessus ses lunettes. Cela dépend de l'espace entre les gonds et le mur en question.

— J'aimerais avoir une idée plus claire de l'agencement de votre appartement, reprit Nicholas. Vous dites que c'est un rectangle coupé par un couloir. Où se trouve le salon par rapport à la chambre ?

Je le lui expliquai et achevai en disant :

— Du seuil du salon, je voyais Sophie juste en face de moi.

— A quelle distance ?

— Huit ou neuf mètres.

— Le couloir était-il bien éclairé ?

— Il y a deux lampes dans le couloir et une dans l'entrée. En arrivant, j'ai actionné l'interrupteur qui les allume toutes les trois.

— Portez-vous des lunettes ?

— Non.

— Bon. Combien de temps avez-vous vu cette femme avant que la porte se referme ?

— Difficile à dire. Cinq secondes peut-être.

— Et vous la discerniez clairement ?

— Très clairement. Comme je vous l'ai dit, j'avais une perception bizarrement intense, sans doute une réaction au stress.

— Etait-elle transparente ? demanda Hall avec intérêt.

— Evidemment que non !

— Vous dites qu'elle portait la tenue bleu roi de Sophie, insista Nicholas. En êtes-vous sûre ? Cela ne pouvait-il pas être le manteau que Mme Mayfield revêtait pour se faire passer pour Sophie ?

— Non... Attendez une minute... Vous voulez dire...

Ma phrase resta en suspens.

— Nous devons considérer toutes les possibilités, dit Nicholas d'une voix sereine. C'est la routine. Quand Lewis m'a formé à ce ministère, il y a longtemps, il disait toujours que lorsqu'on a affaire au paranormal, il faut d'abord prendre en compte l'explication normale et rationnelle car neuf fois sur dix, c'est la bonne.

— Evidemment, repris-je, stimulée par les mots « normal » et « rationnel », il serait logique de penser que c'est Mme Mayfield qui a monté le coup, mais je ne vois pas comment elle aurait pu faire. Elle n'avait pas de clé pour accéder à l'appartement.

— Je crois que j'ai une idée de ce qui a pu se passer, intervint Hall en retirant ses lunettes pour les nettoyer. Quand votre mari lui a prêté sa clé plus tôt, rien ne l'empêchait d'en faire faire un double.

Je le dévisageai avant de dire avec un respect accru :

— Ça ne m'est jamais venu à l'esprit.

— Vous aviez d'autres choses en tête. En outre, bien que j'aie avancé cette idée, je me méfie toujours des histoires de conspiration.

— Je suis tenté de penser que le désordre de l'appartement, de même que l'apparition, sont des phénomènes faciles à classifier, enchaîna Nicholas en échangeant un regard avec son collègue.

— J'en suis ravie, fis-je d'un ton narquois. En tout cas, moi, je suis toujours aussi larguée. Puis-je espérer que vous me fournirez une explication rationnelle de ce qui s'est produit ?

— Nous pouvons vous donner ce que nous considérons comme une conclusion rationnelle à la lumière de notre expérience dans ce domaine, répondit poliment Nicholas, mais rien ne prouve que vous la trouverez rationnelle. Avez-vous entendu parler de l'esprit frappeur ?

3

— Evidemment, répondis-je sans hésiter, ce sont ces sornettes qu'on voit dans les films d'horreur. Il faudrait être fou pour croire ce genre de choses.

Nicholas ne parut nullement troublé par ma virulente incrédulité.

— Si votre information à ce sujet émane des films d'horreur, dit-il, je doute que vous sachiez ce dont il s'agit. Pour commencer, cela n'a strictement rien à voir avec les fantômes.

— D'accord, lançai-je d'un ton furibard, je vous écoute. Qu'est-ce que c'est, s'il ne s'agit pas de fantômes ?

— La preuve d'un foyer perturbé.

Je le dévisageai. Il me rendit mon regard.

Puis ma colère se dissipa, cédant la place à l'horreur.

4

Voyant mon effroi, Nicholas s'empressa de me rassurer.

— Ce n'est pas si grave, dit-il. Nous ignorons encore comment ce phénomène se produit, mais nous savons qu'il a lieu et nous pouvons y remédier.

— Désolée. Je n'y crois pas. C'est impossible, dis-je, les lèvres pincées. Mais je veux bien vous écouter, par respect.

— Dans les cas typiques, des objets se déplacent ou se brisent sans intervention humaine apparente. En réalité, une personne est toujours impliquée, mais elle opère à distance, inconsciemment, contre sa volonté, en générant une énergie qui fait bouger les objets en question. Il semble clair que l'objectif de cet esprit frappeur, ou de son propriétaire, selon la formule, est de soulager une tension intolérable. La plupart des cas se produisent dans des foyers où vivent des adolescents perturbés. Ceux-ci sont souvent incapables de se libérer de leurs angoisses en les exprimant verbalement.

— Et quand il n'y a pas d'adolescent ?

— Dans ce cas, le propriétaire de l'esprit frappeur refoule généralement une très forte émotion, souvent un passé traumatisant auquel il refuse de faire face bien que les souvenirs de ce traumatisme infestent le présent.

— C'est Kim, dis-je, profondément soulagée.

La fascination se mêlait à présent à mon scepticisme.

— Comment règle-t-on le problème ? ajoutai-je.

— Il est recommandé de bénir chaque pièce et je propose toujours de prier sur les lieux avec les personnes affligées, mais la solution à long terme est un traitement psychique. Les tensions sous-jacentes doivent être découvertes, analysées et soignées. Une fois celles-ci soulagées, les troubles cessent.

— L'esprit frappeur s'épuise généralement de lui-même au bout de neuf mois environ, souligna Hall en sortant un paquet de cigarettes de sa poche. La vie continue ; les tensions disparaissent. Evidemment, il est toujours souhaitable d'y mettre un terme le plus vite possible... Nicholas, où est passé le cendrier ?

— J'ai fini par m'en débarrasser.

— Quel manque de tolérance ! Vous fumez, madame Graham ?

— J'ai arrêté.

— Vraiment ? J'aimerais bien savoir comment vous avez fait !

— Quelque chose me dit que vous êtes beaucoup trop macho pour accepter des consignes d'une femme, père Hall !

— Ma chère madame Graham, d'où vous vient cette idée ?

— J'ai un faible pour les bandes dessinées féministes, souligna Nicholas, mais pourquoi ne pas nous appeler par nos prénoms ? Revenons-en à nos moutons. Lewis, souhaitez-vous ajouter quelque chose à propos des troubles dans l'appartement ?

— Non, si ce n'est pour expliquer à Carter que l'esprit frappeur s'alimente lui-même en un crescendo en spirale de plus en plus désagréable et il semble que ce soit ce qui s'est produit hier soir.

— Je suis d'accord.

Nicholas se tourna vers moi avant de résumer :

— Voici ma théorie. Vous rentrez chez vous ébranlée par la mort de Sophie. Vos expériences à Oakshott ont provoqué des tensions insoutenables. Vous vous agenouillez pour récupérer vos clés. A ce moment, l'énergie cinétique générée par la tension se libère, d'où le regain de troubles dans l'appartement. Ensuite, vous êtes si exténuée que vous arrivez tout juste à vous lever. Une fois chez vous, la vue du désordre élève à nouveau votre tension d'un cran, d'où une nouvelle série de perturbations : les lumières clignotent, les rideaux s'agitent et finalement, la porte s'ouvre et se referme violemment et l'apparition surgit.

— Je réfute tout ce que vous venez de dire, protestai-je avec véhémence. Je ne crois toujours pas à l'esprit frappeur et même si c'était le cas, je n'en serais pas le *propriétaire*.

Nicholas resta d'un calme olympien.

— J'ai estimé devoir vous exposer honnêtement mon point de vue, dit-il, mais rien ne vous oblige à l'accepter. Nous disons toujours : « Les faits sont sacrés, mais chacun est libre de les interpréter », en d'autres termes, vous pouvez adopter l'hypothèse qui vous convient tant qu'elle ne déforme pas les faits... Bon, pouvons-nous aborder la question du fantôme à présent ?

Lewis m'avait chipé ma soucoupe pour s'en servir de cendrier et fumait son ignoble cigarette. Nicholas croisa les jambes et se radossa. L'espace d'un instant, j'eus envie de hurler mon exaspération, mais je savais que ce comportement imbécile ne résoudrait rien. Quoi qu'il en soit, j'avais été séduite par leur attitude modeste et décontractée qui me permettait de manifester mon désaccord aussi violemment que je le souhaitais.

5

— Nous allons tâcher de déterminer pourquoi vous avez vu cette apparition et ce que cela signifie.

La peur m'incita à conserver une attitude de défiance.

— La seule conclusion d'une personne saine est bien évidemment que je suis folle.

— Lewis, vous avez travaillé plusieurs années dans un hôpital psychiatrique. Voudriez-vous faire un commentaire à ce sujet ?

— L'éventualité d'une maladie mentale doit certes être prise en considération, répondit Lewis tout en dessinant un chat, mais en l'absence d'un discours décousu ou autres bizarreries du style, et en présence d'un récit cohérent allié à un souci permanent de rationalité, j'estime que nous pouvons déclarer le sujet sain d'esprit.

Le chat s'était changé en tigre aux dents découvertes.

— Vous n'allez pas me dire que la vision d'un fantôme ne fait pas partie des hallucinations ?

— Un peu faiblarde, votre hallucination, non ? répondit

Lewis, fort peu impressionné. Tout ce que vous avez vu, c'est une femme en manteau bleu. Si elle bavait en agitant une croix inversée ou si elle dansait toute nue avec une bande de satyres, je prendrais vos propos au sérieux, acheva-t-il en traçant à grands traits un homme des cavernes brandissant une matraque au-dessus du tigre.

— Puis-je intervenir ? demanda courtoisement Nicholas. Carter, la question n'est pas de savoir si vous avez vu un fantôme ou pas. Nous savons que c'est le cas. Mais pourquoi ? Et qu'est-ce que cela signifie ?

— Vous pensez tous les deux que je n'ai pas halluciné ? demandai-je, perplexe.

— Je préfère utiliser le terme d'hallucination en présence d'une maladie mentale. Dans le cas qui nous occupe, je parlerais de « vision » et je pense que vous avez vous-même élucidé le mystère tout à l'heure en évoquant votre état de conscience altéré par la peur et le stress. Normalement, en Occident, on associe cet état à l'absorption de drogues, mais dans certaines circonstances, le cerveau peut générer des substances chimiques susceptibles d'intensifier les perceptions.

— Comme si vous entendiez le sifflet qu'a priori seul le chien peut entendre, précisa Lewis en s'attelant à l'arrière-plan de son dessin.

— L'expérience n'en est pas moins réelle, précisa Nicholas, mais elle diffère de ce qu'on vit d'ordinaire au quotidien. Elle se distingue aussi d'une hallucination qui procède de l'imagination et comporte en principe des éléments bizarres. Dans votre cas, votre esprit s'est inspiré d'un événement qui a réellement eu lieu : votre souvenir de Sophie telle que vous l'avez vue au supermarché. La question étant de savoir pourquoi votre inconscient a ressuscité ce souvenir d'une manière aussi intense et terrifiante.

Je dus reconnaître à contrecœur que j'étais intriguée.

— Mais tout de même, m'exclamai-je en m'obligeant à rester rationnelle, en termes scientifiques, ce n'était qu'une projection psychologique ?

— Les réductionnistes scientifiques l'affirmeraient effectivement et leurs homologues religieux diraient que ce n'était rien d'autre qu'une âme sur le départ retenue dans son voyage de retour vers Dieu. Mais je me méfie de ces théories à l'emporte-pièce. La vie est beaucoup plus complexe et subtile. On peut certes parler d'une perception psychologique dans le sens où il s'agissait d'un souvenir projeté par votre esprit, mais je pense que ce n'était pas que ça. C'est la raison pour laquelle nous devons poser des questions qui excèdent le champ scientifique, liées au sens et à la valeur. A ce moment-là seulement, nous saurons à mon avis la vérité à propos de ce qui s'est passé.

— Je suis d'accord, dit Lewis, ombrant la végétation qu'il avait dessinée autour de son tigre.

Et avant que j'eusse le temps de faire le moindre commentaire, Nicholas ajouta rapidement à mon adresse :

— Ce qu'il faut savoir, c'est que, même si cette projection psychologique a provoqué une image que le côté rationnel de votre cerveau reconnaissait comme impossible, cela n'a rien de grave. Vous étiez simplement dans un état de conscience altéré où vous aviez une vision psychique de la réalité.

— Vous avez vu un fantôme, dit Lewis, reprenant sans effort le fil du discours. Et alors ? Des tas de gens voient des fantômes. Des fantômes très différents. Certains hantent des lieux, d'autres...

— Je ne veux pas le savoir.

— Très bien, dit Nicholas, dans ce cas...

— Comment ça, certains hantent des lieux ?

— Eh eh ! répliqua Lewis d'un ton suffisant. Je savais que vous ne résisteriez pas à la curiosité, comme toute femme qui se respecte !

— J'aurais dû me douter que vous ne résisteriez pas à me débiner, monsieur le rouleau compresseur.

— Je suis désolé de vous interrompre, coupa Nicholas, car je vois que cet échange curieusement vieux jeu a l'air de vous amuser, mais puis-je répondre à la question de Carter à propos de ces fantômes qui hantent des lieux ? Cela nous aidera peut-être à y voir plus clair sur la situation de ce soir. Ces fantômes attachés à un endroit particulier ont tendance à répéter encore et encore les mêmes actions, telle une brève vidéo qui se rembobinerait automatiquement. Ils sont assez inoffensifs, rarement intéressants et peuvent être vus par une ou plusieurs personnes, sans qu'elles soient forcément liées au lieu ou au fantôme en question. A l'évidence, Sophie n'appartenait pas à cette catégorie parce qu'elle n'avait rien à voir avec votre appartement et qu'elle n'avait pas un comportement répétitif. Si cela avait été le cas, elle vous serait apparue chez elle à Oakshott.

— Alors quel genre de fantôme ai-je vu ce soir ?

— Je dirais qu'il s'agit de ce qu'on appelle un fantôme « de deuil ». Quand les gens subissent une perte — surtout si cela s'accompagne d'un grand choc —, ils se retrouvent parfois en présence de la personne disparue qu'ils voient très clairement. Ces projections visuelles n'ont pas toujours lieu, mais elles sont fréquentes et, contrairement au cas du spectre qui hante un lieu, ce phénomène témoigne toujours d'un lien puissant entre les deux personnes. Quels étaient vos sentiments à l'égard de Sophie, Carter ? Au-delà du choc, qu'avez-vous ressenti quand vous l'avez trouvée morte ?

Je recommençai à pleurer.

6

— J'ai été tellement ignoble avec elle, m'entendis-je dire. Je pensais avoir affaire à une vieille mégère sans cervelle, obnubilée par une morale surannée, mais j'avais tort. C'était une femme noble, intelligente, courageuse, elle avait des principes ; et moi, j'ai été lâche, grossière et arrogante. Je n'ai pas cessé de la fuir. Je lui ai joué le plus sale tour qui soit, moi, qui me fais fort d'être solidaire envers les autres femmes ! Oh, je suis loin d'être une militante pure et dure, mais quand une femme est maltraitée, je tiens à lui manifester ma sympathie parce que Dieu sait si je connais ça ! Or, Sophie a été malmenée par l'homme que je lui ai volé et je l'ai envoyée promener. Je n'arrive pas à croire que j'ai pu agir ainsi. C'est inconcevable.

« Au départ, je n'avais pas l'intention de lui chiper. Kim m'avait dit qu'ils ne vivaient plus ensemble, Sophie et lui. Si j'avais pensé que leur couple pouvait encore tenir, je me serais contentée d'une nuit. Mon précédent amant m'avait larguée pour une bécasse de dix-neuf ans. Je n'aurais jamais imposé à une autre femme ce que cette garce m'a fait endurer.

« Si seulement j'avais compris plus tôt, mais je rejetais Sophie en bloc. Il a fallu que Mme Mayfield m'agresse pour que je commence à me rendre compte combien Sophie avait dû souffrir de la relation de son mari avec cette harpie, au point qu'elle veuille m'empêcher de subir le même sort. Ça, c'est de la solidarité féminine !

« Alors, quand je suis allée à Oakshott et que je l'ai trouvée dans cette sinistre bicoque, je... euh, n'arrivais pas à croire qu'elle était morte. J'ai agi machinalement, j'ai fait ce qu'il fallait faire, mais une partie de mon esprit saignait en quelque sorte. Je me disais non, non, ce n'est pas possible, elle n'est pas morte. Il fallait que je lui parle pour savoir la vérité sur ce requin qui s'est installé dans mon appartement, mais aussi pour lui dire que j'étais désolée, que j'avais été un monstre et lui demander de me pardonner. Seulement, elle n'était plus là. Je ne pouvais rien lui dire et c'était insupportable. Pendant tout le trajet du retour, j'ai répété : “Revenez, Sophie, je veux que vous sachiez combien je regrette. Revenez, Sophie, il faut que je vous demande de me pardonner. Revenez, Sophie, j'ai besoin de vous parler et d'entendre ce que vous avez à me dire. Sophie, Sophie, Sophie, il faut que je vous voie...”

7

Je réduisis le dernier Kleenex en charpie. Nicholas plongea immédiatement le bras dans le dernier tiroir de son bureau et en sortit une autre boîte. Tandis que je m'essuyais le visage en reniflant, je n'arrêtais pas de me dire que ma mère aurait été furieuse contre moi. Elle n'avait jamais versé une larme. Les larmes étaient pour les perdantes !

— Désolée, bredouillai-je en reprenant finalement le contrôle de moi-même. Vous devez me trouver ridicule.

— Au contraire, répondit Nicholas, je vous trouve très courageuse de faire face à des vérités aussi douloureuses devant des étrangers.

Je réprimai le besoin de sangloter à nouveau et balbutiai :

— Si seulement je pouvais sentir que Sophie m'eût pardonné.

— Je suis sûr qu'elle aurait souhaité le faire. Elle n'y serait sans doute pas parvenue tout de suite ; il aurait peut-être fallu que vous lui laissiez le temps de passer sa colère, mais les chrétiens ont l'habitude de prier pour avoir la grâce de pardonner à ceux qui leur causent du tort.

— Cela fait partie de la dynamique spirituelle, poursuivit Lewis en allumant une autre de ses ignobles cigarettes. Nous avons besoin de pardonner aux autres comme nous nous pardonnons à nous-mêmes... Nicholas, ne ferions-nous pas bien de prendre un instant de répit pour donner à Carter le temps de se ressaisir ?

— C'est inutile, dis-je en me reprenant en un clin d'œil, et pourquoi posez-vous à Nicholas une question qui s'adresse à moi ? Pourquoi me traitez-vous comme une non-entité que l'on peut manipuler sans sa permission ?

— A l'évidence, la dame s'est remise. On continue ?

— Qu'en pensez-vous, Carter ? dit Nicholas, posant enfin la bonne question.

— Pour l’amour du ciel, continuons ! lançai-je d’un ton agacé. J’ai peur que Kim arrive avant que nous ayons abordé la question de Mme Mayfield.

L’instant d’après, je demandai, prise d’effroi :

— Y a-t-il des risques que je revoie ce fantôme ?

— Je ne pense pas, répondit fermement Nicholas. Maintenant que vous avez exprimé votre chagrin et votre culpabilité, il est peu vraisemblable que votre esprit fasse ressurgir Sophie sous la forme d’un fantôme de deuil. Toutefois, il est possible que son retour vers Dieu ait été retardé, surtout si elle a été assassinée, mais si tel est le cas, c’est à Oakshott qu’elle réapparaîtra.

— Elle pourrait s’y montrer sous l’apparence du fantôme qui hante un lieu, reprit Lewis d’un ton vif, ou de ce qu’on appelle « l’esprit d’un mort agité ». Contrairement au précédent, celui-ci peut communiquer avec les vivants et son comportement ne se limite pas à une routine.

— Il n’est pas nécessaire que la personne ait été assassinée, spécifia Nicholas. Toute mort violente peut avoir cet effet. Il s’agit en fait d’une réaction à une situation inachevée. Parfois, les morts ont du mal à s’en aller, en particulier si les vivants s’efforcent de les retenir.

J’ouvris la bouche, sur le point de dire que je ne croyais pas à la vie après la mort, mais je me rendis compte alors que j’aurais l’air d’une ignorante persuadée que la terre est plate et s’efforçant d’imposer ses convictions à deux marins qui auraient fait le tour du globe.

— Vous voulez dire qu’il ne se produira plus rien chez moi ? marmonnai-je à la place.

— Je pense que nous devrions réconquérir officiellement votre appartement pour vous, dit Nicholas, plus professionnel maintenant qu’il avait abandonné le thème des fantômes afin de dresser les grandes lignes d’un plan d’action. Puis-je vous faire quelques suggestions pratiques ?

— S’il vous plaît.

— Malheureusement, vous ne les trouverez sans doute pas pratiques du tout, mais je vous assure qu’elles sont efficaces.

Voilà ce que je souhaiterais faire, avec votre accord : je voudrais me rendre sur place avec Lewis et vous, disons à 9 heures demain matin. Nous remettrons tout en ordre et nous bénirons chaque pièce avant de célébrer la messe à l'endroit où Sophie est apparue. Nous prierons pour elle, bien sûr, ainsi que pour vous. Rien ne vous oblige à vous joindre à nous, sachez-le. Je respecte le fait que vous ayez d'autres croyances, mais si vous pouviez être présente, même sans agir, cela nous aiderait.

— Mais puisque je ne crois pas en Dieu, comment tout cela pourrait-il changer quoi que ce soit à la répugnance que j'éprouve vis-à-vis de mon appartement ?

— C'est une bonne question, mais le pouvoir de guérison du Seigneur ne dépend pas de vos convictions religieuses.

— Toute guérison vient de Dieu, murmura Lewis. Ce que dit Nicholas, Carter, c'est que votre absence de foi ne peut limiter le pouvoir de Dieu.

— Mais qu'est-ce qui me prouve que ça marchera ?

— Bon, enchaîna aussitôt Nicholas, tâchons de vous expliquer les choses selon vos termes à vous. Je vais essayer de vous exposer la logique de mes propositions sans mentionner Dieu. Pour ce qui est du fantôme, je pense qu'au niveau conscient, vous avez fait le tour du problème, mais le rituel et les prières vous aideront à saisir ce phénomène à l'échelle de l'inconscient. Grâce à cela, vos aveux à propos de Sophie pourront être traités sous une forme non verbale afin que vous arriviez finalement à accepter sa mort et que vous soyez soulagée de la douleur psychologique que vous éprouvez à son égard. A mon avis, après cela, vous n'aurez pas besoin d'une thérapie pour surmonter ce traumatisme ; ce que nous envisageons d'entreprendre vous permettra d'aller au bout du processus que vous avez déjà entamé.

— Vous voulez dire qu'ils aplaniront en quelque sorte mes angoisses au niveau inconscient ?

— Cela devrait vous aider à assimiler cette expérience de manière positive. Notez toutefois que je ne garantis pas la guérison. En revanche, je peux vous assurer que vous vous sentirez nettement mieux.

— La mission de Nicholas en sa qualité de guérisseur consiste à entrer en communication avec le Seigneur par le biais de la prière et des saints sacrements, dit Lewis qui ne s'inquiétait apparemment pas de remettre Dieu sur le tapis. L'objectif étant de permettre au pouvoir guérisseur divin de s'infiltrer aussi efficacement que possible dans la situation qui nécessite cette intervention. Si ce pouvoir peut l'emporter sur votre incrédulité, il y a toujours un risque qu'il soit entravé, partiellement ou totalement. C'est la raison pour laquelle nous nous abstenons de promettre des miracles.

— Quoi qu'il en soit, si tout va bien, mon appartement sera débarrassé de son fantôme sans que j'aie à me coltiner un thérapeute.

— Oui, mais n'oubliez pas que nous n'éliminons aucunement la possibilité d'une thérapie dans le processus de guérison. Cela pourrait se révéler utile. Dès lors qu'il est question de l'esprit frappeur...

— Laissez-moi vous dire clairement que Lewis et moi pouvons très bien nous tromper de diagnostic, auquel cas votre théorie sur la conspiration pourrait s'avérer exacte, coupa Nicholas. Nous ne disposons pas encore de suffisamment d'informations pour tirer une conclusion ferme et définitive. Quelle que soit l'explication, il est évident que vous avez besoin d'aide pour faire face au stress extrême de votre situation actuelle.

— Si Nicholas et moi avons raison, reprit Lewis, l'esprit frappeur cessera temporairement d'agir. En vous confiant à nous, vous avez « percé l'abcès », si l'on peut dire, et soulagé la tension intolérable que générait cette énergie. Malheureusement, cette tension reviendra à la charge, à moins que l'on s'attaque à la racine du problème.

— Le psychologue qui travaille avec nous au centre a aidé un grand nombre de cadres supérieurs de la City victimes d'un stress extrême, ajouta Nicholas avant que je puisse faire le moindre commentaire. Pensez-vous que l'on pourrait convaincre Kim de se joindre à vous pour quelques séances de thérapie ?

— Jamais de la vie ! répondis-je automatiquement.

Nicholas conserva son sang-froid.

— C'est regrettable, reprit-il, car il est impossible de dissocier Kim du problème. Il est probablement très stressé lui-même, et il a certainement contribué à votre état de tension. Et puis nous savons que ses ennuis passés interfèrent gravement avec sa vie présente. Aussi...

— Je ne dis pas qu'il n'a pas besoin d'aide, m'empressai-je d'ajouter. Si vous voulez mon avis, il lui faut un psychiatre. Mais Kim n'acceptera jamais, jamais, de franchir le seuil d'une institution appelée centre de guérison *chrétien*.

— Voilà Mme Mayfield qui repointe son nez, murmura Lewis en reprenant son stylo.

8

— Depuis quand Kim est-il un anti-chrétien ? demanda Nicholas d'un ton neutre après que j'eus évoqué pendant quelques minutes la détérioration de ma relation avec mon mari.

Je réfléchis intensément.

— A l'époque où je l'ai rencontré, dis-je finalement, il m'a paru relativement tolérant vis-à-vis du christianisme. Il m'a même fait prendre conscience de mon ignorance dans le domaine religieux et m'a donné l'impression que le christianisme était un système de croyances que seuls les ignorants décriaient.

— Et plus tard ?

— Plus tard, quand il a recommencé à voir Mme Mayfield... oui, il est devenu franchement hostile.

— Cela signifie, je le crains, qu'il est en train de repasser sous son contrôle.

Il fit brusquement pivoter son fauteuil vers l'ordinateur.

— Voyons quelles sont les dernières données concernant les activités de cette brave dame.

— Elle figure dans vos fichiers ? m'exclamai-je, sidérée.

— Il existe une organisation qui se charge d'étudier tous les cultes et groupes, en particulier ceux susceptibles de porter préjudice à l'individu et d'engendrer la maladie mentale. Nous travaillons en étroite collaboration avec elle ; ils nous tiennent au courant des derniers développements et nous récupérons les victimes qu'ils décèlent.

Il tapa une commande avant d'ajouter :

— Le domaine de l'occulte est fragmenté ; on ne peut pas vraiment parler d'une vaste organisation chapeautant le tout sous la tutelle d'un cerveau, mais individuellement, certains manipulateurs peuvent faire de gros ravages, surtout auprès de personnalités peu équilibrées.

— Comment définit-on l'occulte exactement ? demandai-je.

— Littéralement, il s'agit de quelque chose de caché. Cela fait référence à des systèmes de croyance fondés sur un savoir spécifique réservé à une élite — contrairement au christianisme fondé sur la révélation de Dieu en Jésus-Christ et disponible pour tous.

— Le terme « occulte » est utilisé très librement et de manière imprécise de nos jours, nota Lewis, tout en esquissant une sorcière. Les gens y ont recours pour décrire toutes sortes de pratiques allant jusqu'au satanisme, mais, *stricto sensu*, les partisans de l'occulte sont adeptes d'idées gnostiques exposées dans divers ouvrages ésotériques qui font l'objet d'un renouveau d'intérêt depuis quelque temps.

— Mais tout cela est inoffensif, non ?

— Certes, on trouve là des excentriques plus pathétiques que dangereux. Malheureusement, ces sociétés sont parfois infiltrées et corrompues par des indésirables : des individus qui ne vivent que pour le pouvoir, qui sont obnubilés par l'idée de manipuler les autres et de détruire aussi douloureusement et méchamment que possible.

— Pourquoi la police n'intervient-elle pas ?

— Elle intervient, me répondit Nicholas en pianotant une autre commande. Nous collaborons souvent avec elle, mais les gens comme Mme Mayfield sont généralement en mesure d'opérer à la limite de la loi... Ah voilà ! Mme Elizabeth Mayfield, cinquante et un ans, nationalité britannique, célibataire, une adresse à Fulham, guérisseuse psychique, aucune qualification professionnelle, gère divers groupes dans les quartiers d'Hendon, Hammersmith, Wapping...

— Wapping, c'est là que Kim était hier soir.

— ... peut-être liée à un réseau de pornographie. Pas de preuve. Associée à des cercles d'activités sexuelles illicites par le passé. Aucun acte criminel prouvé. Interrogée par la police à propos d'un trafic de vidéos obscènes, pas d'inculpation. Cependant, en remontant plus loin, nous trouvons un casier judiciaire. Racolage, proxénétisme, faux serment, détournement de mineurs...

— Bordel ! m'exclamai-je avant de me souvenir où j'étais. Excusez-moi, marmonnai-je, gênée.

— Pittoresque, n'est-ce pas ? dit Nicholas, sans quitter l'écran des yeux. Mais tout cela se situe dans les années 60. Elle a fait de la prison et, en ressortant, elle a eu le bon sens de se doter d'une façade respectable. Elle s'est volatilisée un moment dans les années 70 et le début des années 80, mais elle n'était pas derrière les barreaux et la police la soupçonne d'avoir opéré sous une autre identité pour des motifs qui restent obscurs, mais qui pourraient tenir à des activités criminelles et/ou occultes, et je n'emploie pas ce terme au sens strict.

— C'est la raison pour laquelle nous trouvons tellement intéressant que Sophie vous ait parlé d'occulte, lança brusquement Lewis. A-t-elle utilisé ce mot au sens large, comme beaucoup de gens le font de nos jours, ou parlait-elle spécifiquement d'une société occulte ?

Nicholas ajouta en guise d'explication :

— Nous n'avons jamais pu prouver que Mme Mayfield était impliquée dans ce type de société. Nous savons qu'elle est médium, qu'elle se prétend guérisseuse et qu'elle gagne de l'argent sur le dos de gens vulnérables ; nous savons qu'elle gère des groupes sexuels soi-disant thérapeutiques. Nous pensons que, dans ces domaines, elle reste dans les limites de la loi en évitant de donner dans l'extorsion et en ne traitant qu'avec des adultes consentants, même si nous savons qu'elle fait des ravages sur le plan psychologique et qu'elle est à l'origine de graves dépressions au sein de sa clientèle. On n'a jamais pu la lier à une société occulte corrompue, inévitablement impliquée dans des activités criminelles.

— Quel genre d'activités ? demandai-je en déglutissant avec difficulté.

— Chantage. Délits impliquant des mineurs et des animaux, m'expliqua Nicholas d'un ton neutre.

— Au départ, ces groupes opèrent généralement dans le cadre de certains paramètres pour parvenir à ce qu'ils croient être une révélation, reprit Lewis qui, à l'évidence, n'éprouvait pas le moindre scrupule à appeler un chat un chat, mais ils ne s'en contentent jamais longtemps car lorsque les gens trouvent leur plaisir dans la perversion, ils finissent toujours par en vouloir davantage afin de maintenir un certain niveau de satisfaction. Le plus souvent, le groupe se répartit en différents paliers d'initiés, et il y a toujours un cercle intérieur prêt à tout.

— Vous voulez parler de satanisme ? demandai-je en m'humectant les lèvres.

— Pas nécessairement, intervint Nicholas avant que Lewis puisse me fournir une réponse plus directe. Les médias font tout un plat du satanisme, mais la plupart des gens de l'espèce de Mme Mayfield ne se prêtent pas à ce type de rituels.

— En attendant, ils sont capables de faire beaucoup plus de dégâts qu'une bande de détraqués rassemblés pour célébrer une messe noire ! lança Lewis d'un ton sévère à l'adresse de son collègue. Vous avez tort de minimiser les choses, Nicholas, et de passer outre à l'avilissement, la profanation, la violation de l'esprit humain, le démantèlement de personnalités...

— Je ne minimise rien, mais n'oublions pas que nous n'avons aucune preuve que Mme Mayfield soit impliquée dans des activités criminelles et que la vie secrète de Kim ait dépassé le cadre de ses visites chez Mme Mayfield et à Wapping.

— Je ne comprends toujours pas comment Kim, qui est un homme solide et raffiné, a pu frayer avec cette sorcière, dis-je en me cramponnant aux bras de mon fauteuil, si fort que j'en eus mal aux doigts.

Lewis n'avait aucune peine à l'expliquer :

— On peut être très solide et raffiné en apparence, et profondément déséquilibré à l'intérieur. Mme Mayfield a sans doute exploité une vulnérabilité cachée.

— En conséquence de cette vulnérabilité, enchaîna Nicholas, il a du mal à se détacher d'elle. Evidemment, Mme Mayfield, elle, tient à ce qu'il continue à la consulter. Elle puise dans ses pouvoirs de manipulation psychologique pour saper sa volonté. Kim est un homme d'affaires important ; il a de nombreuses relations. C'est une manne pour elle, même si elle n'est pas impliquée dans le type de société occulte qui jette systématiquement son dévolu sur ces gens-là.

Je commençai à avoir mal à la gorge.

— Je suis sûre qu'au fond de lui, c'est un homme bien, murmurai-je.

Mais je me rendis compte aussitôt qu'en ce qui concernait Kim, je n'étais sûre de rien.

— Le moment est venu de récapituler, dit Nicholas, détectant chez moi un regain de détresse. Nous savons que Kim est en rapport avec Mme Mayfield et au moins un de ses groupes. Selon lui, il s'est disputé avec elle à propos de votre mariage. Si c'est vrai — pourquoi pas ? —, cela tendrait à prouver que l'on a affaire à un homme avide de prendre un nouveau départ. Nous ignorons s'il a conspiré avec Mme Mayfield pour monter la scène de désordre dans l'appartement. Nous ignorons également s'il est allé à Oakshott ce soir et encore plus s'il est responsable de la mort de Sophie. Efforçons-nous de garder l'esprit ouvert.

— Ce qui me gêne vraiment, dis-je (reconnaissante de cette perspective rassurante, mais encore très désemparée), c'est que j'ai toujours l'impression de connaître toute la vérité alors que je découvre sans arrêt de nouveaux éléments. Que voulait me dire Sophie exactement ? Au début, je pensais qu'elle cherchait juste à m'informer des relations secrètes de Kim avec Mme Mayfield. Ensuite, je me suis dit qu'elle souhaitait me parler du passé nazi de Kim et du chantage. Finalement, grâce à Mme Mayfield, je me retrouve avec une histoire d'impuissance, bien qu'il y ait une faille...

— Mme Mayfield s'efforçait de vous anéantir, lança Lewis. Méfiez-vous !

— Même si je ne la crois pas, comment ne pas penser que je suis encore loin d'être au bout de mes peines ? Si Kim s'est rendu à Oaskhott ce soir pour supplier Sophie de se taire...

— Nous ne savons pas s'il y est allé ou pas.

Nicholas, qui semblait s'être égaré dans quelque rêverie, nous interrompit brusquement.

— Ce qui me chiffonne le plus, c'est cette affaire de passé nazi. Quelque chose sonne faux... Comment Kim aurait-il pu travailler avec des juifs pendant des années, frayer avec eux sans être démasqué ?

— Vous avez mal compris, renchéris-je aussitôt. Il n'a jamais prétendu être juif ni avoir été élevé dans la foi hébraïque. Il se présentait juste comme un sympathisant dont le père était juif.

— Mais s'il a mis tant de soin à se faire passer pour tel, cette histoire de chantage ne le fait-il pas paraître étonnamment imprudent ? C'était très risqué de sa part de divulguer des informations potentiellement fatales à un étranger qui aurait pu être aussi bien juif que goy !

— Je me suis dit la même chose, répondis-je, mais je suis sûre qu'on l'a fait chanter. Pourquoi inventer une histoire pareille alors qu'il aurait très bien pu attribuer son manque de capital à un effondrement du marché ?

— Peut-être son orgueil l'empêchait-il de s'imaginer victime d'un krach boursier ? Ou peut-être cherchait-il à dissimuler le fait qu'il versait de grosses sommes d'argent à Mme Mayfield ?

— Mais il m'a affirmé que ses honoraires étaient très raisonnables !

— Il doit y avoir aussi des donations, sans doute sur un compte à l'étranger.

— Attendez une minute, intervint brusquement Lewis. Imaginons qu'il ait vraiment été victime d'un chantage. Je doute que les dons faits à Mme Mayfield expliquent un trou conséquent dans son capital parce qu'en l'extorquant, elle l'aurait rendu hostile. Supposons toutefois qu'il s'évertue encore à dissimuler la véritable affaire du chantage. Si vous étiez Kim, Nicholas, et si vous aviez quelque vil secret dans votre passé qui aurait donné lieu à un chantage, comment empêcheriez-vous votre deuxième femme de l'apprendre quand votre première épouse ne pense qu'à cracher le morceau ? Réponse : Vous maintenez les deux femmes à l'écart, vous détruisez la crédibilité de la première et vous concoctez pour la deuxième quelque autre secret, tel un passé nazi, pour l'expédier sur une fausse piste.

— Non, ça ne tient pas, dis-je à la hâte. Il ne m'a pas parlé volontairement de son passé nazi. A moins...

Ma phrase resta en suspens.

— La révélation de Mandy Simmons était peut-être un coup monté, souligna Nicholas à contrecœur. Il lui fallait un prétexte pour dévoiler un pareil secret.

— Jouer la carte nazie aurait eu certains avantages, poursuivit Lewis. Cela donnait l'impression que c'était *le* secret que Sophie s'efforçait de divulguer et satisfaisait ainsi votre curiosité, Carter. Cet aveu vous incitait à lui manifester davantage de sympathie en vous laissant entendre qu'il était lui aussi une victime de la folie nazie. En outre, il montrait Sophie sous un jour peu flatteur puisqu'elle l'avait repoussé lorsqu'il s'était confié à elle. Pour finir, cette fable permettait plausiblement de situer le chantage dans un autre contexte afin d'expliquer son manque de capital. La seule erreur qu'il ait commise a été de ne pas rendre cette histoire de chantage plus convaincante, mais, dans l'ensemble, je trouve qu'il a été très rusé.

— Le moment est à nouveau venu de nous refréner, dit Nicholas en voyant ma mine effarée. Tout cela n'est que spéculations. De fait, Carter, cette conversation prouve simplement que Lewis et moi avons du mal à nous faire une idée claire de Kim et qu'il est essentiel que nous le rencontrions au plus vite.

A cet instant précis, une sonnerie retentit au loin et des coups violents ébranlèrent la porte d'entrée.

III.

« Une formidable quantité d'énergie, d'ingéniosité et d'argent est consacrée à préserver des secrets, et à les dévoiler. »

David F. Ford
The Shape of Living

1

— Souvenez-vous, me dit Nicholas comme je me levais d'un bond, prise de panique, rien ne vous oblige à le voir. Mais il serait peut-être utile que vous vous parliez afin de résoudre certaines questions restées sans réponse.

— Tant que vous êtes là tous les deux, je veux bien.

Nicholas se rendit aussitôt dans l'entrée.

— Vous jouez au gentil, dit-il à Lewis en passant devant lui.

Lewis grogna son assentiment avant de glisser son calepin sous une pile de dossiers.

J'entendis Nicholas ouvrir la porte. Lewis s'était rapproché de moi tel un garde du corps dont la cliente nécessitait une protection maximale.

— Monsieur Betz ? disait poliment Nicholas dans l'entrée.

— Que se passe-t-il, bon sang ? demanda Kim d'un ton impérieux avant de crier à pleins poumons : Carter, tu es là ?

— Comment ose-t-il se comporter ainsi ? marmonnai-je furieuse, mais j'étais glacée d'effroi.

— Au pire, marmonna Lewis, nous avons un dispositif d'alarme relié directement au commissariat de Wood Street.

Avant que j'eusse le temps de lui demander où se trouvait le bouton en question, j'entendis Nicholas dire, toujours très courtois :

— Votre femme est dans mon bureau. Si vous voulez bien me suivre...

Kim fit irruption dans la pièce et s'arrêta net en voyant mon garde du corps qui lui barrait le chemin.

— Monsieur Betz ! s'exclama Lewis d'un ton ravi. Nous sommes si contents que vous soyez là.

— Allez vous faire foutre ! riposta Kim avant de se tourner brusquement vers moi. Carter...

Je décidai au quart de tour que l'attaque était la meilleure défense possible.

— Pour l'amour du ciel, Betz ! hurlai-je en passant d'emblée à la tactique du marteau piqueur. Reprends-toi avant que ces messieurs t'envoient te faire faire une greffe du cerveau. Où étais-tu et que se passe-t-il, s'il te plaît ?

— C'est exactement ce que j'allais te demander ! Ecoute, mon cœur...

— Tais-toi ! J'ai passé la pire soirée de ma vie, je n'ai jamais eu autant la trouille, je suis au bout du rouleau. En plus de ça, maintenant, je dois supporter que tu te comportes comme un membre d'une section d'assaut.

— Pardonne-moi, mais je suis effaré de te trouver ici avec ces deux zigotos et je voudrais bien savoir...

— Ces messieurs, je répète, messieurs, m'ont expliqué en long et en large qui est Mme Mayfield. Ils savent...

— Je m'en bats l'œil. Je veux savoir ce qui est arrivé à l'appartement !

— Cette monstrueuse vieille bique a tout saccagé ! Elle en a assez de ton plan pour discréditer Sophie et s'efforce maintenant de mettre un terme à ton deuxième mariage en me rendant folle.

— Ne sois pas ridicule ! Ecoute, nous devons parler sans délai mais si tu crois que je vais vider mes tripes devant...

— Ils sont déjà au courant de tout.

— Pardon ?

Il était si choqué qu'il chancela. Il tendit même la main vers le bord de la table pour se rattraper et je sentis l'équilibre du pouvoir osciller entre nous quand sa colère se changea en confusion.

— Ne t'inquiète pas, dis-je automatiquement, je me suis confiée à eux sous le sceau du secret. Si tu pouvais juste cesser d'être agressif une seconde...

— Okay, okay, fit-il d'un ton radouci, reprenant finalement ses esprits. Je suis sûr que nous pouvons régler le problème, mais je t'en prie, parlons quelques minutes ensemble tous les deux seule à seul.

Avant que j'eusse le temps de répondre, il ajouta à l'adresse des deux prêtres :

— Je vous prie de m'excuser. J'étais tellement inquiet que j'ai perdu la tête. Désolé.

— C'est compréhensible, répondit aussitôt Lewis d'un ton compatissant.

Du coup, il incombait à Nicholas de me demander d'une voix neutre :

— Que pensez-vous de cette suggestion, Carter ?

— Je veux bien, dis-je, parce que je pense que c'est le moyen le plus rapide d'arriver à avoir une conversation entre nous quatre, mais je tiens à rester à portée de vue de Lewis et vous.

Nous changeâmes de place. Kim et moi nous retirâmes dans le fond de l'entrée. Nicholas et Lewis restèrent dans le bureau, en laissant la porte grande ouverte afin de ne pas me quitter des yeux. En m'adossant à la rampe, au pied de l'escalier, je jetai un coup d'œil à Nicholas par-dessus l'épaule de Kim ; il se tenait près de son bureau, une main posée dessus. J'étais sûre que ses doigts se trouvaient à quelques centimètres du signal d'alarme. Quelque peu rassurée, je me tournai vers Kim, mais avant que j'eusse le temps de proférer un mot, il me dit à voix basse :

— Je t'aime. En dépit de tout ce qui a pu arriver, cela n'a pas changé.

C'était bien la dernière chose que je m'attendais à entendre. J'en fus désarmée. L'équilibre des forces changea à nouveau.

— Ce que tu peux être sexy quand tu joues à la dure ! murmura-t-il, profitant au maximum de ce moment d'intimité. Si nous étions seuls...

— Arrête ton cirque, veux-tu ! Tu étais à Oaskhott ce soir, n'est-ce pas ?

Il renonça instantanément à essayer de me faire du charme.

— Non, j'étais avec Warren au Savoy. Pourquoi crois-tu...

— C'est toi qui l'as tuée ?

Il était sidéré à tel point qu'il fut dans l'incapacité de réviser son scénario. Il ne put que chuchoter, incrédule :

— Comment as-tu pu savoir qu'elle était morte ?

— Tu t'imagines que je ne suis pas entrée par la porte de derrière pour la chercher ?

— Je pensais que tu te bornerais à sonner deux, trois fois, que tu t'attarderais un moment et que tu t'en irais ! Tu es vraiment rentrée par la cuisine et...

— Est-ce toi qui l'as tuée ?

— Pour l'amour du ciel, non ! Evidemment non !

— Mais tu es allé là-bas. Qui d'autre aurait effacé mon message sur le répondeur ?

— D'accord, j'y suis allé, mais...

— Sa mort était-elle un accident ?

— Dieu seul le sait ! Quand je l'ai trouvée morte, j'ai paniqué... Je sais que c'est difficile à croire, mais...

— Non. Moi aussi j'ai paniqué. J'ai effacé toutes mes empreintes. J'ai dû perdre la tête.

— Je pourrais en dire autant. Seigneur, si nous avons rôdé tous les deux sur ce qui pourrait se révéler être la scène d'un crime...

— ... on est dans la merde jusqu'au cou. Dis-moi, Kim, que s'est-il passé à ton avis ?

— Cela avait tout l'air d'un accident, répondit-il en se passant distraitement la main dans les cheveux. D'un autre côté...

— Un détraqué aurait pu s'introduire dans la maison. Si elle était dans le jardin, si la porte de la cuisine était ouverte et si elle n'avait pas mis le système d'alarme...

— J'ai remarqué ses outils de jardinage sur la table de la cuisine.

— Mais aurait-elle vraiment jardiné dans ce tailleur élégant ?

— Oh, c'était une tenue vieille comme le monde, réservée aux travaux ménagers. Sophie n'aimait pas les pantalons. Pour se mettre en négligé, elle portait des vêtements anciens.

— Bon, en supposant qu'elle jardinait... Non, arrêtons là cette discussion et retournons auprès des prêtres. Je veux qu'ils entendent la suite.

— Mais tu ne comprends pas ! Pourquoi les mêler à tout ça ? D'ailleurs, comment as-tu fait pour te retrouver ici ?

— Je t'expliquerai plus tard.

— Carter. Ecoute-moi. Je ne pense pas que nous devrions parler de tout cela à qui que ce soit pour le moment...

— Je te l'ai déjà dit. C'est fait. Oh, à propos, il faut que tu sois au courant de mon unique mensonge. Je leur ai dit que j'avais appelé la police anonymement pour les prévenir pendant le trajet du retour. Je ne voulais pas qu'ils s'offusquent de mon manque de morale...

— Bien sûr. Mais pourquoi continuer à te confier à ces types ? Que veux-tu qu'ils sachent du monde où nous évoluons toi et moi ?

— Bien plus que tu ne le crois, répondis-je d'un ton narquois avant de filer dans le bureau.

Il me suivit à pas lents, les poings enfoncés dans ses poches, la répugnance gravée dans chaque trait de son visage tendu et sombre.

2

— Asseyez-vous à cette table avec moi, lui dit Lewis d'un ton affable. Puis-je vous offrir un whisky ?

Kim fut si surpris qu'il lui fallut un moment avant de répondre :

— Merci. Avec du soda, s'il vous plaît.

Lewis disparut. Une fois que Kim et moi eûmes pris place, je dis à Nicholas :

— Nous avons décidé d'échanger des informations.

— *Tu* as décidé, coupa brusquement Kim. J'accepte uniquement parce que...

Il n'arrivait manifestement pas à trouver de raison qui lui permît de ne pas perdre la face.

— Je suppose que vous souhaitez faire un geste de soutien envers votre épouse, dit tranquillement Nicholas.

Kim parut soulagé qu'on expliquât son comportement d'une manière qui le montrait sous un jour acceptable, mais il s'agitait encore sur sa chaise d'un air gêné quand Lewis revint avec un verre de whisky.

— Ce que vous devez comprendre l'un et l'autre, reprit Kim après avoir bu une gorgée, c'est que j'aime ma femme. Vous devez penser que nous passons par un moment difficile, mais nous le surmonterons. Rien ne compte plus à mes yeux que notre couple.

— J'ai cru comprendre que vous n'étiez pas mariés depuis très longtemps, murmura Lewis.

— Quelques mois.

Lewis sortit son paquet de cigarettes et le tendit à Kim.

— Non merci. Je ne fume plus. Sauf un cigare de temps en temps.

— Félicitations ! C'est un exploit que je n'ai pas réussi à accomplir. Cela vous ennuie-t-il...

— Non, allez-y.

Ce curieux petit échange bon enfant, qui rappelait celui d'un cocktail avant que les convives aient commencé à boire, parut alléger l'atmosphère, la normaliser, changeant une scène potentiellement violente en une réunion d'affaires.

— Carter, dit Nicholas en se glissant sans effort dans la peau du président de séance, puisque Kim a fait un geste envers vous, voudriez-vous lui rendre la pareille en résumant ce qui s'est passé ce soir jusqu'au moment où vous êtes rentrée chez vous ?

Habituée à jouer mon rôle dans ce genre d'assemblée, je me lançai dans un exposé digne d'une professionnelle.

3

Mon monologue fut seulement interrompu quand je révélai ma décision de fouiller dans le bureau de Sophie.

— Que pensais-tu trouver ? demanda Kim, apparemment étonné.

— La vérité, bien évidemment ! Quoi d'autre ? La vérité sur ton passé, ton premier mariage...

— Mais je t'ai dit la vérité !

— Passons là-dessus pour le moment, intervint Nicholas, et restez-en à votre récit. Continuez, Carter.

— N'essaie pas de me duper, lançai-je à Kim d'un ton farouche. Je ne suis pas un roquet au QI minimal, incapable de reconnaître un contrat bidon ! Si tu n'avais pas d'autres faits douteux à cacher, pourquoi te serais-tu précipité à Oakshott afin d'atteindre Sophie avant moi ?

— Attendez, dit Nicholas, déterminé à me ramener au pas. Nous en viendrons à ce que Kim a fait précisément dans une minute. Achevez votre compte rendu.

— J'ai fouillé dans le bureau, dis-je, disposée à continuer maintenant que j'avais averti Kim de ne pas se jouer de moi. J'ai trouvé des dossiers concernant diverses affaires légales, mais rien sur le divorce. Il y avait un tiroir fermé à clé qui s'est révélé vide. Ensuite, j'ai quitté la maison et je suis retournée à Londres. Fin de l'histoire.

Je me tournai brusquement vers Kim.

— Qu'as-tu sorti de ce tiroir ?

Il soupira avant d'avouer sans se faire prier :

— Des lettres d'amour. Apparemment Sophie avait eu une liaison il y a plusieurs années, mais son amant a fini par rompre.

— Mais elle était si intègre ! Si chrétienne !

— Tous les chrétiens ne sont pas des saints. Demande-leur, ajouta-t-il en faisant un geste vers les prêtres.

— C'est vrai, je le crains, dit Lewis. La nature humaine étant ce qu'elle est, on ne peut pas toujours vivre en harmonie avec nos idéaux.

— Je ne comprends pas ce qui t'a poussé à prendre ce dossier, dis-je à Kim.

— A vrai dire, ce n'était pas un dossier, mais une grande enveloppe brune. Je l'ai prise parce que... eh bien, cela peut paraître bizarre, mais j'ai pensé que je pouvais faire ça pour Sophie. Je ne voulais pas que des ragots circulent sur son compte au sein d'une communauté où elle était respectée.

— Je suis sûr que j'aurais éprouvé les mêmes sentiments que vous, dit Lewis d'un ton compréhensif. J'ai été marié moi-même.

— Dans ce cas, vous comprendrez aussi la deuxième raison qui m'a incité à faire disparaître ces lettres. Je n'avais pas du tout envie qu'on sache que ma femme m'avait été infidèle. Cela tient à ce que les féministes appelleraient mon orgueil de macho.

— Ah, fit Lewis avec un petit sourire pincé en haussant les épaules, les féministes...

Nicholas s'éclaircit la voix, comme s'il redoutait que tant de connivence masculine ne s'avérât oppressive, et dit d'un ton sec avant que j'eusse le temps de réagir :

— Merci, Carter, pour ce résumé. A présent, Kim, auriez-vous la gentillesse d'entamer votre propre récit en nous précisant à quel moment vous avez décidé de vous rendre dans le Surrey ?

Kim engloutit son verre et le tendit à Lewis.

— Pourrais-je s'il vous plaît en quémander encore une goutte ?

Cette manœuvre lui donnait évidemment encore un peu de temps pour réfléchir. A ma consternation, je me rendis compte qu'il pouvait encore décider de mentir d'un bout à l'autre.

4

— Je suis sorti d'une longue réunion, commença-t-il quand Lewis revint avec son verre. A ce moment-là, ma secrétaire m'a annoncé que Mme Mayfield avait téléphoné.

Il marqua une pause.

— Je ne sais pas très bien jusqu'où je dois remonter pour expliquer le chamboulement de l'appartement.

— Nous en parlerons plus tard. Continuez.

— Quand je l'ai rappelée, elle m'a raconté que Carter l'avait surprise sur l'esplanade et accusée de s'être introduite illicitement chez nous pour tout mettre sens dessus dessous. Elle m'avait moi-même incriminé plus tôt. J'ai dit à Elizabeth — Mme Mayfield — que logiquement, Carter devait considérer sa présence aux abords de la tour Harvey comme la preuve d'une conspiration de notre part visant à discréditer Sophie et qu'elle irait sûrement trouver mon ex-femme pour en avoir le cœur net. Je lui précisai que je comptais me rendre immédiatement à Oakshott afin de régler le problème, mais elle me le déconseilla en me proposant d'aller trouver Sophie elle-même.

— A l'évidence, cette vieille harpie a sauté dans sa voiture pour foncer dans le Surrey, dis-je. Je pense...

— Je peux imaginer ce que tu penses, Carter, mais tu te trompes. Quand j'ai téléphoné à Elizabeth de mon bureau à 17 h 50, je l'ai jointe à un numéro qu'elle avait donné à Mary plus tôt. Après avoir quitté le Barbican, elle s'est rendue à Hendon, dans le nord de Londres, où elle avait un rendez-vous ce soir.

— Où elle projetait de se pavaner au milieu d'un de ses fichus groupes, tu veux dire !

— Je comprends, intervint Nicholas. Vous voulez dire que si Mme Mayfield était à Hendon, et non à Fulham, matériellement, elle n'aurait pas pu tuer Sophie avant que vous arriviez sur les lieux. Mais comment savez-vous à quelle heure Sophie est morte ?

— Son corps était encore chaud quand je l'ai trouvée. Incidemment je ne tenais pas du tout à ce qu'Elizabeth aille à Oakshott. A ce stade, il ne faisait aucun doute dans mon esprit que l'apaisement plutôt que l'intimidation était le seul espoir de neutraliser Sophie.

— Aurais-tu la bonté de cesser d'appeler Mme Mayfield Elizabeth, dis-je. Ça me donne la nausée.

— Récapitulons, dit Nicholas, intervenant une nouvelle fois avec habileté. Vous avez parlé à Mme Mayfield. Elle vous a déconseillé d'aller à Oakshott et vous a proposé d'y aller elle-même, mais...

— ... j'ai refusé son offre et ignoré son conseil. Après son coup de fil, j'ai tenté de joindre Carter, mais elle n'était pas au bureau. Je commençai à me demander avec horreur si elle n'était pas déjà partie pour Oakshott quand elle a appelé de l'appartement pour me dire qu'elle dînait avec une amie. Je ne l'ai évidemment pas crue. Je l'ai informée alors que je passerais la soirée au Savoy avec un collègue américain, mais dès que j'ai eu raccroché, j'ai sauté dans un taxi pour rentrer au Barbican. En arrivant, j'ai été très soulagé de voir que la Porsche de Carter était toujours là. Je savais que je la devancerais.

— Et vous avez quitté Londres...

— Oui, mais je n'ai pas appelé Sophie pour l'avertir de ma venue avant la sortie d'Oakshott sur la A3. Je ne pensais pas la prévenir, mais je me suis dit qu'en apparaissant inopinément à sa porte, je risquais de la prendre de court. Je voulais éviter que notre entrevue commence mal. Je fus surpris de ne pas la trouver chez elle — elle sortait rarement le soir —, mais j'étais sûr qu'elle ne tarderait pas. J'ai laissé un message et continué mon chemin.

— Aviez-vous une clé ?

— Non. Sophie a fait changer les serrures après mon départ. Quand j'ai vu qu'elle n'ouvrait pas, j'ai essayé la porte de la cuisine par frustration plus qu'autre chose car je ne pensais pas la trouver ouverte. A mon grand étonnement, la poignée céda. Après avoir constaté que le système d'alarme n'était pas branché, j'ai commencé à m'inquiéter. Sophie ne serait jamais sortie en laissant ouvert sans mettre l'alarme. Avant même de trouver le corps, je m'attendais au pire.

— Qu'avez-vous fait lorsque vous l'avez découverte ?

— Je me suis assuré qu'elle était morte. Ensuite j'ai vu le talon cassé et j'en ai conclu qu'il s'agissait probablement d'un accident. En même temps, je me disais qu'elle avait pu être assassinée par un détraqué. Certains indices prouvaient qu'elle avait jardiné... Quelqu'un aurait pu se glisser dans la maison... Bref, quand j'ai songé à l'éventualité d'un meurtre, j'avoue honteusement que j'ai perdu mon sang-froid, alors...

Il hésita.

— Alors vous avez pris la fuite, suggéra Lewis, respirant toujours la compassion.

— Exactement. J'ai trouvé le répondeur, écouté la bande. Je me suis aperçu avec effroi que Carter aussi avait laissé un message pour dire qu'elle arrivait. Il fallait à tout prix éviter qu'elle soit impliquée. J'ai effacé la bande.

— Redoutiez-vous que Carter arrive d'un moment à l'autre ?

— Non. Dans son message, elle précisait l'heure à laquelle elle était partie de Londres et je savais qu'elle ne serait pas là avant vingt bonnes minutes, d'autant plus qu'elle ignorait où se trouvait la maison.

— Ensuite vous avez fouillé dans le bureau ?

— Non, j'ai tiré les rideaux du salon d'abord pour donner à Carter l'impression que Sophie était sortie en laissant quelques lumières parce qu'elle savait qu'elle rentrerait de nuit. Après cela, oui, je suis allé retirer l'enveloppe brune qui se trouvait dans le bureau ainsi que le dossier sur le divorce. Je savais que les avocats auraient des copies de toute la correspondance à cet égard, mais je ne voulais pas que sa famille mette son nez dans des lettres susceptibles de contenir des informations très personnelles.

— Je suppose que tu n'avais pas très envie que j'y mette le nez moi-même, dis-je.

— Je te l'ai dit, ma chérie. Je n'ai pas pensé une seconde que tu entrerais dans la maison.

— Vous n'aviez évidemment pas le temps de parcourir le dossier sur le moment, reprit Nicholas, mais y avez-vous jeté un coup d'œil plus tard ?

— Oui, sur la A3, je me suis rangé sur le bas-côté et j'ai feuilleté rapidement les documents, mais d'après ce que j'ai pu voir, il n'y avait rien de particulier.

— C'est ce que tu dis ! marmonnai-je avant de demander d'un ton sec : Où est ce dossier ? Dans ta voiture ?

— Non, quand je suis rentré au Barbican après avoir dîné avec Warren, j'ai monté les lettres et le dossier à l'appartement pour pouvoir les étudier à loisir, mais à peine entré, j'ai vu le fouillis et...

— Attendez, intervint Nicholas. Vous allez un peu trop vite. Qu'avez-vous fait après avoir parcouru le dossier du divorce dans votre voiture ?

— J'ai appelé Mme Mayfield. Enfin, j'ai essayé, en vain parce que je n'arrivais pas à me souvenir exactement du numéro d'Hendon. Ensuite j'ai joint mon collègue au Savoy pour lui demander si je pouvais passer. Je lui avais téléphoné plus tôt, avant de quitter mon bureau, pour le prier de me couvrir si Carter appelait pour lui demander où j'étais ; il m'avait promis de dire à la standardiste de ne lui passer aucune communication provenant d'une femme. Je lui avais rendu un service similaire il y a quelque temps à New York quand il avait des problèmes conjugaux et je savais qu'il serait content de m'aider.

— J'ai tout de suite compris que tu mentais à propos de ton rendez-vous avec Warren, dis-je. Si tu l'avais vu, tu aurais pris ton agenda.

Avant que Kim puisse me répondre, Nicholas demanda :

— A quelle heure êtes-vous arrivé au Savoy ?

— Un peu après 20 h 30, mais je me suis gardé d'aller à la réception demander Warren parce que je ne voulais pas que les employés se souviennent de l'heure de ma venue. J'ai pensé que je devais au moins tenter de me trouver un alibi. J'ai garé ma voiture près de la Tamise et je me suis glissé dans l'hôtel par l'entrée donnant sur le quai alors que le portier hélait un taxi. Après quoi, je suis monté directement dans la suite de Warren. Il m'avait précisé le numéro.

— Et vous avez dîné avec lui.

— Au grill, oui, vers 21 h 30. Il n'avait pas très faim à cause du décalage horaire. Nous avons bu quelques verres dans sa chambre d'abord, puis au bar.

— Avez-vous tenté de rappeler Mme Mayfield ?

— J'ai tenté de la joindre à Fulham quand j'ai repris ma voiture, mais elle n'était toujours pas rentrée. J'ai laissé un message et je suis retourné au Barbican.

— Et dans l'appartement....

— Je n'ai pas trouvé Carter, tout était sens dessus dessous et il y avait un message de vous sur le répondeur.

Il se tourna vers moi d'un air sincèrement abasourdi.

— Qu'est-ce qui t'a pris de mettre un bazar pareil dans la maison ?

— Moi ? m'exclamai-je. Mais c'est cette vieille sorcière, la Mayfield, qui a fait le coup !

— Je suis sûr que non !

— Eh bien en tout cas, ce n'est pas moi, dis-je d'un ton enflammé. Et si ce n'est ni elle ni toi, je voudrais bien savoir qui c'est.

— Le moment est peut-être venu d'essayer de déterminer précisément, avec l'aide de Kim, qui est à l'origine de ces désordres.

— C'était une conspiration, n'est-ce pas ? lançai-je aussitôt à Kim.

— Eh bien, oui et non, reconnut-il, gêné, mais il ne pouvait certainement rien se passer ce soir. Tu as dû faire ça toi-même dans une sorte de transe.

— Sûrement pas.

— Puis-je intervenir, dit Nicholas, avant que cette conversation ne se mette à tourner en rond ? Commençons par le commencement. Le premier incident, si je me souviens bien, était la chute de la gravure représentant le collège de Kim à Oxford. Pouvez-vous vous mettre d'accord sur le fautif ?

— C'était un accident provoqué par les vibrations de l'immeuble, répondit sans hésiter Kim, et j'enchaînai :

— C'était peut-être un accident, mais il se peut aussi que cela ait été le premier acte de votre conspiration.

— Non, c'était un accident, insista Kim, mais c'est ce qui m'a donné l'idée de la façon dont je pouvais ruiner la crédibilité de Sophie en laissant supposer qu'elle était dérangée.

— Vous voyez ? m'exclamai-je triomphalement à l'adresse de Nicholas et Lewis. Il avoue !

— Mais il n'était pas question de conspiration aujourd'hui, dit Kim, me rabattant le caquet. Mme Mayfield m'a lâché.

5

— Je ne te crois pas, répondis-je automatiquement.

— Passons au deuxième incident, suggéra Nicholas avant que Kim puisse renchérir, la destruction du tableau, le bol cassé et la poubelle renversée...

Il avait à peine fini sa phrase quand Kim intervint :

— Okay, ça c'était moi. J'ai agi, comme tu t'en es doutée, Carter, avant de partir au travail. Mme Mayfield m'avait expliqué comment m'y prendre parce que, selon elle, il était important de ne pas en faire trop. Elle a également accepté de se montrer sur l'esplanade quand tu es rentrée du bureau l'autre jour. Il s'est trouvé qu'elle avait un manteau bleu roi et...

— Et la fois où nous avons vu cette femme en manteau bleu roi au supermarché ?

— C'était elle. Je voulais te donner l'impression que Sophie rôdait comme la maîtresse de Michael Douglas dans *Liaison fatale*.

— A présent, venons-en au premier chamboulement d'aujourd'hui, enchaîna Nicholas sans me laisser le temps de faire le moindre commentaire. Celui que Carter a découvert en rentrant de son bureau de bonne heure cet après-midi. L'aviez-vous planifié au moins, Kim, même si vous n'en êtes pas responsable ?

Il reconnut qu'il en avait le projet.

— Carter m'avait demandé si j'étais à l'origine de l'incident précédent, dit-il, et ça m'a fait mauvais effet parce que je me suis rendu compte que mon plan était sur le point de se retourner contre moi. Je savais pertinemment qu'alors, Carter voudrait parler à Sophie. J'ai donc demandé à Elizabeth — Mme Mayfield — de m'aider en saccageant l'appartement à un moment où j'aurais un alibi béton. Lorsque je l'ai vue l'autre soir, nous avons monté un complot. Je lui ai donné ma clé, puis nous avons trouvé un moyen pour qu'elle s'introduise dans l'immeuble sous le prétexte de me rapporter mon agenda. Seulement, quand je l'ai rappelée cet après-midi après ma réunion, elle m'a annoncé qu'elle avait changé d'avis. Elle voulait bien déposer le paquet à la réception mais refusait de monter. Elle ne voulait pas courir le risque de se faire arrêter pour infraction.

— C'est faux ! protestai-je d'un ton obstiné. Elle s'est procuré un double et elle est montée à l'appartement en début d'après-midi pour commencer ses ravages. Ensuite elle a déposé ta clé avec l'agenda dans un sac, elle est revenue ce soir avec le double et...

— Non ! Je suis sûr que non, répliqua fermement Kim. Elle m'a dit qu'elle ne marchait plus dans la combine parce que c'était trop hasardeux et qu'en définitive, ce n'était pas plausible.

— Elle mentait pour te mettre sur une fausse piste ! Elle est déterminée à anéantir notre couple et à me détruire par la même occasion !

— Chérie, écoute-moi. Tu es paranoïaque !

— Oh non ! Elle veut que je me jette du balcon. Elle m'a

mis cette horrible idée dans la tête et je n'arrive plus à m'en débarrasser.

— Tu es malade.

Puis se tournant vers Lewis, il ajouta :

— Tout ce stress lui a détraqué l'esprit.

— Je travaille en collaboration avec un psychologue, intervint subtilement Nicholas avant que Lewis puisse ouvrir la bouche. Pensez-vous que nous devrions le contacter ?

— Non, non ! protesta Kim, faisant rapidement marche arrière, réalisant qu'il n'avait pas la moindre envie que quelqu'un d'autre fût mêlé à cette crise. Je suis sûr que nous pouvons régler tout cela sans aide professionnelle supplémentaire. Carter, est-ce la raison pour laquelle tu voulais passer la nuit ici, parce que tu souffres d'une phobie vis-à-vis du balcon ?

— Je vais passer la nuit ici parce que l'appartement est inhabitable ! A propos, il n'est pas question que tu y retournes pour le moment !

— Que veux-tu dire ?

— Avec tes mensonges, tu as pollué mon appartement auquel je tenais tant. Tu n'as pas arrêté de mentir ! Et en plus, tu as collaboré avec cette horrible bonne femme pour te jouer de moi et me fouler aux pieds ! Bon sang, ce n'est pas à cause d'elle, mais à cause de toi que j'ai eu la peur de ma vie ce soir !

— Mais je te jure que je n'ai rien à voir avec les perturbations qui ont eu lieu dans l'appartement ce soir.

— Tu peux le jurer à en crever. En attendant, il n'est pas question que tu retournes là-bas ce soir. Donne-moi tes clés ! Je sais que tu as le double. Tu l'as pris à la réception pour pouvoir entrer tout à l'heure.

— Je t'en prie, ma chérie. Que faut-il que je fasse pour que tu sois raisonnable ?

— DIS-MOI LA VÉRITÉ ! hurlai-je. Pourquoi es-tu allé à Oakshott ce soir ? Que savait Sophie qu'elle n'a jamais pu réussir à me dire ?

— Je ne pense pas pouvoir en parler maintenant, dit-il pour essayer de gagner du temps.

— Sois honnête pour une fois ! ripostai-je aussitôt. Tout cela a à voir avec cette société occulte, n'est-ce pas ?

— Quelle société occulte ? me demanda-t-il, étonné.

6

Je luttais pour ne pas perdre mon élan.

— Sophie m'a dit que tu t'adonnais à l'occulte.

— Elle faisait manifestement référence au pouvoir psychique de Mme Mayfield. Les gens ont souvent recours à ce terme pour décrire toutes sortes d'activités qui n'ont strictement rien à voir avec l'occulte.

— Très vrai ! souligna Lewis, saisissant l'occasion pour redoubler de compassion.

— Mais cela explique-t-il tout ? murmura Nicholas d'un ton vague. La réalité n'est-elle pas un peu plus complexe que ça ? Selon mon expérience, les formes d'activités « occultes » les plus bénignes peuvent insidieusement mener à des choses plus dangereuses, y compris des versions corrompues de gnosticisme. Les gens peuvent aisément s'égarer dans tout cela.

— Pas des gens comme moi, répliqua Kim, et si je voulais adhérer à une communauté spécialisée dans les rituels bizarres, j'opterais pour la franc-maçonnerie. Les contacts que je m'y ferais seraient nettement plus utiles.

Ces affirmations étaient si rationnelles, si pleines de bon sens que j'en conclus que je m'étais trompée de chemin. J'entrepris de rectifier le tir.

— Ce que Sophie n'a jamais réussi à me dire n'avait donc rien à voir avec l'occulte ?

— Je n'ai jamais été mêlé à ces trucs-là.

— Je veux dire...

— Non, cela n'avait rien à voir avec mon intérêt pour les méthodes de guérison du New Age. Cela concernait un fait qui s'est produit avant ma rencontre avec Mme Mayfield.

— De quoi s'agissait-il, bon sang de bonsoir ?

Subitement il se leva et s'approcha de la fenêtre comme si sa tension avait atteint un niveau tel qu'il ne pouvait plus rester tranquille.

— Mme Mayfield t'en a donné une idée lors de la conversation que tu as eue avec elle cet après-midi. Mais elle a déformé les choses parce qu'elle voulait que tu renonces à l'idée d'avoir des enfants.

Mon cœur se mit à battre très fort.

— Tu veux dire cette histoire d'impuissance ?

— Oui.

Il se retourna vers moi.

— Il est vrai qu'il y a eu une période au début de mon mariage où j'ai souffert d'une longue crise d'impuissance, dit-il, mais ce n'était pas parce que Sophie voulait des enfants et moi pas.

— Alors pourquoi ?

— A cause de la culpabilité. C'est ma faute si Sophie est devenue stérile, acheva-t-il, à bout de forces, en se laissant tomber sur le rebord de la fenêtre comme si cet aveu avait eu raison du peu d'énergie qui lui restait.

7

— Que s'est-il passé ? demandai-je, prise de nausée.

Il se pencha en avant, les coudes sur les genoux, et prit son visage dans ses mains.

— J'ai contracté une blennorragie au cours des premiers mois de notre mariage. Je ne pensais pas l'avoir transmise à Sophie, mais c'était le cas. Seulement elle n'avait aucun symptôme.

Cela me coupa la parole. Personne ne bougea. Finalement, Kim s'essuya le front et dit d'une voix rapide, chancelante :

— La vérité a éclaté à la fin, quand il était trop tard. Si je lui avais dit au début..., mais je ne l'ai pas fait. Nous avons essayé de nous remettre de cette tragédie, mais notre couple ne s'est jamais rétabli et au bout d'un moment, la culpabilité m'a assailli. Je suis devenu impuissant et oui, c'est le trouble que Mme Mayfield a soigné et oui, je la connais depuis bien plus longtemps que je te l'ai avoué. Je n'ai jamais eu de problèmes de dos, ni aucun trouble physiologique lié à une obsession croissante de mon passé nazi, et j'ai trompé Sophie avant que nous fassions chambre à part. Voilà la vérité. J'ai bien peur que mon premier mariage fût loin d'être un arrangement banal et indolore, comme je l'ai prétendu.

Je n'arrivais toujours pas à parler. Il ajouta d'un ton désespéré à l'adresse d'un Lewis compatissant sur commande :

— Je ne pouvais pas supporter que Carter apprenne cette catastrophe qui me montrait sous mon pire jour en tant qu'époux. J'aime Carter, je lui ai été fidèle, elle est ce qui m'est arrivé de mieux dans la vie. C'est la raison pour laquelle j'étais si déterminé à tirer un trait sur le passé. J'ai tout fait pour qu'elle n'entende jamais parler du Kim Betz que Sophie connaissait. Je voulais qu'elle aime l'homme que j'étais vraiment au fond de moi, l'homme que je peux devenir.

Il y eut un silence. Je m'aperçus, consternée, que j'avais une boule dans la gorge et que des larmes me brûlaient les yeux. Je regardai fixement mes poings serrés.

Lewis prit finalement la parole en choisissant ses mots avec soin :

— Merci, Kim. C'est difficile, n'est-ce pas, de parler franchement de choses aussi pénibles ?

— Attendez, dis-je, luttant toujours contre l'envie de pleurer, mais déterminée à dissiper de force mes émotions. Il y a une chose que je ne comprends toujours pas. Pourquoi Mme Mayfield a-t-elle accepté de t'aider à nous maintenir à l'écart, Sophie et moi ? Tu voulais protéger notre couple ; elle ne pensait qu'à l'anéantir.

— Son principal objectif était de me ramener dans son monde. Elle était disposée à me prêter assistance pour m'amadouer, convaincue qu'elle s'occuperait de mon deuxième mariage après.

Bien évidemment, je ne la laisserais jamais faire une chose pareille ! Vous comprenez ce que j'essaie de dire, n'est-ce pas ? demanda-t-il d'un ton pressant en se tournant à nouveau vers Lewis. Je regrette amèrement ce que j'ai fait, je veux recommencer à zéro et vivre tout autre chose à l'avenir. En tant que chrétiens, votre collègue et vous devez pouvoir me soutenir, j'imagine ?

— Mauvaise tactique ! m'écriai-je, oubliant mes larmes.

En me levant d'un bond, je lançai à Nicholas :

— Il est temps de jouer la carte du scepticisme. Il se sert de la doctrine chrétienne pour vous manipuler.

8

— Ce n'est pas vrai ! hurla Kim.

Mais Nicholas s'était dressé à son tour. La grâce et la souplesse de ses mouvements me firent à nouveau penser à un acteur régnant habilement sur la scène.

— Attendez ! dit-il avec autorité. A l'évidence, nous devrions faire une pause et dormir un peu. Kim, soyez sûr que nous prenons très au sérieux tout ce que vous avez dit et que nous nous efforçons de vous apporter, à votre femme et vous, tout le soutien possible. Quant à vous, Carter, rassurez-vous, nous prenons toujours en considération le risque de manipulation.

— Oh, épargnez-moi votre diplomatie mielleuse ! ripostai-je, furibonde. Pourquoi ne le condamnez-vous pas pour ce qu'il a fait à Sophie ?

— Ce n'est pas à nous de juger, mais à Dieu, me répondit Nicholas d'un ton égal. A mon avis, toutefois, les révélations de Kim se passent de commentaire. Il a commis un adultère en faisant souffrir une innocente. Les conséquences ont été tragiques. Cette histoire très pénible ne parle-t-elle pas d'elle-même ?

J'ouvris la bouche, mais rien ne sortit.

— Nous projetons d'aller chez vous demain matin à 9 heures, ajouta Nicholas en se tournant vers Kim. Pourriez-vous nous rejoindre là-bas afin que nous collaborions tous ensemble pour mettre fin à ces perturbations ?

— Excusez-moi ! m'écriai-je folle de rage. De quel droit invitez-vous quelqu'un dans mon appartement, en particulier une personne que je ne veux pas voir chez moi pour le moment ?

— Pardonnez-moi, dit Nicholas. J'ai manqué de tact, mais...

— Je ne vous le fais pas dire !

— ... mais comme Kim a reconnu le rôle qu'il a joué dans ces désordres, il me semble logique de faire appel à lui pour rectifier la situation. C'est l'occasion de l'impliquer dans le processus de guérison.

— Certes... je ferais n'importe quoi pour aider, s'empressa de dire Kim. Carter, ma chérie, donne-moi une chance, s'il te plaît ? Je ne peux pas supporter d'être coupé de toi.

— Je suis désolée. Je sais que je suis dure avec toi, mais je ne peux pas m'en empêcher. Je suis encore trop bouleversée. Pourrais-tu me donner ces clés maintenant, s'il te plaît ?

— Mais chérie...

— Pour être franc, Kim, intervint Lewis, si j'étais vous, je ne retournerais pas là-bas ce soir. Il n'y a rien de plus déprimant qu'un appartement vandalisé. Vous feriez mieux de prendre une chambre d'hôtel.

Kim profita de la perche ainsi tendue pour se rabattre sans perdre la face.

— Vous avez raison. J'irai à l'hôtel et je vous rejoindrai là-bas demain matin à 9 heures.

A mon adresse, il ajouta :

— N'oublie pas que tu es la personne qui compte le plus au monde pour moi et que je t'aime.

Je lui saisis le bras au moment où il se dirigeait vers la porte.

— Tu ne m'as toujours pas donné les clés.

— Ecoute, j'ai accepté d'aller à l'hôtel...

— Donne-moi les clés ! hurlai-je.

Il obtempéra en poussant un profond soupir.

— Je ne veux pas me battre avec toi, ma chérie. Ça me fait mal au cœur de te voir si perturbée. Je suis vraiment, vraiment désolé.

Une fois de plus, je réprimai l'envie de pleurer tandis que Kim s'adressait courtoisement aux deux prêtres :

— Merci de votre patience et pardonnez-moi mon impudence du début.

— Ne vous inquiétez pas. Venez, je vous raccompagne, dit Nicholas avant que Lewis se propose.

Aussitôt, Lewis récupéra son bloc-notes et commença à rédiger un résumé de l'entrevue.

9

— Il n'aurait jamais accepté que vous preniez des notes, dis-je. Je suppose que c'est la raison pour laquelle vous n'avez pas pris la peine de le lui demander. Vous pensez qu'il l'a tuée ?

— Rien ne prouve qu'elle ait été assassinée.

Il leva les yeux au moment où Nicholas revenait.

— Quelle impression vous a-t-il faite ? insistai-je. Je sais que vous jouiez votre rôle de gentil compatissant pour l'amadouer, mais que pensez-vous de lui au fond ?

— Il me fait l'effet d'un homme intelligent, dit Lewis, et il semble qu'il tienne beaucoup à vous. En dehors de ça, je ne souhaite pas me prononcer pour le moment.

— Pourquoi pas ? Je suppose que vous me prenez pour une hystérique.

— Si c'était le cas, je vous le dirais, croyez-moi.

— Mon Dieu, quel macho vous faites ! Comment votre femme vous supportait-elle ?

— Elle ne m'a pas supporté. Nous avons divorcé.

— Carter, dit Nicholas, reprenant son rôle de diplomate,

puis-je vous conduire là-haut auprès d'Alice ? Vous devez avoir envie de vous reposer.

— Attendez une minute. Quelle est votre opinion à vous ?

— Certaines de ses révélations m'ont paru plus sincères que d'autres, mais c'est typique dans ce genre de cas.

— Mais je voudrais savoir si...

— Vous mourez d'envie de connaître la vérité, je le comprends, mais Lewis et moi avons besoin de temps pour réfléchir à ce que nous avons entendu. Alors, si vous alliez vous coucher...

— Je refuse qu'on m'expédie au lit comme une gamine ! m'exclamai-je. De toute façon, je ne veux pas dormir à l'étage de peur de me flanquer par la fenêtre. Vous n'auriez pas un canapé au rez-de chaussée où je pourrais m'allonger ?

Les deux hommes échangèrent un coup d'œil rapide, puis Nicholas me dit avec une bienveillance inattendue :

— Je suis désolé. J'avais oublié cette guerre psychologique provoquée par Mme Mayfield. Attelons-nous au problème. La première chose en ce qui concerne le stress...

— Laissez tomber. Vous êtes comme Lewis. Vous pensez que je suis hystérique.

— Je vous assure que...

— Voilà que vous devenez obséquieux ! Vous prenez des gants comme si vous aviez affaire à une pucelle de l'ère victorienne. Bon sang, vous êtes tellement arrogant et condescendant, je me demande comment Alice vous supporte ! Incidemment, je n'aime pas du tout la manière dont vous la traitez. Vous n'êtes pas franc du collier avec elle. Je ne sais pas pour qui vous vous prenez, mais je vais vous dire une chose : je ne vous trouve pas séduisant, alors ne vous attendez pas à ce que je vienne minauder dans votre église ! Je vois exactement où vous voulez en venir, fis-je en essayant de claquer des doigts, en vain.

Je me rendis compte subitement que je divaguais. Je fronçai les sourcils et me frottai les yeux.

— Bordel ! marmonnai-je. Je suis traumatisée. Pardonnez-moi.

— Je suis vraiment navré de vous avoir fait une aussi mauvaise impression, reprit Nicholas d'un ton inquiet, mais je vous en prie, croyez-moi quand je dis...

— Je préfère encore le rouleau compresseur, coupai-je, incapable de supporter un instant de plus son ton doucereux. Il saura m'expliquer comment me débarrasser des psycho-conneries de cette vieille harpie. Dites-lui de se mettre au boulot.

Nicholas prit le bloc-notes et le stylo de Lewis.

— Je vais aller finir ça à la cuisine, dit-il. Aidez Carter.

Dès qu'il fut sorti de la pièce, je fondis en larmes.

10

— Vous avez raison tous les deux, marmonnai-je dès que je retrouvai l'usage de la parole. Je suis hystérique.

— D'après mon souvenir, nous n'avons employé cet adjectif ni l'un ni l'autre. Tenez. Prenez un mouchoir.

— Mais vous le pensez, insistai-je en en prenant plusieurs.

— Je ne peux pas répondre à la place de Nicholas, mais je vais vous dire ce que je pense. Vous venez de vivre une scène éprouvante au cours de laquelle votre mari a fait un aveu qu'aucune jeune épouse ne peut entendre sans être profondément secouée. Si quelqu'un a le droit de pleurer, c'est bien vous.

— Je méprise les larmes, dis-je. Seuls les losers pleurent.

— Les larmes sont pour tout le monde. Elles servent à soulager le stress et comme ce thème a été évoqué plus d'une fois ce soir...

— Je refuse catégoriquement de croire à cette théorie de l'esprit frappeur !

— Comme vous voudrez. Ce qui nous préoccupe avant tout, c'est de déterminer la manière dont nous pouvons vous aider à alléger la tension indéniable dont vous souffrez, tant au présent qu'à l'avenir. C'est la raison pour laquelle Nicholas tenait à ce que vous vous reposiez. Après ce que vous avez enduré ce soir, il est essentiel que vous dormiez avant d'attaquer la phase suivante demain.

— Mais comment puis-je me reposer si vous refusez tous les deux de me dire ce que vous avez pensé de Kim ? Tout ce cauchemar me hante...

— Ecoutez, ma chère, Nicholas et moi pensons sans doute à peu près la même chose que vous. Nous aimerions croire que Kim a été sincère, mais, compte tenu de ses rapports avec Mme Mayfield, nous devons envisager la possibilité que son témoignage contenait des mensonges. Certains prétendent à tort que les menteurs sont aisément détectables parce qu'ils rougissent ou ont le regard fuyant, mais en votre qualité de femme d'affaires, vous savez aussi bien que moi qu'un menteur accompli donne l'impression de dire la vérité. C'est la raison pour laquelle nous devons réfléchir attentivement à la conversation de ce soir sans tirer de conclusions trop hâtives...Tenez, prenez un autre mouchoir.

— Il m'a tellement émue quand il a dit qu'il voulait être lui-même avec moi, fis-je d'une voix nasillarde, le nez dans mon mouchoir, mais ça me rend folle de ne pas savoir s'il ment ou non.

— Qu'avez-vous pensé de son aveu à propos de la maladie transmise à Sophie ?

— Je l'ai cru. Cela sonnait juste, aussi atroce que ce fût, et je pense qu'effectivement, il serait prêt à tout pour m'empêcher d'apprendre la vérité à ce sujet.

— Je me demande quel est l'avis de la police sur tout cela.

Il y eut un silence. J'aurais voulu confesser mon mensonge à propos de mon prétendu coup de fil, mais je n'y arrivais pas. Je ne pouvais même pas penser à la police. Il me fallait davantage de temps.

— Même s'il n'y a aucune preuve de votre présence à Oakshott ce soir, poursuivit Lewis — et je sentis qu'il m'observait de près —, la police voudra forcément interroger Kim.

— Evidemment... Euh, vous ne voudriez pas régler mon problème de phobie tout de suite, ça serait gentil.

— Je peux essayer.

A mon grand soulagement, il oublia la police et extirpa du

tiroir de Nicholas ce qui me fit l'effet d'une poignée de bracelets. Lorsqu'il en prit un, je vis une petite croix suspendue au bout d'une chaîne fine.

— Non, ce n'est pas une amulette, dit-il brusquement. Les chrétiens ne croient pas à la magie. C'est un moyen de centrer l'esprit pendant la prière, qui nous rappelle qu'aucun démon ne peut résister au pouvoir du Christ.

Je fus horriblement déçue.

— Mais je ne crois pas à tous ces trucs-là, protestai-je, désespérée.

— Je suis sûr que vous comprendrez où je veux en venir si je traduis les choses dans une langue qui vous est plus accessible. Chaque profession a son jargon, n'est-ce pas ? Les avocats, par exemple...

— Certes...

— Il en va de même des prêtres. Nous avons notre langage et nos formules. Au lieu de « aucun démon ne résiste au pouvoir du Christ », je pourrais vous dire : « Aucune pulsion d'autodestruction ne résiste à la force d'intégration quand celle-ci est convenablement canalisée. » Cela vous paraît comment ?

— Je comprends la phrase, bien sûr, dis-je en le dévisageant. Vous voulez dire que...

— Je vais vous expliquer. Le Christ est symbole d'unité et d'intégration, les démons représentent la fragmentation et la maladie. Les êtres humains ont en eux la capacité de se rétablir (les médecins en tirent grandement profit) ainsi que l'aptitude d'accomplir ce que Jung appelle l'« individuation » (considérée de nos jours comme une entité bien intégrée et un état de potentiel réalisé). Ces pouvoirs inhérents à l'homme peuvent triompher des maux et de la fragmentation.

— Pas quand les gens meurent !

— Même la mort peut être rachetée, mais concentrons-nous pour le moment sur la dynamique de la vie pleinement vécue. En puisant dans ce puissant désir inné d'être guéri et intégré, on peut venir à bout de la force de la fragmentation. Pour exprimer les choses en termes religieux, aucune obscurité n'est suffisamment sombre pour ne pas être rachetée par la lumière.

Aucune malveillance ne saurait résister à la prière adressée à Dieu au nom de Jésus-Christ.

— Mais je ne sais pas prier !

— Absurde ! C'est facile. Les enfants prient sans même y penser. Il suffit de parler à Dieu ou au Christ. Vous n'avez qu'à...

— Je ne peux pas !

— Allons ! Allons ! Une femme comme vous peut parler à n'importe qui, non ? Voilà ce qu'il faut faire : prenez ce petit crucifix pour mieux vous concentrer et lancez des prières comme des flèches. Vous serez à l'écoute du grand principe unificateur présent dans votre inconscient et entrerez en communion avec le pouvoir qui entretient toute forme de vie. Dites simplement : « Seigneur Jésus, aidez-moi » ou « Au secours, Jésus ». Il comprendra le message. Il *est* le principe unificateur. Ecoutez-le, communiquez avec la force d'intégration qui est en vous et la volonté de Mme Mayfield de vous désintégrer n'aura aucune chance de l'emporter.

Je sombrai dans le silence. Lewis attendit.

— Quand je lui parlerai, dis-je finalement avec difficulté, est-ce que je sentirai une sorte de présence ?

— C'est possible.

— Comme un compagnon invisible ?

— Peut-être.

— Comment saurai-je que ce n'est pas juste la réalisation d'un vœu ?

— Il vous surprendra d'une manière ou d'une autre. Il sera différent de ce que vous souhaitiez, ou pensiez souhaiter, mais vous le reconnaîtrez.

— Comment ?

— Cela dépend. En général, on éprouve un sentiment de plénitude, comme lorsque quelqu'un vous aime profondément. L'amour est la plus puissante forme d'intégration sur la terre. Priez dans la nuit si vous vous sentez angoissée. Oh, pensez à demander à Alice de vous expliquer comment fonctionne l'intercom ! Appelez-moi à n'importe quelle heure si vous avez besoin de moi.

— Avec ça, je devrais tenir le coup cette nuit. Et les suivantes ?

— Demain, nous ferons ce que nous avons à faire à l'appartement. A mon avis, vous vous apercevrez alors que l'atmosphère s'est considérablement améliorée et que vous n'avez plus peur du balcon. Cependant, pour mieux vous protéger, je demanderai à mon groupe de prière de prier pour vous jusqu'à ce que le danger soit passé.

Je gardai à nouveau le silence en tripotant le crucifix. Au bout d'un moment, je glissai la chaîne autour de mon cou en disant :

— J'aime les gens qui parlent franchement. Si vous pouviez vous souvenir de ne pas me traiter comme une espèce de singe qui n'a pas réussi à s'élever au rang d'homo sapiens, nous pourrions bien nous entendre, vous et moi.

— Je vais activer ma vieille mémoire sur-le-champ.

— Dites à Nicholas que je regrette de l'avoir agressé tout à l'heure. Je me rends compte que je ne faisais que décharger sur lui la colère et la frustration provoquées par Kim.

J'anéantis un autre Kleenex et m'emparai de la boîte.

— Puis-je la prendre avec moi ?

— Je vais vous en donner une toute neuve.

— Je n'ai jamais vu autant de mouchoirs en papier dans une maison.

— Mieux vaut ça que d'avoir à les repasser.

Il sortit une autre boîte d'un tiroir.

Puis il me conduisit à l'étage.

11

L'appartement du dernier étage était vaste, fraîchement repeint dans un horrible ton magnolia et nanti d'une moquette beige en nylon à longs poils, mais le mobilier, moderne, avait été recouvert de tissus vifs de sorte que l'ambiance était plutôt agréable. Je n'étais pas vraiment d'humeur à m'appesantir sur la décoration intérieure, mais j'étais soulagée de ne pas me retrouver dans un taudis.

— Nous avons refait l'appartement il y a dix-huit mois, m'expliqua Alice après le départ de Lewis. Cet endroit a vu beaucoup de tristesse, mais après une cérémonie de bénédiction, ça s'est arrangé. Le vicaire habitait ici avant, mais nous n'en avons pas pour le moment.

— Cet appartement est resté inoccupé un an et demi ?

— Non, il y a eu une diaconesse pendant quelque temps, mais Lewis et elle ne s'entendaient pas, alors elle est partie.

Elle me montra une chambre propre et bien rangée au plafond mansardé et quand nous regagnâmes le salon, elle m'indiqua comment fonctionnait l'interphone.

— Je suppose que vous en avez assez du thé, me dit-elle. Nicholas en abreuve toujours ses patients. Voudriez-vous un chocolat chaud ? J'ai une poudre délicieuse qui ne compte que quarante calories par sachet...

J'étais soulagée de repousser le moment où je me retrouverais seule à essayer de dormir, et bien que je fusse trop fatiguée pour être loquace, les silences n'avaient rien de malaisé. Alice avait l'air réconfortante dans sa robe de chambre rouge cerise et son attention discrète était digne d'une infirmière habile au chevet d'un patient.

— Merci d'être là, dis-je finalement. J'aurais dû remercier Nicholas aussi pour son hospitalité, mais j'étais trop occupée à ruer dans les brancards comme une mégère en pleine ménopause.

— Dans les situations extrêmes, les gens ont souvent un comportement qui ne leur ressemble pas, dit-elle avec un admirable tact. Je suis sûre que Nicholas l'a compris.

Je reposai ma tasse vide et commençai à tripoter les clés que Kim m'avait remises.

— Que pensez-vous d'Eric Tucker ? demandai-je finalement.

— Oh, il s'est beaucoup amélioré. Je l'aime bien maintenant.

— Qu'est-ce qui n'allait pas avant ?

— Eh bien...

Elle marqua un temps pour déterminer la manière de continuer à se montrer d'un tact admirable.

— Il avait des problèmes d'argent qui le rendaient malheureux. Les gens malheureux sont parfois difficiles, n'est-ce pas ? Mais l'année dernière, il est retourné vivre chez Gil au vicariat et ça lui a vraiment fait du bien. Son frère lui impose des règles de vie qui le structurent, et je pense qu'au fond de lui, c'est ce qu'Eric veut. Il a besoin d'ordre.

— D'ordre ?

— Oui, comme un enfant gâté le souhaite en secret quand on lui a laissé faire tout ce qu'il voulait. Je dirais que Gil achève en quelque sorte son éducation.

— Gil doit être un vrai saint !

— Oh non ! répondit Alice avec enthousiasme. Il est très critiqué et il a continuellement des démêlés avec l'évêque !

Elle hésita avant d'ajouter :

— Il est homosexuel.

— Je sais. Dommage pour nous les femmes.

— Peu importe. On a Eric. Gil dit qu'il est tellement hétérosexuel que le lobby anti-gay devrait le prendre comme mascotte !

Je pensai à Tucker en regardant fixement les clés de Kim.

Bien évidemment, j'avais déjà décidé qu'il me faudrait retourner à l'appartement bien avant 9 heures le lendemain matin. Je savais aussi que je n'arriverais jamais à y aller seule.

IV.

« La souffrance morale atteint son paroxysme quand elle est liée à la malveillance, à l'égoïsme, à l'indifférence, à l'injustice ou à toute autre forme de mal, et c'est souvent le cas. »

David F. Ford
The Shape of Living

1

Une fois couchée, je m'emparai du crucifix comme un bébé de son hochet, puis j'éteignis la lumière. Je rallumai aussitôt.

Je résolus d'essayer de prier, mais pas tout de suite. J'attendrais d'être désespérée pour prendre cette mesure extrême. J'espérais que mon compagnon invisible me ferait à nouveau sentir sa présence. Je trouvai le courage de fermer les yeux, mais rien ne vint. J'en conclus qu'il devait s'occuper de gens plus en détresse que moi. Je me répétais que tout allait bien. Certes, je ne parvenais pas à dormir, mais on pouvait survivre sans sommeil pendant quelque temps avant qu'on vous enferme dans un hôpital psychiatrique.

Je me demandais si Lewis priait pour moi, ou s'il dormait. Je penchais pour la deuxième solution, mais peu à peu, je devins obnubilée par l'idée que quelqu'un priait pour moi quelque part. Gilbert Tucker peut-être... Je pensais à la manière dont il m'avait accueillie et l'instant d'après, comme je commençais à franchir la lisière de la conscience, je sus que je trouverais la prière que j'avais été trop inhibée pour prononcer. Je sus aussi que cette prière serait exaucée par quelqu'un qui m'estimait beaucoup trop pour me négliger et à cet instant, mon compagnon me prit la main pour m'entraîner vers la cathédrale dont l'éclairage éblouissant faisait exploser les ténèbres veloutées et voluptueuses du ciel de Mme Mayfield.

2

J'avais réglé le réveil incorporé à ma montre à 6 heures. Dès l'instant où je m'éveillai, je m'assis toute droite, sachant que j'avais une mission vitale à accomplir. Il fallait à tout prix que je voie ces documents que Kim avait été tellement anxieux de récupérer à Oakshott. Entre-temps, je m'étais également rendu compte que si j'avais cru son terrible aveu concernant Sophie, cela n'avait strictement rien à voir avec la mystérieuse histoire de chantage que Nicholas — tout comme Lewis — avait trouvée peu plausible.

Je redoutais que Kim fût allé chez Mme Mayfield reprendre le double de clé, mais je songeai qu'il hésiterait sans doute à me fournir la preuve qu'elle avait eu le moyen d'effectuer l'ultime saccage de l'appartement. Même s'il mourait d'envie de mettre la main sur ces dossiers, il n'oserait sans doute pas retourner au Barbican avant 9 heures.

Je me rendis dans la salle de bains sur la pointe des pieds, enlevai la croix autour de mon cou et me lavai de la tête aux pieds devant le lavabo. Il n'y avait pas de douche et je ne voulais pas risquer de réveiller Alice en faisant couler un bain. J'empruntai son déodorant qu'elle avait obligeamment laissé sur la tablette avec ses affaires de toilette, mais je ne pus utiliser ses produits de maquillage, car nos teints étaient différents. Ensuite, j'extirpai la carte de Tucker de la poche de mon jean et m'approchai du téléphone, dans le salon, à pas feutrés.

Il répondit à la première sonnerie.

— Ouais ?

— C'est moi. Vous dormiez ?

— Vous plaisantez ! C'est la meilleure heure pour travailler.

— Oh mon Dieu, je suis désolée...

— Ce n'est pas grave. Laissez-moi m'extraire mentalement de mon Spitfire...

— Je vous propose un voyage dans le ciel, mais pas dans un coucou de la Seconde Guerre mondiale. Accepteriez-vous de prendre l'ascenseur avec moi jusqu'au trente-cinquième étage de la tour Harvey ?

— Sans l'ombre d'un doute. Quand ça ?

— Tout de suite. Pour tout vous dire, je suis encore trop secouée pour affronter cet endroit toute seule, mais il faut à tout prix que j'aille récupérer des documents essentiels. Vous serait-il possible d'emprunter la voiture de Gil à nouveau ?

— Votre chauffeur sera devant le presbytère dans dix minutes. Faut-il que je me rase ?

— Je vous demande d'être un pilier, Tucker, pas un délice à lutiner.

— Dommage, fit-il en raccrochant.

3

Dans la cuisine, je trouvai un bloc-notes indiquant « Courses ». Je gribouillai en haut de la page : Alice — Partie à l'appartement chercher quelques affaires. De retour sans tarder. Amitiés. C.

Je fixai mon message sur la porte du réfrigérateur avec un aimant en forme de papillon avant de retourner au salon surveiller l'arrivée de Tucker.

Quelques minutes plus tard, je vis la vieille Ford blanche approcher en bringuebalant sur les pavés de Egg Street. Je descendis l'escalier sans bruit. J'avais peur qu'il y eût une alarme, mais à mon grand soulagement, en arrivant en bas, je découvris que Nicholas était déjà debout, ce qui laissait supposer que si alarme il y avait, elle était débranchée. Un rai de lumière éclairait l'interstice sous la porte de son bureau. Que pouvait-il bien faire à une heure pareille ?

Je repoussai le loquet, sortis et refermai la porte discrètement, puis je jetai un coup d'œil à ma montre.

Il était 6 h 40.

4

— Laissez-moi vous briefer en deux mots, dis-je à Tucker, le jargon professionnel refaisant surface dans mon esprit avec une rassurante familiarité. J'ai un problème dans mon appartement ; il est régulièrement mis à sac. Nicholas et Lewis ont diagnostiqué l'intervention d'un esprit frappeur, mais je réfute cette interprétation, a) parce que cela ne concorde pas avec ma vision du monde, et b) parce que mon mari a reconnu hier soir au cours d'une séance cauchemardesque au presbytère qu'il en était partiellement responsable. Il a également admis qu'il avait été assisté et soutenu par une horrible bonne femme du nom de Mayfield. Ne me demandez pas comment mon mari s'est trouvé mêlé aux affaires de cette sorcière qui, selon Nicholas, a un casier judiciaire. Disons simplement que, pour le moment, il refuse de se passer d'elle. Par ailleurs, avant de me rejoindre au presbytère hier soir, il a laissé deux dossiers dans l'appartement saccagé — une chemise jaune bile et une grosse enveloppe marron, qu'il faut absolument que je récupère. Avant que vous ne vous inquiétiez à l'idée de vous retrouver face à face avec mon mari en pyjama, laissez-moi vous tranquilliser en vous disant qu'il ne sera pas là-bas. J'ai insisté pour lui reprendre les clés hier soir afin de l'empêcher de retourner à l'appartement pour détruire ces fameux documents. Il a passé la nuit à l'hôtel.

Tucker s'abstint de tout commentaire relatif à Kim et se borna à demander :

— Qu'est-ce que les prêtres proposent de faire au sujet du soi-disant esprit frappeur ?

— Différentes choses. Ils comptent venir à l'appartement à 9 heures pour y célébrer une sorte de rituel religieux. Je n'étais pas folle de cette idée au départ, mais comme je ne peux plus habiter chez moi, je suis prête à tout tenter, même une stratégie qui ne s'accorde pas avec ma vue rationnelle du monde.

— Nick est-il au courant de ce que nous sommes en train de faire ?

— J'ai laissé un mot à Alice.

— Bon, mais en arrivant à l'appartement, passons-lui tout de même un petit coup de fil. S'il y a des risques, je suis sûr qu'il voudra être au courant.

— Ça ne vaut pas la peine, Tucker. Nous ne resterons que quelques minutes.

— Parfait, mais cette Mayfield ne me dit rien qui vaille.

— A l'heure qu'il est, elle est bien au chaud dans sa confortable petite maison à Fulham avec sa perruque grise posée sur son support.

Malheureusement, j'étais tellement soulagée d'avoir passé la nuit et si contente que Tucker fît partie du voyage que je ne pris pas le temps d'imaginer un autre programme pour Mme Mayfield. Si je l'avais fait, je ne l'aurais pas vue ronflant dans son lit, mais habillée de pied en cap et sirotant une tisane tout en complotant la prochaine stratégie de Kim.

5

— Nous n'en avons pas pour longtemps, expliquai-je au gardien dans le parking. Où peut-on laisser la voiture ?

Il désigna un emplacement vide près de sa place.

— C'est pratique, notai-je en sortant du véhicule. Pourrais-je le réutiliser tout à l'heure ?

Je lui expliquai que je devais revenir avec deux prêtres. Fort impressionné, il inscrivit dans son carnet pour son remplaçant de 8 heures : Emplacement 12 réservé pour deux prêtres attendus à l'appartement 353 (Betz).

— Ma cote est montée d'un cran, murmurai-je amusée à l'adresse de Tucker tandis que nous nous dirigions vers l'ascenseur.

Mais il avait l'esprit ailleurs.

— Ça alors ! s'exclama-t-il. On se croirait dans un bunker !

— Personne n'a probablement jamais rien dit d'aussi flatteur à propos de notre parking !

Il portait un jean bleu et sa veste en cuir noir ouverte révélait un T-shirt blanc immaculé. Son entrejambe semblait un ton plus clair, mais le jean donne souvent cette impression aux endroits intéressants, surtout à la lumière artificielle. Dans l'ascenseur, un vague parfum de produit adoucissant me chatouilla les narines, mêlé aux effluves d'un dentifrice macho.

— Prêt pour le décollage ? demandai-je quand les portes se refermèrent.

— Faut-il s'attendre à ce que des masques à oxygène tombent du plafond ?

— Non, on halète simplement comme des poissons hors de l'eau.

— J'aime assez l'idée que nous haletions tous les deux ensemble, madame G.

— J'en suis sûre... Votre humour m'a manqué, Tucker.

— Il faut que je fasse attention de ne pas être trop sérieux alors ?

L'ascenseur entama sa montée en gémissant comme s'il mourait d'envie de s'accoupler avec la cabine voisine.

— Eh, c'est super sexy ! s'exclama tout à coup Tucker. Vous faites ça tous les jours ?

— Quelquefois plusieurs fois par jour.

— Combien de temps cela prend-il ?

— Pas suffisamment pour ce à quoi vous pensez. A moins que vous ne soyez extrêmement rapide.

— Laissons tomber. J'aime prendre mon temps.

— Tucker, demandai-je sur un ton qui se voulait anodin, avons-nous véritablement échangé ces répliques ou était-ce une hallucination ?

— Pas d'hallucination, madame G. De la tension nerveuse pure et simple de votre part et une attitude de petit caïd de la mienne.

Les portes se rouvrirent. Dès que je mis un pied sur le sol en béton tapissé de moquette, je fus prise de nausée. Comme ma main se portait à mon cou pour saisir le crucifix, je m'aperçus à ma consternation que la chaîne manquait.

— Que se passe-t-il ? demanda Tucker en voyant mon expression.

Je le lui expliquai en m'efforçant de ne pas paniquer.

Je m'attendais à moitié à une remarque caustique, mais je me trompais.

— Allons la chercher, s'empressa-t-il de dire, le plus sérieusement du monde. Ce n'est pas loin.

Mais je me refusais à traiter ce crucifix comme une amulette.

— N'exagérons pas. Soyons rationnels. Il suffit d'entrer dans l'appartement, de prendre les documents et de ressortir. Rien ne m'oblige à m'approcher... Tucker, repris-je après un silence, si j'ouvre la fenêtre donnant sur le balcon, tirez-moi en arrière et refermez, voulez-vous ?

— Vos désirs sont des ordres, madame G. Donnez-moi vos clés avant de les laisser tomber. Je vais ouvrir.

— Je suppose que vous ne portez pas de croix sous votre T-shirt ? dis-je en les lui passant.

— Désolé, mais non.

Il poussa la porte et s'écarta pour me laisser passer.

6

A peine le seuil franchi, j'appelai Kim au cas où il aurait finalement résolu de se servir de la clé de Mme Mayfield. A mon grand soulagement, il n'y eut pas de réponse. Je jetai un coup d'œil prudent dans la chambre, redoutant un flash-back. Il ne se produisit rien, mais progressivement, je pris conscience du désordre que je n'avais pas remarqué dans la terreur suscitée par le fantôme. Les costumes de Kim jonchaient le sol, le fauteuil était renversé ainsi que les deux lampes de chevet. J'entrepris de remettre de l'ordre avec des gestes mécaniques, mais me retrouvai bientôt tout près de la fenêtre.

Aussitôt je battis en retraite dans le couloir.

Du fait de cette excursion dans la chambre, il me fallut plus de temps que nécessaire pour me rendre compte que les documents étaient introuvables, d'autant plus que ma phobie du balcon m'obnubilait au point que je dus rouvrir la porte d'entrée de manière à pouvoir filer au plus vite si mes nerfs me lâchaient.

Entre-temps, Tucker s'était rendu dans le salon et poussait des cris en inspectant le fouillis. Je le rejoignis afin d'examiner moi-même l'étendue des dégâts. Une atmosphère lourde, oppressante régnait dans l'appartement ; j'essayai de me raisonner en me disant que je me laissais emporter par mon imagination, mais je ne tardai pas à éprouver un regain de nausée.

— C'est vraiment bizarre, s'exclama Tucker, effaré, quand je le rejoignis. On a l'impression que cet appartement est malade comme un chien.

Je trouvai que ce cliché résumait on ne peut mieux la situation. Une vague odeur de vomi flottait même dans l'air, mais j'élucidai ce mystère en découvrant, dans la cuisine, la mare de lait que je n'avais pas épongée.

— Prenons les documents et fichons le camp, dis-je en reculant avec un frisson.

Mais Tucker s'était absorbé dans la contemplation de la vue.

— C'est magnifique, l'entendis-je murmurer, mais vous devez vous sentir un peu coupée du monde réel.

Une seconde plus tard, je regardai le balcon par-dessus son épaule en imaginant l'interminable chute au-delà de la balustrade.

— Excusez-moi, fis-je en fonçant vers l'évier, mais mon haut-le-cœur resta sans effet.

Je restai plantée là, tremblant comme une feuille, jusqu'à ce que je m'aperçoive que Tucker m'avait suivie jusqu'au seuil de la pièce.

— Désolée, marmonnai-je. Paralysie momentanée. Balcon.

— Ce lait tourné suffirait à me faire dégobiller... Pourquoi cette phobie du balcon ?

— Mme Mayfield a prédit que je sauterais de là.

— Pourquoi feriez-vous une chose pareille alors qu'il y a trois ascenseurs devant votre porte ? demanda-t-il d'un air ébahi.

Comme j'ébauchai un sourire vacillant, il ajouta d'un ton encourageant :

— Oubliez tout cela. Regardez-moi. Je vais vous montrer quelque chose qui va effacer toutes vos obsessions de balcon en un clin d'œil... Vous regardez ?

— Avec avidité.

Il recula de quelques pas dans la partie salle à manger et je m'avançai jusqu'au seuil de la cuisine.

— Voilà, dit-il, apparemment déterminé à se mettre en scène.

Il enleva sa veste d'un coup d'épaule et l'expédia sur le fauteuil le plus proche, puis serra les poings pour gonfler ses biceps. J'ouvris grand la bouche en réaction à son T-shirt à manches courtes.

— Vos bras !

Il les tendit pour que je les inspecte.

— Stupéfiant, dis-je d'un air sérieux, oubliant ma nausée.

— Vous paraissez surprise ?

— Bouleversée.

Il feignit un ravissement narcissique et banda de nouveau ses muscles. Ses bras, on ne peut plus normaux, étaient au demeurant parsemés d'une toison couleur rouille ; je vis aussi ce qui m'apparut à l'origine comme de légers coups de soleil, mais en y regardant de plus près, je constatai qu'il s'agissait de taches de rousseur, de celles qu'une certaine portion de la population acquiert à la place d'un hâle. Elles ressurgissaient chaque été. Leur signification était indéniable.

— Maintenant je sais quelle est votre couleur de cheveux.

— Vous voyez ? s'écria-t-il triomphant. Je vous avais bien dit que je n'étais pas roux.

Nous éclatâmes de rire.

— Je comprends ce que vous ressentez. Je n'ai jamais pu me considérer comme une brune. La seule différence entre vous et moi, c'est que je dois recourir à un flacon.

— En ma qualité de romancier, je me flatte d'avoir de l'imagination ! Je vous verrai toujours blonde, même si vous renoncez au flacon.

Je ris de nouveau, repoussant mes cheveux en un moment de gêne inattendu tout en évitant son regard.

— Ça va un peu mieux ?

— Beaucoup mieux.

Je me souvins alors de ce que nous étions venus faire.

— Mais où sont passés ces fichus dossiers ?

Nous inspectâmes la pièce saccagée, mais il n'y avait rien qui y ressemblât.

— Retournons dans l'entrée et tâchons de déterminer ce que votre mari a fait en rentrant hier soir.

— Kim savait que j'étais sortie, mais il est rentré très tard, il a dû penser que j'étais déjà là. Il serait venu me trouver tout de suite, pensai-je à voix haute devant la chambre à l'autre bout du couloir.

— Mais tout ce désordre a dû détourner son attention.

— Non. Il savait déjà que l'appartement serait dans cet état, puisqu'il avait demandé à Mme Mayfield de faire ce sale boulot.

— La mère Mayfield a-t-elle une activité quelconque quand elle ne se balade pas sur un balai ?

— Elle est guérisseuse.

— Pas étonnant que les toubibs pâlissent quand on leur parle de médecine alternative !

— Je vous assure qu'il n'y a pas de quoi rire ! Si vous aviez entendu Nicholas lire le fichier la concernant sur son ordinateur...

— N'en dites pas davantage. Voyons ce que Kim aurait pu faire. Il entre, vous appelle. Pas de réponse...

— ...il va dans le salon pour jeter un coup d'œil au répondeur...

— Il a les documents avec lui ?

— Oui, il est impatient de les lire.

— Bon, il les emmène dans le salon...

Tucker reprit le couloir en sens inverse en retraçant les pas de Kim.

— ... il écoute votre message...

— ... et apprend où je suis. Il a toujours envie de parcourir les documents, mais encore plus envie de venir à mon secours.

— ... Il fourre les dossiers dans la première planque qu'il trouve. Si vous rentrez avec lui, il ne tient pas à ce qu'ils soient en vue et suscitent votre intérêt... Qu'y a-t-il dans cette pièce ?

— Mon fourbi. Le sien est à côté. Peut-être...

— Non. Trop évident.

— Pas nécessairement. Il ne sait pas encore que je connais l'existence de ces papiers.

— Vérifions.

Nous passâmes en revue les affaires de Kim en quelques secondes. Pas de chemise jaune bile.

— A mon avis, on fait fausse piste, dit finalement Tucker. Kim est pressé. Il est dans le salon près du téléphone et il veut partir au plus vite. Ne pensez-vous pas qu'il planquerait les documents dans la cachette la plus proche ?

— Oui, mais...

— Il est grand ?

— Un peu plus d'un mètre quatre-vingts. Pourquoi ?

— Si j'étais lui et si je voulais cacher quelque chose à ma femme, nettement plus petite que moi, je me mettrais sur la pointe des pieds et je fourrerais ça sur une étagère en hauteur, de manière à ce que cela soit hors de sa vue à moins qu'elle grimpe sur une chaise. Où sont les étagères les plus hautes ?

— Dans la cuisine.

Nous repartîmes dans le couloir, mais une seconde plus tard, nous nous arrêtâmes net. Derrière la porte d'entrée, restée ouverte, un des ascenseurs venait de s'immobiliser à l'étage. Comme plusieurs passagers en émergeaient, j'entendis une voix qui m'était familière s'exclamer :

— Regardez donc ! Il semble que nous n'aurons pas besoin d'un serrurier en définitive. Je vous rémunérerai tout de même, bien entendu.

— C'est Kim, chuchotai-je, horrifiée.

— Retardez-le, murmura Tucker avant de disparaître dans la cuisine.

Mes pieds me portèrent dans la direction opposée. Morte d'effroi, je réapparus dans le hall au moment où Kim franchissait le seuil en compagnie d'un homme qui devait être le serrurier.

Derrière eux se tenait Mme Mayfield.

7

Je faillis tourner de l'œil. Mon cœur battait à tout rompre et mes genoux manquèrent de se dérober sous moi.

— Carter ! s'exclama Kim.

Il n'avait pas l'air particulièrement surpris de me voir. Ni fâché. Son ton était prudent, mais sans hostilité.

— Je me suis demandé si tu viendrais de bonne heure, ajouta-t-il d'une voix cajoleuse destinée à atténuer l'embarras de la situation, mais j'ai pensé que tu serais trop fatiguée après hier soir pour te lever si tôt ! Je te présente Tom Callan, le serrurier de Mme Mayfield.

— Vous pouvez partir, Tommy, dit Mme Mayfield d'un ton

placide tout en jetant un coup d'œil au capharnaüm dans la chambre. Je vous appellerai un peu plus tard. Oh mon Dieu ! Quelle odieuse atmosphère dans cet appartement ! Tout à fait inhabitable à mon avis, juste assez bon pour y conserver des cadavres ! A propos de cadavres, ma chère Kate, vous êtes pâle comme la mort, pauvre petite, c'est vraiment triste de voir quelqu'un se décomposer si vite, mais ils font des merveilles de nos jours dans les hôpitaux psychiatriques, d'après ce que j'ai entendu dire... Ah ! Revoilà l'ascenseur ! Au revoir, Tommy ! Non, Jake, ne fermez pas la porte, allez chercher ce qu'il vous faut et repartons. Je ne tiens pas à m'attarder dans ce genre de lieu.

En dépit de mon horreur, je m'efforçai de trouver une tactique pour les retarder. Je réussis tout juste à m'exclamer :

— Comment oses-tu amener cette femme ici ?

Kim éluda ma colère en répondant à côté :

— Elle connaissait un serrurier qui ne me ferait pas attendre des heures.

— Si tu étais si impatient de rentrer dans l'appartement, tu n'avais qu'à te servir de son double. Je ne pensais pas que tu viendrais de bonne heure, de peur de dévoiler le fait qu'elle avait accès à l'appartement hier pour le mettre à sac, mais si tu es trop désespéré pour te soucier de ça à présent...

— Ne soyez pas ridicule, ma chère, intervint Mme Mayfield, toujours aussi flegmatique. Vous allez me faire croire que vous êtes en proie à un complexe de persécution. Evidemment, ce n'est pas moi qui ai saccagé l'appartement, pas plus que je n'ai de double ! Allez, Jake, ne la laissez pas vous retarder, prenez ce que vous êtes venu chercher et nous... Oh mon Dieu, quel beau jeune homme ! Bonjour, mon cher, qui êtes-vous donc ? Attendez ! Mais oui ! Je sais parfaitement qui vous êtes ! Le secrétaire particulier temporaire un peu trop particulier et pas suffisamment temporaire !

Kim renonça à son numéro de charme et pivota dans ma direction.

— Qu'est-ce qu'il fout là ?

— Il m'aide à déceler les mensonges ! ripostai-je, mais ma voix tremblait.

— Bon Dieu, si vous avez passé la nuit ici tous les deux, je...

— Calmez-vous, Jake, dit Mme Mayfield, prenant la situation en main. Soyez raisonnable. Vu l'état de cet endroit, personne n'aurait envie de faire l'amour ici, à moins d'être nécrophile... — ou coprophile... Qu'est-ce que c'est que cette horrible odeur ?

— Emmène-la, lançai-je à Kim.

Je m'efforçai de déterminer si Tucker avait eu le temps de dénicher les documents et de les cacher ailleurs. Je ne m'étais pas attendue à ce qu'il réapparaisse si vite.

— Ressaisis-toi ! riposta Kim, toujours fou de rage. Mme Mayfield a au moins eu la bonté de m'offrir l'hospitalité après que tu m'eus interdit l'accès de cet appartement.

J'en oubliai Tucker, trop heureux d'accueillir la force générée par une nouvelle vague de colère.

— Tu veux dire que tu as passé la nuit sous le même toit que cette femme ? Et tu m'accuses, moi, d'avoir mal agi ?

— Boucle-la ! Tu m'as mis à bout avec la manière dont tu m'as traité au presbytère ! Heureusement qu'Elizabeth était rentrée quand je suis arrivé à Fulham. Il fallait à tout prix que je lui parle, j'étais tellement bouleversé, mais si tu t'imagines qu'elle et moi...

— Du lait tourné, s'exclama Mme Mayfield qui s'était rapprochée du salon entre-temps. Une vraie odeur de pourriture, presque aussi insoutenable que les fleurs mortes. Qui a écrit ce magnifique vers : « Les lys qui se fanent sentent bien pire que les mauvaises herbes » ?

En tournant le dos à Kim, je m'élançai derrière elle dans le salon :

— Sortez d'ici, vermine ! Je ne vous laisserai pas envahir mon appartement.

— Oh, mon ange, du calme ! Vous vous comportez comme une gamine de deux ans ! Je le savais ! Voilà ! Du lait tourné sur le carrelage de la cuisine !

Elle fit volte-face et se dirigea vers le balcon.

— Il faut aérer, dit-elle.

J'ouvris la bouche pour hurler : « Non ! », mais il ne se produisit rien. Je ne pus que reculer jusqu'au mur. Pendant ce temps, Kim et Tucker se faisaient face de part et d'autre d'un des fauteuils retournés et Mme Mayfield était à deux mètres des fenêtres.

Tucker s'élança tout à coup pour lui bloquer l'accès au balcon.

— Attendez une minute ! dit-il à la cantonade du ton le plus aimable, je crois que Mme Mayfield a raison de garder son calme. Pourquoi ne suivons-nous pas son exemple ? Si on détendait un peu l'atmosphère en prenant un café par exemple ? Voudriez-vous un café, Kim ?

— Monsieur Betz, s'il vous plaît, mon garçon !

La bouche de Tucker se durcit, mais il persista sur sa lancée, déterminé à m'envoyer dans une pièce sans fenêtre.

— Carter, si vous nous prépariez un café ? Et soyez gentille, fermez la porte de la cuisine pour que nous ne soyons pas tous infestés par cette puanteur !

En l'écoutant, je sus qu'il avait compris que, de la cuisine, je pouvais m'échapper dans le cagibi, et de là dans le couloir, ce qui me permettrait de gagner la porte d'entrée, mais avant que je puisse surmonter ma panique, Mme Mayfield s'adressait à lui d'un ton réprobateur :

— Ce n'est pas une proposition très galante, mon cher ! Suggérer à une femme d'aller s'enfermer dans une pièce nauséabonde. Votre mère aurait pu mieux vous élever ! Non, Kate a besoin d'air frais. Regardez-la, elle est verte. Venez, mon ange, je vous emmène sur le balcon. Je vous assure qu'en un rien de temps, vous vous sentirez mieux !

— Je suis navré, madame Mayfield, reprit courtoisement Tucker tandis que je me mettais à frissonner, mais je suis sujet au vertige et je ne supporterais pas qu'on ouvre une porte donnant sur l'extérieur.

Mme Mayfield marqua une pause, le temps de l'examiner.

— Comment m'avez-vous dit que vous vous appeliez, mon cher ?

— Je ne vous l'ai pas dit, mais je m'appelle Eric Tucker.

— Eric ! Quel joli nom ! Vous auriez dû être blond, mon cher, comme ces sublimes Vikings, mais peu importe, j'ai toujours eu un faible pour les roux, et je ne suis certainement pas la seule, n'est-ce pas ? Comment s'appelait cette femme qui vous a entretenu pendant un moment, la brune qui s'était fait faire tous ces liftings et qui était incapable de vivre sans la compagnie d'un gigolo ?

Tucker devint blanc comme un linge.

— Allez chercher ce qu'il faut, ajouta Mme Mayfield d'un ton sec à l'adresse de Kim. Assez traîné. Il est temps de partir.

Kim fila dans la cuisine. Je l'entendis ouvrir un placard, puis le refermer.

— Bordel !

Il ressurgit comme une furie dans le coin salle à manger où j'étais scotchée au mur et hurla :

— Où les as-tu mis ?

Tucker abandonna instantanément la porte du balcon.

— Etes-vous vraiment nul au point de ne pas pouvoir traiter votre femme avec le respect qu'elle mérite ? demanda-t-il d'un ton enragé en se plantant devant Kim.

Kim fut tellement sidéré qu'un jeune homme pût s'adresser à lui sur ce ton que, pour une fois, il ne trouva pas de réplique décapante. Il en fut réduit à dire à Mme Mayfield d'un ton consterné :

— Ils les ont trouvés et les ont rangés ailleurs.

— Bien sûr, mon cher, répondit-elle. Je me demandais pourquoi notre jeune héros mettait tant de temps à venir nous accueillir. Pas si timide que ça, hein Eric mon ange ? ajouta-t-elle en s'approchant de la porte-fenêtre.

— Mais Elizabeth...

— Ne vous inquiétez pas, mon cher, je suis sûre qu'il ne tardera pas à nous dire où il les a mis.

Elle souleva le levier qui actionnait le mécanisme coulissant et ouvrit la porte du balcon.

— Allons, Kate, dit-elle alors qu'un vent glacial s'engouffrait dans la pièce. Ne vous occupez pas de ces deux garçons jouant aux machos. Venez dehors prendre un peu l'air.

— Ne bougez pas, hurla Tucker.

En écartant Mme Mayfield, il referma la porte-fenêtre à la volée.

— Jake, lança la sorcière d'une voix métamorphosée, allez chercher un couteau.

Je me rendis compte tout à coup que je m'étais écartée involontairement du mur pour me rapprocher des baies vitrées. Je me trouvais à présent au bout de la table de la salle à manger et Kim était retourné à la cuisine. Je l'entendis ouvrir le tiroir des couverts, mais ne pus réagir parce que la terreur me paralysait une partie du cerveau. Je me faisais l'effet de ces victimes d'anesthésies ratées qui demeurent éveillées durant leur opération sans pouvoir communiquer avec les chirurgiens en action.

— Mettez-lui le couteau sous la gorge et amenez-la-moi ici.

— Elizabeth...

— Faites ce que je vous dis, insista-t-elle, puis elle ajouta une phrase en allemand.

Quelque chose à propos du « garçon ». Je n'en compris pas davantage.

— Ce n'est pas une bonne idée, monsieur Betz, intervint Tucker qui s'était à nouveau éloigné de la porte pour tenter de raisonner Kim. Posez ce couteau.

Je me rendis compte alors qu'il ne comprenait pas l'allemand et ne savait pas qu'on le manipulait. J'étais consciente que Kim ne me ferait pas de mal, mais Tucker l'ignorait et je ne pouvais pas le lui dire, mes cordes vocales étant hors service.

— Faites ce que je vous dis, répéta Mme Mayfield en reprenant son poste près de la porte et jouant à fond la dominatrice pour faire croire à Tucker qu'elle pouvait réduire Kim à l'état de robot. Faites ce que je vous dis et tout se passera bien, vous le savez, n'est-ce pas ? Amenez-la-moi.

Kim me saisit la main droite et me la tordit dans le dos. Ce n'était pas une manœuvre délicate, mais il aurait pu se montrer plus brutal.

— Tucker ! chuchotai-je avec peine, désespérée de lui révéler la manigance dont il faisait l'objet, mais à cet instant, je sentis le couteau m'effleurer la joue et je perdis pour de bon l'usage de la parole.

Il me fallut plusieurs secondes pour me rendre compte que Kim tenait le côté non tranchant de la lame contre ma peau, mais à ce stade, j'étais tellement terrifiée par le balcon que je ne pouvais que panteler.

— Bon, Eric, mon chéri, reprit Mme Mayfield, allez chercher ces documents.

Elle souleva de nouveau le loquet et la porte-fenêtre gémit en glissant dans sa coulisse. Une brise glaciale emplit la pièce une nouvelle fois et je me sentis transie jusqu'aux os. Quand Kim me rapprocha d'elle, j'émis un premier cri.

Tucker s'élança, puis s'arrêta. Il redoutait à présent de venir à mon secours de peur que Kim ne perde le peu de bon sens qui lui restait.

— Okay, calmez-vous, dit-il à la hâte. Les documents sont toujours dans la cuisine.

— Allez les chercher ou la fille sort sur le balcon.

Tucker hésita, mais comme je poussai un nouveau cri, il fila sans se faire prier davantage. Kim pivota sur lui-même pour le suivre du regard, m'obligeant à en faire autant. En sanglotant presque de soulagement à l'idée de ne plus faire face au vide au-delà de la balustrade du balcon, je vis Tucker ouvrir la porte du four et en sortir le dossier jaune et l'enveloppe brune.

— Voilà qui est mieux, dit Mme Mayfield d'un ton satisfait. Posez-les sur la table. Jake, vous pouvez lâcher Kate maintenant. Désolée de ce petit intermède avec le couteau, ma chère, me dit-elle en réintégrant sans effort son rôle de banlieusarde paisible, mais votre petit jeune homme est infiniment vif, semble-t-il, et je ne tenais pas à ce qu'il provoque une bagarre. Voilà ! Plus de peur que de mal ! A présent, mon ange, pourquoi n'allez-vous pas fermer cette porte-fenêtre pour nous montrer combien vous êtes courageuse ? A moins que vous ne redoutiez encore, une fois près du balcon, de voir la balustrade et de...

Elle s'interrompit.

Je la dévisageai. Depuis que Kim m'avait libérée, je tremblais convulsivement. Je remarquai qu'elle aussi paraissait sur les nerfs. Elle blêmissait à vue d'œil. Son rouge à joues faisait tache sur ses joues rondes et ses lèvres humides semblaient exsangues.

Tout à coup, je me rendis compte que Tucker aussi était figé et Kim s'était immobilisé, le couteau à la main.

Ils regardaient tous par-dessus mon épaule. Quand, finalement, je fis volte-face en direction de la porte du salon, je découvris Nicholas Darrow, debout, impassible, sur le seuil.

8

Il portait un costume noir, une cravate noire et un col ecclésiastique à l'ancienne mode ; je supposai qu'il s'était vêtu ainsi en vue du rituel qu'il projetait de célébrer à 9 heures. Un grand crucifix en or pendu à une grosse chaîne ornait sa poitrine. La taille même de cette croix avait quelque chose d'agaçant. Mon regard y était irrésistiblement attiré, mais une seconde plus tard, je me rendis compte que l'effet en était intensifié par le fait que c'était Nicholas qui l'arborait. Sa personnalité avait pris toute sa mesure. Il n'était plus ce type pâle, osseux, aux cheveux gris souris, aux yeux couleur d'eau de vaisselle. Il suscitait une véritable fascination, tel un grand comédien qui fait une entrée longtemps attendue et captive instantanément son public rien qu'en levant un sourcil. L'air autour de lui semblait chargé d'une tension magnétique. Il respirait l'autorité et l'assurance.

Il ne se donna même pas la peine de parler, se bornant à rester là, dans l'encadrement de la porte, observant la scène, d'un calme olympien, tout en faisant ses déductions. Puis, comme satisfait de ce que son irruption sur les lieux eût suscité un impact optimal, il s'avança dans la pièce avec grâce. J'avais déjà remarqué la fluidité de ses mouvements, mais cette fois-ci, il me sembla qu'il y avait dans tant de souplesse quelque chose de puissamment sexuel. Cette sensualité ne m'attirait toujours pas ; je la trouvais trop hypnotique, trop dangereuse, mais je voyais clairement pourquoi Alice était sous le charme. Je songeai combien il était surprenant que cet homme eût choisi d'opérer au sein de la stricte Eglise d'Angleterre dont les normes rigoureuses, même de nos jours, l'obligeaient à une vie privée irréprochable ; l'instant d'après, je compris pourquoi il avait tellement insisté, au début de notre conversation au presbytère, sur l'équilibre des pouvoirs qui maintenait son ministère sur le droit chemin. C'était un homme honnête qui avait admis la possibilité de laisser des ravages dans son sillage ; il savait qu'un baril de dynamite devait être conservé dans des locaux bien gardés.

Il se faufila d'un pas désinvolte parmi le mobilier sens dessus dessous, ferma la porte du balcon d'un geste leste et remit le levier en place. Puis, d'un ton glacial, il dit à la femme qu'il n'avait jamais rencontrée :

— La fête est finie, madame Mayfield, il est temps de rentrer.

J'avais envie de brandir le poing en poussant un cri de triomphe.

Malheureusement, mon euphorie était prématurée.

9

— Eh bien, eh bien ! s'exclama Mme Mayfield, retrouvant finalement l'usage de la parole. Il n'est pas difficile de deviner qui vous êtes. Nicky, n'est-ce pas ? C'est tout au moins ainsi que vous appelle une certaine dame, celle qui vous donne tant de fil à retordre en ce moment !

— Epargnez-moi vos numéros de voyante mondaine, fit Nicholas d'un ton las. Je les connais par cœur.

En se frayant un chemin parmi les bibelots cassés qui jonchaient le sol, il s'approcha de la fenêtre.

— Ne montez pas sur vos grands chevaux avec moi, mon cœur ! Je sais des choses sur vous que vous n'avez pas envie que ces braves gens entendent !

Nicholas se tourna vers Tucker et lui dit :

— Pour votre information, Eric, sachez que le comportement de Mme Mayfield est caractéristique du médium corrompu. Elle feint de me reconnaître par des pouvoirs psychiques, alors qu'en fait, elle sait très bien que je suis impliqué dans cette affaire ; Kim le lui a dit, c'est évident. Il est logique qu'elle connaisse mon nom ; j'ai une réputation dans le monde où elle évolue et je suis sûr qu'elle a entendu dire que je suis en train de divorcer. De ce fait, elle estime qu'a priori, ma femme, ou une autre femme, me cause des problèmes, et comme je m'appelle Nicholas, elle prend encore moins de risques en supposant que la dame en question m'appelle Nick ou Nicky.

Il passa devant Tucker et contourna la table dans ma direction. Je me cramponnais à une chaise pour empêcher mes mains de trembler.

— Tout va bien maintenant, me dit-il sans me quitter du regard.

Ses yeux gris étaient d'une clarté limpide au point qu'ils paraissaient presque bleus.

Je hochai la tête. Il ne faisait aucun doute dans mon esprit, depuis qu'il me l'avait dit, que tout allait bien, et quand il couvrit brièvement mes mains avec les siennes, je m'aperçus que je pouvais lâcher le dossier de la chaise.

— Eric, dit-il, venez à côté de Carter pour qu'elle se sente plus en sécurité.

— Vous n'auriez pas dû laisser Nicky vous toucher, Kate, dit Mme Mayfield d'un ton sec. Cet homme est un violeur.

Naturellement, Nicholas ne prêta pas la moindre attention à cette accusation fantaisiste. En s'approchant de Kim de l'autre côté de la table, il ajouta :

— Je crois qu'il est temps que vous posiez ce couteau.

Mais les jointures de Kim blanchirent encore alors qu'il resserrait son emprise autour du manche. Il suait à grosses gouttes.

— Dites-lui de le poser, dit encore Nicholas en se tournant vers Mme Mayfield.

Elle se borna à sourire d'un air narquois.

— Il n'est pas à vous, dit-elle. Il est à moi.

Comme Kim faisait passer la lame dans sa main droite pour s'essuyer le front, elle ajouta brusquement :

— Nous partons. Je n'apprécie guère les gens dont s'entoure votre femme.

— Vous n'êtes pas obligé de partir, dit aussitôt Nicholas à Kim. C'est à vous de choisir.

— Ne l'écoutez pas, mon ange, lança Mme Mayfield comme Kim reprenait le couteau dans sa main gauche. Les prêtres sont tous des menteurs. Les balivernes qu'ils racontent à propos d'un criminel juif condamné à mort ! Ça ne devrait pas être permis !

Nicholas marqua une pause en la toisant du regard.

— Dites son nom, dit-il d'un ton désinvolte.

Mme Mayfield se détourna aussitôt.

— Venez, mon cher Jake, allons-nous-en !

— Vous avez le choix, renchérit Nicholas à la hâte. N'en doutez jamais. Et ne doutez pas non plus que si vous choisissez de rester, je vous soutiendrai jusqu'au bout.

Mme Mayfield fit brusquement volte-face vers lui.

— Laissez-le tranquille, salopard ! Il est à moi, à moi, à MOI !

— Il ne vous appartient pas, madame Mayfield ! Vous n'arrêtez pas de mentir parce que vous avez peur. Vous avez tellement peur que vous ne pouvez même pas prononcer son nom...

— Faisons un marché, dit-elle. Vous gardez la fille. Dorénavant, je la laisserai tranquille. Je garde le type.

— Je ne fais pas de marché, madame Mayfield. Je suis les traces d'un homme qui n'acceptait pas les marchés, et c'est en son nom que je vous ordonne de quitter cet appartement sur-le-champ et seule.

— Allez vous faire foutre ! hurla-t-elle, mais elle se dirigeait déjà vers la porte. Soyez maudit !

Brusquement elle rebroussa chemin et lui cracha dessus en beuglant :

— Maudit soyez-vous, maudites soient votre femme et cette grosse truie que vous...

— Seigneur Jésus-Christ, dit rapidement Nicholas d'une voix étonnamment égale, protégez-moi, protégez Rosalind, protégez Alice...

— Qui a peur maintenant, hein, bordel de merde ? hurla Mme Mayfield après avoir reculé presque automatiquement comme sous l'effet d'une révulsion.

Elle s'avança à nouveau et ajouta d'un ton violent :

— Et il ne vous protégera pas, vous le savez ! Vous allez être malade ! Vous allez pourrir ! Vous allez...

— Au nom de Jésus-Christ, déclama Nicholas. Sortez d'ici et ne revenez jamais !

Mme Mayfield battit en retraite, temporairement privée de la parole, mais elle réussit néanmoins à lui cracher dessus une fois de plus et soudain, Nicholas parut privé d'énergie.

— Lewis, hurla-t-il, aidez-moi à raccompagner Mme Mayfield à la porte.

— Vous appelez la cavalerie, mon cher ? persifla Mme Mayfield, retrouvant vite sa langue, bien qu'elle continuât à reculer.

Je pensais vaguement qu'elle avait finalement accepté sa défaite quand elle pivota sur elle-même et se retrouva nez à nez avec Lewis sur le seuil de la pièce.

— Oh, pour l'amour du ciel, ma pauvre dame, s'exclama-t-il d'un air écœuré. Cessez de vous donner en spectacle ! C'est pathétique !

A l'adresse de Nicholas, il ajouta :

— Quelle femme ordinaire, vulgaire même ! Elles sont si rebutantes quand elles jurent !

Mme Mayfield s'empourpra de rage. Puis ce fut la bérézina quand elle brandit son sac à main et se rua sur Lewis.

10

J'ai de la peine à décrire ce qui se passa ensuite, mais je dois essayer. Il le faut parce qu'en définitive, j'en suis responsable. C'était moi qui avais eu l'idée d'aller à l'appartement de bonne heure sans demander conseil aux experts et d'emmener Tucker avec moi. C'était le petit mot que j'avais écrit à Alice qui avait incité Nicholas et Lewis à voler à mon secours et c'était parce que j'avais parlé d'ecclésiastiques au gardien du garage qu'ils avaient pu accéder à l'immeuble. Après coup, je ne cessai de me répéter : « Si je n'avais pas fait ça... si je n'avais pas... » Quand on commence avec les si, on peut spéculer interminablement. Ce fut précisément ce que je fis quand tout fut fini, mais ces spéculations se révélèrent les pires tortures mentales qui soient.

Pour l'heure, je ne peux que résumer les faits. Mme Mayfield se jeta donc sur Lewis, le prenant par surprise. Je m'en rendis compte et je vis aussi, comme les autres, que s'il se reprit vite, elle paraissait soudain animée d'une force anormale. Nicholas m'expliqua plus tard que certaines personnes peuvent provoquer en elles une formidable poussée d'adrénaline leur permettant d'accomplir des exploits dont elles seraient incapables dans des circonstances ordinaires. Je fus immensément soulagée d'entendre cette explication scientifique. Pourtant, j'avais toujours l'impression que dans ces événements hors du commun dont j'avais été témoin, il y avait quelque chose qui dépassait largement les frontières du rationnel.

Lewis était un homme massif, lourd. Mme Mayfield l'expédia pourtant contre le mur avec une violence telle qu'il perdit l'équilibre et s'affala sur un des fauteuils renversés. Nicholas fut sur place en un éclair, mais, sans se laisser démonter, Mme Mayfield l'attaqua à son tour. Nicholas mesurait plus d'un mètre quatre-vingts ; il était carré d'épaules, mais elle le terrassa. Il se releva aussitôt, mais elle s'en prit à nouveau à lui et il dut lutter avec elle pour rester debout. Pendant ce temps-là, Lewis essayait péniblement de se redresser, mais la douleur l'en empêchait apparemment. Ce fut à cet instant que Tucker s'écarta de moi pour intervenir.

Mme Mayfield le vit approcher.

— Jake ! cria-t-elle, puis elle ajouta une courte phrase en allemand dont je ne compris pas un traître mot.

Kim s'avança prestement. Je bougeai moi aussi, déterminée à m'emparer de son bras et à le repousser, mais j'intervins trop tard. Tout s'était passé si vite ; il ne restait plus de temps, pour personne ; en outre, c'est seulement dans les films que la violence est chorégraphiée subtilement, au ralenti. Dans la réalité, c'est généralement un chaos fracassant, bref et vif comme l'éclair.

Mme Mayfield finit par écarter Nicholas d'une colossale poussée.

Il se heurta de plein fouet à Tucker.

Et Tucker, sans sa veste en cuir pour le protéger, se retrouva droit dans la trajectoire du couteau que Kim avait obstinément refusé de lâcher.

QUATRIÈME PARTIE

L'ACCEPTATION DU CHAOS

« Le mot intégrité a deux acceptions. Honnêteté, d'abord... Nous devons honnêtement faire face à nos limitations, à la complexité du monde, aux critiques même à l'égard des choses qui nous sont infiniment précieuses. Intégrité signifie aussi unité, plénitude, totalité, désir d'une vision unique et refus de compartimenter nos esprits afin que des idées incompatibles ne puissent entrer en contact.

« En définitive, un esprit intègre cherche une vérité homogène, un tout au cœur des choses. Il ne s'agit pas d'une chimère. En dépit de sa fragmentation, de ses limitations et incertitudes, la quête intellectuelle semble présupposer qu'en fin de compte, nous rencontrons tous une seule et unique réalité, une seule et unique vérité. »

John Habgood
Confessions d'un libéral conservateur

I.

« La crise absorbe l'instant présent et requiert autant d'attention que d'action. »

David F. Ford
The Shape of Living

1

Je ne me souviens que de fragments de cette scène, comme si la force démesurée de Mme Mayfield avait explosé en fracassant ma mémoire en mille morceaux. Après la déflagration vint le long silence suivi du désespoir à l'idée que jamais ces morceaux ne seraient rassemblés en un tout cohérent.

2

Le couteau pénétra sous l'épaule.

Lewis passa tous les coups de fil, y compris au médecin qui travaillait avec Nicholas au Centre de guérison. Trop ébranlée pour parler, je m'agenouillai auprès de Tucker. Nicholas m'avait devancée ; il lui serrait la main en lui disant : « Tenez bon. Je vous ai. Tenez bon ! » Tucker était conscient.

— C'est comme une guerre, n'est-ce pas ? l'entendis-je murmurer. Je suis une victime du front.

Je me mis à pleurer. Nicholas enleva sa croix pour que Tucker puisse s'y cramponner.

— Dites une prière, Nick, chuchota-t-il. Je ne trouve pas les mots.

Et Nicholas pria, bien que je ne me souvienne pas de ce qu'il dit. Je pensais juste qu'un homme était en train de mourir et que c'était de ma faute.

Mais Tucker tint bon.

3

Il resta vingt-quatre heures en soins intensifs, où il n'avait droit à aucune visite en dehors de celles de sa famille. A ce stade, j'étais au-delà des larmes. Il se passait d'autres choses, épouvantablement douloureuses dans l'ensemble, mais je ne pouvais penser à rien hormis à Tucker. Au bout d'un moment, il me vint à l'idée que cette concentration tacite, altruiste, était une forme de prière. J'avais tenté en vain de prier avec des mots. J'aurais fait n'importe quoi pour le sauver.

Très tard cette nuit-là, je m'assis près de la fenêtre de ma chambre au presbytère et contemplai longuement les toits en écoutant le silence de la City. Je canalisai toutes mes forces sur la volonté que Tucker vive ; j'eus la sensation d'esprits s'amalgamant les uns aux autres et je compris alors que, quelque part, au-delà de toute fragmentation, il existait une immense et indestructible unité.

Je fermai instinctivement les yeux pour les protéger, et ma conscience m'apparut comme une goutte dans la rivière de la multiconscience. Je sus alors que cette rivière s'écoulait peu à peu vers une mer sans fin. Je me demandai comment j'allais pouvoir me faire entendre au-delà du rugissement de l'eau, mais l'instant d'après, j'aperçus quelqu'un sur la rive. Il pénétra dans l'eau et remonta le courant vers moi ; je compris qu'une fois de plus, mon compagnon invisible, désarmé mais invincible, repoussait les ténèbres des Puissances.

« Si Eric meurt, aidez-moi à vivre avec ma culpabilité sans devenir folle », lui dis-je. Je songeai que cette requête était très égoïste, et j'ajoutai alors : « Oubliez-moi, concentrez-vous sur lui, s'il vous plaît. »

Soudain, je vis les rues de la City formant un réseau pareil à une toile d'araignée ; un des fils était endommagé, gâchant la beauté du motif. « Laissez-moi vous aider à le réparer ! m'exclamai-je à l'adresse de mon compagnon. Que Tucker vive ou qu'il meure, laissez-moi vous aider à tout rectifier ! » Puis il y eut une explosion de lumière, suivie d'un bruit régulier que je reconnus sans parvenir à l'identifier.

Je me réveillai. C'était la pluie tambourinant contre la vitre et striant les toits de Egg Street, mais au-delà de l'obscurité, le ciel était pâle. Le jour se levait enfin sur la City.

A 9 heures ce matin-là, Gilbert Tucker téléphona pour annoncer que son frère avait quitté le service des soins intensifs et qu'il était hors de danger.

4

Après cela, je pleurai toute la journée. Personne n'avait l'air de s'en offusquer. Alice aussi pleura sans que cela gêne quiconque. On ne s'occupait pas de moi en permanence, mais je savais que j'étais à portée de main de gens qui se souciaient de mon sort. Je n'avais pas envie d'être prise en charge vingt-quatre heures sur vingt-quatre. J'étais trop absorbée par ma version personnelle des chutes du Niagara.

— Je ne comprends pas, dis-je à Val Fredericks, le docteur qui travaillait avec Nicholas. On croirait que Tucker est mort ! Pourquoi est-ce que je pleure comme ça ?

— Souvent nous réprimons beaucoup de chagrin dans notre

vie parce que ce serait trop pénible d'y faire face. Le fait qu'Eric ait frôlé la mort a sans doute ouvert des vannes que vous gardiez obstinément fermées depuis longtemps.

— Je n'ai jamais pensé que je refoulais quoi que ce soit ! répondis-je en ouvrant une nouvelle boîte de Kleenex.

— C'était probablement votre problème, conclut Val.

5

Le lendemain, mes larmes s'arrêtèrent enfin. Je sortis pour me réapprovisionner en produits de maquillage en dissimulant mes yeux gonflés derrière des lunettes de soleil empruntées à Alice. On était samedi ; je me rendis chez le coiffeur comme d'habitude. Ensuite, je m'achetai un tailleur. Deux amis du Centre de guérison avaient accompli la sainte tâche consistant à purifier mon appartement et m'avaient rapporté une valise de vêtements, mais ils n'avaient pas pris ce qu'il fallait et je n'avais pas encore le courage de retourner là-bas.

Je me sentis mieux une fois habillée de neuf, coiffée, maquillée, mes ongles faits. J'achetai une douzaine de tulipes rouges évoquant une image de vitalité masculine, puis je pris un taxi pour aller voir Tucker à l'hôpital.

Il avait une chambre individuelle, mais malheureusement, il n'était pas seul quand j'arrivai. Une femme au seuil de la vieillesse était à son chevet, lionne gardant son petit blessé. Elle avait des cheveux blond doré, résultant non pas de l'application de produits chimiques, mais d'une chevelure rousse virant au gris, et sa silhouette ronde était engoncée dans une tenue en vogue trente ans plus tôt. Elle me jeta un regard narquois, supérieur, catégorique, prouvant qu'elle reconnaissait en moi un spécimen de la féminité moderne et trouvait par conséquent que mon apparence laissait beaucoup à désirer.

— Madame Tucker ? Bonjour, dis-je, retrouvant la courtoisie acerbe qui désarmait habituellement mes clients les plus agressifs. Je suis Carter Graham.

— Comme c'est gentil à vous de venir, madame Betz, répondit-elle de cette voix à laquelle les bourgeoises recourent en présence de toute personne jugée commune. Malheureusement, Eric n'est pas à même de recevoir de visite pour le moment.

— Il va assez bien pour recevoir celle-ci, intervint le patient.

— Le docteur a dit une seule visite à la fois, tu le sais bien, mon chéri.

— Sois gentille, maman, va chercher un joli vase pour mettre les fleurs que Carter a apportées.

Mme Tucker pinça les lèvres et tapota sa coiffure à la Thatcher pour s'assurer que ses cheveux étaient tous bien dressés sous la couche de laque.

— Deux minutes, me dit-elle, pas plus. Il est encore faible.

Sans me laisser le temps de répondre, elle sortit de la chambre.

Tucker soupira. Il avait des cernes, il était très pâle. Sa langueur extrême prouvait qu'il avait de la fièvre. Il avait une perfusion au bras gauche. En serrant toujours mes viriles tulipes, je me laissai tomber sur une chaise près du lit et parvins à bredouiller :

— Je suis tellement désolée. Tellement désolée.

— Hé, c'est à moi de dire ça ! Je voulais m'excuser d'avoir aussi mal pris soin de vous... Est-ce que ça va ?

Je hochai la tête en fouillant dans mon sac à la recherche des lunettes noires d'Alice, mais j'avais les yeux si pleins de larmes que je ne voyais plus ce que je faisais. Abandonnant mes recherches, je cachai mon visage derrière les fleurs, mais je réussis juste à faire tomber une larme sur la plus macho de toutes.

— Madame G, cessez de faire la cour à cette flore joufflue, arrêtez de vous sentir coupable et écoutez-moi un instant. Je suis content que vous soyez là. Il faut que je vous parle au sujet des propos que Mme Mayfield a tenus à mon égard l'autre jour.

— Pour l'amour du ciel, qu'y a-t-il à dire ? m'exclamai-je en relevant la tête, oubliant mes larmes. Cette pseudo-voyante ne raconte que des bobards !

— La plupart du temps peut-être, mais elle avait raison. C'est vrai que j'ai vécu aux crochets d'une femme. J'avais vingt ans à l'époque et j'étais dans un état... indescriptible !

— Il est inutile de revenir là-dessus, Tucker...

— Oh que oui ! Ecoutez-moi, j'ai vécu avec des femmes qui m'entretenaient et j'étais tellement arrogant et bourré d'illusions que je me prenais pour un génie littéraire trop imposant pour gagner sa vie. Mon Dieu, tout cela me paraît tellement pathétique à présent ! Mais c'était comme ça, et bien évidemment, tout est allé de travers. Je me suis retrouvé sans toit et sans un sou sur le seuil de Gil. Je ne pouvais pas aller chez mes parents, j'avais trop honte, et mon autre frère s'était désintéressé de moi depuis belle lurette...

— C'est tellement facile de faire des erreurs quand on a vingt ans !

— Il ne s'agissait pas seulement d'erreurs. Mon style de vie était un véritable cataclysme qui détruisait mon amour-propre et rendait des tas de gens malheureux, y compris moi. A trente ans, quand je me suis retrouvé chez Gil, fauché comme les blés, j'ai fini par me ressaisir. Il m'a dit que je devais trouver un moyen de gagner ma vie qui me redonne un peu de dignité. C'est à ce moment-là que j'ai commencé à prendre des cours de gestion. Je n'en avais aucune envie. J'estimais que le travail de secrétariat était pour les femmes et les mauviettes, mais Gil était implacable. Je lui ai emprunté de quoi m'inscrire à ces cours ; je logeais chez lui et le soir, je faisais la plonge dans un restaurant de Covent Garden pour me faire un peu d'argent de poche. Ensuite, j'ai travaillé dans le West End comme secrétaire à plein temps. J'avais une chambre très bon marché et peu à peu, je me suis repris et j'ai grandi. Tout cela grâce à Gil, le frère que je méprisais parce qu'il était homo. Au bout du compte, il tenait suffisamment à moi pour m'épauler. Ce genre d'affection vous fait réfléchir et vous incite à croire que vous êtes peut-être autre chose qu'une merde. Cela vous donne de l'espoir, du courage et la volonté d'améliorer votre sort.

« Alors j'ai changé de vie grâce à Gil, mais pas seulement parce que... peu importe. Enfin si. Pourquoi ne pas appeler les choses par leur nom sous prétexte que vous êtes athée ? Je suis tellement lâche quelquefois. Ecoutez, en vérité, si j'ai redressé la barre, c'est grâce à Dieu par l'intermédiaire de Jésus-Christ et du pouvoir de l'Esprit-Saint, et vous pouvez rire si vous voulez...

— Je ne ris pas...

— ... mais je vous assure que c'est le meilleur moyen de décrire ce qui s'est passé. Ensuite, j'ai réussi à me faire publier, à deux reprises, et à la fin, j'ai pu me mettre à travailler à temps partiel. J'ai quitté mon taudis de Lambeth pour prendre un petit studio à Fulham. Il n'y avait qu'une pièce, mais j'avais un arbre devant la fenêtre. J'adorais cet arbre et puis...

« ... Eh bien, l'année dernière, j'ai eu une rechute. Gil dit que le voyage spirituel est souvent plein d'ornières. Je suis tombé dans une ornière, bien que cela décrive mal le top-model mariée aux goûts de luxe que..., bref, disons que je me suis retrouvé sans le sou et sans toit une fois de plus sur le seuil de Gil, mais j'ai passé le cap, je me suis sorti de mes ennuis financiers et je paie un loyer à Gil. Et dès que je publierai un autre livre, je louerai un studio et j'essayerai à nouveau de vivre heureux jusqu'à la fin de mes jours.

« Voilà, madame G, c'est tout ce que j'ai à dire, mais il fallait que je le dise parce que la vérité est importante. Je voudrais croire que j'aurais été honnête avec vous à terme au sujet de mon passé même si Mme Mayfield ne m'avait pas forcé la main. Seulement nous n'avions pas encore atteint le stade où nous pouvions évoquer notre passé, vous et moi, et nous n'y serions sans doute jamais arrivés puisque vous êtes liée avec quelqu'un d'autre. De sorte que cette scène entre nous maintenant est... mon Dieu, j'ai la tête qui tourne, mes idées s'embrouillent, mais il faut que je finisse...

— Cette scène...

— Cette scène est un moment hors du temps, mais quand vous vous souviendrez de moi à l'avenir, je ne veux pas que vous pensiez : « Quel gigolo, quel salaud ! » Je veux que vous vous disiez : « C'est un type honnête qui a dit la vérité » et peut-être alors pourrez-vous songer à moi sans avoir envie de m'effacer de votre mémoire.

Je me bornai à pleurer.

Mme Tucker revint dans la chambre et m'expulsa.

De retour au presbytère, je vidai une autre boîte de Kleenex.

6

Et Kim ? Où était-il pendant que ces scènes déchirantes se déroulaient ?

Aussitôt après le coup de couteau, je n'avais pu que me concentrer sur Tucker, mais une fois Nicholas parti avec lui dans l'ambulance, Lewis et moi fouillâmes rapidement l'appartement à sa recherche. La police était arrivée entre-temps, mais toutes les questions devaient attendre que Tucker fût en route pour l'hôpital.

Nous le trouvâmes dans la petite pièce où ses affaires étaient entreposées. Il était assis par terre, adossé à une caisse, les bras noués autour des genoux.

— Si je bouge, je vais me désintégrer, dit-il.

— Notre médecin a le remède qu'il faut pour empêcher cela, lui dit Lewis quand Val Fredericks, la collègue de Nicholas, nous eut rejoints.

Après avoir évalué la situation d'un coup d'œil, Val lança d'un ton ferme à l'adresse des policiers qui s'efforçaient d'investir la pièce :

— Ecartez-vous, s'il vous plaît. Cet homme est malade.

Les policiers s'exécutèrent. Lewis s'agenouilla auprès de Kim pendant que Val sortait une seringue de sa trousse. Je les observai de la porte, cramponnée au chambranle. Je regardai fixement Val que je voyais pour la première fois en essayant de l'imaginer en train de travailler en collaboration avec Nicholas. Elle devait avoir une trentaine d'années. Elle était rondouillarde avec des cheveux blonds coupés court et teints sans soin, de grandes boucles d'oreille en or et pas de maquillage en dehors d'un rouge à lèvres rouge vif ultra-brillant. Sous son anorak rouge, elle portait curieusement une salopette en jeans surmontée d'une blouse blanche. Il peut paraître étrange que je lui accorde tant d'attention en cet instant pénible, mais il était plus facile de la regarder que de considérer l'expression torturée de Kim et son corps recroquevillé.

— Si vous pouviez juste enlever votre veste...

— Je ne peux pas bouger.

— Lewis va vous tenir. Il vous empêchera de vous effondrer.

— Il ne peut pas.

— Si, je peux, dit Lewis en s'emparant de lui.

Ils étaient si patients, si attentionnés alors que je ne pouvais que trembler de rage et de dégoût.

— Carter, dit finalement Lewis, comme s'il ressentait toute la gamme des émotions violentes qui m'assaillaient, auriez-vous la gentillesse d'attendre dans le couloir, s'il vous plaît ?

— Je n'ai pas voulu tuer cet homme, chuchota Kim alors que je me retirais.

— Il n'est pas mort.

— Alors pourquoi me fait-on une piqûre pour m'achever ?

J'entrai en titubant dans la salle de douche, loin des fenêtres, et attendis, pantelante, que l'épreuve fût finie.

En définitive, une deuxième ambulance vint chercher Kim pour le conduire dans un hôpital psychiatrique. Val l'accompagna, ainsi que deux policiers, mais comme il était inconscient, ils ne purent l'interroger.

Lewis et moi demeurâmes à l'appartement pour y subir un interminable interrogatoire.

7

Et Mme Mayfield ?

Elle disparut de la circulation. Comment pouvait-il en être autrement ? Au moment où Tucker s'était affalé de tout son long, elle avait dû s'emparer à la hâte des documents posés sur la table avant de se glisser dans le couloir, puis dans l'ascenseur. Elle s'était perdue dans la foule qui grouillait autour de la station de métro du Barbican en cette heure de pointe.

La police voulait la questionner, mais on ne put retrouver sa trace. Il s'avéra que la maison de Fulham était louée à une organisation dont le siège se trouvait aux îles Caïmans ; l'occupante des lieux était partie sans laisser d'adresse. Aucune carte de crédit au nom d'Elizabeth Mayfield ne fut utilisée ni aucun chèque libellé. Sa disparition fut si rapide, si complète, que la police en conclut qu'elle devait avoir une vie parallèle quelque part à Londres, un stratagème qui lui aurait permis de se replier à tout moment sous cette autre identité. En dépit d'une vaste enquête, elle demeura introuvable. On interrogea les membres de ses différents groupes, mais personne n'avait la moindre information à fournir ; les investigations entreprises ne purent mettre en lumière des activités illégales de leur part.

Nicholas nota divers éléments sur son ordinateur et laissa le fichier ouvert.

— Elle réapparaîtra, dit-il. Elle refera surface sous cette autre identité, mais je retrouverai sa trace par le biais des victimes qu'elle ne manquera pas de laisser dans son sillage et un jour, nos chemins se croiseront à nouveau.

J'appelai un ami spécialiste du droit pénal afin de déterminer si Mme Mayfield avait commis un délit sous mon toit. J'appris qu'on ne pouvait même pas l'accuser d'avoir incité Kim à me menacer avec un couteau quand je reconnus que cette intimation était une tactique sans but délictueux. Il estimait qu'on ne pouvait pas davantage reprocher à Kim d'avoir volontairement blessé Tucker puisque les témoins ne pouvaient guère qu'alléguer un accident. Ce n'était pas un crime de prendre un couteau dans la cuisine, d'en faire usage dans un élan dramatique et d'être ensuite trop sous le coup pour le poser lorsque la scène tournait brusquement à la violence. De surcroît, la dépression nerveuse dont Kim souffrait signifiait que toute poursuite n'aurait aucune chance d'aboutir.

— En vérité, dis-je à Alice après lui avoir expliqué la situation, c'est Mme Mayfield qui est responsable de toute cette pagaille. Elle a refusé d'ordonner à Kim de poser le couteau après qu'il eut commencé à se comporter comme un zombie. C'est elle aussi qui a poussé Nicholas vers Tucker en expédiant du même coup ce dernier droit sur Kim.

— Mais si on ne peut pas lui intenter de procès, s'étonna Alice, pourquoi s'est-elle volatilisée ?

Je trouvai que c'était une bonne question et je la posai à Nicholas.

— On peut se demander si elle n'était pas impliquée dans quelque crime en définitive, répondit-il, en dépit de son habitude de rester dans les limites de la loi. Mais quel crime, qui était la victime et où le meurtre a-t-il eu lieu ?

— Meurtre ? Sophie ? Oakshott ?

— Ce sont les réponses évidentes, mais sont-elles exactes ? Attendons les résultats de l'enquête.

Faut-il préciser que, grâce à Mme Mayfield, les documents qui m'avaient poussée à mettre la vie de Tucker en péril ne furent jamais retrouvés.

8

Autre fragment de ma vie propulsé dans les ténèbres : mon travail chez Curtis-Towers.

Quelle ironie de penser, a posteriori, aux efforts que Kim et moi avions déployés pour nous tenir à l'écart de la mort de

Sophie en recourant qui plus est à un comportement d'amateur. Nos stupides tentatives pour brouiller les pistes éclatèrent finalement au grand jour parce que je ne supportais pas tous ces mensonges et ces dérobades. J'allai tout raconter à la police d'Oaskshott. Le pire fut que ces messieurs virent en moi une charmante simplette à laquelle on ne pouvait reprocher de réagir hystériquement à la découverte d'un cadavre dans une maison sinistre au milieu des bois. Le commissaire se montra très paternel à mon égard et tapota même ma tête blonde au moment où je m'attaquais à la boîte de Kleenex. Il aurait certainement été plus coriace avec Kim, mais ce dernier était toujours à l'hôpital et inapte à tout interrogatoire.

Naturellement, je m'étais demandé si Kim feignait cet état dépressif pour éviter les inévitables questions, mais Val m'affirma qu'il n'aurait jamais pu tromper les spécialistes de Maudsley Hospital.

L'enquête relative à l'affaire d'Oakshott fut interrompue jusqu'à ce que Kim pût apporter son témoignage, mais mes nouveaux amis au sein de la police locale m'informèrent indiscrètement qu'il n'y avait aucune preuve d'un acte criminel. Selon le médecin légiste, les blessures de la victime confortaient la thèse selon laquelle elle était tombée accidentellement en se tordant la cheville et en se cassant un talon.

Malgré l'ajournement de l'enquête, la mort de Sophie provoqua une flambée de spéculations au sein de la communauté d'Oakshott. Les limiers locaux ne tardèrent pas à renifler alentour si bruyamment que ces rumeurs atteignirent Londres. Il serait difficile d'exagérer la joie des médias quand quelque nouvelle étoile filante de la presse constata que l'intéressant décès d'Oakshott concernait des individus impliqués dans une histoire de coup de couteau encore plus fascinante survenue au Barbican moins de vingt-quatre heures plus tard. L'orgasme journalistique atteignit son paroxysme peu après quand on se rendit compte que cet incident s'était déroulé en présence de pas moins de deux ecclésiastiques, célèbres qui plus est dans un domaine que l'Eglise d'Angleterre préférait envelopper de mystère.

Dès lors, ma réputation était faite, de même que celle de Kim. Tous les dinosaures, roquets et écervelées de la City lurent dans les journaux l'histoire de ces deux avocats de haut vol. Le gouverneur de la Banque d'Angleterre lui-même n'aurait pu sauver nos places après cet hallali, et le Barreau n'allait certainement pas se donner la peine d'intervenir.

Je dois préciser que la police se montra équitable à notre égard. Ce fut la presse qui nous acheva. Il n'existe pas encore de crime baptisé « meurtre journalistique », mais j'estime que cela devrait être le cas. Personne ne découvrit l'affaire du fantôme de Sophie ou du soi-disant esprit frappeur, mais dès que la police se lança à la recherche de Mme Mayfield, on parla de guérisseurs et les spéculations allèrent bon train quant à la raison de la présence d'ecclésiastiques sur les lieux de l'assaut porté contre Tucker. Très vite, tout le monde en conclut que Kim et moi avions perdu la boule après avoir éliminé Sophie grâce à la magie noire et que l'héroïque tentative faite par cette sainte Mme Mayfield pour nous guérir avait été contrecarrée par deux prêtres suspects qui nous avaient rendus cinglés avec leurs balivernes religieuses vieilles comme le monde.

Personne ne prit le parti de la chrétienté. Les dignitaires de l'Eglise d'Angleterre conservèrent un silence absolu ; pour combler ce vide, les journaux publièrent des critiques féroces émanant des rangs de l'Eglise elle-même. Divers théologiens déclarèrent que la prise de position de l'Eglise vis-à-vis de l'exorcisme était insoutenable intellectuellement, les plus radicaux allant jusqu'à décréter qu'un évêque comptant un exorciste au sein de son équipe devrait se soumettre à un examen psychiatrique. Lewis remarqua d'un ton railleur que dans la mesure où chaque diocèse possédait désormais un exorciste chargé des problèmes pastoraux paranormaux, la file d'évêques venus en consultation boucherait la moitié d'Harvey Street, mais je savais qu'il était ulcéré par les formidables déformations de la vérité en cours et le fait que St Benet se trouvât désormais sous les feux de projecteurs hostiles.

Bêtement, je n'avais jamais considéré Nicholas et Lewis comme des exorcistes. Lewis était officiellement à la retraite ;

les autorités pouvaient faire une croix sur ce vieil excentrique. En revanche, Nicholas fut éreinté par les administrateurs du centre qui ne savaient plus où se mettre ; l'archidiacre lui sonna les cloches et son évêque le convoqua pour le soumettre à une sévère rebuffade. Le problème ne tenait pas tant au fait qu'il fût exorciste ; l'évêque avait donné son aval à son ministère et Nicholas faisait office de consultant dans plusieurs autres diocèses. Toutefois, il avait suscité une publicité désastreuse. L'Eglise n'avait pas la moindre envie de voir le nom d'un de ses exorcistes en grosses lettres sur les manchettes et après l'assassinat journalistique dont nous avions été victimes, je comprenais tout à fait.

— Comment la presse ose-t-elle traiter Nicholas de fou incompétent ? grommela Lewis, plus enragé que jamais. Quelle impertinence ! En vérité, pour réussir dans le ministère de la délivrance, il faut être exceptionnellement sain et équilibré !

Je finis par laisser éclater ma consternation.

— Vous n'allez pas me dire que Nicholas croit à ces histoires d'exorcisme ? Enfin...

Je tentai en vain de faire le saut dans cette autre vision du monde.

— Seigneur, Lewis, il n'essayait pas vraiment d'exorciser Mme Mayfield, si ?

— Non, répondit Lewis sans s'étendre.

— Que faisait-il dans ce cas ?

— Il s'efforçait de maîtriser et d'expulser une femme très dangereuse qui se servait des mystères les plus sombres de sa personnalité d'une manière profondément destructrice.

— Oui, mais...

— J'ai tout fait foirer en choisissant la mauvaise technique pour tenter de l'assister. Ces charlatans sont souvent si gonflés d'orgueil que le ridicule peut se révéler une arme efficace, mais je dois reconnaître que j'ai sous-estimé les périlleux niveaux de tension présents. Quand un rituel de délivrance va de travers, cela peut très mal tourner. C'est la raison pour laquelle on ne doit jamais s'y essayer sans une formation en bonne et due forme.

— Certes, mais je suis toujours aussi larguée. L'exorcisme est-il...

— L'exorcisme est un outil qui permet de résoudre un problème pastoral spécifique à la lisière entre la religion et la psychiatrie. On y a rarement recours pour des individus ; le plus souvent, ce sont des lieux que l'on traite. Le rite de délivrance, plus simple, est beaucoup plus courant, mais l'essentiel du clergé, y compris au sein des ministères de la guérison, répugne à le célébrer de peur de ternir leur réputation. C'est en quelque sorte la vilaine sœur jumelle du ministère de la guérison.

— Vous voulez dire que c'est juste pour les excentriques ?

— Evidemment non ! Prêtez attention à ce que je dis, Carter, et tâchez de comprendre au lieu de tirer des conclusions affectives comme les femmes le font si souvent...

Après cinq bonnes minutes de joutes sexistes, Lewis reprit :

— Ce que les gens considèrent comme le ministère de la délivrance n'a pour ainsi dire rien à voir avec ce qui se passe en réalité. Un travail sérieux, respectable et discret est effectué dans ce domaine par de remarquables prêtres, sensibles et équilibrés, tels que Nicholas.

— D'accord, mais pourquoi Nicholas n'a-t-il pas exorcisé Mme Mayfield au lieu d'essayer de l'expulser ?

— On peut seulement exorciser les gens qui se sentent tellement accablés qu'ils viennent vous supplier de les libérer de leurs tourments. Même dans ce cas, ce n'est pas toujours la solution. Mme Mayfield est incontestablement une méchante femme, mais si elle ne veut pas guérir ni être délivrée, nous ne pouvons guère que la maintenir en échec quand elle s'attaque ouvertement à notre ministère. La personne qui a vraiment besoin de délivrance, en l'occurrence, poursuivit-il en m'observant de près, c'est votre mari. Il doit être libéré de l'oppression émanant de sa relation avec Mme Mayfield, qui a déformé sa personnalité et provoqué sa dépression.

Je fis la sourde oreille.

— Sous-entendez-vous que Mme Mayfield est le diable ? demandai-je, embarrassée.

C'était une chose de croire en l'existence des forces du mal, me semblait-il, et tout autre chose de penser que ces forces pouvaient être incarnées en une personne, protagoniste de tant d'histoires d'horreur.

— Mme Mayfield n'est certainement pas le diable, répliqua aussitôt Lewis d'un ton ferme, ou pour recourir à une autre métaphore, elle ne contrôle pas les Puissances des ténèbres. C'est un être humain à l'image de Dieu, comme nous tous. Aussi devrions-nous prier pour elle, mais dans la mesure où elle est ouverte au Malin au point d'œuvrer aisément en son nom, nous sommes généralement plus occupés à prier pour ses victimes que pour elle.

Je ne comprenais pas du tout ce qu'il disait.

— Cessez ce blabla religieux et dites-moi ceci : qu'est-ce qu'elle a qui ne va pas ?

— Un médecin la qualifierait de psychopathe de l'espèce la plus pernicieuse alliant un profond désordre de la personnalité à une propension pathologique à infliger des torts à ceux qu'elle choisit d'exploiter.

— Bon. Pourquoi ne pas me l'avoir dit tout de suite au lieu de recourir à votre jargon ?

— Parce qu'en définitive, les médecins n'ont pas le vocabulaire nécessaire pour parler du mal. Ils se bornent à décrire les symptômes.

Déconcertée, je me repliai dans le silence sans éprouver pour autant la moindre hostilité.

Si j'étais de plus en plus disposée à parler avec Lewis, en dépit de son penchant pour l'écrabouillage, c'est que j'avais beau me montrer grossière, il ne se rebiffait jamais et s'efforçait toujours de me fournir ce qu'il appelait « la vérité sans fard ». Ce fut la raison pour laquelle, quand je lus dans une revue à sensation que Mme Mayfield avait réussi à disparaître de l'appartement en devenant invisible grâce à un stratagème mystique d'origine orientale, je retournai le voir en m'exclamant d'un ton irrité :

— Je ne comprends rien à tous ces trucs paranormaux. Comment distinguer ce qui est bidon de ce qui ne l'est pas ?

Lewis ne se laissa pas démonter.

— Etudiez la question. Souvenez-vous que la majorité des phénomènes paranormaux ont une explication on ne peut plus normale, me répondit-il. Tâchez de saisir le cheminement des cas qui n'appartiennent pas à cette catégorie. Gardez l'esprit ouvert et conservez un scepticisme sain.

Son bon sens me plut.

— Vous m'avez dit un jour que la clairvoyance et la spiritualité n'avaient rien à voir, soulignai-je d'un air dégagé.

— Mme Mayfield est-elle en train de frapper à la porte du paradis ? me rétorqua-t-il d'un ton narquois.

Me voyant sourire, il ajouta :

— Les dons de médium sont souvent un handicap parce qu'ils favorisent l'orgueil et l'arrogance. Or, pour bien saisir la vie, il importe de se voir tel qu'on est, verrues comprises. Si on en est capable, alors on a une chance de discerner le genre d'existence que Dieu nous a réservé.

Il me semblait qu'il faisait tout un plat d'un problème que n'importe quelle personne intelligente était capable de résoudre sans trop de difficultés au début de sa vie d'adulte.

— Eh bien, moi je sais très bien qui je suis et quel type de vie je suis censée mener, décrétai-je. Je n'ai pas à gaspiller mon temps à faire de l'introspection.

— Toutes mes félicitations ! Alors qui êtes-vous ? Pourquoi avez-vous épousé cet homme ? Comment vous êtes-vous débrouillée pour aboutir dans une situation tellement catastrophique qu'on vous a dépossédée de votre appartement et que vous en êtes réduite à camper chez des étrangers ? Comment allez-vous faire face alors que ni l'argent ni le pouvoir n'ont pu vous aider et que votre belle voiture n'est guère plus qu'un tas de métal dans un garage ?

Il y eut un long silence que je finis par briser :

— Je m'en sortirai. Je me relèverai coûte que coûte.

Comme il ne répondait rien, j'ajoutai d'un ton obstiné :

— Bon, d'accord, je me suis retrouvée les quatre fers en l'air, mais je reprendrai pied.

Ce fut seulement lorsqu'il resta muet une deuxième fois que je demandai d'une voix incertaine :

— Vous ne pensez pas ?

— Vous ne serez peut-être plus la même une fois debout.

Nous restâmes un moment à nous dévisager.

— J'ai peur pour mon travail, dis-je finalement.

— Vous redoutez de le perdre ?

— Je sais que je vais le perdre.

— Alors qu'est-ce qui vous effraie ?

— Je crains que cela me soit égal.

Nous cogitâmes un moment tout cela.

— Je ne sais pas ce que cela signifie, fis-je au bout d'un moment. J'ai l'impression de ne plus rien savoir.

— A la bonne heure ! Vous commencez à faire des progrès ! s'exclama Lewis.

9

Je perdis effectivement ma place.

Les règles du partenariat au sein de Curtis-Towers prenaient en compte les regrettables circonstances où un associé se comportait d'une manière inappropriée, et aucune firme respectable ne souhaitait conserver un membre de son personnel qui avait cafouillé comme je l'avais fait à Oakshott et qui, de surcroît, avait assisté à une monstrueuse agression, frayé avec un exorciste et figuré dans les magazines à sensation en qualité de femme fatale ! Le Barreau se demandait déjà s'il convenait de censurer officiellement ma conduite à Oakshott, et tout juriste qui tombait en disgrâce auprès de ces gens-là avait toutes les chances de passer à la trappe. On ne pouvait pas me licencier comme si j'étais quelque employée, mais j'imaginais aisément mes chers partenaires votant pour me donner la fameuse poignée de main d'adieu.

Le seul élément rassurant dans toute cette affaire était que ma réputation d'expert fiscal demeurait intacte et que mon erreur tenait moins à mon comportement stupide qu'au fait que j'avais été découverte. (A cet égard, ma situation ressemblait fort à celle de Nicholas.) Quoi qu'il en soit, comme la plupart de mes associés avaient probablement eu des accès de stupidité par le passé, je soupçonnais qu'ils frémissaient de compassion à mon égard, ce qui tendait à prouver que la poignée de main d'adieu s'accompagnerait d'une enveloppe substantielle.

Quand le moment de ma mise à mort vint, le dinosaure en chef déclara que mes partenaires me témoignaient « toute leur sympathie » face à la « nature personnelle » de mon épreuve, et regrettaient que, compte tenu de ces « pénibles circonstances », je ne serais peut-être pas « très heureuse » à la perspective de rester chez Curtis-Towers. Tout le monde souhaitait « en toute honnêteté et sincérité » se montrer généreux à mon égard en cette « période difficile », et afin de régler cette regrettable affaire « aussi diligemment et discrètement que possible », mes collègues étaient disposés à me céder plus que la somme requise telle qu'elle était définie par le règlement de la compagnie.

Le dinosaure en chef fit durer ce laïus pompeux à vous retourner l'estomac, mais j'avais déjà compris le message. Si je m'en allais sans faire d'histoires, mon compte en banque serait considérablement grossi grâce à la bonne volonté de mes partenaires. En revanche, si je les mettais dans l'obligation de me faire sauter de force, ils me baiseraient financièrement dans la mesure où la loi le permettait et diraient sans doute du mal de moi au prochain groupe qui me proposerait de me joindre à lui. En d'autres termes, en rendant mon épée, je sauverais ma peau tout en m'assurant un généreux éloge pour mes funérailles.

C'était agréable de penser que nous conservions les traditions de la Rome antique dans une version moderne de Londinium.

Je rendis donc mon épée.

Je ne versai pas la moindre larme en sortant pour la dernière fois des locaux de Curtis-Towers et compris que cela voulait dire quelque chose.

Il n'empêche que je me sentais vidée de toute substance.

10

Kim était toujours officiellement chez Graf-Rosen. On considérait comme éthiquement incorrect d'achever un collègue alors qu'il se trouvait à l'hôpital, mais j'étais certaine qu'on était en train de préparer l'enveloppe financière appropriée.

Pendant ce temps-là, Tucker quitta l'hôpital et fut discrètement enlevé par ses affectueux parents afin de faire sa convalescence dans leur villa en Algarve. Le jour où je rendis mon épée, une carte postale représentant un idyllique paysage maritime portugais arriva pour moi au presbytère. Tucker avait écrit : « *Salutations, madame G ! J'en ai déjà assez de la piquette portugaise. Buvez un canon de la Veuve à ma santé au Lord Mayor's Cat ! Merci pour les tulipes, évocation d'une vision érotique de la féminité ! Votre E.T. toujours aussi enflammé (Pas de blagues à propos d'extra-terrestres, je vous en conjure !).* »

Je me débrouillai pour obtenir l'adresse de la villa portugaise auprès de son frère et achetai une carte postale de St Benet sur laquelle j'écrivis : « *Viens de rallier les rangs des chômeurs. Je pars pour le LM's C. Vais boire à grands traits. Concernant les tulipes, je ne pige pas. Je n'ai jamais vu de fleurs plus machos de ma vie ! Votre dévouée, abasourdie C.G.* »

Je jetai la carte dans la boîte aux lettres la plus proche en regrettant de ne pas pouvoir prendre des vacances au Portugal, mais je savais que j'étais encore loin d'être au bout de mes ennuis.

J'étais de plus en plus perturbée à la pensée de Kim.

II.

> « Comme la psychologie et la psychanalyse modernes l'ont souligné, nous ne sommes même pas conscients de la plupart des secrets qui façonnent notre existence — nous les réprimons, les oublions, les occultons ou les reléguons dans l'inconscient. »
>
> David F. Ford
> *The Shape of Living*

1

Le problème était que je ne pouvais penser à mon couple sans qu'une vague d'émotions insoutenables m'assaillît. La fureur à l'idée que Kim ait pu me tromper dans les grandes largeurs, l'horreur suscitée par sa relation catastrophique avec Mme Mayfield, le chagrin de songer que mon histoire d'amour n'avait été qu'une vaste illusion, outre un violent dégoût de moi-même à la pensée que j'avais pu faire une telle gabegie de ma vie personnelle, me faisaient éprouver sans doute des sentiments comparables à ceux d'un homme castré : une honte accablante, une humiliation dévorante et une terrible perte d'assurance et d'amour-propre.

J'acceptais sans trop de peine ma carrière ruinée chez Curtis-Towers en me disant, à juste titre, que ce désastre n'était pas irrémédiable. En revanche, je ne savais pas du tout comment faire face à l'échec de mon mariage. Un tel fiasco me paraissait ingérable mentalement. Dès que je pensais à Kim, mon esprit se fermait en moins de vingt secondes. Le souvenir de l'ultime scène à l'appartement m'était intolérable.

Sa tentative désespérée pour récupérer ces fameux dossiers prouvait sans l'ombre d'un doute que j'étais loin de connaître toute la vérité sur son passé. Le fait que Mme Mayfield ait été disposée à l'aider à les dissimuler devait signifier qu'elle était impliquée d'une manière ou d'une autre dans ce mystère. Au-delà de ces simples constatations, mes facultés de raisonnement et de logique refusaient de fonctionner. J'étais encore trop traumatisée par la soumission de Kim lorsque Mme Mayfield lui avait intimé de me menacer. Comment avait-il pu rester là à ne rien faire alors qu'elle me réduisait à l'état d'épave ? J'admettais que le coup de couteau dont Tucker avait été victime fût un accident, que cette mise en scène avait pu sembler le meilleur moyen de le forcer à révéler la cachette, mais je ne pouvais accepter qu'il eût permis à cette sorcière de me terroriser.

Je ne pouvais qu'en déduire qu'il ne m'avait jamais vraiment aimée et cette conclusion qui bafouait mon jugement, ma perspicacité et mon bon sens, m'atterrait. J'avais le sentiment qu'il avait réécrit le passé et souillé les heureux souvenirs que nous avions ensemble.

Nicholas essaya de me convaincre que Kim étant déjà dans les premières affres de la dépression, on ne pouvait l'estimer responsable de son attitude à l'appartement, mais je fis la sourde oreille. Je continuais à penser que Kim faisait semblant afin de gagner du temps. Nicholas me dit aussi que mon mari m'aimait peut-être, mais qu'à la fin, Mme Mayfield l'avait soumis à sa volonté implacable. Je refusai de l'écouter parce que cette théorie ne s'accordait pas avec l'image d'homme coriace que j'avais de Kim ; quand Nicholas essaya de me raisonner, je lui coupai la parole.

A vrai dire, je ne le supportais plus. Je ne pouvais tolérer le souvenir de cet exorciste donnant libre cours au pouvoir de sa personnalité pour lutter contre des forces qui me terrifiaient. A moins qu'en vérité, je ne recule devant la sensualité qui maintenait Alice sous sa coupe, et que toute femme attachée à son équilibre mental avait intérêt à éviter. Je me méfiais des hommes qui exerçaient une emprise pareille sur les femmes. Je me méfiais des hommes qui avaient de l'emprise. Je me méfiais des hommes. J'étais pétrie de méfiance, meurtrie, brisée. J'avais la conviction que, plus jamais de ma vie, je ne pourrais faire confiance à un homme.

— Et moi ? demanda Lewis le jour où la première carte postale de Tucker arriva d'Algarve. Vous n'allez pas me dire que vous vous sentez menacée par moi. Après tout, je ne suis qu'un vieux rouleau compresseur rouillé. Que peut-on imaginer de plus rassurant qu'un tel stéréotype ?

Je ris, mais il ne m'avait pas convaincue. Il venait de m'annoncer qu'il comptait aller voir Kim à l'hôpital.

2

Personne ne suggéra qu'il était de mon devoir de rendre visite à mon mari. Personne ne me parla de mes responsabilités morales en tant qu'épouse. Mais Val gardait le contact avec les médecins à l'hôpital, Nicholas avec l'aumônier et Lewis parlait maintenant d'aller s'entretenir avec Kim lui-même. Plus j'essayais d'échapper à la réalité de mon mariage en ruine, plus mes nouveaux compagnons s'ingéniaient, semblait-il, à ramener imperceptiblement mon attention vers cet époux que j'étais incapable d'affronter.

— L'aumônier a dit à Nicholas que Kim était à présent suffisamment remis pour recevoir des visites, m'avait dit Lewis. Je vais passer le voir pour discuter un peu avec lui.

Je ne répondis rien.

— Vous restez notre patiente principale, avait-il précisé au bout d'un moment. N'en doutez jamais. Le problème est que Kim est si inextricablement lié à votre cas qu'on ne peut pas l'ignorer et faire comme s'il n'existait pas. Nous devons tenter de l'inclure dans le processus de guérison.

Toujours pas de réaction de ma part.

— Il n'a pas de famille, poursuivit-il, et ses amis l'évitent désormais, la maladie mentale étant l'équivalent moderne de la lèpre. On serait sans doute avisé de soulager l'inévitable sentiment d'isolement qu'il doit éprouver, d'autant plus que l'abandon de Mme Mayfield pourrait créer un vide dangereux. Il faut éviter que d'autres Puissances, potentiellement pires, élisent résidence dans sa personnalité.

— Ne serait-il pas plus simple de faire une croix sur lui ?

— Le Christ n'a jamais fait de croix sur personne et il a obtenu de très bons résultats avec les malades mentaux.

— Le Christ ne m'intéresse pas, ripostai-je. Je n'ai pas les mêmes croyances que vous. Je ne me fie qu'à ce que je peux percevoir avec mes cinq sens.

Ce fut au tour de Lewis de sombrer dans le silence. J'étais assise là dans la cuisine du presbytère, une situation qui m'aurait paru inconcevable il y a un mois, et chaque cellule de mon cerveau me disait qu'on prenait soin de moi avec une patience infinie. En jetant un coup d'œil par-dessus mon épaule, je vis que la porte était fermée. J'aurais pourtant juré que quelqu'un venait d'entrer. Comme je couvrais mon visage des deux mains, je sentis une présence près de moi, mais bien sûr c'était Lewis qui faisait le tour de la table pour m'apporter la boîte de Kleenex. Entre mes doigts, je la voyais dans sa vieille main carrée, criblée de taches de vieillesse et à travers mes larmes, elle me parut soudain plus jeune, lisse, vibrante d'énergie, de force et de lumière.

J'eus envie de la toucher, mais j'avais peur d'halluciner et de m'effondrer pour de bon. Je compris alors à quel point j'étais terrifiée par le chaos d'un monde que mes cinq sens ne pouvaient ramener à l'ordre.

Je retrouvai pourtant mes esprits. Quelqu'un me dit : « Ça va aller, Carter, ça va aller », et bien sûr c'était la voix de Lewis, mais la personne derrière cette voix n'avait rien d'un vieux rouleau compresseur rouillé.

3

— Je ne supporte pas le manque d'ordre. Le chaos me fait peur, dis-je à Lewis un moment plus tard.

— C'est comme si on vous jetait dans une piscine du côté profond, n'est-ce pas ? commenta Lewis d'un ton désinvolte. Les règles qui s'appliquent à la terre ferme n'ont plus cours. L'eau a le pouvoir de vous noyer. Si on ne sait pas nager, l'instinct nous pousse à hurler d'horreur et à nous cramponner à la barre le long du bord, alors qu'en fait ce n'est pas la solution. Il faut prendre le problème à bras-le-corps : lâcher la barre et s'élancer dans l'eau parce qu'une fois qu'on sait nager, on connaît les règles de l'eau aussi bien que celles de la terre et on découvre du même coup une toute nouvelle dimension de la réalité.

Je méditai un instant ses propos, mais ne pus que balbutier :

— J'ai plus l'impression d'être la victime d'un tremblement de terre qu'une nageuse. Si seulement je pouvais trouver un bout de terre ferme !

Lewis suggéra alors que la routine rassurante du travail me manquait peut-être. Je ripostai que non, que c'était un soulagement de ne pas être esquintée jour après jour par les exigences d'un poste haut placé. Etait-ce l'environnement confortable de mon appartement qui me faisait défaut ? Je secouai la tête en frissonnant. Pour finir, il me laissa entendre que je regrettais peut-être la présence réconfortante d'un mari ; à ce stade, je me bornai à tendre la main vers la boîte de Kleenex.

Toutefois, avant d'avoir le temps de verser une larme, je m'entendis dire :

— Je donnerais cher pour comprendre comment j'ai fait pour me retrouver dans un pétrin pareil. Peut-être mon « bout de terre ferme » n'est-il qu'un état d'esprit ?

— Prometteur, ma foi !

— Vous m'avez posé des questions l'autre jour, auxquelles

j'étais incapable de répondre. Pourquoi avais-je épousé Kim, pourquoi m'étais-je retrouvée en transit dans un presbytère... Eh bien, je m'en pose une foule d'autres. Pourquoi ai-je été si esclave de la réussite ? Pourquoi me suis-je astreinte à un mode de vie fanatique aussi strict qu'une religion fondamentaliste ? J'ai l'impression d'avoir subi un lavage de cerveau, de m'être fait avoir sur toute la ligne. A l'évidence, ma vision du monde doit changer, mais comment trouver une voie libératrice pour remplacer cette servitude ?

— Ce sont certainement de grandes questions. Vous avez fait de réels progrès rien qu'en vous les posant.

— Quelles sont les réponses ?

— La prochaine étape consiste à coup sûr à le déterminer.

— Vous voulez dire que je dois trouver moi-même les solutions.

— Oui, dans le sens où c'est votre voyage spirituel et non celui de quelqu'un d'autre. Non, dans le sens où vous pouvez vous faire guider. A mon avis, vous devriez commencer par vous demander pourquoi vous étiez prête à de tels sacrifices au nom d'une carrière brillante. Si vous songez à sonder vos motivations inconscientes, vous aimeriez peut-être vous entretenir avec Robin.

Robin était le psychologue du Centre de guérison. Je ne devais pas avoir l'air enthousiaste, car Lewis s'empressa d'ajouter :

— Il est remarquable et puis, la thérapie étant un processus ponctuel destiné à vous remettre rapidement sur pied, vous n'avez pas à craindre de vous embarquer pour des années d'analyse.

— Je suis tellement désespérée, dis-je au bout d'un moment. Je suis prête à tout essayer. Cela signifie-t-il qu'on ne se parlera plus, vous et moi ?

— Bien sûr que non ! Nous nous compléterons, Robin et moi. Il vous aidera à exhumer les données dont vous avez besoin sur votre passé et nous discuterons tous les deux pour en déterminer le sens et l'importance dans le but d'éclaircir la situation présente.

— Mais si vous vous liez avec Kim, ne risque-t-il pas d'y avoir un conflit d'intérêts ?

— Je vais juste le voir par sympathie et non pas en tant que thérapeute.

Je ne pus me retenir de dire :

— J'aimerais mieux que vous y renonciez.

— Ne souhaitez-vous pas avoir des informations de première main sur son état ? Les Maudsley vous feront un rapport, bien sûr, dès que vous souhaiterez les interroger, mais vous n'êtes pas leur patiente et leurs vues seront inévitablement teintées par ce que Kim leur aura dit. Dans ces circonstances, ne pensez-vous pas que c'est une bonne idée d'envoyer un éclaireur tâter le terrain ?

Avec effroi, je dus concéder qu'il avait raison.

4

Robin, le psychologue du centre, était un homme de quarante-cinq ans environ, très grand et mince. Il arborait des lunettes à monture de corne, un air efféminé et des cravates à fleurs. Je fus surprise de voir qu'il portait une alliance.

Il sut me donner l'impression qu'il sympathisait entièrement avec moi à tous les niveaux émotionnels. Sous cette attention toute professionnelle, parfois un peu pateline, il était malin comme un singe et me poussa habilement à d'intéressantes découvertes. Je lui en fus reconnaissante et j'en vins peu à peu à le respecter en dépit de la manie qu'il avait de parler en italiques comme pour souligner sa sincérité.

5

— Ma mère ne pleurait jamais, dis-je au bout de plusieurs séances. Après son remariage, elle me répétait souvent d'un ton furieux : « Je n'admets pas que tu te plaignes. Tu as toutes les raisons de t'estimer heureuse ! » Je n'avais donc pas le droit d'être malheureuse, ni de pleurer. Jamais ! Seulement, cela ne voulait pas dire que j'étais satisfaite de mon sort. Je lui en ai beaucoup voulu. Je me disais : « Elle va bien voir. J'irai vivre dans un monde qu'elle ne connaît que par la télé ; j'achèterai la même voiture que James Bond et j'habiterai dans un appartement comme on en voit dans les magazines de déco. Je serai tellement riche que je pourrai avoir tout ce que je veux et je leur montrerai, à ma mère, à Ken et à leurs deux filles stupides, mais aussi à *lui*, à Glasgow, que je peux très bien m'en sortir sans eux. A ce moment-là alors, je serai vraiment heureuse et je n'aurai plus à faire semblant de l'être. Et puis je me dénicherai un mari qui sera exactement l'opposé de *lui*, à Glasgow, un homme très riche parce que je sais qu'il n'y a que l'argent qui compte. Si *lui* en avait eu, il n'aurait pas passé sa vie à jouer dans l'espoir de gagner une fortune, il ne m'aurait pas lâchée en route, nous serions encore tous ensemble et je serais heureuse. »

« Il me semblait tellement évident, voyez-vous, que je devais réussir pour avoir beaucoup d'argent et pouvoir contrôler ma vie, tout contrôler. C'était le seul moyen de me sortir de ce marasme généré par tous ces gens qui n'arrivaient pas à être riches. Seigneur, je ne peux pas vous dire l'horreur que j'ai vécue quand j'étais petite : ne jamais savoir s'il y aurait à manger, ni quand les huissiers viendraient. Oui, c'était le chaos, et le chaos était terrifiant. C'était l'enfer !

« Pourtant je m'en suis tirée, non ? J'ai été sauvée par mon intelligence, et ma détermination à ne jamais me retrouver dans la même situation que ma mère. Personne ne me traînerait dans la boue comme mon père l'avait fait avec elle parce qu'une fois que j'aurais de l'argent, je serais en sécurité, je maîtriserais ma situation.

« J'avais un plan, voyez-vous, un plan de vie que j'ai suivi à la lettre. J'ai tout obtenu, l'éducation, la qualification professionnelle, les boulots, la Porsche rouge, l'appartement de rêve dans le ciel. J'ai eu de l'argent, tellement d'argent, et le pouvoir et le contrôle, et l'ORDRE. A la fin, j'ai même eu l'homme de mes rêves, alors tout était parfait, absolument parfait, même si la vie était une tension perpétuelle. Je travaillais si dur, je n'avais pas le temps de... de vivre normalement. C'était impossible si je voulais atteindre mes buts en temps voulu et avoir l'existence qu'il me fallait pour faire la nique à mes parents ! C'était un acte de vengeance au fond, même si c'était aussi le chemin du bonheur. Et je voulais tant être heureuse. Je le méritais !

« De temps à autre, je me demandais si j'étais vraiment heureuse : quand les dinosaures de la City me malmenaient, quand je ne supportais plus de trimer tout le temps. Mais comment aurais-je pu être malheureuse ? Mon plan de vie me garantissait la félicité. J'avais tant de succès, tellement d'argent. J'étais forcément heureuse ! J'avais toutes les raisons de m'estimer heureuse comme aurait dit ma mère, et puis les grandes filles ne pleurent pas.

« Il m'arrivait pourtant d'avoir envie de pleurer... mais je me retenais chaque fois, sauf quand mon dernier amant m'a quittée. C'était tellement douloureux. Je n'ai pas pu m'en empêcher, mais j'ai pleuré moins d'une minute. Après ça, j'ai rangé son souvenir au fond de ma mémoire, je l'ai effacé pour toujours et j'ai eu vite fait de remettre ma vie en ordre. Je maîtrisais toujours tout ; c'est comme ça que j'ai décroché le boulot idéal, l'appartement idéal, le mari idéal.

Je me tus brusquement. Robin garda le silence. Il savait aussi se taire quand il le fallait.

Je m'effondrai et recommençai à sangloter à cause de tout ce que j'avais perdu.

6

Lors d'une autre séance, je lui dis :

— Mon travail n'était pas sans satisfactions, mais tout de même, c'était tuant. On aurait dit qu'on m'obligeait chaque jour à m'allonger sur un somptueux sofa qui dissimulait en fait un instrument de torture. Et puis je vais vous dire, j'aimais bien mon appartement, mais ça me fichait les boules d'être si loin du sol. Pensez-vous que Mme Mayfield ait pu le sentir ? Parfois je me dis qu'en m'infligeant cette phobie de la Grande Chute, elle s'est bornée à exploiter une angoisse qui me hantait déjà.

— C'est une idée intéressante.

— C'était bizarre, tout de même, ces désordres récurrents dans mon appartement ? Evidemment je ne crois pas à toutes ces histoires d'esprit frappeur, mais je trouve étrange que ces perturbations aient coïncidé avec l'effondrement de ma vie personnelle. Comme si l'appartement était un miroir reflétant le chaos qui allait croissant.

— Un miroir... oui, c'est une bonne image.

— Et je vais vous dire un truc encore plus curieux : mon télescope est resté intact. Je vous ai déjà parlé de mon télescope, n'est-ce pas ?

— Oui. Pouvez-vous me dire pourquoi vous y attachiez autant d'importance ?

— C'était comme un lien avec un monde parallèle, dis-je en cherchant mes mots. Je savais qu'il existait quelque part, mais je ne pouvais pas y entrer parce que j'étais esclave de mon travail.... Quand je m'installais devant mon télescope, je regardais les étoiles, les couchers de soleil, les lumières de la ville et j'étais émerveillée. Il n'y avait pas de place pour ce genre d'émotions au bureau. C'était peut-être du sentimentalisme au fond ? Je me bornais à contempler la ville après tout.

— Lorsqu'on écoute de la musique, nous n'entendons que

des vibrations dans l'air. Pourtant, elle nous procure bien d'autres effets.

— Je raffole de la City ! avouai-je, enhardie par cette remarque. Les gens trouvent ce quartier laid comparé aux luxes du West End, mais j'adore la manière dont elle se cramponne à la vie. En dépit de toutes les catastrophes qui la frappent, elle rebondit toujours.

— C'est donc plus qu'un paysage citadin à vos yeux. Vous y voyez une puissante image de régénération.

— C'est un symbole du pouvoir de la vie. Plus qu'un symbole. C'est la vie ! La vraie vie.

Je réfléchis avant d'ajouter :

— Mais je pouvais seulement entrer en contact avec elle par l'intermédiaire de mon télescope.

— Ensuite on vous a fait descendre de votre tour d'ivoire, n'est-ce pas ?

— Descendre ! On m'a jetée dehors, oui ! Les Puissances m'ont fichue à la porte et battue comme plâtre !

— Pourtant vous avez réussi à atteindre Fleetside.

— De justesse, mais oui.

— Elles n'ont donc pas eu le dernier mot.

— Pas cette fois-ci. Quelque chose d'autre m'attendait dans les rues de la City, quelque part dans la vraie vie.

— Quoi donc ?

— La chance, répondis-je en jetant un coup d'œil à ma montre, puis je fis tourner le bracelet. J'ai eu une sacrée chance de me retrouver à St Benet et d'être prise en main comme je l'ai été. J'aurais pu devenir folle autrement. Maintenant, évidemment, je sais que le fantôme de Sophie n'était qu'un phénomène lié au deuil, qu'il n'y a jamais d'esprit frappeur, que c'était juste cette vieille harpie qui me jouait des tours... Tout de même, c'est étrange que mon télescope soit resté intact, non ?

— Très étrange, en effet, dit Robin.

7

« *Salut !* écrivit Tucker sur sa deuxième carte postale en provenance du Portugal. *Je n'en peux plus de m'enfiler du Mateus, d'orner la piscine et de me mettre en forme. (Vous devriez voir mes bras !) Pour faire plaisir à ma maman, je me suis fait couper les cheveux court et je n'ai plus de barbe. Pour faire plaisir à mon papa, je l'ai écouté hier sans l'interrompre pendant qu'il m'exposait ses dernières théories à propos du Witan (l'endroit branché pour les Anglo-Saxons). Pour me faire plaisir, je m'adonne au cri primal. Quoi de neuf ? J'essaie de persuader mes parents de faire installer un fax ici, mais on n'arrive pas à déterminer comment s'y prendre en portugais. Votre E.T. assommé. PS : Pauvre vieux Nick, se faire taxer d'exorciste ! A-t-il déjà reçu des propositions de Hollywood ?* »

8

— Kim n'a pas l'air d'aller bien, m'informa Lewis, mais il est persuadé que c'est à cause des remèdes qu'il prend. Les médecins s'efforcent encore de trouver le bon cocktail, semble-t-il. Il n'a pas voulu parler beaucoup, mais il était impatient de savoir comment vous alliez.

J'eus un haut-le-cœur.

— Vous a-t-il demandé si je comptais lui rendre visite ?

— Oui, mais je lui ai expliqué que vous aviez vous aussi des problèmes à régler et il a admis sans difficulté que vous n'étiez pas apte à le voir pour le moment. Ce qui l'a le plus perturbé, c'est l'annonce de votre renvoi de chez Curtis-Towers.

Nouveau haut-le-cœur.

— Comment a-t-il réagi ?

— Il m'a prié de vous dire qu'il était vraiment désolé et qu'il espérait que vous arriveriez à lui pardonner un jour de vous avoir entraînée dans un tel marasme.

— Je ne veux pas en entendre davantage, fis-je avant de quitter la pièce.

9

— ... et j'étais là, dis-je à Robin, dans la cuisine de ma mère à Newcastle, en train de lui dire qu'elle ne devrait pas mettre tant de sel dans le ragoût parce que je ne voulais pas souffrir d'hypertension artérielle. Ce à quoi elle m'a répondu : « Que sais-tu de la cuisine ? Tu n'es même pas capable de préparer un petit déjeuner convenable ! » « J'ai des choses plus importantes à faire, crois-moi ! » lui ai-je alors répliqué.

« Et nous nous sommes querellées une fois de plus. Toutes mes visites à Noël finissent par une dispute, presque toujours pour une question de bouffe parce qu'elle prépare toujours des plats que je refuse de manger.

— C'est compliqué ! remarqua Robin, respirant la sympathie, avant d'ajouter : Je me dis souvent que la nourriture a une valeur symbolique considérable.

— Mais ce n'est qu'un combustible !

— Fondamentalement, oui, mais parfois, cela représente l'affection. Nourrir autrement que physiquement. Une forme d'amour sans mots.

— Vous me donnez mal au cœur. Si vous prétendez que ces ignobles plats bourrés de graisse et de cholestérol sont une manière tordue de me dire « je t'aime », vous vous mettez le doigt dans l'œil !

— En êtes-vous sûre ?

— Cette femme ne m'aime pas, c'est évident ! J'étais juste un fardeau après qu'elle eut quitté mon père. Et je suis sûre qu'une fois remariée, elle aurait donné cher pour que je disparaisse de sa vue. Elle a toujours été méchante avec moi — elle ne m'a même pas laissée prendre un autre chat ! Si j'avais pu en avoir un pour remplacer Hamish, un vrai chat au lieu de ce gros tas de fourrure que mon beau-père a choisi pour mes demi-sœurs, ça m'aurait été égal que mes parents ne m'aiment pas. Mon chat m'aurait donné tout l'amour qu'il me fallait.

— Les animaux sont très doués pour aimer inconditionnellement.

— Peu importe ! Oublions Hamish. Laissez-moi explorer votre théorie selon laquelle ma mère faisait la cuisine à la place de dire « je t'aime ». En vérité, elle cuisine pour une seule et unique raison : il faut qu'elle nourrisse ce type affreusement chiant qu'elle a épousé.

— Je me demande pourquoi elle a épousé un type aussi chiant comme vous dites.

— A l'évidence, elle a réagi violemment au charme mortel de mon père !

— C'est tout ?

— Quelle autre raison voulez-vous qu'il y ait ?

— Votre beau-père a-t-il jamais été méchant à votre égard ?

Robin avait laissé tomber les italiques. Cela signifiait qu'on approchait d'une nouvelle chute dans notre canoë thérapeutique, mais j'avais beau regarder intensément droit devant moi, je ne voyais pas les rapides.

— A mon égard ? m'exclamai-je d'un ton plein de mépris. Ken ? Il n'aurait même pas su comment s'y prendre.

— Il ne vous a jamais frappée ? Ne s'est jamais montré cruel ?

— Ne soyez pas ridicule ! Ce n'était pas du tout le genre.

— Vous seriez étonnée de savoir combien de beaux-pères correspondent à ce descriptif, répondit calmement Robin. La plupart de mes patients en sont les victimes.

— D'accord, je n'ai pas été maltraitée par mon beau-père ! Mais c'est une question de hasard, non ?

— Vous croyez ? Le hasard n'est pas intervenu dans le cas qui nous occupe. Votre mère l'a choisi, non ?

J'ouvris la bouche pour m'apercevoir que je n'avais rien à rétorquer.

10

« *Salut, Tucker ! (Je refuse de vous appeler E.T.) Je ne vais pas tarder à être en mesure de vous envoyer une carte postale où je me plaindrai à mon tour de mes parents. J'ai décidé de les considérer sous un autre angle pour voir si mon évaluation antérieure n'aurait pas besoin d'une révision. Ce Robin rusé a aiguisé ma curiosité, désormais insatiable. Alice va m'accompagner. Elle n'a jamais dépassé la lisière nord de Londres ; pour elle, ça sera une véritable exploration polaire ! J'ai pensé que je pourrais plus aisément affronter ma mère si Alice était là pour parler bouffe. Votre mère essaie-t-elle elle aussi de vous gaver comme une oie ? (Remarquez mon tact : j'ai envoyé cette carte dans une enveloppe pour qu'elle ne puisse pas la lire.) Continuez à vous enivrer à la piquette portos. A la vôtre ! C.G. PS : Ravie d'avoir des nouvelles de vos bras.* »

11

— Kim va beaucoup mieux, dit Lewis. Ils ont finalement trouvé le mélange adéquat.

— Ah bon !

— En tout cas, il était beaucoup plus bavard. Nous avons eu une conversation passionnante à propos d'un film, *Le Jour du vin et des roses*, dont vous ne devez pas vous souvenir, vous êtes bien trop jeune.

— Ah !

— Malheureusement, l'aumônier en chef m'a pris en grippe

bien que je lui eusse assuré que je n'étais qu'un simple visiteur. Comme Kim refuse d'avoir quoi que ce soit à voir avec son équipe, ça le met évidemment en rogne que je lui fasse la causette pendant une demi-heure... Vous avez vu Val ce matin ? Non ? Le dernier rapport médical concernant Kim semble confirmer le diagnostic qu'il s'agit d'un homme normal, mais au bout du rouleau. En d'autres termes, il n'est ni psychopathe ni schizophrène. C'est une bonne nouvelle, si tant est que ce soit vrai !

Je parvins finalement à me ressaisir.

— Les médecins continuent à croire qu'il ne fait pas semblant ?

— Apparemment.

— Vous pensez qu'ils ont raison ?

— Je n'en ai pas la moindre idée. J'ignore ce qu'ils se disent entre eux, mais je peux vous certifier une chose : si sa dépression est peut-être réelle, son principal problème — comment vivre hors du monde de Mme Mayfield — est d'ordre spirituel. Et d'après ce que j'en sais, personne ne s'est encore attelé à ça.

Je me détournai en frissonnant.

12

« *Mon amour, pardonne-moi de t'écrire. Je voulais juste te dire que je t'aime, tu es l'être qui compte le plus dans ma vie et dès que j'irai mieux, nous réglerons tout, je te le promets. Kim.* »

13

— Cette tourte au bœuf et aux rognons est délicieuse ! s'exclama Alice à l'adresse de ma mère trois jours plus tard. Bien meilleure que ma propre recette ! Comme c'est gentil à vous de vous être donné tant de peine pour nous régaler. Vous avez dû trimer des heures devant votre fourneau !

— Oh, c'est tout simple ! répondit ma mère d'un ton désinvolte.

Mais en dépit de ses yeux baissés, je savais qu'elle était profondément touchée.

14

« *Salut, Tucker ! Ma famille est à genoux devant Alice. Je flotte dans son sillage en me demandant si elle n'est qu'un rêve. Ce soir, j'ai l'intention d'avoir une conversation sérieuse avec ma mère. Sans précédent ! Buvez un verre de piquette portugaise à ma santé en priant pour que je ne devienne pas zinzin. C.G.* »

15

— Oh, Katie ! s'exclama ma mère alors que je l'aidais à faire la vaisselle, tandis qu'Alice regardait la télévision avec mon beau-père dans la pièce à côté, j'aime beaucoup ton amie. Quelle fille charmante ! J'ai toujours rêvé que tu aies une amie comme elle, tu es passée à côté de tant de choses à cause de ton travail, et puis tu as toujours été si solitaire !

« Puisqu'on a un moment de tranquillité, ma chérie, je tiens à te dire que je suis vraiment désolée que ça ne se soit pas bien passé avec ton mari, mais ça ne fait que quelques mois que tu es mariée, n'est-ce pas ? La première année, ce n'est jamais facile. Je suis bien placée pour le savoir entre ton père qui passait son temps à jouer et Ken qui est scotché devant la télé ! Oh il n'y a rien de mal à regarder la télé, bien sûr, mais parfois je trouve ça un peu rasoir.

« Pourquoi l'ai-je épousé ? Quelle drôle de question ! Il avait un bon emploi, à l'Electricité, il était équilibré, je savais que je pouvais compter sur lui pour prendre soin de nous. Je n'aurais certainement pas pu en dire autant de ce Rob que je fréquentais à l'époque, mais tu ne t'en souviens probablement pas parce que je n'en parlais pas beaucoup. Bref, j'ai pris la bonne décision parce que Ken a été un bien meilleur père que Rob ne l'aurait jamais été et il fallait que je pense à ça, évidemment, surtout après tout ce que tu avais enduré.

« Je savais que Ken serait gentil avec toi parce que quand je lui ai raconté comme tu avais pleuré quand ton père avait perdu Hamish, ses yeux se sont emplis de larmes et il a dit : “La pauvre enfant !” C'est pour ça qu'on a fini par prendre un autre chat. Moi je n'en voulais pas, j'étais constamment épuisée quand tes sœurs étaient petites, mais quand finalement elles sont allées à l'école, j'ai dit à Ken : “Bon d'accord, je veux bien. Va chercher un chat.” Il a choisi Squashy, mais les filles se le sont approprié illico — pas vrai ? —, alors tu n'avais toujours pas ton chat à toi et je savais qu'il t'en fallait un pour toi toute seule, comme Hamish, mais j'avais recommencé à travailler à ce moment-là pour que les filles ne manquent de rien, je n'avais plus une minute à moi et, du coup, je ne pouvais pas imaginer de prendre encore un chat.

« Ce que je voulais te dire, Katie, puisqu'on parle de Squashy, c'est que je suis désolée de ne pas avoir pris un chat en plus pour toi toute seule. Je me rends compte maintenant que j'ai été égoïste en refusant de faire ce petit effort, et je sais que tu m'en as toujours voulu. Je sais aussi que tu as toujours eu le sentiment de t'être fait avoir.

Quand elle s'arrêta de parler, il y eut un long silence avant que je réussisse à marmonner :

— Mais je ne me suis pas fait avoir eu égard à ce qui compte vraiment.

— Bon, tant que tout est clair entre nous, dit-elle en s'acharnant à gratter une casserole, tout va bien... Mon Dieu, Katie, tu pleures ! Ah non, pas de larmes ! Interdit ! Souviens-toi de ce que je disais toujours : « Les grandes filles ne pleurent pas » — bien que parfois, quand je disais ça, j'avais l'impression de me parler à moi-même. Quand j'ai vécu des moments durs, tu vois, je pensais souvent que si je me mettais à pleurer, je n'arrêterais jamais et que si je craquais, on te prendrait et... peu importe, ça ne s'est jamais produit, hein ? J'ai épousé Ken et tout s'est arrangé et chaque jour, je remercie le Seigneur. Il faut se féliciter de ce qu'on a, Katie ! Ça me mettait en rogne quand tu refusais de l'admettre, mais maintenant tu peux peut-être voir les choses sous un autre angle. C'est vrai que tu n'avais pas de raisons de te plaindre... Franchement. Pas de raisons...

16

« Salut, Tucker ! Bons baisers de Glasgow. Alice fait du shopping dans les quartiers chic ; je m'apprête à plonger dans l'obscurité. »

Je m'interrompis, le stylo en l'air. Les secondes s'écoulèrent vainement. Je pensais à Tucker me disant : « La vérité compte », puis à Kim me racontant mensonge après mensonge.

En serrant mon stylo plus fort, j'ajoutai : « *Mon père est en prison pour vol. Le chômage ne lui permettait pas d'avoir assez d'argent pour jouer. Il sort en septembre. Tant mieux, car c'est la pire prison qu'il ait connue. C'est une longue histoire, trop longue pour une carte postale. Soyez heureux que votre père déblatère à n'en plus finir au sujet de Witan dans ce glorieux Portugal inondé de soleil. C.G.* »

17

— Je vais m'en tirer ce coup-ci, dit mon père. Je le sens. D'accord, je sais que ce n'est pas la première fois que tu entends ça, mais cette fois-ci, je suis sérieux. Je ne vais plus faire de conneries, je le jure, parce que si je dois me retrouver dans un endroit comme ici, on m'en sortira les pieds devant en moins de temps qu'il ne faut pour le dire.

« Mais tu n'es pas là pour m'entendre raconter ce genre de choses. Comment vas-tu, ma chérie, ma beauté, la meilleure fille du monde ? Parle-moi de ton mari, raconte-moi tout, persuade-moi qu'il est assez bon pour ma Kitty ! Dès que je serai sorti d'ici, je t'achèterai un super cadeau de mariage. Je ne veux pas que ton mari me prenne pour un loser juste parce que Dame Chance m'a abandonné et que je me suis retrouvé coincé. Après tout, j'aurais pu réussir, si seulement... Enfin bref ! Je reconnais mes erreurs, comme je l'ai dit au nouvel aumônier l'autre jour. "Je reconnais mes erreurs, c'est pour ça que maintenant, il me suffirait d'un petit coup de chance !" je lui ai dit, mais comme il se contentait de soupirer, j'ai ajouté : "La chance me sourit, parfois ! J'ai la meilleure fille du monde. Ça, c'est de la veine !" Il a feint d'être intéressé. "Vient-elle souvent vous voir ?" m'a-t-il demandé. "Chaque Noël, sans faute." Il a trouvé ça pathétique, je l'ai vu sur son visage. "Voudriez-vous que je prie pour elle ?" m'a-t-il dit alors d'un ton lugubre.

« J'ai perdu patience. "Pour quoi faire ? Elle ne viendra pas plus souvent pour autant. Elle est occupée à gagner des millions et vient de se trouver un mari. On ne la verra pas à Glasgow tant que je ne serai pas sorti d'ici et qu'elle pourra faire croire à son mari que je travaille." "Vous pourriez peut-être remercier le Seigneur d'avoir quelqu'un qui compte dans votre vie", a-t-il ajouté. Alors là je me suis vraiment fichu en rogne : “Elle fait à peine partie de ma vie, je lui ai dit. Dieu sait pourquoi elle vient ici. Elle ne m'a jamais pardonné d'avoir perdu son chat quand elle avait six ans.”

« Tu me croiras si tu veux, mais ce coup-ci, il a paru vraiment intéressé. Il a grimacé comme s'il était constipé et il m'a dit : “Lui avez-vous jamais dit que vous le regrettiez ?” “Evidemment, je lui ai dit. C'était Dame Chance qui m'avait encore faussé compagnie.” Là, il a juste marmonné : “Je me suis laissé dire qu'on utilisait d'autres méthodes chez les Parieurs Anonymes.”

« Ça, ça m'a pas plu. Ils ne sont pas censés nous harceler, tu sais. Alors j'ai riposté : “Ne me faites pas la morale, okay. J'ai déjà entendu ça mille fois : Acceptez la responsabilité de vos actions, tous ces trucs-là. Mais comment voulez-vous que je dise à ma fille : ‘Oui, c'est entièrement de ma faute si j'ai perdu tes jouets et ton chat' ? Quel homme peut reconnaître ouvertement devant cette fille merveilleuse, la seule bonne chose qui me soit arrivée dans cette putain de vie, que je ne suis qu'un raté de première ?”

« Il m'a répondu : “Si elle a pu endurer les torts que vous lui avez faits, vous devez pouvoir vous excuser.” Salopard ! Ils ne sont pas censés vous dire ça, tu sais, ils ne doivent pas nous juger. Les assistantes sociales disent que c'est mal. Alors je lui ai dit d'aller se faire foutre avec ses prières et sa morale. Figure-toi que le lendemain matin au courrier...

« Tu crois que tu es venue parce que j'ai prié, Kitty ? Non, c'est impossible. Tu as dû décider de venir bien avant que ce vieil aumônier tape du pied.

— Oui, répondis-je, mais hier soir, j'ai failli me dégonfler.

— Mais tu ne l'as pas fait ! s'exclama-t-il, les yeux brillants. Tu es venue !

— J'ai besoin de comprendre certaines choses, je...

— Kitty, je suis désolé d'avoir été si minable, d'avoir perdu tes jouets et ce chat que tu aimais tant. Mais surtout, je suis désolé de t'avoir perdue, toi, ce n'était pas que je ne tenais pas à toi...

— Je sais.

— Tu ne me crois pas, mais Kitty, si seulement tu savais ce que c'est d'être accroché à un truc qui t'incite à démolir tout ce qu'il y a de bien ! C'est comme si j'avais... euh, été enrôlé dans une armée commandée par quelqu'un comme Hitler ou Staline et que les chefs m'obligeaient à détruire, détruire. Je sais que j'ai l'air de refuser mes responsabilités en disant ça, mais Kitty, je lutte, je lutte, je te jure, ce n'est pas comme si je ne faisais rien...

— Papa...

— Ce sont les Puissances, vois-tu, les Puissances ! Elles ont tant de forces, si... enfin peu importe, je ne te demande pas de me comprendre ni de me pardonner, vu qu'on ne peut pas dire que j'ai été un bon père pour toi, mais je suis désolé, je te le jure, d'avoir perdu tes jouets et ton chat et puis...

— Oh papa, papa...

— ... et puis je veux te le dire : Je t'aime, ma chérie, tu es ce qui compte le plus dans ma vie et dès que je serai sorti d'ici, je vais me rattraper, je te le promets.

Il se tut. Je fis un effort colossal pour prendre une inspiration afin de lui répondre, mais quand je plongeai finalement le regard dans ses yeux bleus injectés de sang, je ne pus trouver les mots car je ne voyais plus que Kim me fixant intensément.

III.

« Toutes les facettes de l'existence sont en jeu. Il n'est pas facile de s'en occuper quand on est bouleversé. Mais on conçoit difficilement une manière de faire face qui ne tenterait pas de répondre aux grandes interrogations concernant la vie, la mort, l'objectif, le bien et le mal. »

David. F. Ford
The Shape of Living

1

« Chère Madame G, votre méga-exploration du passé m'inquiète beaucoup. C'est rude ! Pourquoi vous imposer cela maintenant alors que vous avez déjà tant de chats à fouetter ? Je suis navré pour votre père, mais je vous suis reconnaissant de votre honnêteté. Je brûlerai un cierge pour vous dans l'église du coin. (Catho, mais au bout du compte, le pape n'a aucune importance, comme Henry VIII l'a prouvé il y a longtemps.) Ici, rien de nouveau. A mon grand étonnement, je m'aperçois que l'ennui n'est pas mortel. E.T. PS : Je rentrerais bien, mais mes parents auraient tous les deux une crise d'apoplexie et je ne supporterais pas cette culpabilité. »

2

— Alors ? me demanda Robin dès que je pénétrai dans son bureau du centre.

— Je ne sais pas comment décrire les profondeurs émotionnelles dans lesquelles j'ai plongé. Je me sens lessivée, assommée.

— Cela me paraît être un assez bon exposé de la situation.

Nous marquâmes une pause, bien à l'abri dans la bulle de la thérapie, en méditant sur mon expédition dans le chaos.

— Quoi qu'il en soit, dis-je finalement, je suis encore vivante, non ?

— Absolument.

Je pris une profonde inspiration, savourant ma survie, avant d'admettre :

— J'ai bien fait d'y aller.

— Vous avez trouvé un bout de terre ferme où vous tenez debout ?

— J'ai trouvé un minuscule terrain vague où je pouvais prendre un peu de répit sous assistance respiratoire, oui.

— Le progrès peut prendre toutes sortes de formes.

— Apparemment.

Je dus inspirer encore un bon coup avant d'ajouter :

— Je m'étais trompée. Le problème n'était pas que mes parents ne m'aimaient pas. C'est juste qu'ils le montraient de manière stupide et moi j'étais trop bête pour les comprendre. La revanche qui a consumé ma vie adulte était donc une erreur.

— Eh bien, répondit Robin d'un ton évasif, à quelque chose malheur est bon. Vous avez au moins eu une bonne éducation et vous vous êtes bien amusée avec votre Porsche.

— Oui, mais...

Je m'interrompis, cherchant les mots justes pour me borner en définitive à dire :

— J'ai l'impression de m'être torturée pour rien pendant des années.

— Les grandes réalisations ont souvent sur nous un effet dévastateur. Dans ces circonstances, il est difficile de considérer les choses avec détachement.

— Je reconnais qu'il y avait de réels avantages dans tout ce travail ardu, mais j'ai tout de même la sensation d'être un pull-over passé par erreur par le cycle coton blanc. Maintenant que mes motivations se sont révélées être une grande illusion, où est-ce que j'en suis ?

— Vous êtes en position de vous créer une existence authentique, plus en harmonie avec votre personnalité véritable.

— Oh, épargnez-moi vos propos psychobidules ! Pensez-vous vraiment que je puisse affronter l'avenir alors que le présent me lamine ? Écoutez-moi. Je crois que je maîtrise mieux le problème avec ma mère parce que je me suis rendu compte qu'elle est essentiellement inoffensive — ce qui signifie que je n'aurai plus envie de lui sauter à la gorge chaque fois que je la vois. Mais dites-moi ce que je vais bien pouvoir faire à propos...

J'essayai en vain d'aller au bout de ma pensée.

— N'est-il pas inoffensif lui aussi ?

— Oh, c'est bien pire que ça. Il m'adore ! Me vénère. C'est un cauchemar. Je ne le tolère pas.

Un autre silence s'ensuivit. Nous respirions sans bruit dans la bulle qui nous protégeait de tout ce chaos.

— J'avais toujours juré que je n'épouserais pas un homme comme mon père. Alors au nom du ciel, pourquoi ai-je choisi Kim ?

— Nous contrôlons tous nos forces inconscientes mieux que nous ne le pensons, mais peut-être que lorsque nous nous étendrons davantage sur ce sujet...

— Je ne veux pas m'étendre, protestai-je avant de quitter sa salle de consultation à la vitesse de l'éclair.

3

— Kim va beaucoup mieux, m'informa Lewis. Il suit une thérapie de groupe à présent. Selon Val, ses médecins sont très contents et convaincus qu'il sortira bientôt.

— Désolée, Lewis. Je passe. Insoutenable.

4

« Chère Madame G, j'ai décidé de risquer d'infliger une crise d'apoplexie à mes parents et de rentrer. J'ai appelé Gil hier soir. Il m'a dit qu'il viendrait ici pour les apaiser pourvu que je ne fasse pas de sottises dès mon retour à Londres. J'étais tellement reconnaissant que j'ai proposé de lui payer le voyage en dépit de mon compte en banque anorexique. Il a refusé en me disant qu'il n'aurait aucun problème à emprunter de l'argent à son banquier homophile. Parfois, je me dis que ça doit valoir la peine d'être gay rien que pour les contacts. Je vous enverrai bientôt plus d'informations sur mon retour. En attendant, mes bras vous saluent ! E.T. »

5

— Ça va, Carter ? demanda Alice.

— Je n'en sais rien. J'ai oublié ce qu'« aller » veut dire.

— Je comprends que ce voyage dans le Nord a été traumatisant pour vous. En fait, je trouve que Robin aurait dû vous dissuader d'y aller tant que vous vous démeniez avec la catastrophe Kim.

— Tout est lié.

— Vous n'arrêtez pas de le dire, mais...

— Je pensais avoir épousé Kim parce qu'il avait le profil qui convenait à mon plan de vie de femme d'affaires de haut vol, mais pendant que j'étais là-haut dans le Nord pour déterminer pourquoi j'ai tout misé sur la réussite, j'ai découvert chez moi cette monstrueuse dimension œdipienne qui me donne envie de gerber... L'ai-je vraiment découverte, d'ailleurs ? Peut-être que j'ai finalement perdu la boule.

— Ma très chère Carter, répondit Alice en me passant son chat roux, massez Redford pendant que je vous prépare un chocolat chaud pour vous réconforter...

— Donnez-moi plutôt la bouteille de scotch ! aboyai-je. Je vais boire pour oublier.

Alice se borna à sourire et me fit un chocolat chaud.

6

— Je savais que je ne pouvais pas parler de mon père tant que nous étions à Glasgow, confiai-je un peu plus tard à Alice tandis que le chat ronronnait sur mes genoux. Il a bien démarré dans la vie. Il venait d'un milieu humble, mais il a décroché une bourse et il est devenu employé de bureau. Puis son désordre psychologique a pris le dessus. Dès lors, le jeu lui a gâché la vie.

— Je ne vois pas le rapport avec Kim, souligna Alice.

— Supposons que Kim lui aussi soit victime d'un trouble de la personnalité qui fasse de lui la proie de l'industrie du sexe de Mme Mayfield comme mon père l'était du jeu ?

Alice tourna et retourna son chocolat dans sa tasse.

— En fait, vous me demandez si Kim est victime ou coupable ?

— Je me pose la question de savoir si notre mariage a le moindre avenir.

— Qu'en disent les experts ?

— Qu'ils aillent se faire voir ! Ils ont leurs opinions, évidemment, mais ils veulent à tout prix éviter de m'influencer sachant que je suis vulnérable.

— Je suis sûre qu'ils pensent agir dans votre intérêt...

— J'en suis tout aussi sûre que vous, mais leur réticence me rend folle. Il faut que je détermine la manière d'affronter Kim quand il sortira de l'hôpital. Comment voulez-vous que j'y arrive si tout le monde est trop professionnellement correct pour me donner un point de vue honnête ?

— Que ressentez-vous à l'égard de Kim à l'instant présent ?

— De l'écœurement. S'il m'envoie encore une lettre, je vais me mettre à grimper aux murs...

7

« *Ma chérie, juste un mot pour te dire que je pense à toi. Tu me manques. Je t'aime. Je sais que tu es encore trop secouée pour m'écrire et je comprends que tu ne veuilles pas me voir, mais je me demandais si tu accepterais de venir ici pour t'entretenir avec mon psychiatre ? Il souhaiterait te parler de l'éventualité d'une thérapie commune pour tenter de redresser la situation entre nous et...* »

Je cessai de lire et déchirai la lettre en tremblant.

8

Le lendemain soir, j'étais assise dans la salle à manger du petit appartement du presbytère en train de payer des factures quand Nicholas monta me voir. Alice se rendait à la tour Harvey deux fois par semaine pour chercher le courrier et s'assurer que tout était en ordre. J'étais toujours incapable d'y aller moi-même.

Alice était donc sortie et j'étais seule avec Redford roulé en boule sur la chaise voisine de la mienne.

— Je me suis rendu compte qu'il y avait un moment que nous n'avions pas bavardé, vous et moi, me dit Nicholas, mais si vous préférez, je repasserai plus tard...

— Asseyez-vous, fis-je en écartant mes papiers, puis je pris Redford sur mes genoux.

Nicholas portait un jean et une chemise cléricale bleue ; il avait l'air fatigué. Je le trouvais pâle et pas du tout sexy. Le voltage de sa personnalité était si bas ce soir-là que j'avais de la peine à me souvenir de la fascinante star du ministère de la délivrance qui avait signifié à Mme Mayfield que la fête était finie. Lorsqu'il se laissa tomber sur la chaise face à moi, il parut tout juste capable de poser une de ses longues jambes sur l'autre pour se donner un air détendu.

— J'ai pensé que vous auriez peut-être envie de me parler, dit-il.

— Pas particulièrement, répondis-je, agacée à la pensée qu'Alice s'était peut-être fait du souci pour moi au point de l'astreindre à cette démonstration de soins pastoraux. Seigneur, Nicholas, vous êtes vraiment un bourreau de travail ! Pourquoi vous occuperiez-vous d'une patiente à une heure pareille ?

— Pourquoi pas ? J'ai été tellement accaparé par les retombées du fiasco Mayfield que je crains de ne pas vous avoir accordé toute l'attention nécessaire.

— Je vais bien, dis-je, consciente que ce n'était pas le cas, mais que je n'avais pas la moindre envie de lui en faire part.

Nous restâmes un moment en silence et je me demandai pour la énième fois s'il couchait avec Alice. Je l'espérais, pour Alice, mais j'en doutais. Celle-ci avait évoqué à plusieurs reprises l'obligation qu'avait Nicholas de se maintenir « spirituellement en forme » et je savais qu'il consultait deux fois par semaine, sans faillir, son directeur spirituel qui se trouvait être une religieuse. Une bonne sœur approuverait-elle qu'il eût des rapports sexuels avec Alice ? Nicholas lui mentirait-il ? Non, à moins qu'il soit désespéré, ce qui n'était pas inimaginable en dépit de son statut d'ecclésiastique. Oserais-je demander à Alice si Nicholas et elle réussissaient à se voir seuls de temps en temps au premier étage du presbytère maintenant qu'elle logeait là ? Non. Alice n'était pas du genre à raconter sa vie à tout le monde. Elle tenait trop à Nicholas pour parler de leur relation intime à qui que ce soit.

En attendant, le divorce des Darrow n'avait toujours pas été prononcé à cause des problèmes de drogue de leur fils aîné, et la famille voyait un conseiller une fois par semaine. Alice patientait toujours. Je trouvais qu'elle méritait au moins un peu de plaisir, histoire de lui remonter le moral. Paradoxalement, je me rendais compte que j'aurais eu encore moins de respect pour Nicholas s'il avait couché avec elle ; j'aurais vu là une forme d'exploitation du dévouement et de la patience d'Alice. Dans un sens comme dans l'autre, je lui en aurais voulu. Du coup, je bouillais chaque fois que mon regard se posait sur lui.

— J'ai pensé que vous auriez peut-être envie de me parler de Kim, précisa-t-il.

— Non, merci.

A présent, j'étais sûre qu'Alice lui avait fait part de son anxiété à mon égard, d'où cette marque d'attention soudaine. Cela ne fit qu'intensifier mon irritation.

— Je sais que vous préférez vous entretenir avec Lewis, dit-il finalement, mais je redoutais que vous ne le trouviez un peu trop proche de Kim en ce moment.

C'était exact, mais je n'allais certainement pas lui donner la satisfaction de le reconnaître.

— Lewis me convient très bien, dis-je. Et puis je vois aussi Robin.

— Oui, mais il y a certains domaines qui ne sont pas de son ressort. Des difficultés relatives au pardon risquent de surgir. Au repentir. Comment venir à bout de la souffrance et du chaos. De graves questions.

— Hum !

Je cessai de caresser Redford dans le but de regarder ostensiblement ma montre.

— J'espère qu'Alice va bientôt rentrer, remarquai-je. Il y a une émission à la télé qu'elle tenait absolument à voir.

— Puis-je vous poser une ultime question ? dit-il en se levant. M'en voulez-vous d'avoir perdu le contrôle de la situation face à Mme Mayfield ?

Je tressaillis.

— Mais ce n'était pas votre faute, répondis-je automatiquement. Vous aviez réussi à la convaincre de s'en aller sans Kim. Ce n'est pas vous qui avez tout fait foirer, c'est Lewis.

— Non, répondit-il en secouant la tête. Je n'aurais jamais dû faire appel à lui. Cela a créé le triangle qui a acculé Mme Mayfield dans un coin.

— Dans ce cas, pourquoi...

— J'ai perdu mon sang-froid. Elle était si puissante psychiquement et quand elle a insulté Alice...

— Oui, c'était monstrueux.

— ... ça m'a achevé. Mais Carter, sachez que si j'ai perdu cette partie-là, je peux encore m'appliquer à éliminer les ravages qu'elle a laissés dans son sillage. Ce qui veut dire que je suis profondément motivé pour vous aider au mieux.

Je hochai la tête en marmonnant quelques mots de remerciement. Faute d'une réaction de ma part, il me souhaita bonne nuit et regagna son étage.

9

— J'ai eu tort de réagir comme ça avec Nicholas, m'exclamai-je d'un ton farouche à l'adresse d'Alice quand elle fut de retour. Il voulait m'épauler et je sais qu'il est très capable. J'aurais dû faire l'effort de lui parler.

— Vous êtes bouleversée. Quand on est dans cet état-là, on n'arrive pas à faire des efforts.

— Eh bien il est temps que je m'y mette ! Ecoutez, Alice, il faut que je remette la machine en marche. Aidez-moi à reprendre mes esprits en me disant ce que vous pensez de Kim au fond.

— Oh, Carter, je ne suis pas spécialiste !

— C'est la raison pour laquelle je vous pose la question. Je n'ai pas encore le cran d'affronter les experts. J'ai besoin d'une petite répétition au préalable.

— Je ne saurais même pas par où commencer.

— Répondez juste à deux questions : 1) Pensez-vous que notre couple peut être sauvé ? 2) Considérez-vous Kim comme victime ou coupable ? Allez-y franco ! Ne prenez pas de gants ! Je suis prête à tout encaisser...

10

— J'aimerais pouvoir croire que votre mariage pourra être sauvé, me dit Alice, mais une question importante se pose, que les autres semblent avoir ignorée. Quels sont vos sentiments au sujet des enfants, Carter ? En voulez-vous afin de remplir l'objectif que vous vous êtes fixé dans votre plan de vie ou souhaitez-vous vraiment être mère ? Si vous voulez des enfants et si ce n'est pas le cas de Kim, je crains que votre couple ne soit voué à l'échec. Il se peut que ce soit trop tard de toute façon, puisque Kim fait tout pour anéantir votre confiance.

« Tant que nous en sommes au chapitre des enfants, je me demande comment Sophie a pu supporter de vivre sans en avoir après que l'infidélité de Kim l'eut rendue stérile. Je suppose qu'elle l'aimait au point de se convaincre que son amour le rachèterait. Comme toutes les femmes blousées, malmenées, elle en est sans doute venue à admettre l'anormal comme la normalité en se contraignant à s'adapter, à accepter... Mais je vais vous dire, il y a une chose qui ne tourne pas rond dans cette histoire, Carter : l'affirmation de Kim selon laquelle Sophie aurait eu une liaison.

« On peut imaginer qu'elle se soit tournée vers quelqu'un d'autre si sa vie de couple était devenue intolérable, mais je pense que dans ce cas, Kim et elle se seraient séparés. Sophie était bourrée de principes ; elle n'aurait jamais accepté de mener une double vie. Je ne suis pas sûre d'avoir raison, mais en tout cas, quand j'ai entendu parler de cette affaire de lettres d'amour, je me suis dit : Impossible. Je n'en crois pas un mot.

« Que pouvait-il y avoir dans cette mystérieuse enveloppe brune, dans ce cas ? Je suppose qu'on ne le saura jamais car même si Kim vous en parle, rien ne prouve qu'il vous dira la vérité. Cette situation est un vrai cauchemar, Carter, et si j'étais à votre place, je ne le supporterais pas, je ne tolérerais pas un menteur chronique. Je deviendrais folle à ne jamais savoir où j'en suis et je ne songerais pas un instant à continuer à vivre avec lui.

« Cela dit, je ne peux pas m'empêcher de penser que Kim vous aime vraiment. Je me souviens de la façon dont il vous couvait des yeux le soir du dîner. Incidemment, il a été très gentil avec moi, vous savez. Rien ne l'y obligeait. Peut-être est-il une victime, après tout. Peut-être ses parents étaient-ils vraiment monstrueux avec lui et sa haine envers eux était-elle justifiée. J'ai détesté ma mère pendant des années avant d'aller la voir l'été dernier et de m'apercevoir que ce n'était pas une ogresse, mais une brave femme au foyer qui se jetait tout bonnement sur sa bouteille de sherry quand elle se mettait à penser à sa fille qu'elle avait abandonnée des années plus tôt. J'ai eu de la chance d'avoir une grand-tante pour m'élever, tout comme Kim a eu de la chance de tomber sur ce beau-père anglais. Cette enfance a fait de moi quelqu'un d'assez bizarre, mais je pense quand même que j'ai fini par me ressaisir. Alors peut-être que Kim aussi est devenu étrange et il se peut que vous l'ayez aidé à se reprendre tout comme Nicholas m'a aidée à changer ma vie.

« Quoi qu'il en soit, vous devez savoir la vérité pour vous empêcher de tourner en bourrique et pour être juste envers Kim. C'est curieux, au début je le condamnais et maintenant, on dirait que j'ai pris son parti. J'espère que Mme Mayfield n'est pas en train de me manipuler à distance. Bien sûr, je lui en veux de vous avoir fait souffrir. En même temps, je l'ai bien aimé quand je l'ai rencontré. A dire vrai, je l'ai même trouvé super.

11

Je descendis pour voir si Nicholas s'était retiré dans ses appartements. Je le trouvai dans son bureau en train d'écrire. En me voyant sur le seuil, il capuchonna aussitôt son stylo.

— Pardonnez-moi de vous interrompre. Je voulais juste m'excuser d'avoir été aussi glaciale tout à l'heure. Je vous suis sincèrement reconnaissante de votre aide.

Il parut soulagé de l'entendre.

— Je sais que je ne vous ai guère été utile récemment, dit-il en me faisant signe de m'asseoir.

— Eh bien si vous voulez vous rendre utile, c'est le moment.

Je lui posai les mêmes questions qu'à Alice.

— Il faut que je sache ce que vous pensez, dis-je, ou à défaut, que vous me fassiez des suggestions sur la manière de reprendre mes esprits. Je ne peux pas continuer à tâtonner dans le noir alors que l'avenir de ma vie conjugale est en jeu.

— Le seul problème, répondit-il, c'est que vous n'aurez

peut-être pas envie d'entendre ce que je vais vous dire, auquel cas, si nous n'arrivons pas à communiquer, je ne vous serai toujours pas de la moindre utilité

— Je prends le risque, dis-je en me jurant de réprimer mon agacement afin de profiter à plein de son expérience professionnelle.

12

— Vous voulez savoir si votre couple tient encore la route, dit Nicholas. Je pense que oui, dès lors que Kim est honnête avec vous sur son passé et se sépare de Mme Mayfield.

« En tant que prêtre, je considère évidemment qu'un mariage devrait durer toute la vie, mais j'estime aussi que nous sommes des gens imparfaits vivant dans un monde qui l'est tout autant, et que nous devons reconnaître nos erreurs au lieu de nous voiler la face. Si un mariage est fichu, mieux vaut divorcer. Certains chrétiens s'offusqueraient de m'entendre, mais notons que les enseignements du Christ à ce sujet ne sont pas aussi clairs et nets. En revanche, il est clair qu'à certaines époques, une stricte application de la loi pouvait entraîner des injustices alors qu'une attitude plus compatissante avait des chances de remettre des existences sur le droit chemin.

« Ce que j'essaie de vous dire, Carter, c'est que si je vous affirme que votre couple tient la route, ce n'est pas parce que je suis idéologiquement opposé au divorce. On ne peut nier que vous avez essuyé de rudes coups, mais on se relève de situations pires que celle-là. N'oubliez pas que vous n'êtes mariés que depuis quelques mois. Vous avez peut-être besoin de plus de temps l'un et l'autre pour assimiler les traumatismes du passé. En outre, sur le plan psychologique, il y a un autre avantage à donner une deuxième chance à Kim : si votre mariage finit par échouer, vous pourrez au moins vous dire que vous avez tout fait pour le ressusciter. Alors que si vous tirez un trait dès à présent, vous ne saurez jamais si vous auriez pu redresser la barre ; et cette ambiguïté pourrait déboucher sur la culpabilité et la dépression.

« Cela dit, tout dépend de la volonté de Kim de recommencer sur de nouvelles bases. Si le désir est là, vos réactions sont cruciales, aussi la principale question est-elle de savoir si vous pouvez lui pardonner ce qu'il vous a fait ?

« Le pardon est à mon avis l'un des problèmes spirituels les plus complexes auxquels les hommes sont confrontés. Personne ne peut pardonner Kim à votre place. C'est à vous qu'il a fait du tort et vous lui devez les souffrances qui en ont découlé. Si Kim me faisait des aveux et m'exprimait le désir sincère de se repentir, je pourrais l'absoudre du mal qu'il a fait à Dieu, mais il n'en serait pas moins obligé de rétablir la relation avec vous. S'il était croyant et qu'il eût le sentiment de "se tenir tout à côté de Dieu", en conséquence de ses aveux, il serait bien placé psychologiquement pour traduire son repentir en une action significative. Mais même si vous lui disiez : "Je te pardonne", ces mots ne signifieraient pas grand-chose à moins qu'ils ne reflètent vos sentiments. Le pardon ne coule pas de source. Ce n'est pas une question de volonté, mais un don de Dieu ou, si vous préférez, une forme de guérison à laquelle on n'accède pas toujours par les pouvoirs de la logique et de la raison. Il faut savoir pardonner pour rester sain, mais c'est l'un des objectifs les plus difficiles qui soient à atteindre.

« Kim est-il victime ou coupable ? En définitive, la seule chose qui compte, c'est que, s'il est prêt à se repentir, il mérite votre pardon et un nouveau départ. La grande question est donc de savoir s'il est sincère dans son repentir, et pour le moment, nous ne pouvons y répondre...

13

— Alors, si Kim regrette ce qu'il a fait, enchaînai-je d'un ton catégorique, je dois lui pardonner et tac ! tout se remet à marcher comme sur des roulettes. C'est ce que vous voulez dire, non ?

— En condensant mes propos, vous avez supprimé toutes les nuances. Mais oui, en sténo, repentir et pardon peuvent engendrer résurrection et renouveau.

— Alors l'homme peut faire tout le grabuge qu'il veut et la femme doit être une sainte et tout supporter pourvu qu'il s'excuse de temps en temps ?

— Si vous réfléchissez un tant soit peu à ce que je viens de dire...

— On ne fait pas plus macho !

— ... vous comprendrez que se repentir ne signifie pas seulement dire « je m'excuse » d'un ton désinvolte, mais...

— D'accord, Kim a promis de s'améliorer. Mais comment savoir s'il tiendra sa promesse ?

— S'il vous donne l'impression de regretter sincèrement ses fautes, vous arriverez peut-être à reprendre confiance en lui.

— Mais je ne veux pas le voir !

— A un moment ou à un autre, vous aurez sûrement envie de lui donner une chance d'être honnête avec vous. Vous voulez savoir la vérité, non ? Si vous alliez à Maudsley...

— Vous débloquez ! m'exclamai-je avant de sortir de la pièce en trombe.

14

— Nicholas m'a encore fait tourner en bourrique ! annonçai-je à Alice.

J'étais dans un tel état que j'arrivais à peine à parler et quand je pus enfin bredouiller une phrase, ce fut sans parvenir à me censurer.

— Il m'a sorti tout un laïus sur le pardon et le renouveau. A l'évidence, il ne se rend pas compte à quel point cela m'horripile de voir comment il mène sa propre barque ! Bon sang, il se joue de vous sans le moindre repentir et vous, vous lui pardonnez inlassablement alors que vous feriez mieux de lui briser la mâchoire !

— Carter... !

— Comment ose-t-il me dire que mon couple tient la route alors que, les jours fastes, il ne cesse de vous répéter que le sien est anéanti ? Pourquoi est-ce que je ne trouverais pas le bonheur avec quelqu'un d'autre, tout comme lui ?

— Carter, ma chère, vous devez voir Lewis. Vous mélangez tout...

— Si je vois encore un prêtre ce soir, je vais disjoncter ! hurlai-je.

Avec une admirable détermination, Alice appuyait déjà sur le bouton de l'interphone.

15

— Je ne peux pas m'empêcher de penser que ces échecs récurrents que Nicholas essuie avec vous lui sont salutaires, nota Lewis d'un ton pensif. L'ego d'un guérisseur doit être soumis à rude épreuve de temps à autre, mais dans la mesure où il est supposé vous faire du bien et non l'inverse, mon commentaire est hors de propos.

Nous étions dans la cuisine au rez-de-chaussée et il s'affairait à faire du thé. Il avait passé une vieille robe de chambre bordeaux sur un pyjama vert délavé.

— Si je continue à penser à Nicholas, je vais me péter une veine. Vous feriez mieux de me dire ce que vous pensez des questions que je lui ai posées.

— Très bien. Voyons si je peux éviter un nouvel accès de rage. Au moins, j'ai l'avantage d'être veuf et de ne pas avoir de projets de mariage.

— Je sais que je devrais effacer la vie privée de Nicholas de mon esprit quand je lui parle, mais...

— Pourquoi donc, ma chère ? Si un prêtre est en désarroi, cela affecte son travail et les eaux pastorales sont forcément troubles. C'est évidemment déroutant pour ceux qui font appel à lui. A présent, asseyez-vous, respirez bien et buvez du thé pour vous détendre... Puis-je vous donner une petite rasade de whisky, au cas où ?

— Faites ce que vous voulez, Lewis, pourvu que vous arrêtiez de m'appeler « ma chère ».

Il soupira et partit à la recherche de la bouteille de whisky en trottinant.

16

— La vraie question n'est pas de savoir si Kim est victime ou coupable, mais de déterminer s'il est psychopathe. Ses médecins ont conclu que non, et c'est tant mieux, si c'est vrai ! Laissez-moi vous préciser une chose, au cas où vous seriez par trop influencée par ces films de Hitchcock que vous appréciez tant : le psychopathe typique n'a rien d'un assassin brandissant une hache ! Vous en avez probablement rencontré des dizaines pour la bonne raison qu'ils réussissent souvent très bien en affaires.

Ils s'épanouissent dans un environnement amoral. En outre, ils sont séduisants aux yeux de l'autre sexe bien qu'aucune relation ne dure. Certes, Kim a été l'époux de Sophie pendant plus de vingt ans, mais combien de temps lui a-t-il fallu pour lui être infidèle ?

« Bon, si Kim n'est pas psychopathe, s'il sait faire la différence entre le bien et le mal et s'il est capable d'établir des liens véritables avec les autres, il devrait pouvoir repousser Mme Mayfield et commencer une nouvelle vie en œuvrant avec vous pour sauver votre mariage. S'il est bel et bien psychopathe, en revanche, le pronostic est nettement plus sombre. Bien sûr, par la grâce de Dieu, tout est possible et je ne dis pas que ces malades ne guérissent jamais, mais, de votre point de vue, le problème serait que dans ce cas, Kim n'aurait pas grand-chose à voir avec l'homme que vous pensiez avoir épousé. De fait, l'Eglise catholique vous estimerait même habilitée à obtenir une annulation de votre serment. Quoi qu'il en soit, avant toute chose, posons-nous la question de savoir s'il vous est possible de renouer des liens avec Kim.

« Vous avez besoin d'une forte motivation, ne serait-ce que pour lui dire : "bonjour". Mais cette motivation existe : il vous faut déterminer une fois pour toutes à qui vous avez affaire et ce qu'il a fait autrefois, sinon vous serez obnubilée par toutes sortes d'hypothèses et vous irez au-devant de graves problèmes. De plus, nous ne pourrons pas juger de son état de santé mentale tant que nous ne connaîtrons pas le fin mot de l'histoire.

« J'ajouterai que rien ne vous oblige à lui rendre visite à l'hôpital. Kim tient à vous voir, mais pas tant qu'il est faible et sans défense. J'irai jusqu'à dire qu'il est soulagé que vous refusiez de venir tout de suite. La meilleure solution, à mon avis, est que vous vous retrouviez au centre une fois qu'il sera sorti, en présence d'autres gens qui vous aideront à discerner le vrai du faux.

Il se tut et nous restâmes un moment silencieux tandis que je digérais ses conseils.

— Vous le voyez régulièrement, dis-je finalement. Comment vous semble-t-il ?

— J'avais peur que vous me posiez la question, dit Lewis.

17

Il remplit nos tasses de thé et ajouta une larme de whisky dans mon verre.

— Je dois faire attention de respecter les règles de la confidentialité, reprit-il. Au début, je suis allé rendre visite à Kim par pure sympathie, mais nous nous sommes rapprochés plus que je ne l'avais prévu, et le fait que je sois prêtre y est à coup sûr pour quelque chose.

« Si je ne peux guère vous rendre compte de mes conversations avec lui, je voudrais souligner qu'à mon avis, il est spirituellement malade. Selon moi, sa personnalité a été si déformée par sa relation avec Mme Mayfield qu'il est devenu moralement anesthésié au point que ses mauvaises actions ne provoquent plus de sentiments de culpabilité comme cela devrait être le cas. Je pense donc qu'il est capable de se comporter comme un psychopathe même s'il ne correspond pas au profil médical.

« Je dois reconnaître qu'il est charmant avec moi et je pense souvent que j'arriverai à quelque chose avec lui, tout au moins je l'espère. En même temps, je dois me méfier des conclusions trop hâtives. Cet assaut de charme prouve peut-être qu'il cherche à me manipuler dans l'espoir que je plaide sa cause auprès de vous. Je voudrais avoir une bonne opinion de lui, mais je continue à jauger l'étendue des ravages subis par sa personnalité et il me faut encore du temps pour compléter mon analyse.

« A propos de manipulation, j'avoue que j'ai encore des doutes sur sa dépression. Nous n'avons jamais abordé la question lui et moi, je me sens donc libre d'émettre une opinion et, honnêtement, force est de reconnaître que cette dépression n'aurait pas pu mieux tomber. Cela lui a permis d'éviter la police tout au long de l'enquête et garantissait pour ainsi dire que l'on retire l'inculpation relative aux coups et blessures à l'encontre d'Eric. De surcroît, lorsque vous parlerez finalement tous les deux de cette ultime scène dans l'appartement, il pourra vous dire : “Je suis désolé, mais j’avais perdu l’esprit et je n’étais donc pas responsable de mes actions.”

« Vous vous demandez, je le vois bien, s’il est vraiment possible qu’il ait dupé l’ensemble de l’équipe médicale qui s’occupe de lui, mais souvenez-vous que ce n’est pas nécessaire. Lorsqu’un tel groupe met du temps à rendre son verdict, cela signifie qu’il y a au moins une dissension. Kim est un homme intelligent, doté d’un talent particulier pour le mensonge. Il lui serait difficile de mystifier ses médecins, mais pas impossible.

« Eh bien, ma chère, pardon, Carter, j’achèverai en disant que j’ai peut-être tort d’être aussi méfiant. Je suis loin d’être infaillible. J’ajouterai cependant une chose dont je suis sûr : Kim tient désespérément à se réconcilier avec vous. A cet égard, il est sincère et peut-être cela nous rapproche-t-il davantage de la vérité que tous ces soupçons désagréables que j’ai émis...

18

Après une nuit tourmentée, j’allai trouver Val dans son bureau pour la prier de me donner des somnifères plus efficaces. En moins d’une minute, je me retrouvai en train de lui avouer que les soupçons de Lewis étaient à l’origine de mon insomnie.

— Ecoutez, me dit-elle gentiment, ce cher Lewis est un bon vieux prêtre à maints égards, mais il n’a pas de formation médicale. Il s’imagine que son bref passage dans un hôpital psychiatrique en tant qu’aumônier, il y a trente ans de cela, l’habilite à faire des diagnostics assortis de commentaires douteux. Il n’aurait jamais dû vous dire tout ça ! Il faut que j’en touche un mot à Nicholas afin qu’il le remette à sa place.

« Lewis croit qu’il lui suffit de répéter à tout bout de champ “Je peux me tromper” pour pouvoir s’octroyer le rôle qu’il affectionne le plus, celui de franc-tireur, et débiter toutes sortes de théories biscornues. Vous devriez l’entendre s’exprimer sur la question de l'homosexualité ! Evidemment, étant gay moi-même, ça me rend folle.

« Le problème, c'est qu'en vieillissant, les gens ont tendance à devenir des caricatures d'eux-mêmes. Ne soyons pas trop durs avec Lewis. Seulement, à force d'exagérer les choses, de vieil excentrique, il se change en bâton de dynamite. Songez à la manière dont il a tout fait foirer dans votre appartement le jour où Eric a été blessé ! Je sais que Nicholas est déterminé à s'accuser lui-même, mais voyons les choses en face : que s'est-il passé ? Lewis insulte Mme Mayfield comme aucune femme sensée ne saurait le supporter, sans parler d'une fauteuse de troubles comme elle, et vlan ! c'est l'explosion, avec les résultats désastreux que l'on connaît. Gil Tucker était fou de rage quand je l'ai retrouvé un peu plus tard à l'hôpital. Je ne l'avais jamais vu comme ça. Evidemment, Lewis et lui sont à couteaux tirés depuis des années à cause du problème de l'homosexualité...

« Mais je m'écarte de notre sujet. En fait, pas vraiment. Vous devez savoir tout cela afin de placer son jugement sur Kim dans le bon contexte. En vérité, les médecins de Maudsley savent très bien à quoi s'en tenir. Ils soignent Kim depuis quelque temps et il a fait d'excellents progrès, à tel point qu'il ne va pas tarder à sortir même si on l'astreindra sans doute à des visites régulières pendant quelques mois afin de prévenir une rechute.

« Bon, j'enlève mes œillères professionnelles un instant et j'admets qu'il est possible de feindre la maladie. Quoi qu'il en soit, si tel était mon intention, je ne tenterais même pas le coup à Maudsley où ça grouille de spécialistes en psychiatrie. Certes, les médecins étaient partagés sur le diagnostic pendant un moment, mais cela n'a rien d'exceptionnel. Kim m'a paru réellement malade après son attaque contre Eric. J'ai même pensé qu'il présentait des signes de schizophrénie, mais je ne suis pas psychiatre. Quand les gens de Maudsley sont finalement tombés d'accord, je n'ai eu aucun mal à accepter leur verdict et il aurait dû en être de même pour Lewis.

« Les faits parlent d'eux-mêmes : Kim a eu une enfance difficile qui a provoqué des fissures profondes dans sa personnalité, mais grâce à la bienveillance de son beau-père, il a pu couvrir ces failles et fonctionner convenablement dans sa vie d'adulte. Cela veut dire qu'on peut bien le connaître sans s'apercevoir de sa fragilité intérieure.

« Nicholas et moi pensons que lorsqu'il est devenu un homme d'affaires de haut vol et a commencé à évoluer dans les plus hautes sphères, sa personnalité, déjà délicate, s'est peu à peu effritée sous l'effet du stress ; il a recouru à diverses méthodes pour tâcher de recoller les morceaux. Malheureusement, le sexe, pas plus que l'alcool ou la drogue, n'offre un remède à long terme à des problèmes émotionnels profonds. C'est la voie de l'autodestruction.

« Nicholas dirait que Kim vénérait les mauvais dieux et qu'il lui fallait acquérir une autre vision du monde pour réparer les dommages. D'un point de vue médical, je parlerais plutôt d'intégration, de la nécessité de développer et d'ordonner sa personnalité de manière à vivre l'existence la plus riche possible. Bon, je vois que vous vous demandez ce que cela a à voir avec notre affaire. Ne vous inquiétez pas. J'en reviens tout de suite à Kim.

« Selon la théorie chrétienne, voilà comment les choses fonctionnent : vous vous centrez sur le concept d'un Dieu aimant, créateur, et si vous vous y prenez convenablement, vous en tirez toutes sortes d'avantages bénéfiques tangibles : cela permet de se tourner vers les autres pour les aider tout en trouvant un équilibre intérieur de manière à réaliser son potentiel humain. C'est un processus très *curatif*, en particulier pour les gens qui ne sont pas bien intégrés.

« Nous pensons que Kim a choisi un mauvais remède à ses problèmes émotionnels et que Mme Mayfield a fini par le briser. Cependant, s'il est bien soutenu sur le plan médical, il n'y a aucune raison que sa personnalité ne se ressoude pas. Avec une aide spirituelle en appoint, il se pourrait fort bien qu'il soit sur la voie de la guérison et d'une existence beaucoup plus saine.

« A propos de santé mentale, je tiens à vous signifier clairement que Kim n'est pas psychopathe. Le sociopathe (pour recourir au terme moderne) est incapable d'avoir des relations normales avec les autres. Or, Kim a une relation avec vous. Oui, je sais qu'il vous a causé de graves torts, mais ses émotions semblent normales, elles sont conformes à celles que manifestent les hommes qui aiment leurs épouses. Franchement, l'idée cauchemardesque de Lewis selon laquelle votre mari pourrait être un monstre superbement rusé me paraît tirée par les cheveux et ne cadre pas du tout avec le dossier clinique de Kim.

« En tout état de cause, vous devriez affronter Kim dans un environnement contrôlé, en présence de témoins. A cet égard au moins, ce cher Lewis avait raison ! Pour l'heure, toutes vos peurs et vos angoisses s'amalgament pour créer une image terrifiante probablement sans grand rapport avec la réalité. Vous serez peut-être agréablement surprise, et profondément soulagée en le voyant. Reste à savoir si votre mariage peut encore tenir la route. Personnellement, j'espère que vous arriverez à vivre de nouveau ensemble car je trouve que le mariage est une institution formidable. Je regrette que l'Eglise ne l'approuve pas pour les couples gays...

19

A 11 heures, ce matin-là, j'avais rendez-vous avec Robin.

— A la bonne heure ! me dit-il. Je vois que vous êtes assez forte désormais pour admettre la sortie prochaine de Kim. Je ne peux malheureusement pas répondre aux questions que vous me posez à propos de sa véritable nature et de l'avenir de votre couple, pour la bonne raison que je ne l'ai jamais rencontré. Ce que je peux faire pour vous en revanche, c'est mettre en lumière certains aspects du problème que vous trouverez sans doute utile d'approfondir. D'accord ?

« Concentrons-nous d'abord sur l'enfance de Kim. Vous dites qu'il donne l'impression de détester ses parents, et c'est relativement inhabituel. Chez les gens normaux, même dans le cas de parents épouvantables, il existe toujours des liens profonds qui justifient le vieux dicton : la voix du sang est la plus forte. Si Kim ne manifeste pas un tel attachement, c'est peut-être un signe d'anormalité.

« J'aimerais aussi que nous parlions de sa vie sexuelle. Il semble qu'il y ait une contradiction à cet égard, et je ne parle pas de l'impuissance qui l'a poussé à consulter Mme Mayfield il y a des années. J'admets qu'il ait pu guérir en dépit de sa culpabilité vis-à-vis de Sophie. En revanche, il y a incompatibilité entre la vie qu'il a pu mener à cet égard avant qu'il vous rencontre et celle que vous avez eue ensemble après. Au sein du groupe de Mme Mayfield, il a dû prendre part à toutes sortes d'activités de part et d'autre de la limite qui sépare traditionnellement le normal du pervers. Pourtant, vous m'avez dit qu'hormis la dernière fois où vous avez couché ensemble, son comportement au lit était on ne peut plus classique. Vous m'avez précisé que c'était un soulagement pour vous et je vous comprends.

« Mais quelle est la véritable explication de la retenue dont il a fait preuve à votre égard ? Je trouve cela étrange. Peut-être le stress a-t-il affecté sa libido, comme il le prétend, mais les machos adorent faire étalage de leurs talents. A ce propos d'ailleurs, qu'est-ce qui l'a incité à vous les dévoiler lors de ces ultimes ébats ?

« Cela m'amène au troisième sujet que je souhaiterais explorer, à savoir : comment Kim vous perçoit-il ? Que représentez-vous pour lui ? Nous savons qu'il vous aime, mais est-ce d'un amour réaliste ou romantique ? L'amour romantique existe chez les gens les plus normaux, mais d'un point de vue psychologique, il s'agit malgré tout d'une déformation, d'une projection sur l'être aimé de qualités qui n'y sont peut-être pas. Kim vous voit-il telle que vous êtes ? Il est peut-être sincère quand il vous dit qu'il vous aime, mais s'il est épris d'une image, cela pourrait jeter une lumière douteuse sur la situation, surtout si l'on songe que la facette obscure de l'amour romantique n'est autre qu'une obsession névrotique.

« Quatrième thème que je voudrais développer concernant Kim : ses dons de menteur. Il existe toutes sortes de menteurs, certains que je qualifierais de normaux, d'autres non. D'un côté, on trouve les fabulateurs occasionnels qui brodent, mais généralement pas dans le but de faire du mal à quelqu'un ni pour se sortir d'une situation sociale inconfortable. Au milieu, il y a ceux qui mentent parce qu'ils n'arrivent pas à faire face à une réalité spécifique, ou à la réalité en général. Enfin, à l'autre extrême figurent des gens anormaux chez qui mentir est un mode de vie : ils mentent pour le plaisir, afin d'obtenir ce qu'ils veulent, parce qu'ils n'attachent aucune importance à la vérité. A quelle catégorie Kim appartient-il ?

« Nous savons qu'il vous a menti pour vous dissimuler certains faits, mais cela n'a rien d'exceptionnel. C'est le cas de beaucoup de gens souvent respectables qui font des bêtises, puis n'osent pas le reconnaître devant les autres. Il semble que les mensonges de Kim dépassent ce niveau. Pour mener une double vie avec Sophie pendant des années, il a fallu qu'il devienne un menteur chevronné. Cette compétence relève-t-elle de l'anormalité ? Cela ne le place pas forcément dans le même groupe que Mme Mayfield, sociopathe s'il en est, pour laquelle mentir est aussi naturel que respirer, mais pourrait néanmoins représenter un grave problème.

« Si je vous dis tout cela, c'est pour vous montrer qu'il existe peut-être une alternative aux deux théories actuelles relatives au comportement de Kim : sociopathie ou troubles temporels d'un sujet normalement sain. Il se pourrait qu'il ne soit ni sociopathe ni normal. C'est là que le concept de maladie spirituelle devient approprié, mais je ne suis pas qualifié pour vous en parler. Il suffit de dire que dans les zones d'ombre entre la folie et le mal, on trouve des cas que la médecine traditionnelle a de la peine à soigner et à guérir.

« A propos de zones d'ombre, il reste un ultime sujet que je voudrais aborder, sujet que les prêtres n'ont pas relevé : le décès du maître chanteur après la prédiction de Mme Mayfield selon laquelle il devait passer sous un train. On sait qu'il est possible de provoquer la mort de quelqu'un par la volonté chez certaines tribus, notamment les Aborigènes ; des cas ont également été rapportés au sein de la société occidentale. C'est une forme de prière inversée fondée sur le pouvoir de suggestion ; les êtres humains sont très influençables. On peut imaginer que Mme Mayfield ait réglé le compte du maître chanteur et de Sophie au bénéfice de Kim en souhaitant leur mort. Tiré par les cheveux, me direz-vous ? Pas si sûr ! Songez à votre propre vulnérabilité face aux insinuations de cette sorcière ! Dans des circonstances particulièrement difficiles, les gens les plus fins et les plus équilibrés peuvent se faire manipuler et je trouve intéressant que Mme Mayfield soit attirée par une forme de contrôle de l'esprit aussi malveillante. Du coup, on est en droit de se demander ce que Kim a bien pu fabriquer durant toutes les années où il était sous sa coupe.

« Voilà ce que je voulais vous dire. Concentrez-vous sur ces questions quand vous vous efforcez de faire le tri dans vos pensées. Encore une chose : je pense qu'il est essentiel que vous sachiez toute la vérité à propos de Kim afin de prendre une décision concernant votre avenir, et vous ne découvrirez pas le pot aux roses tant que vous resterez éloignée de lui. Que diriez-vous de le rencontrer ici, au centre, de façon à ce que nous puissions tous vous soutenir ? Vous n'avez rien à perdre me semble-t-il et tout à y gagner. Evidemment la décision finale vous appartient...

20

Ce soir-là, un fax arriva au presbytère. Après avoir précisé les détails concernant son vol de retour le vendredi suivant, Tucker ajoutait : « *...J'arriverai deux heures après que saint Gilbert s'envole pour l'Algarve afin de pacifier nos parents. Pourriez-vous venir me chercher à l'aéroport ? Je rêve depuis toujours de faire le voyage d'Heathrow à la City dans une Porsche rouge conduite par une superbe blonde. Si ce fantasme doit rester insatisfait, s'il vous plaît, laissez un message au bureau des informations. En attendant, je vis dans l'espoir. A* *propos, au moment où je m'apprête à m'en aller, j'ai déniché un voisin américain qui avait un fax ! Pourquoi n'ai-je pas deviné plus tôt qu'un yankee ne pourrait pas vivre sans la technologie ad hoc ? La piquette portugaise a dû me ramollir la cervelle, mais je suis sûr que les gaz d'échappement d'une Porsche auront vite fait d'inverser le processus. Votre E.T. ressuscité.* »

21

Je le vis dès qu'il sortit de la douane. Il portait un jean blanc et un polo vert vif et poussait un chariot débordant de valises et de sacs de duty free. Il faisait très chaud dans le terminal, plus encore que dehors. La chaleur torride de l'été 1990 venait d'atteindre son comble.

J'avais mis une robe bleu pâle sans manches, toute simple, taillée dans un tissu magique qui ne se froissait jamais, pas même lorsque la chaleur donnait au lin l'aspect d'une tôle ondulée. Mon petit sac en bandoulière était aussi blanc que mes sandales à hauts talons. Je ne portais pas de bijoux, en dehors de mon alliance. J'étais très légèrement maquillée afin de donner l'impression que je ne l'étais pas du tout.

Les cheveux de Tucker paraissaient nettement plus roux qu'avant et je me demandai si cela signifiait qu'il s'était offert une overdose de soleil, mais il n'était pas particulièrement bronzé. Il avait minci. Il était rasé de près, comme il me l'avait annoncé. Les goûts classiques et les exigences toutes maternelles de Mme Tucker avaient fait disparaître le bohémien hirsute qui s'était occupé de moi au vicariat de St Eadred et l'invalide préraphaélite d'une pâleur mortelle qui avait langui dans un lit d'hôpital. Il avait l'air en pleine forme.

Dès qu'il m'aperçut, il sourit.

Pendant un long moment, j'oubliai de respirer.

Puis je faillis tourner de l'œil, en proie à un désir sexuel sans précédent.

IV.

« Nul besoin de nous noyer dans ce qui nous accable. »

David F. Ford
The Shape of Living

1

— E.T., je présume.

— Prêt pour les Rencontres du troisième type, madame G ! Qu'est-ce que c'est que ça ?

— Ma main. Je pensais que vous auriez peut-être envie de la serrer.

— N'ai-je pas le droit d'embrasser l'air de chaque côté de votre visage ?

— J'ignorais que cela vous faisait de l'effet ! Vous ne trouvez pas que ça manque de substance ?

J'étais évidemment sur pilote automatique, à peine consciente de ce que je disais. Seule l'expérience d'innombrables réunions d'affaires au cours desquelles j'avais atteint au summum de l'art de rester cool comme un glaçon en toutes circonstances m'empêchait à présent de me liquéfier. Toutes les terminaisons nerveuses au creux de mon estomac faisaient des vagues. Mon cœur battait assez fort pour faire péter une valvule. J'étais stupéfaite. Sous le choc.

Trouver un homme sympathique, apprécier son sex-appeal et

s'adonner à des échanges caustiques qui titillent notre sens de l'humour, c'est une chose. Rencontrer le même homme et ne penser qu'à se jeter avec lui sur le lit le plus proche, c'est une tout autre paire de manches ! Cependant, la prochaine montée de désir fut contrecarrée par une vague de terreur quand je songeai que par ce fantasme, je cherchais sans doute à échapper au désastre de mon mariage. Ces sentiments désordonnés ne faisaient que refléter le chaos de mon existence. Néanmoins, quoi que je me dise, je savais que j'avais désormais un problème beaucoup plus grave que l'envie de sangloter contre une épaule virile.

— Vous avez bonne mine ! me dit Tucker d'un ton désinvolte.

— Merci. Vous aussi, répondis-je de ma voix la plus cassante en baissant les yeux sur ses sacs duty free.

Je m'aperçus que je les regardais fixement comme si c'était la première fois que j'en voyais.

— C'est vraiment gentil à vous d'être venue me chercher ! s'exclama-t-il, plein de bonhomie. Puis-je vous offrir un verre avant que nous nous mettions en route ?

Je marmonnai confusément un refus.

— Vous ne voulez pas boire avant de conduire ? Très bien. Retardons l'apéritif jusqu'à notre arrivée à Fleetside.

Je me souvins de m'être dit que, quoi qu'il arrive, je devais à tout prix éviter les vodka-martini.

Nous nous dirigeâmes vers le parking. Je m'enquis poliment de sa santé. Il s'enquit poliment de la mienne. A cela, je répondis que j'étais toujours en un seul morceau.

— Et quel morceau ! s'écria-t-il, retrouvant son ton enjôleur, puis, sans me laisser le temps de répondre, il se mit à me parler de ses parents, de la villa, de sa convalescence.

J'étais en train d'essayer de concocter un prétexte pour éviter toute absorption d'alcool quand son attention fut détournée par la vue de ma Porsche.

— Cette voiture donne au péché d'envie une toute nouvelle dimension ! s'exclama-t-il.

— Elle est jolie, n'est-ce pas ?

Je parvins à bafouiller une excuse à propos du manque d'espace pour les bagages, mais, quand je me glissai derrière le volant, j'étais dans un tel état que j'eus toutes les peines du monde à mettre la clé sur le contact. Pendant ce temps-là, Tucker s'ingéniait à caser ses valises. L'instant d'après, il s'installa sur le siège du passager et claqua la portière.

Il y eut un silence qui parut durer toute une minute.

— Carter, dit-il finalement, et son attitude avait changé du tout au tout.

Je n'osai pas lever les yeux vers lui. Je fixai la clé de contact.

— Je sais que j'ai blablaté pour alléger la tension, poursuivit-il à voix basse, mais ne vous imaginez pas que j'ai oublié que vous vivez un enfer ni que je vous ai fait venir jusqu'ici pour éviter d'avoir à payer le bus. J'ai vraiment besoin de vous voir, de vous parler, de vous aider autant que je le puisse... Est-ce que ça va ?

— Ça va, répondis-je aussitôt. Si je parais hébétée, c'est juste parce que... je suis... soulagée de vous voir rétabli et aussi... en forme...

— Oui.

Cette syllabe suffit à résumer la situation et provoqua un moment de communication tacite qui mit toute une gamme d'émotions au jour. Je n'osais toujours pas le regarder, mais je l'entendis dire d'un ton calme :

— Il y a encore une chose que vous devez savoir, Carter, c'est que je n'ai pas oublié que vous étiez mariée.

Je me couvris le visage des deux mains.

2

— C'est la raison pour laquelle je n'ai pas appelé, ajouta-t-il. C'est aussi pour cela que j'ai accepté d'aller au Portugal. J'ai beau avoir été stupide avec les femmes par le passé, j'ai tout de même compris que vous étiez tellement meurtrie par toutes ces catastrophes conjugales que la dernière chose qu'il vous fallait en ce moment, c'était d'avoir affaire à un type comme moi bourré de testostérone. Gil me l'a clairement signifié quand j'étais à l'hôpital, mais il aurait pu s'en passer. J'ai travaillé à St Benet et je sais qu'il faut m'abstenir d'ajouter aux tracas des gens vulnérables qui viennent y chercher de l'aide.

— Que vous a dit votre frère exactement ? demandai-je, les mains sur le volant.

— Que votre mariage pouvait encore tenir la route. Que, dans le cas contraire, vous deviez être sûre que ce n'était pas de votre faute. « Ses besoins passent en premier, et si tu l'oublies, c'est de l'abus », m'a-t-il précisé. Je ne l'ai pas oublié, mais il fallait que je revienne, Carter. En lisant vos cartes postales entre les lignes, j'ai compris que vous étiez vraiment dans une situation pénible. Alors j'ai appelé Gil et je lui ai dit : « Ecoute, je suis un grand garçon. J'ai l'intention de rentrer et si ça ne te plaît pas, tu n'as qu'à aller te faire voir. » « Donne-moi ta parole que tu ne feras rien de stupide et j'irai me faire voir où tu veux. » C'est à ce moment-là que je l'ai supplié de rendre visite à nos parents. Il était prévu qu'il y aille de toute façon. Il passe toujours un week-end dans l'Algarve quand ils y sont.

Je m'aperçus tout à coup que j'avais nettement moins de mal à parler.

— Mais pourquoi vos parents se sont-ils mis dans un état pareil ?

— Ils ne sont pas encore remis du choc d'apprendre que j'avais failli y passer et sont persuadés qu'ils ne connaîtront pas un instant de répit tant qu'ils ne m'auront pas fait changer de vie du tout au tout. Mon père veut me trouver un poste de prof d'histoire à Winchester et ma mère connaît une charmante jeune fille... Bref, quand elle a commencé à me dire qu'il fallait que je reste pour rencontrer les Grantly-Patterson et leur fille célibataire... Je n'ai pas pu supporter, Carter. J'ai cru que j'allais devenir zinzin.

Nous éclatâmes de rire et, après coup, je découvris que je n'avais plus peur d'être anéantie par le désir. L'attirance était toujours là, mais j'avais retrouvé mon calme parce que je ne craignais plus qu'il l'exploite. Il m'avait restitué le contrôle de la situation. Au milieu de ce champ de mines émotionnel, un espace sans danger s'était créé. Pour le moment en tout cas, j'étais à l'abri des mauvaises décisions et des impulsions imprudentes qui me donneraient l'impression d'être encore plus ravagée que je ne l'étais déjà.

— Je suis contente que vous soyez revenu, dis-je finalement, mais je me trouve encore en pleine zone de conflits.

— Détendez-vous, madame G ! Votre fidèle intérimaire est là pour vous soutenir moralement — je répète, *moralement*.

3

Nous parlâmes peu durant le trajet, mais dès que nous arrivâmes au vicariat, nous nous installâmes dans la cuisine, une immense pièce sinistre qui donnait sur un mur noirci et là, je commençai à me détendre. D'un commun accord, nous renonçâmes à la vodka et ouvrîmes une bouteille de chablis que Tucker avait dénichée dans le réfrigérateur. Il trouva aussi divers plats préparés provenant du rayon alimentation de Marks & Spencer, acquis par un esprit plein de bonnes intentions pour un dîner à deux.

— Du saint Gilbert tout craché ! nota Tucker. Un de ces quatre, il sera obligé de porter une minerve pour soutenir son auréole.

Il alluma le four et entreprit de lire la notice sur le dos d'un paquet contenant une tourte à la viande.

Nous étions seuls dans la maison. Gil avait deux locataires, étudiants en théologie, mais les grandes vacances avaient commencé à l'université de Londres et ils étaient retournés chez eux en province.

Pendant que le repas chauffait et que je parlais, la bouteille de blanc fut engloutie, accompagnée de grandes gorgées de Perrier, et quand Tucker eut fini de préparer les légumes, nous avions pris la décision de passer au rouge.

— Je sais qu'il fait trop chaud pour boire du vin rouge, me précisa Tucker, mais Gil est œnophile. Son marchand de vin homo lui procure de superbes crus à des prix sacrifiés.

Nous mangeâmes. A mon grand étonnement, je découvris que j'avais faim. Après la tourte, nous grignotâmes un peu de fromage tandis que je continuais à relater les derniers événements à Tucker. Fort heureusement, maintenant que j'avais tout dit à la police, je pouvais même lui parler de mon épreuve à Oakshott. Habitué à écouter, il s'abstint de m'interrompre pour me donner son avis ou me juger, mais à la fin, je m'aperçus que son attitude, d'un professionnalisme irréprochable, m'agaçait au plus haut point.

— Tucker, si vous ne jouez pas cartes sur table dans vingt secondes en me disant ce que vous pensez vraiment, je vous renvoie illico dans l'Algarve auprès de Mlle Grantly-Patterson !

Il parut des plus alarmés.

— Quand j'ai pris des cours d'auditeur...

— Vous êtes parfait. Seulement je ne veux pas d'un bénévole de St Benet, mais d'un intérimaire qui s'exprime sans mâcher ses mots ! C'est pourquoi je vous demande instamment de me dire : a) ce que vous pensez de la situation avec Kim, et b) ce que je dois faire ensuite.

— J'adore quand vous me lancez des a) et des b) à la tête, madame G. Du café ?

— Oui, noir comme de l'encre, et sans sucre...

Il rit, ravi que je lui rappelle nos dialogues du bureau, heureux sans doute aussi de me voir finalement regagner un semblant d'équilibre en dépit de la tension suscitée par le récit que je venais de lui faire.

4

— Je suis sûr que vous saurez vous montrer indulgente à mon égard en dépit de mes préjugés, commença-t-il, mais pour être honnête, Kim m'a fait l'effet d'un salopard. Quand il m'a dit : « Monsieur Betz, s'il vous plaît, mon garçon », j'ai eu vraiment envie de lui mettre mon poing sur la gueule et quand il m'a enfoncé son couteau dans la peau, on ne peut pas dire que j'étais très content non plus. Mais si je parviens à faire l'effort nécessaire pour passer outre ces constats évidents, je dois reconnaître qu'au tout premier abord, j'ai vu en lui un redoutable homme d'affaires et j'en ai connu pas mal au fil de mon expérience d'intérimaire, plus sans doute que quiconque à St Benet.

« Ne vous méprenez pas, je ne dis pas que Nick, Lewis, Robin ou Val sont naïfs, seulement le Centre de guérison a presque exclusivement affaire à des individus en piteux état, de même qu'un médecin a surtout des malades parmi sa clientèle.

« C'est à mon avis la raison pour laquelle toutes les opinions qu'ils ont pu vous donner à propos de Kim tombent à côté. Ce sont des gens géniaux, mais ils sont habitués à des patients qui ne pourraient même pas imaginer de fonctionner au niveau où Kim Betz opère. Je doute qu'un barracuda de son espèce ait jamais évolué dans leur orbite.

« Kim est un survivant de la meilleure espèce, Carter ! Quoi qu'il lui soit arrivé dans le passé, il s'en est sorti, brillamment, si brillamment qu'il a atteint les plus hautes sphères. Je suis désolé, mais la théorie de Val et Nick selon laquelle Kim aurait une personnalité “fragile” me paraît absurde. Il est à peu près aussi fragile qu'une porte blindée. Nous savons vous et moi que les hommes d'affaires de haut vol ne résistent pas année après année au cœur de la jungle de la City à moins d'être dix fois plus rusés et solides que les autres. Comment se fait-il qu'un barracuda ne se retrouve jamais coupé en deux ? Parce qu'il mord avant qu'on puisse le mordre.

« Kim est capable de tout pour assurer sa survie. Il n'a pas besoin d'être psychopathe. Il sait faire la différence entre le bien et le mal, mais quand il se trouve acculé, l'éthique n'a strictement aucune portée.

« Je ne vois pas pourquoi il aurait éprouvé la moindre difficulté à mener une double vie du temps où il cohabitait avec Sophie. Si nous partons du principe qu'elle était une version précoce de l'épouse-trophée apte à lui donner l'image de marque dont il avait besoin, j'imagine très bien qu'il ait pu s'en contenter pendant des années sans l'aimer le moins du monde. Il n'était sans doute pas satisfait avec elle sur le plan sexuel, mais peu lui importait. L'épisode de la maladie vénérienne l'a sûrement secoué, mais il a dû passer outre et continuer comme avant. Nous parlons d'un vrai barracuda ! Survivre était son affaire et c'est la raison pour laquelle, à la fin, quand Sophie s'est retournée contre lui, il était prêt à tout pour se sortir coûte que coûte de cette impasse.

« Se peut-il qu'il l'ait tuée ? Bien sûr, pourquoi pas ? Elle avait rempli sa mission, de toute façon, et le goût de Kim en matière de femmes-trophées avait changé. Il n'allait sûrement pas se laisser mettre des bâtons dans les roues ! Du reste, je suis persuadé qu'il a réagi exactement de la même manière avec son maître chanteur. Est-ce que je pense qu'il l'a liquidé ? Et comment ! Celui qui essaie de faire chanter Kim Betz court à sa perte, cela ne fait aucun doute ! Incidemment, je ne crois pas une seule seconde qu'on l'ait fait chanter pendant des années et qu'il ait perdu une grosse part de son capital. Les barracudas ne se comportent pas comme des paillassons. Ils aiguisent leurs dents et se jetent sur leur proie. Comment se fait-il que Kim ne soit pas aussi riche qu'il devrait l'être ? La réponse est facile : sa fortune est bien à l'abri dans un compte numéroté en Suisse, au cas où il aurait besoin de filer un jour à l'anglaise. Tel père, tel fils !

« A présent, venons-en à vous. A l'évidence, vous êtes la nouvelle femme-trophée, destinée à prouver à ses collègues barracudas qu'il est encore capable de pêcher une superbe blonde bien qu'il approche de la cinquantaine à pas de géant. Autre atout : votre intelligence. Je parie qu'il s'est vite lassé de l'ignorance de Sophie en matière de lois. Il ne s'ennuie plus à présent. Mieux encore, il n'a plus à perdre du temps pour satisfaire sa libido. La vie est soudain trépidante, vibrante ! Il tient énormément à son nouveau trophée à tel point qu'il est fou de jalousie quand elle prend un secrétaire hétérosexuel en remplacement pour deux semaines. Mais vous aime-t-il vraiment ? Vous, Carter Graham ?

« Vous rigolez ! La seule personne à laquelle il tienne vraiment, c'est lui-même.

« Bon, j'en ai trop dit. J'écume de jalousie, je sue le mépris par tous les pores. Mais avant que vous me reléguiez parmi les écrivains qui se laissent emporter par leur imagination, permettez-moi de vous assurer que je connais les êtres, je ne sais pas pourquoi, mais j'en suis sûr. Lewis pense que c'est une forme de sixième sens du type idiot savant. Nick croit que c'est l'étincelle créatrice se démenant dans mon inconscient. Quoi qu'il en soit, je vois à travers les gens avec une clarté digne des rayons X.

« Je voudrais ajouter un post-scriptum... à moins que vous ne préfériez que je me taise. J'ai peut-être atteint la limite du supportable et... bon, vous voulez le post-scriptum ? Sans fioriture ?

« Nous admettons tous que le coup de couteau que j'ai reçu était un accident. Kim n'aurait jamais pu prévoir la succession d'événements rapides qui a provoqué la panique de Mme Mayfield. Lewis, qui comprend l'allemand, m'a dit qu'elle avait appelé Kim à son secours à la fin, mais qu'il n'avait pas eu le temps de réagir avant que je me jette sur lui comme un boulet de canon. De ce fait, nous pensons qu'il s'agit d'un accident. Le temps manquait pour qu'il puisse en être autrement... Quoique ?

« En vérité, on peut envisager les choses sous un autre angle et vous comprendrez ce que je veux dire si vous concentrez votre attention sur le comportement de Kim durant le dialogue qui s'est déroulé entre Nick et Mme Mayfield. Vous souvenez-vous qu'il n'est pas intervenu et qu'il a agi comme un vrai zombie ? L'équipe de St Benet, se fondant sur son expérience des gens aux personnalités fragiles, en a conclu qu'il était dans la première phase d'une dépression nerveuse, mais si vous réfutez la théorie selon laquelle Kim est une petite fleur délicate, vous en viendrez à vous demander ce qu'il mijotait. Je crois qu'il s'est cramponné au couteau non pas parce que Mme Mayfield l'avait changé en un robot apprivoisé, mais parce qu'il était déterminé à me blesser si l'occasion se présentait de faire passer son agression pour un accident — et bien évidemment, la première étape consistait à jouer au zombie.

« Il est même possible que Mme Mayfield se soit rendue complice de ce comportement afin de faire croire à Nick que Kim n'était pas dangereux. Lorsqu'elle a affirmé à Nick que Kim lui appartenait, peut-être forçait-elle son rôle à l'intention de l'exorciste. Après tout, Kim et elle étaient partenaires au début de cette scène finale. Songez à la manière dont ils ont collaboré pour m'obliger à aller chercher les documents ! Ils étaient de mèche, indiscutablement, et peut-être ont-ils continué jusqu'au bout.

« Souvenez-vous, Kim avait senti que nous avions des atomes crochus. Il nous soupçonnait même de coucher ensemble, et si ses soupçons s'étaient confirmés, je ne doute pas un instant qu'il aurait été prêt à me liquider, ou tout au moins à me faire du mal.

« En vérité, Carter, je pense que Kim est très dangereux et quoi qu'il advienne entre nous, je pense que vous devriez rester à l'écart de lui tant maintenant qu'à l'avenir. Comme l'écrivain typique dit à son patientissime rédacteur en chef quand on lui pose des questions sur son manuscrit : "J'ai raison et tous les autres ont tort..."

5

— Vous êtes très persuasif, mais il doit y avoir une erreur dans votre théorie, dis-je. Je ne peux pas admettre avoir vécu tous ces mois auprès de Kim sans me rendre compte que c'était un monstre.

— Pourquoi pas ? Il a l'habitude de mener une double vie et c'est un fieffé menteur. Le fait que vous ne l'ayez pas percé à jour tout de suite ne signifie pas que vous êtes stupide, Carter. Cela prouve seulement qu'il est à même de duper une femme comme vous...

— Oui, mais...

— Bon, il y a quelque chose qui ne va pas dans ma thèse concernant le coup de couteau, et si je suis honnête, je dois le reconnaître. Vous souvenez-vous de ce qui s'est passé après que Nick a dit à Kim de poser le couteau ? Kim l'a fait passer de sa main gauche à sa main droite, et il s'est essuyé le front de la main droite. Ensuite il a repris son arme dans la main gauche.

— Et alors ?

— Si vraiment il attendait l'occasion de m'attaquer de manière à ce que cela puisse passer pour un accident, il aurait gardé le couteau dans sa main droite afin d'être prêt à frapper.

— Mais il était prêt à frapper, dis-je d'un ton horrifié. Il est gaucher.

6

— Vous avez certainement pondu un scénario cauchemardesque digne d'un auteur de fiction, dis-je au bout d'un long silence, mais quelque chose me dit que la vie est moins pittoresque.

— La vérité dépasse la fiction, vous le savez aussi bien que moi ! Si un romancier imagine une intrigue, vous pouvez être sûr que quelqu'un, quelque part, est en train de la mettre à exécution — en Technicolor qui plus est !

Je ne répondis rien et me bornai à regarder ma tasse de café vide.

— Avons-nous atteint le stade où vous êtes en mesure de rendre votre verdict concernant Kim ? me demanda-t-il finalement.

— Je donnerais cher pour y parvenir, croyez-moi, mais je ne vois pas comment c'est possible tant que je ne saurai pas ce qu'il cherche à me cacher.

— Vous voulez dire que...

— Il faut que je le voie. Tout le monde est d'accord là-dessus.

— Au centre, dans un environnement sûr ?

Je me passai nerveusement la main dans les cheveux.

— Vous ne comprenez donc pas ? Une telle rencontre serait pire qu'inutile. C'est là que votre vision de mon mari en tant que barracuda concorde avec le Kim que je connais, et je peux vous assurer qu'il ne dira jamais toute la vérité à moins que nous ne soyons seuls. Il s'est donné trop de peine afin de dissimuler ces informations pour que ce soit autre chose que de la dynamite. Et si vous vous imaginez une seconde qu'il avouera quoi que ce soit en toute humilité devant une bande de témoins...

— Qu'allez-vous faire dans ce cas ?

— Le voir seule, évidemment.

— Vous êtes cinglée, s'exclama Tucker, épouvanté.

7

Mon plan, qui s'était élaboré peu à peu au fil de mes entretiens avec le personnel du centre, était en fait un modèle de logique et de raison. Je commencerais par écrire à Kim pour m'excuser de mon long silence en lui précisant que maintenant que j'allais mieux, j'étais anxieuse de l'aider même si je n'étais pas encore prête à reprendre la vie commune avec lui. Cela lui ferait-il plaisir que je vienne le chercher avec la Mercedes quand il sortirait de l'hôpital ?

Lewis m'avait dit que Kim était disposé à vivre à Oakshott jusqu'à ce que je décide de mon avenir. En un geste surprenant, mais d'une probité caractéristique, Sophie, qui s'était donné tant de peine pour le déposséder de la maison au moment du divorce, la lui avait restituée dans le testament qu'elle avait rédigé par la suite. Elle avait apparemment estimé qu'après lui avoir laissé entendre qu'il méritait de perdre la propriété, à sa mort, elle devait reconnaître qu'ils n'en auraient jamais été les propriétaires sans l'argent de Kim.

— ... après lui avoir suggéré de venir le chercher, expliquai-je à Tucker, je lui proposerai de le conduire à Oakshott. Dans ma lettre, je donnerai l'impression que c'est parfaitement naturel, de manière à ce qu'il ne se doute pas un instant que je lui tends un piège en vue de lui arracher la vérité. Je dirai : « Ainsi, tu pourras récupérer ta voiture et je te prouverai que je suis déterminée à me montrer constructive pour ce qui est de l'avenir... En espérant que ma suggestion t'est utile, mon chéri — je pense beaucoup à toi... »

— Vous me faites froid dans le dos !

— Qu'est-ce que vous voulez que je fasse à la fin ? m'exclamai-je, exaspérée. Si vous croyez que j'ai l'intention de le conduire jusqu'à Oakshott, vous vous fourrez le doigt dans l'œil. Je vais me faire la malle bien avant cela et si seulement vous pouviez m'écouter tranquillement au lieu de piaffer comme un roquet...

— Vous vous êtes trompée de verbe. Les chevaux piaffent. Les roquets jappent.

— Arrêtez de me corriger ! Je ne suis pas un manuscrit ! Bon sang, Tucker ! Quel est votre problème ? Vous pensez que je ne suis pas capable de faire face à un barracuda ? Vous vous imaginez que je n'ai jamais eu affaire à cette espèce ? Pour l'amour du ciel, il m'est arrivé d'arracher toutes les dents d'un de ces monstres avec une main attachée dans le dos !

— Oh mon Dieu ! s'exclama théâtralement Tucker en aparté. Je sens que vous allez me dire que votre pénis est plus imposant que le mien.

— Ecoutez-moi, s'il vous plaît...

— Non, c'est vous qui allez m'écouter, madame Graham ! Si vous croyez que je vais vous laisser mettre à exécution ce plan insensé...

— Mais vous n'en avez même pas entendu la moitié ! A présent, calmez-vous et cessez d'aboyer... Et puis tant qu'on y est, arrêtons de boire du café noir... On est tellement remontés qu'on génèrerait assez d'électricité pour éclairer la cathédrale...

— Que diriez-vous d'un peu de scotch ?

— C'est la première chose intelligente que vous dites depuis une heure.

Il prépara deux modestes rations avant de remplir les verres d'eau jusqu'à ras bord.

Puis nous reprîmes le combat.

8

— Je vous en prie, songez qu'il s'agit d'un plan absolument rationnel conçu par une juriste qui en a plus qu'assez de son rôle d'écervelée ballottée de droite et de gauche. Je me relève tel un phœnix hors de ses cendres.

— Je commence à m'y perdre avec toutes ces créatures qui surgissent sous mes yeux, geignit Tucker. Des roquets qui piaffent, des barracudas édentés et maintenant, un phœnix plein de cendres ! Il ne manquait plus que ça. Ne pourrions-nous pas les expédier tous dans le zoo le plus proche et nous concentrer sur la manière dont vous pourriez échapper à votre époux ?

Je l'ignorai et poursuivis mon explication.

— Laissez-moi vous rappeler un certain nombre de choses, repris-je. Pour commencer, Lewis s'est ingénié à convaincre Kim qu'il devait être honnête avec moi s'il voulait que notre couple ait une chance de durer et je pense que Kim lui-même se rendra compte qu'il n'y a pas d'autre issue. Deuxièmement, il est essentiel que Kim pense que je suis 100 % sincère et non pas ambivalente — auquel cas je n'arriverai à rien. C'est la raison pour laquelle notre rencontre doit sembler tout à fait naturelle. N'est-ce pas on ne peut plus naturel de penser qu'il aura envie que sa voiture soit transférée de la tour Harvey à cette horrible bicoque d'Oakshott ? Ça l'est tout autant, croyez-le ou non, que je propose de l'aider au moment de sa sortie. En vérité, nous avons été très proches récemment et si je fais ce geste de bonne volonté par le biais d'une lettre où je l'appelle « chéri », il n'y a aucune raison qu'il soit surpris. Ce terme affectueux est une « carotte », bien sûr, menant l'âne... Okay, okay, oublions la gent animalière. Je voudrais simplement souligner que si notre mariage a été sérieusement chahuté, les couples se remettent parfois des coups les plus redoutables et comme Kim a l'air de vouloir que nous nous raccommodions, il croira que c'est aussi mon cas. Vous me suivez ?

— Absolument. Vous allez à l'hôpital, vous lui remettez les clés de la voiture et il vous emmène dans un coin désert où il...

— Pourriez-vous garder ce scénario pour l'un de vos romans ? Nous quittons Maudsley ensemble, mais c'est moi qui conduis. Comment puis-je être sûre qu'il ne voudra pas conduire ? Parce que, selon Val qui s'est renseignée auprès des médecins, il prend toute une kyrielle de médicaments qui lui interdisent de prendre le volant. Je contrôle donc la situation...

— Quand est-ce que vous vous faites la malle ?

— A la sortie Reigate de la M25.

— La M25 ? Ce n'est pas du tout la route.

— Non, mais il se trouve qu'il y a un hôtel près de cette sortie, tout en haut de la colline, où je vais emmener Kim déjeuner. Nous l'avons déjà fait un week-end où nous sommes allés à la campagne et nous y avons passé un très bon moment. Aussi y a-t-il un souvenir sentimental qui rendra ce détournement parfaitement plausible.

— Et pendant le déjeuner, vous le cuisinerez ?

— Exactement. Dans un lieu public, en présence d'autres gens. Après cela, quelle que soit la vérité, et même si je décide que c'est une victime irréprochable qui mérite une réconciliation, je lui fausserai compagnie de manière à pouvoir aller faire mon rapport à l'équipe de St Benet. Je dirai à Kim que je ne peux pas supporter d'aller à Oakshott — ce qui n'est pas faux —, et je prendrai la poudre d'escampette au volant de ma Porsche que j'aurai garée dans le parking de l'hôtel la veille au soir. Kim n'aura qu'à prendre un taxi pour couvrir les derniers kilomètres qui le sépareront d'Oakshott. Pendant ce temps-là, je foncerai dans la City, rapide comme le lynx, okay, laissons tomber le lynx ! Mais mon plan est sans faille, ne voyez-vous pas ? Soulevez vos objections, Tucker, mais je me fais fort de toutes les contrer...

9

Nous en débattîmes un bon moment en sirotant nos scotches.

— Ça va foirer, à tous les coups, dit Tucker d'un ton obstiné. Vous tomberez en panne d'essence dans un bois sur la M25.

— Pas si je prends la précaution de faire le plein. Et puis, pourquoi Kim chercherait-il à me causer du tort instantanément s'il tient tant à une réconciliation ?

— Il se pourrait qu'il feigne de vouloir se rabibocher avec vous afin de vous mettre la main dessus. Et si on vous équipait d'un dispositif d'écoute ? Comme ça, s'il arrive quoi que ce soit...

— Oubliez ça. Il s'en apercevrait. J'ai déjà prévu de mettre un haut moulant et un pantalon stretch qui me colle à la peau pour qu'il voie que je ne cache rien.

— Il en a de la chance ! Il faudrait prévenir la police tout de même, non ? Après tout, ils doivent avoir des doutes à son égard, et une fois qu'il aura quitté l'hôpital, ils seront sûrement contents d'avoir l'occasion de le passer au gril, surtout maintenant qu'il est prévu de rouvrir l'enquête concernant la mort de Sophie.

— Vous pensez sérieusement que Kim ne sera pas conscient de leur présence ?

— Mais en vous abstenant de les mettre au courant, ne risquez-vous pas d'entraver sciemment l'action de la justice ? Si Kim a tué Sophie...

— Je ne pense pas que ce soit le cas. Ni accidentellement ni délibérément.

— Comment pouvez-vous en être aussi sûre ?

— La raison et la logique le prouvent. S'il était responsable de son décès, je pense qu'il aurait fait disparaître le corps afin qu'on ne le découvre pas tout de suite. De ce fait, on n'aurait pas pu déterminer avec exactitude l'heure de sa mort et l'alibi Warren Schaeffer aurait paru moins louche.

Je marquai une pause, mais comme il se taisait, j'ajoutai :

— Je suis désolée, Tucker, mais je ne crois pas qu'il soit le monstre que vous dépeignez. Je doute de pouvoir un jour lui faire confiance à nouveau, mais c'est mon mari et il n'y a pas si longtemps, il me rendait heureuse. En un sens, bafouillai-je encore (mais je me repris très vite), ce chaos ne concerne que lui et moi. Ce n'est ni un film à suspense à la Hitchcock ni un de vos romans d'aventure. C'est l'histoire d'un homme brillant des années 90 qui soupe avec le diable et signe un pacte qui cause sa ruine. Il est question de ces faux dieux que vénère notre société et du prix qu'il faut payer quand on jette la morale aux orties. Je pense que... enfin bref.

Je m'interrompis, avide de reprendre des forces avant d'ajouter d'un ton égal :

— Sur le plan juridique, la situation est simple : je n'entrave pas l'action de la justice puisque je ne leur dissimule aucune information — je leur ai déjà tout dit, et puis je m'efforce de mettre en lumière les crimes de Kim (si tant est qu'il en ait commis). S'il reconnaît avoir agi en criminel, j'en informerai la police. En attendant, ce n'est pas un délit de refuser d'être mise sur écoute ou de dire à la police que je compte avoir une conversation sérieuse avec mon mari. Je n'enfreins pas la loi, je vous l'assure. J'ai la conscience tranquille.

Un autre silence s'ensuivit avant que Tucker dise à voix basse :

— Vous ne vous rendez donc pas compte à quel point je m'inquiète pour votre sécurité, ma chérie.

— Il est temps que je rentre, dis-je en me levant.

10

— Désolé, ça m'a échappé. Rayons ce mot tendre. Carter, j'espère que vous n'avez pas l'intention de cacher ce plan à Nick et Lewis ?

— Evidemment non.

— Vous croyez vraiment qu'ils vous autoriseront à le mettre à exécution ?

— M'autoriser ? Depuis quand ai-je besoin de la permission de quiconque pour gérer ma vie ?

— Oh mon Dieu, écoutez-moi, ma douce. Vous êtes aussi mignonne que Shirley Temple quand vous dites ça, mais ces niaiseries féminines sont hors de propos. Vos bons amis voudront vous protéger, qu'ils soient hommes, femmes ou hermaphrodites... Vous partez vraiment ?

— Oui, vos commentaires me rendent nerveuse. Merci pour le dîner... et merci de m'avoir écoutée.

— Vous êtes sûre de pouvoir conduire ?

— Sans problème.

Je venais de me rendre compte que la température sexuelle

était montée si vite qu'il fallait que je m'en aille avant de me liquéfier. J'étais déjà dans le hall et m'efforçais de tirer le loquet, mais il paraissait coincé par un système de sécurité. Je le secouai fébrilement.

La main de Tucker glissa à côté de moi et poussa le levier vers le haut. Son bras effleura le mien et, de sa main libre, il enserra ma taille. Je sentis son baiser au creux de ma nuque, mais il se contenta de dire :

— Bon voyage.

Je serrai très fort la main qui me tenait la taille. Puis je la lâchai, ouvris brusquement la porte et me ruai dans l'air chaud et humide de la nuit.

Dieu sait comment je parvins à rentrer au presbytère.

11

— J'ai entendu dire que vous préfériez avoir une conversation privée avec Kim, me dit Nicholas d'un ton prudent le lendemain après le petit déjeuner, et j'ai compris qu'elle se déroulerait dans un lieu public. Dans la mesure où des scènes désagréables ont parfois lieu dans ce genre de cadre, Eric a peut-être raison de soulever la question de la sécurité.

On était samedi, et le Centre de guérison étant fermé, Nicholas n'était pas pressé. Nous avions pris place dans son bureau du presbytère en compagnie de Lewis. Il faisait déjà chaud et les fenêtres avaient été ouvertes en grand, mais comme la City était déserte le week-end, un silence presque angoissant régnait dans Egg Street. Les deux hommes étaient « en civil », ce qui leur donnait une allure plus personnelle, presque négligée, et dans le cas de Lewis, plus jeune et plus fringante.

— Je suis certaine que Kim ne me fera pas de mal, dis-je en réponse au commentaire de Nicholas.

— Je pense aussi que les médecins ne le laisseraient pas partir s'ils l'estimaient dangereux, reconnut Nicholas de bon gré, mais après le désastre survenu dans votre appartement, je suis intimement convaincu qu'une scène peut démarrer tout à fait innocemment pour s'achever dans le chaos.

— Mieux vaut prévenir que guérir, enchaîna Lewis sans me laisser le temps de protester. Nous pourrions vous fournir un garde du corps...

— ... et cela s'accorderait fort bien avec votre plan, ajouta Nicholas. L'homme vous attendrait à l'hôtel et vous surveillerait pendant la conversation. Au moment où vous vous lèveriez pour partir, il se ferait connaître et vous pourriez le présenter à Kim comme le chauffeur engagé pour le conduire à Oakshott. Cela l'empêcherait de faire une scène au moment de votre départ.

— Excellente idée ! s'exclama Lewis.

Ils se tournèrent tous les deux vers moi en attendant ma réaction.

J'acceptai leur proposition.

12

— Tout se déroule à merveille, m'informa Lewis ce soir-là après son ultime visite à Maudsley. Kim était enchanté par votre suggestion et votre lettre l'a mis de très bonne humeur... Quand comptez-vous conduire la Porsche à l'hôtel ?

— J'ai changé d'avis à ce sujet, répondis-je. Je ne tiens pas à ce que ma voiture se trouve dans le parking quand nous arriverons sur place. Kim ne manquera pas de la reconnaître et il devinera mes intentions. Je vais louer une voiture que j'emmènerai là-bas demain soir. Tucker me suivra dans la voiture de Gil et me raccompagnera.

— J'espère que le jeune Tucker n'envisage pas de s'impliquer davantage dans votre plan.

— Il a accepté de disparaître de la scène quand je lui ai parlé du garde du corps.

La conversation s'arrêta là, mais Lewis n'avait pas l'air de vouloir que je m'en aille. Nous étions dans la partie du rez-de-chaussée du presbytère qu'il avait colonisée quelques années auparavant : deux pièces communicantes, un salon et sa chambre à coucher, l'une et l'autre bourrées de meubles anciens, de photographies de sa fille et de sa famille, d'images religieuses, d'icônes, outre un mini-autel, des tonnes de livres, de 33 tours, de cassettes et de CD. Assise dans un fauteuil près de la cheminée du salon, je me faisais violence pour ne pas éternuer. Lewis venait d'allumer une cigarette et nous sirotions tous les deux un whisky-soda. En dépit de son air innocent, le ton glacial qu'il avait pris pour parler de Tucker m'avait mise sur mes gardes et je songeai à ce poème à propos d'une mouche qu'une araignée avait courtoisement conviée chez elle pour une raison dont la malheureuse ne s'était pas doutée un seul instant. Mal à l'aise, je remuai dans le vieux fauteuil en cuir défoncé.

— L'année dernière, reprit-il enfin, Eric a commencé à venir me voir de temps en temps pour me parler, mais je ne l'ai pas revu depuis le jour où je vous ai rencontrée, le soir où nous dînions chez Alice. Je suppose qu'il fait toutes ses confidences à son frère désormais.

— J'ai cru comprendre que Gil et vous ne vous entendiez pas très bien.

— Nos opinions divergent. Quoi qu'il en soit, je suis sûr qu'il est assez bon prêtre pour se rendre compte qu'il est trop proche de son frère sur le plan affectif pour lui offrir le type de conseils spirituels dont Eric doit avoir besoin en ce moment.

— A l'évidence, vous me parlez de cela parce que Tucker et moi sommes amis, mais...

— ... Un sujet dont Eric refuse apparemment de parler avec moi. De ce fait, ce ne sont pas mes oignons. La rencontre entre Kim et vous, en revanche, ça me regarde ! Je veux que tout se passe bien. Je veux que vous soyez à même de prendre la décision qui convient concernant votre mariage et vous n'y arriverez pas si Eric est tenté de mettre à exécution un scénario qu'il serait bien avisé de confiner aux pages de son prochain roman.

— Lewis, je ne sais pas ce que vous sous-entendez, mais...

— Vous le savez parfaitement, ma chère ! Ne jouez pas les ingénues ! N'insultez pas nos intelligences.

— Mais ce ne sont là que des conjectures ! Vous n'avez pas la moindre idée de ce qui s'est passé entre Tucker et moi !

— Vous croyez ? Je pense que vous lui avez demandé son avis sur votre situation, comme à nous autres, et j'imagine sans mal comment il a pu réagir. C'est très traumatisant pour un homme de se trouver dans l'incapacité d'aider une femme qui a requis son aide et je suis sûr qu'Eric se reproche d'avoir été la victime au lieu du héros, je suis même certain qu'il s'en veut à mort. Plutôt que de se haïr, toutefois, il reporte sa haine sur Kim. C'est beaucoup plus facile, plus rassurant et infiniment plus satisfaisant.

Il marqua une pause pour me permettre de commenter, mais j'étais incapable d'aligner deux mots.

— Ce sentiment d'échec est sans doute l'une des raisons qui le poussent à vous aider à présent, poursuivit Lewis, même si ce n'est pas la seule. Etant donné les circonstances, il est normal qu'il cherche à faire de Kim un démon. Malheureusement, cette réaction, on ne peut plus compréhensible, fait que vous ne pouvez prêter foi à ses propos concernant votre mari. Du reste, vous n'avez certainement pas besoin qu'on souille ainsi les eaux conjugales dans lesquelles vous naviguez. Il faut au contraire qu'elles soient limpides. N'oubliez pas tout cela lorsque vous verrez Kim lundi. Il est essentiel que vous affrontiez le vrai Kim et non la projection psychologique d'un quidam.

— Vous pensez vraiment que je ne l'ai pas compris ? m'exclamai-je, perdant mon sang-froid tout en prenant conscience d'avoir fermé les yeux sur la dimension de la réalité qu'il venait d'exposer. Pour qui me prenez-vous ? Une poupée écervelée victime de ses hormones ?

— Je vous considère comme une femme vulnérable, répondit-il sans sourciller. Je pense aussi qu'au fond de vous, vous le savez et cela vous terrifie. Si vous acceptiez votre vulnérabilité au lieu de vous voiler la face, vous seriez en bien meilleure posture pour affronter Kim lundi, Carter. En étant plus en contact avec vos émotions, vous serez aussi plus perceptive.

— Comment osez-vous me dire que je dois être vulnérable pour comprendre que deux et deux font quatre !

— Vous vous méprenez. Je dis que vous devez reconnaître votre vulnérabilité parce qu'en le faisant, vous le serez d'autant moins.

Je déglutis avec peine sans pouvoir répondre.

— Carter, acheva-t-il, je comprends fort bien que vous soyez incapable de faire confiance à un homme en ce moment, mais en ma qualité de chrétien, je suis profondément attaché à la vérité. Vous pouvez au moins vous fier à ça.

Mes yeux s'emplirent de larmes. Je me levai et quittai la pièce en titubant.

13

— Salut, Tucker...

— J'attendais votre coup de fil avec impatience ! Si vous veniez boire un verre ?

— Mon foie a besoin d'un peu de répit. Ecoutez, je vous appelle juste pour vous dire que j'ai décidé de rentrer seule demain, après avoir conduit la voiture de location à l'hôtel. Je prendrai le train.

— Mais ne serait-ce pas plus facile de...

— Je ne pense pas...

— Pourquoi ce changement ?

— Il faut que je me prépare psychologiquement sans distraction.

— Sérieusement, je ne peux rien faire ?

— Allumez un cierge quelque part.

— Mais je n'ai pas arrêté de la journée. St Eadred n'est plus qu'une forêt de petites flammes bien ordonnées...

— Oh Tucker...

— Laissez-moi vous reconduire demain. Laissez-moi vous emmener boire une limonade. Laissez-moi...

Je raccrochai et éclatai en sanglots.

14

— Ma chérie ! s'exclama Kim en se dirigeant vers moi dans le hall de l'hôpital.

Il était 11 h 30 et le soleil brillait. J'avais mis un pantalon en stretch bleu marine et un débardeur rose moulant ainsi que la petite croix argentée que j'avais empruntée à la collection de Nicholas la nuit où j'avais craqué. Kim portait une chemise de sport rouge, un pantalon fauve et la dernière montre qu'il s'était offerte lors d'un voyage en Suisse. Il avait une valise à la main. Mary Waters, sa secrétaire dévouée, avait été à l'appartement peu après le désastre et lui avait apporté des vêtements de rechange.

— Salut ! fis-je maladroitement.

On aurait dit une adolescente lors de son premier rendez-vous.

Je m'étais longuement demandé si je devais l'embrasser ou non. C'était sans doute une bonne idée pour ne pas éveiller ses soupçons ; en même temps, cela risquait de le rendre encore plus méfiant après le calvaire de ces dernières semaines. Quoi qu'il en soit, le moment venu, je n'eus pas le choix. Il posa sa valise, ouvrit grand les bras et me serra contre lui. Il y eut bien un baiser, quelque part près de mon oreille gauche. En l'espace de cinq secondes, il m'avait attrapée, écrasée contre sa poitrine et relâchée.

— C'est vraiment gentil d'être venue, dit-il. Je ne sais comment te remercier. Ecoute, mon cœur, avant que nous fassions un pas de plus, laisse-moi te dire à quel point je suis désolé de toutes ces catastrophes, mais je vais me rattraper, changer de vie, je te le jure... Comment va le gamin ?

— Le gamin ? Oh tu veux dire...

— Tucker. Maintenant que je vais mieux, je vais lui écrire une lettre pour m'excuser. Est-il remis ?

Je vis tout de suite le piège.

— Je pense que oui, répondis-je. Il est parti en convalescence au Portugal.

— C'est ce que m'a dit Lewis. Lewis ! Quel homme ! Bon ! Allons-y ! Nous avons tant de choses à nous dire... Où est la voiture ?

— Au coin de la rue.

Nous nous mîmes en route, lui filant joyeusement hors de l'hôpital sans un coup d'œil par-dessus son épaule, moi consciente de n'éprouver aucune émotion en dehors d'un étonnement nauséeux. Je n'arrivais pas à croire qu'il fût aussi en forme. Je m'étais attendue à le trouver hagard.

— Tu as l'air de bien aller, m'entendis-je dire.

— Eh bien, cela peut paraître étrange, mais ce repos forcé m'a vraiment fait du bien. J'ai sans doute aussi bénéficié de l'absence d'alcool.

— Alors tu te sens bien ?

— Magnifiquement ! s'exclama-t-il avec exubérance en me souriant. C'est la raison pour laquelle je suis certain de m'en sortir. Lewis m'a dit... ah, voilà la Mercedes ! Elle m'a manqué. Où sont les clés ?

— Les clés ?

— Comment veux-tu que je conduise sans les clés ?

Il rit de cette absurdité, radieux et enchanté d'avoir recouvré la liberté.

— Mais Val m'a dit que tes médicaments ne te permettaient pas...

— Oh oublie tout ça. Les infirmières ne me surveillaient pas puisque j'étais sur le point de sortir. Comme je voulais avoir la tête claire pour toi, j'ai jeté le tout dans les toilettes.

— Tu les as...

— Evidemment. Bon débarras... Qu'est-ce qui se passe ?

— Ecoute, il vaut mieux que je conduise. Après tout, tu es encore convalescent...

— Ne sois pas ridicule ! Si je suis assez bien pour sortir, c'est que je peux conduire ! Allez, ma chérie, donne-moi ces clés. Je meurs d'impatience de ficher le camp d'ici.

Sachant que je m'étais fait avoir, je fis en silence ce qu'il me demandait.

V.

« Presque tous les aspects de l'existence peuvent engendrer des désirs incontrôlables. La nourriture, la boisson, la santé, l'exercice, l'apparence physique, le sport, le sexe, la drogue ; ce ne sont là qu'une partie des domaines directement liés à nos corps, susceptibles de provoquer des phénomènes de compulsion et d'accoutumance qui affectent fondamentalement toute notre vie. »

David F. Ford
The Shape of Living

1

Je m'efforçai de réfléchir lucidement, mais mes capacités de raisonnement, surtout celles liées à l'imagination et à la débrouillardise, semblaient être en panne. J'avais les doigts si raides que je parvins tout juste à boucler ma ceinture.

— Nous serons sur la A3 en un rien de temps, lança Kim en démarrant le moteur.

— Mais Kim, je pensais descendre jusqu'à la M25 et...

— La M25 ? Pourquoi veux-tu aller si loin ?

— Eh bien, vois-tu, en vérité, je voulais te faire une surprise. J'avais pensé que nous pourrions déjeuner à l'hôtel près de la sortie de Reigate.

— C'est une excellente idée, dit-il en marquant une pause pour me sourire avant de s'écarter du trottoir, mais pas aujourd'hui, d'accord ? J'ai vraiment envie de rentrer à la maison.

— A la maison !

— Pardonne-moi ! Qu'est-ce que je raconte ? Ce n'est pas ce que je voulais dire, bien sûr, quoique d'une certaine manière, je me sente encore chez moi là-bas, surtout depuis que la propriété est à nouveau en ma possession...

— Kim chéri, je ne voudrais pas être embêtante, je t'assure, mais je ne supporterai pas d'aller là-bas, pas après ce qui s'est passé.

— J'y ai pensé, répondit-il d'un ton grave, j'en ai parlé avec mon psychiatre et nous en avons conclu l'un et l'autre que ce serait une bonne thérapie pour toi d'y retourner afin de te rendre compte à quel point la maison est jolie et paisible. Il ne faut pas que tu conserves le souvenir terrible d'un cadavre dans une bicoque sinistre. De cette manière, ce cauchemar sera exorcisé, comme dirait Lewis. Mon Dieu, il faut absolument que je te parle de Lewis. Quel homme extraordinaire !

— Ecoute, ne t'imagine pas que je ne veuille pas passer du temps avec toi, j'ai hâte de te parler, mais je préférerais que...

— Bon, je vais te dire la vérité, coupa-t-il. J'ai une surprise pour toi là-bas. J'ai tout arrangé avec Mary. Elle a apporté du champagne et des canapés au saumon fumé. Comme tu m'as généreusement proposé de venir avec la voiture, j'ai estimé que c'était le moins que je puisse faire pour toi !

— Ah ! Oui. C'est gentil à toi. Je ne m'y attendais pas du tout...

— C'est tout l'intérêt des surprises ! reprit-il d'un ton joyeux. On ne s'y attend pas. A présent, détends-toi, ma chérie, et profitons d'être à nouveau ensemble...

2

Je songeai à le prier de me déposer à la station de métro la plus proche, mais je savais que dès que j'agirais d'une manière qu'il pourrait interpréter comme un rejet, toute tentative faite pour paraître constructive quant à notre avenir serait vaine et je perdrais alors tout espoir de connaître la vérité sur son passé. Je pensai aussi à requérir une petite halte dans une station d'essence sous prétexte d'aller aux toilettes ; j'aurais pu me précipiter dans une cabine afin de rendre compte de l'échec de mon plan, mais rien ne prouvait que le téléphone se trouverait près des WC, et le risque d'éveiller les soupçons de Kim était trop grand.

Je n'avais guère le choix : soit je continuais avec l'espoir d'être délivrée de toutes les conjectures qui me tourmentaient, soit je ruais dans les brancards, prête à vivre à jamais dans le tourment. La seule chose qui me rassurait était ma conviction que Kim ne me ferait jamais de mal tant qu'il pensait que notre mariage pouvait être sauvé. Dès lors que je m'abstenais de toute remarque idiote du style : « Nous réconcilier ? Tu plaisantes ! », je n'avais aucune raison de craindre de boire ma dernière coupe de champagne.

Je n'en étais pas moins tétanisée de peur.

3

— Je veux que tu me racontes tout ce que tu as fait, ma chérie, dit-il, mais au préalable, je tiens à te dire un certain nombre de choses, alors je t'en prie, pardonne-moi si je monopolise un instant la conversation.

« Pour commencer, je voulais que tu saches que j'étais heureux que tu aies pu trouver refuge au presbytère et partager un appartement avec cette charmante Alice. (Je n'ai pas oublié son uniforme sexy !) C'était très important pour moi de savoir qu'on prenait soin de toi après ce que tu venais d'endurer. Sinon je me serais fait un sang d'encre. Evidemment, je comprends que tu n'aies pas pu m'écrire ni venir me voir. Toi aussi, tu avais besoin de temps pour guérir, Lewis me l'a expliqué. De toute façon, ça n'aurait guère été agréable de me rendre visite quand j'étais bourré de remèdes.

« Je sais que je donne l'impression de n'avoir jamais été malade, mais, crois-moi, j'étais vraiment au bout du rouleau. Cette scène finale avec Mme Mayfield... cette histoire de balcon... J'ai cru... Mais nous parlerons de cela plus tard. Il suffit de dire que je savais que je ne supportais pas le contrecoup de mon agression envers Tucker. Il y avait trop longtemps que j'étais sous tension et mon cerveau s'est fermé. J'avoue avoir feint quelques symptômes de schizophrénie afin d'être admis à l'hôpital, mais à ce stade-là, je n'avais pas d'autre moyen d'affronter la réalité. Les médecins de Maudsley s'aperçurent vite du subterfuge, mais ils reconnurent aussi que j'avais de vrais problèmes. C'est la raison pour laquelle ils veulent continuer à me suivre, même si en gros, je suis tiré d'affaire. Je n'ai rien contre l'idée d'aller leur faire la causette tous les quinze jours. De toute façon, je peux laisser tomber en cours de route si je le souhaite. J'ai bien vu qu'en promettant de revenir régulièrement, je pourrais échapper à cet endroit le jour où j'aurais décidé que j'en avais assez.

« Bref j'étais là, loin d'être fou mais assurément en piteux état, quand Lewis me rendit une première visite. J'étais tellement abruti par les médicaments que je n'ai pu que balbutier : "Je ne comprends pas. Qu'est-ce que vous faites ici ?" Il me répondit du tac au tac : "Mon travail consiste à venir de temps en temps vous rappeler que, quelle que soit votre situation, vous n'avez pas à l'affronter seul."

« Soudain, ma mémoire a fait tilt et j'ai compris. As-tu jamais vu un film intitulé *Le jour du vin et des roses* ? Non, tu étais trop jeune. Eh bien, Jack Lemmon joue le rôle d'un type qui sombre dans l'alcoolisme, sans parvenir à l'admettre. Pour finir, il se retrouve au plus bas, ivre mort dans une cellule de prison. Il reprend ses esprits, malgré sa gueule de bois et son humiliation, convaincu que la mort est la seule solution, puis cet étranger apparaît. C'est un moment très fort. Evidemment l'inconnu est un émissaire des Alcooliques Anonymes venu le soutenir et partager sa douleur.

« Lewis et moi n'avons guère parlé au début. J'étais trop mal. Puis les médecins ont modifié le traitement et je me suis senti mieux. J'arrivais davantage à m'exprimer. Finalement, je retrouvai suffisamment d'intérêt pour lui dire : “Je suis sûr qu'il existe divers types de fonctions dans une institution de la taille de l'Eglise d'Angleterre. Quelle est votre spécialité ?” Il me répondit sans détour : “Je suis un exorciste à la retraite.” Inutile de te préciser qu'après ça, j'étais suspendu à ses lèvres.

« Nous avons abordé la question de Mme Mayfield. Bizarrement, avec les psychiatres, j'en étais incapable. Ce n'était d'ailleurs pas le seul thème dont je ne pouvais débattre avec eux. A Lewis, je pouvais en parler parce qu'il savait qui c'était et parce qu'il avait compris cette fichue scène. A un moment, je lui ai demandé : “Comment faites-vous pour me parler d'elle comme si vous la connaissiez depuis des années ?” Sa réponse m'a sidéré. Il m'a dit qu'elle représentait ce que Nicholas Darrow et lui auraient pu devenir s'ils avaient consacré leurs dons aux Puissances plutôt qu'à Dieu.

« Nous avons eu une longue conversation au sujet des Puissances et de la nature du mal. Lewis affirme que le problème d'Auschwitz, connu pour son passé criminel, a le tort de pousser les gens à penser que le mal se cantonne à certains lieux alors qu'en réalité, il est omniprésent. Il m'a dit : “Le mal est partout où l'on ment au lieu de dire la vérité, où la tromperie est un mode de vie, partout où les êtres humains sont manipulés, abusés, maltraités. Le mal est une maladie spirituelle et nous sommes tous à sa merci. Personne n'est à l'abri.” Il est vraiment étonnant ! Peu lui importait de tenir des propos vieux jeu. Il ne craignait pas que je me moque de lui. Et je n'ai pas ri parce que ce qu'il me disait me touchait de près. Je lui ai parlé du mal que j'ai connu étant enfant en lui expliquant que cela m'avait incité à vouloir dominer les Puissances... Il a parfaitement compris, évidemment. Aussi bien que Mme Mayfield. Pourtant on ne peut pas dire que nous ayons eu le même parcours.

« Je ne veux pas minimiser le rôle des médecins. Ils ont été sensationnels, ils m'ont traité avec gentillesse et respect. Mais Lewis... Il m'a donné l'impression de s'élever dans des sphères d'expérience que les toubibs n'auraient jamais pu atteindre et qui correspondaient pourtant aux domaines où j'avais le plus besoin d'aide. Il... il m'a donné de l'espoir. J'en suis venu à lui faire confiance et quand il m'a dit que je pouvais changer le cours de ma vie en dépit de ce que j'avais fait, j'ai pensé : S'il le croit, moi aussi. “Et si je suis impardonnable ?” lui ai-je demandé. Il m'a répondu : “Personne n'est impardonnable.” Je l'ai interrogé à propos d'Hitler, il m'a simplement répondu : “Il ne semble pas qu'il ait accepté la responsabilité de ses actions et qu'il les ait regrettées devant Dieu.” Ensuite il a entrepris de me parler du libre arbitre qui nous autorisait à rejeter Dieu, mais à ce stade, je ne voulais pas perdre le fil parce que c'était sa dernière visite et qu'il restait peu de temps. “Bon, enchaînai-je, j'admets que votre Dieu m'absoudra si je reconnais mes fautes et si je les regrette, mais, pour être honnête, ma femme m'intéresse plus que Dieu. Comment faire pour qu'elle me pardonne alors que j'ai tout fait foirer ?”

« Lewis n'est pas du genre à mâcher ses mots. “Vous ne pouvez pas la contraindre à vous pardonner”, m'a-t-il répondu, “mais si vous étiez honnête avec elle à propos de votre passé de manière à instaurer un esprit de vérité au sein de votre mariage, vous lui montreriez clairement que vous avez rejeté les mensonges générés par Mme Mayfield. En attendant, je prierai pour que vous guérissiez.”

« Il a ajouté quelque chose à propos du Christ, ou de Dieu, je ne sais plus, et il est parti. Quel homme, jamais effrayé de dire ce qu'il pense, jamais dérouté en dépit de tout ce que j'ai pu lui dire ! Quand je me suis souvenu à quel point il connaissait la profondeur spirituelle de l'être humain, je me suis dit : “Qu'ai-je à perdre en suivant son conseil ? Autant dire toute la vérité à Carter." J'ai reconnu alors que j'avais plongé au fond de l'abîme spirituel, inutile de prétendre le contraire, mais je veux à tout prix remonter la pente !

« Voilà où j'en suis, ma chérie, et une fois encore pardonne-moi d'avoir monopolisé la conversation, mais il fallait que je t'explique tout ça pour que tu comprennes bien mes motivations. Je suis prêt à tout avouer, je le jure, mais pas avant d'avoir puisé du courage dans une bonne petite coupe de champagne.

4

Je parvins à bredouiller quelques commentaires encourageants, mais j'étais incapable de déterminer si je croyais ou non à ce nouveau désir de traiter Lewis comme un gourou spirituel. J'étais trop déconcertée pour évaluer ses propos, trop troublée par l'aveu de sa duplicité vis-à-vis du personnel de l'hôpital. A moins qu'il ne mente encore, histoire de flatter son amour-propre et de nous persuader l'un et l'autre qu'il avait conservé un relatif contrôle sur sa situation durant sa dépression ? Je savais qu'il répugnait à l'idée que je pusse le voir faible et impuissant.

Au prix d'un grand effort pour oublier mes angoisses, je commençai à lui raconter ma visite dans le Nord avec Alice, mais j'appris qu'il avait déjà été informé de mon voyage.

— Lewis était inquiet, remarqua-t-il, parce qu'il a mouchardé en me disant que tu étais allée voir ton père. Il ignorait que tu ne m'avais jamais dit qu'il était en prison... Alors nous avions tous les deux des secrets l'un pour l'autre, n'est-ce pas, Carter ? Peut-être en as-tu encore en réserve, d'autres choses que tu regrettes. Je ne t'ai jamais vraiment interrogée sur tes antécédents sexuels, n'est-ce pas ? Je me suis dit que comme tu voulais te fixer avec moi, j'aurais été stupide de m'obséder avec ça. Tu vois, moi je t'ai laissée prendre un nouveau départ en effaçant l'ardoise du passé ! Je t'aimais assez pour tout te pardonner, je t'aime toujours assez, même si tu as fait des choses récemment qui méritent d'être pardonnées... mais Lewis m'a dit qu'il serait sage de laisser tomber la question de Tucker, que tu serais agacée par ma réticence à croire qu'il ne s'est rien passé entre vous.

— Lewis s'exprime décidément très bien.

— Je suis désolé, mais si tu crois que je ne me rends pas compte quand un gosse hirsute te trouve sexy...

— Tucker a trente-cinq ans...

— Certes, mais à l'évidence, il a oublié de grandir. Je connais le genre. Les femmes les trouvent séduisants parce qu'ils sont toujours prêts à sauter au lit, mais...

— Kim, je vais te le dire une fois pour toutes et j'espère ne pas être obligée de me répéter : je n'ai pas couché avec Eric Tucker. J'ai arrêté de baiser à droite à gauche il y a des années quand mon amour-propre a atteint un seuil où ce comportement imbécile a cessé de paraître indispensable à mon bien-être.

Une seconde après avoir achevé mon laïus, je me souvins que Kim lui-même était entré dans ma vie à l'origine pour une seule nuit, mais avant que j'eusse le temps de frémir, il s'était excusé et avait entrepris de me raconter d'un ton désinvolte la routine de sa vie à l'hôpital.

5

Lorsqu'il s'engagea finalement sur la A3, il en avait fini avec sa description des médecins, infirmières et patients, des tests et des thérapies ainsi que des remèdes et s'attardait à présent sur la question des repas et des relations avec le monde extérieur.

— Je résolus de n'accepter aucun visiteur hormis Lewis, me dit-il. C'était une question d'orgueil. Je ne voulais pas que quiconque me voie dans ce cadre.

— As-tu des nouvelles de Graf-Rosen ?

— J'ai reçu une lettre de sympathie bateau, mais ils attendent bien évidemment que je sois suffisamment remis pour me mettre à la porte. Dans la lettre, ils me disaient que je pouvais prendre autant de temps qu'il me fallait pour récupérer.

— Le baiser de la mort.

Le temps était bien la dernière chose qu'on accordait aux gens dont on avait besoin.

— Ça m'a donné un coup de fouet. De ce fait, j'ai passé de nombreuses heures délicieuses à réfléchir à la manière dont je leur donnerais un coup de pied dans les couilles en me dégotant un meilleur boulot ailleurs !

— Voilà comment il faut réagir ! m'exclamai-je tout en me demandant quelle chance il avait de trouver un autre emploi à cinquante ans après une dépression nerveuse.

Lorsqu'il m'avait interrogée au sujet de mon départ de chez Curtis-Towers, je m'étais abstenue de lui dire que sur le répondeur de l'appartement, il y avait déjà plusieurs messages de chasseurs de tête anxieux de me parler.

— Salopards ! marmonna Kim et il retira sa main gauche du volant pour me caresser l'intérieur de la cuisse droite.

Je réussis à ne pas tressaillir, mais alors même que je luttais contre ma répugnance physique, je me sentis prise d'une terrible sympathie pour lui.

— Je suis vraiment désolée que tu aies dû endurer tout cela, chéri, m'entendis-je dire.

— Ça va aller, dit-il simplement, tant que je t'ai avec moi.

A ce stade, je me sentais si ébranlée, si oppressée, que je cessai même de m'inquiéter à l'idée de foncer vers Oakshott à 120 à l'heure.

6

Comme nous approchions de la sortie de l'autoroute, je trouvai finalement le courage de dire :

— Je suppose que Mme Mayfield ne t'a pas fait signe ?

— Non. Elle m'a laissé tomber, c'est clair. Pas de nouvelles du groupe non plus. Tout cela est fini en ce qui me concerne, dit-il et comme je me taisais, il ajouta avec véhémence : Il faut que tu me croies, Carter, je te jure que c'est la vérité !

— Comment en serait-il autrement après ce que tu m'as dit à propos de tes conversations avec Lewis ? répondis-je aussitôt. Evidemment que je te crois !

Le croyais-je vraiment ?

Nous arrivions à Oakshott et la voiture s'enfonça dans les bois.

7

— Magnifique, n'est-ce pas ? dit-il au moment où il s'engageait dans l'allée de cette horrible bicoque.

Je me rendis compte avec effroi que cette deuxième visite allait me donner l'occasion d'enregistrer toutes sortes de détails qui feraient que ce lieu détestable serait plus nettement gravé dans ma mémoire que jamais. Je remarquai le jardin immaculé, la pelouse sans l'ombre d'une mauvaise herbe, les bordures tapissées de fleurs. Même les arbres sinistres donnaient l'impression de n'abriter que d'inoffensifs écureuils.

— Je me suis arrangé pour que le jardinier continue à venir après la mort de Sophie, m'informa Kim. Les jardins se transforment vite en jungle lorsqu'ils ne sont pas entretenus.

— Le problème de la succession n'est pas encore réglé,

notai-je. Les avocats ont-ils soulevé des objections quand tu leur as dit que tu souhaitais loger ici un moment ?

— Tu plaisantes ? Ils n'attendaient que ça afin que je protège la maison des cambrioleurs et des vandales. Allons-y ! Entrons et débarrassons-nous une fois pour toutes de ces souvenirs dramatiques. La femme de ménage a donné son congé, mais Mary a fait venir une entreprise de nettoyage l'autre jour. Tout devrait être en ordre...

Je sortis lentement de la voiture. Il y avait d'autres maisons tout autour, mais je ne les voyais pas. J'avais l'impression d'être à des lieues de tout.

Kim ouvrit la porte d'entrée et se hâta d'aller éteindre l'alarme.

— Bon ! lança-t-il d'un ton enjoué. Commençons par mettre la main sur cette bouteille de champagne.

Je me fis violence pour le suivre dans le grand hall circulaire et revis l'ample courbe de l'escalier qui menait jusqu'à la galerie du premier. Le luxe de ce vaste espace vide couronné par un lustre immense me fit songer à l'argent que Kim avait eu jadis, ainsi qu'au mystère lié à ces grosses sommes qu'il prétendait avoir perdues. Je me serais peut-être appesantie sur cette pensée, mais je me donnais tant de peine pour éviter de regarder l'endroit où j'avais vu le corps inerte de Sophie que plus rien de cohérent n'entrait dans mon esprit.

— Les toilettes sont là, si tu veux y aller ?

— Comment ? Oh oui... mais je sais où elles sont, dis-je, revivant aussitôt le moment où j'avais été malade la nuit où Sophie était morte.

Je me dirigeai vers le couloir où je m'immobilisai en me rendant compte que je n'éprouvais pas la moindre envie de me soulager et encore moins de perdre Kim de vue. Il fallait que je m'assure qu'il ne glisserait rien dans ma coupe de champagne ; même si cette réaction tenait de la paranoïa, j'étais bien incapable de lutter contre.

— J'ai changé d'avis, dis-je en lui emboîtant le pas vers la cuisine. Ça va pour le moment.

— Moi aussi. Non, attends, il faut que je me lave les mains

avant de préparer notre petit en-cas. C'est fou comme on devient maniaque de l'hygiène à l'hôpital ! Assieds-toi, ma chérie. Je reviens tout de suite.

J'attendis que la porte des toilettes se referme pour me glisser dans le hall, l'oreille tendue. Rien d'on ne peut plus normal. Je retournai précipitamment à la cuisine, le cœur battant.

— Regarde, marmonna-t-il d'un ton agacé en revenant, les affaires de jardinage de Sophie sont toujours là !

En suivant son regard, je revis le panier en bois plat contenant les gants, le sécateur et le chapeau de paille. A l'évidence, on avait voulu débarrasser la table en reléguant le tout par terre près de la porte donnant sur le jardin.

— Je suis désolé, dit Kim en voyant mon expression, j'aurais dû m'assurer qu'on fasse disparaître ce rappel flagrant d'une nuit traumatisante, mais j'ai oublié. En fait, j'ai probablement fait exprès d'oublier parce que chaque fois que je repense à cette nuit-là, je suis pris d'un violent mal de tête. D'ailleurs, je sens que ça vient, mais ça va sûrement passer dès que j'aurai bu une gorgée de champagne... Lewis t'a-t-il parlé de mes maux de crâne ?

— Non.

— Au départ, j'ai pensé que c'était Mme Mayfield qui me les infligeait à distance. Quand j'ai dit ça aux médecins, ils m'ont pris pour un dingue — je veux dire encore plus dingue que je ne l'étais déjà, alors je me suis tu. Ils m'ont fait passer des examens pour vérifier que je n'avais pas de tumeur au cerveau et comme cela n'a rien donné, ils ont mis ce symptôme sur le compte du stress.

— Pourquoi Mme Mayfield serait-elle malveillante à ton égard ?

— Je me demande si je ne suis pas devenu un passif plutôt qu'un actif à ses yeux... Mais oublions cela pour le moment. Régalons-nous. Ah voilà ! Des canapés au saumon fumé confectionnés par Mary ce matin et du Moët ! Si on allait dans le salon ?

Lors de mon dernier passage, les rideaux du salon étaient fermés. Cette fois-ci, je fus frappée par la clarté de la pièce. La baie vitrée donnait sur une terrasse dominant une autre pelouse immaculée qui étincelait au soleil. Des chintzs brillants dans des tons automnaux couvraient canapés et fauteuils, et le tapis était de la couleur de ces champignons exotiques que les magasins de produits fins vendent à des prix exorbitants. Cette décoration respirait le bon goût déshumanisant que les Anglais ont passé des générations à cultiver. Les tableaux dépeignaient des scènes destinées à ne choquer personne ; je soupçonnais que Sophie avait dû hériter de ces huiles qui me donnaient envie de bâiller. Aucune manifestation du penchant de Kim pour l'art moderne. Une multitude de bibelots précieux chuchotaient aussi « Classe » en faisant siffler les « s ». Je détestais cette maison plus que jamais.

— Il fait chaud, tu ne trouves pas ? dit Kim après avoir rempli nos coupes et remis la bouteille dans le seau à glace. Je vais ouvrir les fenêtres.

— Si nous allions nous asseoir sur la terrasse ? suggérai-je, prise de claustrophobie.

— Je pense qu'il y fait encore plus chaud. Ça ira mieux ici quand il y aura un peu d'air.

Je me sentis légèrement mieux quand il eut ouvert les fenêtres. Si les choses tournaient mal, j'avais une issue de secours sans obstacle. En attendant, Kim assumait sans difficulté son rôle d'hôte et rien ne semblait indiquer que la situation risquait de prendre un mauvais virage.

— Un canapé ?

— Merci.

J'en pris un et l'examinai. Je parvins même à mordiller un coin de pain complet avant de le reposer dans l'assiette et de tendre la main vers ma coupe.

— A nous deux ! m'exclamai-je. Afin que nous nous remettions pleinement de l'enfer de ces dernières semaines.

— A nous deux ! dit-il avec ferveur.

Nous bûmes et soupirâmes à l'unisson et en riant de notre réaction commune, je sentis pour la première fois que le Kim que j'avais aimé était encore là, vivant sous tous les décombres.

— Tu as déjà l'air remise ! dit Kim en me souriant. Tu es très élégante... mais pourquoi portes-tu une croix ?

— C'est un cadeau de Lewis, répondis-je simplement, surprise par sa question.

— Ah bon... Ont-ils essayé de te convertir ?

— Non. Pourquoi ?

— Je me demandais juste...

— Ils ont pris soin de moi alors qu'ils ne me connaissaient pas. Ils s'appliquaient à chercher la vérité alors que je me noyais dans les mensonges. Ils m'ont donné de l'espoir alors que je désespérais. Je voudrais qu'il y ait davantage de gens comme eux.

Il sourit à nouveau.

— Depuis que Lewis est devenu mon ami, je t'assure que je te comprends... A propos de Lewis et de son penchant pour la vérité sans fard...

La tension était si intense que je renonçai à manger quoi que ce soit et entrepris de boire mon champagne à grandes gorgées.

8

— Je vais commencer par le commencement, dit Kim. Je te confirme que je suis né à Cologne et que mon père était un avocat nazi, mais bien qu'il eût causé la mort de beaucoup de gens, on ne l'aurait pas envoyé à Nuremberg. Les hommes qu'il a condamnés étaient tous des soldats allemands qui avaient eu des ennuis. En sa qualité de juge, il finit par présider une cour martiale.

— Tu veux dire qu'il ne connaissait pas Hans Frank ?

— Il le connaissait, mais il n'a jamais travaillé pour lui à Cracovie. Voilà ce qui s'est passé : au début de la guerre, mon père travaillait pour le VGH ou *Volksgerichtshof*, le plus haut tribunal nazi pour les crimes politiques. Cet organe faisait partie du système juridique normal, mais quand l'Allemagne passa du statut d'Etat constitutionnel à celui d'Etat policier où l'oppression était l'unique moyen de régner, le VGH se laissa rapidement corrompre. Il n'y avait ni appel, ni jury, ni impartialité vu que les juges étaient des Nazis purs et durs. Ceux qui avaient la chance d'être acquittés n'étaient jamais libérés : on les adressait à la Gestapo qui les envoyait dans des camps de concentration.

« Mon père désapprouvait cette procédure ; il estimait que la police devait avoir le contrôle de la loi et qu'il fallait soumettre la Gestapo au pouvoir judiciaire. Impossible de modifier le système. Il changea de boulot. Il écrivit à Frank pour lui demander de l'aider et celui-ci s'arrangea pour qu'il aille en Pologne présider des cours martiales. Le système requérait la présence d'un juge professionnel assisté de deux soldats. Je doute que mon père y eût droit car ses fonctions étaient avant tout disciplinaires et non judiciaires et il fallait ordonner de nombreuses exécutions... Pas étonnant qu'il se soit mis à boire après la guerre ! Je pense qu'il n'eut pas la force de lutter contre tous ces événements désastreux qui anéantirent sa carrière et la loi telle qu'il la connaissait. Oui, il était nazi, et oui, il aurait dû prévoir le grabuge, mais c'est facile à dire avec le recul et il ne fut certainement pas le seul à ne pas mesurer les horreurs à venir quand il se rallia au parti nazi en 1929 en quête de son rêve d'une meilleure Allemagne... C'est étrange, mais maintenant que j'ai vécu des moments pénibles moi aussi, je le comprends mieux...

— Mais si ton père n'était pas un criminel de guerre...

— On a quand même pris la fuite en Argentine, je t'ai dit la vérité, mais pas parce qu'on devait échapper à la justice de Nuremberg. Parce que mon père ne supportait pas de rester dans une Allemagne dévastée et qu'il avait les contacts et l'argent nécessaires pour partir.

— Dans ce cas pourquoi avoir prétendu qu'il était criminel de guerre ?

— J'avais besoin d'une raison plausible pour expliquer le chantage dont j'ai fait l'objet. Tu ne manges rien, ma chérie, dit-il en prenant un autre canapé.

— Tout à l'heure ! Dans ce cas tu as aussi fabriqué de toutes pièces l'histoire à propos de ce juif que tu avais rencontré sur le bateau...

— Oui, j'ai tout inventé. On ne m'a jamais fait chanter à propos de mes origines nazies.

— Mais on t'a tout de même fait chanter.

— Oui, mais comme je ne pouvais pas te dire la vérité à ce sujet, il a bien fallu que je trouve une autre explication.

— Et tu as estimé que tu devais me révéler cette affaire de chantage pour rendre compte de ton manque de capital ?

— Oui, mais ce qui m'a incité à te raconter tout cela, c'est que j'avais peur que Sophie te dise la vérité. J'en ai parlé avec Elizabeth... Mme Mayfield...

— Attends un peu. La première fois que je t'ai interrogé à son sujet, tu m'as dit que tu ne la voyais plus.

— Je m'étais éloigné d'elle, certainement. Nous nous étions disputés à propos de notre mariage. Mais après ton face à face avec Sophie, j'ai senti qu'il fallait que je demande conseil à Mme Mayfield. Je l'ai appelée le lendemain.

— Ça m'étonne qu'elle ait décidé de t'aider ! Pourquoi n'a-t-elle pas laissé Sophie anéantir notre relation ?

— Pour différentes raisons, elle ne voulait pas que la véritable histoire du chantage se fasse jour. J'y reviendrai plus tard. Bref...

— Bref, Mayfield et toi avez mis sur pied une intrigue pour discréditer Sophie si elle essayait de lâcher le morceau. Mais ne craignais-tu pas depuis le départ que la vérité éclate ?

— Si, mais il y avait plusieurs vérités, non ? Quand Sophie a su que j'envisageais de me remarier, elle a dit qu'il fallait que tu saches que je lui avais été infidèle dès le début et que je l'avais privée de la possibilité d'avoir des enfants. C'était ça que je redoutais qu'on te révèle avant le mariage.

Je commençai à comprendre.

— Tu veux dire qu'au départ, tu pensais que Sophie ne me dirait rien à propos du chantage ?

— J'en étais sûr. Elle m'avait affirmé qu'elle n'avait jamais pu en parler à qui que ce soit, pas même au prêtre de sa paroisse.

— Dans ce cas...

— ... Je redoutais qu'elle réussisse à tout te révéler à propos de mes infidélités, mais je pensais que ce ne serait pas la fin des haricots. J'ai pensé qu'au pire, je pourrais te convaincre qu'elle était folle de jalousie. Je me suis dit aussi qu'elle se calmerait après le mariage parce qu'elle avait toujours proclamé que son objectif était de m'empêcher de t'épouser. Cependant, à mon grand désarroi, je me suis aperçu qu'elle refusait d'abandonner la partie.

Avant même qu'il eût fini de parler, je me souvins de ma conversation avec Sophie au supermarché.

— Plus que jamais, dis-je, elle sentait que Dieu voulait qu'elle tente à nouveau de faire la lumière sur la vérité, et cette fois-ci, elle parlerait coûte que coûte.

— Quand elle t'a suggéré de m'interroger à propos de Mme Mayfield, j'ai compris que les carottes étaient cuites.

— C'est à ce moment-là que tu as recontacté Mme Mayfield. Ton nouveau plan venait-il d'elle ?

— Oui, elle a pensé que plutôt que d'attendre que Sophie crache le morceau, mieux valait la devancer en te racontant une tout autre histoire. Elle a estimé aussi qu'il y aurait plus de chances que tu avales ce bobard s'il donnait l'impression de m'avoir été arraché sous la forme d'une confession. Elle s'est donc arrangée pour que Mandy Simmons nous passe ce coup de fil...

— ... après quoi, la Mayfield et toi vous êtes mis en devoir de me convaincre que Sophie était folle à lier.

— Il fallait à tout prix que nous détruisions sa crédibilité !

— Bien sûr !

Je me passai la langue sur les lèvres comme pour les adoucir avant de prononcer la phrase cruciale.

— Alors pour quelle raison t'a-t-on fait chanter exactement ?

Il éclusa sa coupe de champagne, se leva et commença à arpenter la pièce, il était incapable de me regarder en face.

— C'était une affaire de sexe, dit-il finalement en contemplant le jardin paisible. Avant d'aller plus loin, ajouta-t-il, je veux que tu saches que j'ai été très heureux avec toi et que je ne veux plus vivre comme j'ai vécu auparavant.

— Très bien, dis-je, c'est gentil de me dire ça, mais pour l'amour du ciel, comment as-tu vécu auparavant ?

Il s'approcha du seau à glace et se resservit.

9

Pour l'aider, je lui dis alors d'un ton calme :

— J'ai évidemment compris que les groupes de Mme Mayfield se préoccupent avant tout de sexe.

Cette information ne lui fit apparemment aucun effet.

— Leurs activités sont on ne peut plus licites, dit-il. Mme Mayfield s'arrange pour qu'on n'y coure aucun risque. C'est l'un des avantages. Pas de problèmes de chantage.

— Tous les combien est-ce que tu...

— Je n'y suis jamais retourné après t'avoir rencontrée.

— Mais le soir où tu m'as dit que tu allais faire tes adieux au groupe...

— Je n'y suis pas allé. Ce n'était pas vrai que Mandy et Steve s'efforçaient de me ramener au sein du groupe. J'ai dit ça pour rendre le coup de fil de Mandy plus plausible.

— Alors qu'as-tu fait ce soir-là ?

— J'étais avec Mme Mayfield. J'ai pensé que le moins que je puisse faire, c'était de l'inviter à dîner dans un bon restaurant. Et non, je n'ai pas pris de drogues ce soir-là ! Si tu m'as trouvé bizarre quand je suis rentré, c'est parce que j'avais beaucoup bu et que j'étais mort de fatigue.

Je m'abstins de tout commentaire et poussai la conversation plus avant en lui demandant :

— Voyais-tu le groupe souvent à l'époque où tu étais marié avec Sophie ?

— Pour ainsi dire jamais. Tu as mal interprété la situation. Je n'ai été lié qu'à deux occasions avec un groupe Mayfield, et chaque fois moins d'un an. Elizabeth m'avait prescrit leur fréquentation en tant que thérapie et non pas comme quelque divertissement à long terme.

— Comment l'as-tu rencontrée ? demandai-je en m'efforçant de garder un ton neutre, tel un avocat interrogeant un client sur quelques points éthiquement douteux.

— Comme je te l'ai dit, je suis tombé sur sa carte dans une librairie de Soho. Et comme je l'ai reconnu au presbytère, notre première rencontre eut lieu bien plus tôt que je ne te l'avais avoué au départ, et elle vivait à Lambeth à l'époque, et non à Fulham. J'étais marié depuis quatre ans seulement, mais Sophie était au courant de sa stérilité et je me sentais tellement coupable que sexuellement je n'arrivais plus à rien avec elle ou qui que ce soit d'autre. Peu m'importait de ne pas coucher avec Sophie, mais j'étais très contrarié de n'arriver à rien avec d'autres femmes...

— J'en suis sûre, dis-je, sentant que mon masque de neutralité commençait à glisser.

— Tu me trouves cavalier, n'est-ce pas, mais ne tire pas de conclusions trop hâtives ! J'aimais beaucoup Sophie, mais au lit, nous ne nous sommes jamais entendus. Après l'épisode de la maladie vénérienne, elle était ravie de tirer un trait sur sa vie sexuelle. Qui l'en blâmerait ? Certainement pas moi. Mais je ne voulais pas la quitter. Elle était toujours la femme dont j'avais besoin à l'époque et de toute façon... je m'estimais en droit de vivre avec une femme comme elle.

Il marqua une pause comme s'il regrettait cette ultime phrase et se rendait compte, tout comme moi, qu'elle ne cadrait pas avec le reste.

— *En droit* ? répétai-je en remettant mon masque solidement en place.

Il semblait qu'il avait de la peine à s'expliquer.

— Elle m'a permis d'avoir la magnifique demeure, bien entretenue, que j'aurais dû avoir, comme celle que j'avais avant que mes parents émigrent et que tout s'effondre. Sophie avait tant de goût, de classe. Après ce que j'avais enduré, il était... normal que j'aie une femme comme elle.

— Mme Mayfield était-elle en mesure de comprendre ça ?

— Bien sûr. Mais n'oublie pas que la première fois que je l'ai consultée, le problème n'était pas pour moi de trouver un moyen de renouer des relations sexuelles avec Sophie, mais d'en avoir avec d'autres femmes. Ce fut des années plus tard, quand notre couple finit par se briser après l'épisode du chantage, qu'Elizabeth m'a conseillé de me remarier. Jusqu'à ce moment-là, elle admettait fort bien que Sophie reste dans ma vie.

— Mme Mayfield avait-elle une candidate à te proposer ?

— Oui, et ce fut la deuxième fois qu'elle m'incita à me joindre à un groupe. La femme en question en faisait partie.

— T'a-t-il fallu du temps pour te rendre compte que ta promise ne te conviendrait pas ?

— Je l'ai su avant même de la voir, répondit-il d'un ton narquois. Je n'allais certainement pas refaire ma vie avec une femme impliquée dans un groupe d'échangisme. Cependant, étant donné l'aide que Mme Mayfield m'avait apportée lors de l'affaire du chantage, j'ai estimé que je ne pouvais pas lui faire faux bond. J'ai joué le jeu un moment, jusqu'au jour où je t'ai rencontrée.

Je m'entendis dire d'un ton détaché, comme si cette pensée me traversait l'esprit par hasard :

— Je suppose que Mme Mayfield n'a jamais songé à devenir elle-même ton épouse ? Après tout, vous avez à peu près le même âge et si tu l'as rencontrée quand elle était plus jeune...

Il leva un sourcil amusé.

— Mme Mayfield a compris depuis longtemps qu'un mari était bien la dernière chose dont elle devait s'encombrer.

— Et toi, qu'en penses-tu ? Si elle se débarrassait de cette perruque grise censée lui donner une vague ressemblance avec ta description d'une Sophie mal fagotée, je suppose, et si elle mettait un décolleté en satin noir...

— Evidemment que je l'ai sautée, enchaîna-t-il. Cela faisait partie du traitement de départ contre l'impuissance. Mais l'épouser ? Jamais de la vie ! Tu m'imagines marié à une femme qui a un accent pareil ?

— Heureusement que j'ai corrigé le mien, hein ! fis-je en m'efforçant de dissimuler mon horreur par une pointe d'humour, mais je me rendais à peine compte de ce que je disais.

A un certain niveau de conscience, j'avais sans doute envisagé la possibilité qu'il eût couché avec Mme Mayfield, mais je n'avais jamais imaginé qu'il aurait considéré son accent comme le pire de ses défauts.

— Qui oserait prétendre que l'accent n'a pas d'importance... disait-il d'un air dégagé. Enfin bref, comme je te le disais...

— Tu as couché avec Mme Mayfield.

Il prit soudain conscience de ma véritable réaction. Il s'éloigna à nouveau de moi et examina avec attention un panier à fruits en argent comme s'il cherchait une ternissure.

— Quand j'ai été guéri de mon impuissance, reprit-il sur un ton égal, Mme Mayfield m'a envoyé dans un groupe. Pour la première fois. Elle m'a dit que ça me donnerait le moyen de reprendre confiance en moi en recourant à différentes femmes. Je n'ai plus couché avec elle après ça. Nous avions tous les deux d'autres chats à fouetter. En outre... c'était une question de pouvoir. Elle ne m'aurait jamais octroyé autant de contrôle sur elle à long terme.

— Et le soir qui a précédé l'agression contre Tucker, quand tu as logé chez elle à Fulham ?

— Je n'avais plus la cote avec elle à ce stade, crois-moi. Il ne s'est rien passé.

Il y eut un silence.

— Comme je disais, reprit-il ayant clairement décidé de s'écarter à toute vitesse de ce terrain glissant, au bout d'un moment j'en ai eu assez du groupe et j'ai voulu laisser tomber. Je pensais que Mme Mayfield m'en voudrait, mais elle a reconnu que ce type de thérapie de groupe n'avait qu'un temps et que le principal était que je sois guéri. Ensuite, elle m'a dit...

Il but une gorgée de champagne.

— ... elle m'a dit qu'elle avait un groupe bien plus intéressant pour moi, qui m'apporterait beaucoup, tant sur le plan intellectuel, spirituel, que physique. Je consentis à essayer si elle m'en disait un peu plus et la première chose qu'elle m'a dite, c'était que ce n'était pas un groupe, mais une société.

J'éclusai aussitôt mon verre et tendis la main vers la bouteille.

— Une société secrète ?

— Très secrète. Chérie, ça me répugne de reconnaître que je t'ai menti auparavant, mais...

— Tu étais plongé dans l'occulte jusqu'au cou, dis-je et je commençai finalement à croire que je n'avais aucune idée de qui il était.

10

— Le mot « occulte » a malheureusement acquis un sens très péjoratif, poursuivit Kim dans la foulée. Naturellement tu vas te demander si j'ai eu affaire à une bande de cinglés socialement inadaptés, mais tu dois te douter qu'un homme de mon intelligence ne s'adonnerait jamais à quoi que ce soit qui ne soit en relation avec la réalité. Mme Mayfield m'a recommandé cette société parce qu'elle savait que je rêvais de maîtriser les Puissances. On ne fait pas plus réel ! Les Puissances avaient gâché mon enfance et me hantaient depuis lors ! Je ne songeais bien évidemment qu'à les contrôler.

Il marqua une pause comme s'il s'attendait à ce que je le contre, mais je ne pus qu'attendre mollement qu'il continue.

— L'occulte, reprit-il calmement, fait référence à un système de vérités cachées, réservées à une poignée d'initiés. Plus on en sait, mieux on est placé pour contrôler et manipuler la réalité à son avantage. Les Puissances sont essentiellement Esprit, mais elles existent en tant qu'archétypes dans l'inconscient. En développant notre conscience, on peut les faire nôtres, les soumettre et s'en servir à nos fins... En d'autres termes, il s'agit d'une version moderne de l'ancienne hérésie gnostique que les chrétiens se sont ingéniés en vain à liquider. Pas étonnant que

Mme Mayfield ait toujours considéré les chrétiens comme des ennemis !

— Certes ! S'agit-il de sorcellerie alors ?

— Certainement pas ! L'occulte, *stricto sensu*, n'a rien à voir avec les inepties que les médias ignorants font circuler à ce sujet. Nous nous intéressons non pas à la nature, à l'environnement, aux forces naturelles, mais au cosmique, à des niveaux de réalité existant au-delà de notre monde. Le gnosticisme et la chrétienté sont comme deux frères qui auraient partagé la même nurserie, mais qui se seraient disputés pendant l'adolescence pour devenir ennemis à l'âge adulte. Après que la chrétienté fut devenue obnubilée par le dogme...

— Peu importe. Revenons-en à nos moutons. Que faisait cette société occulte exactement ?

— Avant toute chose, il faut que tu comprennes qu'il ne s'agissait pas d'un groupe spirituellement atrophié, focalisé sur l'hédonisme, mais d'une société sérieuse recourant exclusivement au sexe pour ouvrir l'esprit aux lumières spirituelles.

Je réussis in extremis à me retenir de m'exclamer : « Ben ça alors ! ! », et j'avais de plus en plus de mal à conserver une attitude vaguement neutre et professionnelle.

— Il existe différentes sortes de gnostiques et de gnosticismes, poursuivit Kim. Certains choisissent de s'ouvrir l'esprit en jeûnant, d'autres s'adonnent à toutes les expériences sensuelles possibles. En définitive, le corps n'a pas d'importance. Tant qu'on a le savoir spirituel — le « gnose » approprié —, on est sur la voie du salut.

— Hein hein ! Et qu'en disent les chrétiens ?

— Oh, ils sont tellement sentimentaux ! Ils pensent que le corps est le temple du Saint-Esprit et devrait, par conséquent, être traité avec vénération !

— Tu veux dire qu'ils n'approuvent pas les violences sexuelles.

— Je...

— C'est ça que tu appelles sentimental ?

— Ce que je veux dire, c'est...

— Je comprends. Au fait, je commence à avoir des doutes à

propos de ton soi-disant non-usage des drogues. J'ai toujours pensé qu'elles jouaient un rôle essentiel dans ce genre d'activités destinées à développer l'esprit.

— Je te répète qu'il s'agit d'une société sérieuse, vouée à l'épanouissement spirituel et je peux t'assurer que Mme Mayfield est très opposée à l'usage des stupéfiants.

— Parce qu'elle tient à rester dans les limites de la légalité ?

— Et parce que les drogues finissent par affecter les aptitudes sexuelles. Mme Mayfield dit toujours que les substances chimiques que produit le corps sont nettement plus puissantes que tout ce qu'on peut concocter en laboratoire.

— Nettement moins chères aussi. Mais laisse-moi te demander une chose au risque de paraître bête : qu'y a-t-il de si spirituel dans toutes ces histoires de cul ?

— Il s'agit de satisfaire le corps pour l'apaiser et libérer ainsi l'esprit. L'inconscient s'ouvre et tous les archétypes deviennent accessibles...

— Je suis désolée, mais...

— Peu importe. Il faut juste que tu saches que la société m'a aidé à boucher la fissure de ma conscience...

— Quelle fissure ?

— Celle par laquelle les Puissances essayaient de s'infiltrer pour me détruire. Je me suis toujours senti si disloqué... tourmenté... La société m'a aidé en m'offrant un cadre intellectuel qui me permettait de mieux contrôler les Puissances...

— Rien qu'en partouzant ?

— Il n'y avait pas que ça, voyons ! Nous avions des rituels, des exercices psychiques... Mais j'ai fait vœu de secret et puis de toute façon, tu ne comprendrais pas.

— Appartiens-tu encore à cette société ?

— Je n'y ai rien fait sexuellement depuis notre rencontre, mais oui, je suis toujours membre pour la bonne raison que je n'ai jamais pu déterminer comment rompre les liens sans encourir de représailles. Lewis dit que les gens de St Benet sont prêts à me soutenir, mais...

— Pourquoi les autres n'accepteraient-ils pas ta démission ?

— Je suis bien trop important pour eux, pardi ! En plus de

m'occuper des finances de la société, je leur procure des contacts parmi des gens puissants et influents. Si j'essaie de rompre, ils feront peser sur moi de lourdes pressions psychologiques. La proposition de Lewis est tentante, mais je ne me sens pas encore assez fort...

— Se pourrait-il qu'ils te fassent chanter ?

— Pas dans le sens de m'extorquer de l'argent, non. Comme je te l'ai dit, Mme Mayfield s'efforce de respecter la loi.

— Comment fait-elle avec toutes ces coucheries ?

— Je te promets qu'il n'y a pas d'enfants impliqués. Les pédophiles sont exclus d'office.

— Les autres membres s'offusquent-ils si tu refuses de prendre part aux activités sexuelles ?

— Ils pensent que c'est temporaire et me lâchent un peu de lest. Mme Mayfield leur a dit que c'était à cause de mon mariage, mais qu'inévitablement, il se briserait. Pour être honnête, je me suis désintéressé de tout cela avant même qu'on se rencontre.

— Alors pendant qu'ils s'ébattent, tu...

— ... regardes.

Je résolus de mettre sa sincérité à l'épreuve en poursuivant mon interrogatoire.

— En quoi consistent ces rituels ? Que se passe-t-il exactement ?

Il perdit son sang-froid.

— Ma chérie, s'exclama-t-il d'un ton désespéré, la seule chose qui compte, c'est que je t'ai été fidèle et que je ne t'obligerai jamais à faire quoi que ce soit d'inacceptable ou d'anormal sur le plan sexuel. Je reconnais que la dernière fois qu'on a fait l'amour, j'ai un peu dépassé les bornes, mais je suis resté correct, même si après coup, je me suis dit que j'étais allé un peu trop loin. Je ne supporterais pas de faire avec toi des choses qui déclencheraient de mauvais souvenirs en me faisant revivre les conneries que...

— Je vois. Je comprends. Mais si tu voyais régulièrement Mme Mayfield à ces réunions, ajoutai-je d'une voix chancelante, tu m'as menti en me disant que tu t'étais éloigné d'elle ?

— Non, je t'ai dit la vérité. Nous ne nous parlions plus. On se voyait, mais on ne communiquait pas. Quand je l'ai contactée afin qu'elle m'aide à discréditer Sophie, c'était la première fois que je lui adressais la parole depuis notre mariage, je te le jure.

— Sophie était-elle au courant de tout cela ?

— Nous avons eu une grande discussion à l'époque du chantage. J'ai reconnu être impliqué dans l'occulte et je lui ai parlé de Mme Mayfield, mais je ne lui ai pas fourni de détails sur la société.

— Tu ne m'as toujours pas expliqué cette affaire de chantage ! L'un des membres de la société aurait-il essayé de te faire chanter à cause de ton attitude lors des réunions ?

— Non, l'épisode qui a donné lieu au chantage n'a rien à voir avec la société ni avec Mme Mayfield.

— Ah bon, fis-je, plus confuse que jamais.

— Cela avait trait à un passe-temps que j'avais.

Plusieurs secondes s'écoulèrent avant que je balbutie :

— Un passe-temps ?

Il avala d'un trait sa troisième coupe de champagne, puis marmonna :

— Seigneur, il ne faut pas que je boive trop. Je n'ai plus l'habitude.

En abandonnant son verre, il retourna à l'autre bout de la pièce d'un air agité avant de poursuivre :

— En définitive, je me suis aperçu que je n'arrivais pas du tout à détruire les Puissances. Elles ont bien failli m'anéantir. C'est là que j'ai commencé à me désintéresser de la société.

La tension émanant de lui était si forte que j'entendais presque des crépitements dans l'air.

— J'avais ce passe-temps, reprit-il en regardant fixement par la fenêtre. Je l'ai eu toute ma vie d'adulte, jusqu'au moment du chantage. Je ne faisais pas ça souvent, de temps en temps comme un buveur qui se soûle pour soulager la tension et recoller les morceaux de sa personnalité disloquée. Pour être honnête, cela me faisait plus d'effet que les pratiques de l'occulte, les thérapies de groupe, mais Mme Mayfield soutenait que je devais trouver un autre moyen de me guérir, que ce hobby était trop dangereux, et elle avait raison.

J'essayai de parler. En vain.

— Ça a été un tel choc. Je n'aurais jamais pensé qu'on me ferait chanter. J'étais si discret, si prudent.

Je tendis une main tremblante vers ma coupe. Après cela seulement, je pus dire d'un ton neutre, telle l'avocate modèle traitant son client avec des gants de velours.

— Et ce passe-temps était...

J'attendis.

— J'aimais coucher avec des hommes, dit-il.

Un silence interminable s'ensuivit.

11

— Tu remarqueras que j'ai utilisé l'imparfait, dit-il finalement, le dos toujours tourné. Toutes les méthodes sexuelles que j'avais essayées dans l'espoir d'éliminer cette fissure dans ma personnalité, de me sentir moins disloqué, tout ce mode de vie n'avait plus de raison d'être après notre rencontre. C'est pour cela que je suis prêt à tout pour te garder, à tout, y compris à te faire ces aveux très pénibles.

— Je vois, bafouillai-je, à peine consciente de ce que je disais.

— Voilà comment je faisais, enchaîna-t-il, je passais la soirée à Londres, je cueillais quelqu'un dans un bar homo... ce n'était rien, juste un bref épisode anonyme. J'aime vivre avec des femmes, faire l'amour avec des femmes, je n'ai jamais eu le moindre doute sur mes penchants sexuels. Si je baisais des hommes, c'était juste pour faire monter mon taux d'adrénaline et combler cette faille en moi. A vrai dire, j'ai souvent pensé que cette activité n'avait rien à voir avec le sexe. Cela ressemblait plutôt à de la rage.

— De la rage ?

— Oui, mais tout cela, c'est fini. Peu importe. Concentrons-nous sur le chantage.

— Sur le chantage, oui.

— Voilà ! Il y a deux ans et demi environ, la chance m'a abandonné et j'ai dragué un type qui se trouvait être un extorqueur. De plus, je commis une grave erreur en le suivant chez lui. D'habitude, je prenais une chambre dans un hôtel bon marché, mais je me trouvais de l'autre côté de Soho, le gars m'a dit qu'il habitait juste à côté et j'ai pensé : pourquoi pas. Il m'a bien dit qu'il travaillait dans le secteur de la sécurité, mais j'ai supposé bêtement qu'il devait être gardien. En réalité, il avait une boutique d'équipements de surveillance, et sa chambre était truffée de micro-caméras. Je lui avais donné un faux nom et je n'avais rien sur moi qui pût m'identifier. Mais comme je te l'ai dit, j'avais affaire à un pro.

« J'avais mis des habits de confection, mais je portais mes chaussures faites main de chez Blaydon. Pendant que j'étais aux toilettes, le salopard a passé mes vêtements en revue, et comprenant qu'avec les chaussures, il avait trouvé un bon filon, il a noté le nom du fabricant. Le lendemain, il est allé à la boutique et a raconté qu'il m'avait rencontré dans une soirée, admiré mes chaussures... Il ne se souvenait pas bien de mon nom, etc. Evidemment, les vendeurs de Blaydon m'ont reconnu sans peine d'après sa description et il n'a eu aucun mal à leur tirer les vers du nez pour retrouver ma trace. Trois jours plus tard, je recevais une lettre... Seigneur, il faut que je boive encore un peu de champagne pour me donner du courage. Et toi ?

— Pas pour le moment, merci.

— Tu tiens le coup ?

— Apparemment. Je te suis reconnaissante d'être aussi honnête, ajoutai-je pour essayer de l'aider. J'admire ton cran.

— C'est toi qui as du cran à mon avis, dit-il en ébauchant un sourire avant de reprendre son récit. Un malheur ne venant jamais seul, Sophie découvrit le pot aux roses. Le type lui envoya quelques clichés pour me montrer qu'il ne plaisantait pas. Il menaçait même d'en faxer des copies à tous les membres du conseil d'administration de ma boîte... J'étais mort de trouille. Evidemment, j'ai payé ce salopard pour le calmer pendant que je déterminais ce qu'il fallait faire, mais pour finir, j'ai ravalé ma fierté et je suis allé trouver Mme Mayfield. Ce fut plus dur que tu ne peux l'imaginer. Elle m'avait toujours dit que je prenais de gros risques et je lui avais juré que j'avais renoncé à mon hobby. Elle était furieuse, mais elle savait qu'elle avait tout intérêt à m'aider. J'étais bien trop précieux aux yeux de la société pour qu'elle me laisse tomber. « La chance va tourner. Je le vois passer sous un train », m'a-t-elle dit aussitôt.

— Tu veux dire que...

— Dès le lendemain, nous avons pris les choses en main. J'ai réussi à retrouver son appartement. Une fois que nous eûmes son adresse, Mme Mayfield est entrée en contact avec lui et lui a jeté un mauvais sort. Elle a prédit sa mort sous un train et a réuni la société afin qu'elle visualise et provoque sa mort.

— Je n'en crois pas un mot !

— Je me doutais que tu dirais cela, mais il s'agit d'un procédé psychique que la société pratique régulièrement...

— A vrai dire, le psychologue de St Benet m'a affirmé qu'on avait fait état de décès survenus de cette façon.

— On peut pousser les gens à faire à peu près n'importe quoi si on sait s'y prendre.

Soudain, il frémit.

— C'était tellement bizarre durant cette ultime scène à l'appartement, dit-il. Je crois que si j'ai craqué, c'est parce que j'ai senti que Mme Mayfield me menaçait.

— Toi ? Mais c'est moi qu'elle voulait traîner sur le balcon !

— En apparence, oui. Mais j'ai senti qu'elle me disait : « Je peux briser votre femme et je peux vous briser vous aussi. »

— Pourtant à la fin, elle a signifié clairement à Nicholas qu'elle voulait te garder !

— Evidemment, elle ne tenait pas à ce que je me retrouve entre les mains de l'ennemi et que je me mette à table à propos de la société. Mais elle marchandait avec Darrow comme si je n'étais qu'un objet, non ? Sa malveillance à mon égard était tangible et je suis réellement devenu un objet. Je ne pouvais plus rien faire, pas même poser le couteau, ni réagir quand Tucker s'est jeté sur moi... Tu as dû te demander si je lui avais délibérément fait du mal, mais crois-moi, j'avais déjà assez d'ennuis comme ça. Imagine qu'il soit mort lui aussi accidentellement, juste après Sophie ? Qu'aurait pensé la police ? Je n'avais pas l'intention de tuer Tucker, je voulais juste le frapper. Ce coup de couteau... C'était la faute d'Elizabeth. Elle me manipulait mentalement. Et quand j'ai commencé à avoir ces maux de tête, j'ai pensé qu'elle avait fait appel à la volonté du groupe pour me faire croire que j'avais un cancer du cerveau, que j'allais vouloir me supprimer, retourner à l'appartement et sortir sur le balcon pour...

— Kim...

— Okay, je suis obsédé. J'arrête. Les médecins m'ont assuré que je n'avais pas de cancer du cerveau. D'accord. Mais si Elizabeth pense qu'elle peut se débarrasser de moi, elle peut encore m'avoir. Pourquoi aurait-elle tant insisté sur cette histoire de balcon si...

— Kim, c'est moi qu'elle voulait anéantir, pas toi ! En outre, pourquoi voudrait-elle se débarrasser de toi ?...

— Elle m'a fourré cette image du balcon dans la tête. Je l'ai senti...

— C'est ton imagination qui te joue des tours, Kim. Ecoute, Lewis t'aidera, j'en suis sûre. Il m'a aidée à vivre avec cette image du balcon. Je ne peux toujours pas aller à l'appartement, mais au moins j'arrive à dormir la nuit et je n'ai plus peur de me jeter de la fenêtre la plus proche.

Il frissonnait toujours.

— C'est typique d'Elizabeth de choisir cette image du grand saut pour nous anéantir. Tous les hommes d'affaires de haut vol en ont une peur bleue.

Je me rendis compte qu'il avait cessé de l'appeler Mme Mayfield. C'était un signe de stress et je compris qu'il fallait à tout prix que nous changions de sujet.

— Je suppose que ton maître chanteur est effectivement passé sous un train, dis-je, mais comment l'as-tu su ?

— La société a toutes sortes de contacts. Nous nous sommes arrangés pour être informés de tous les accidents survenus dans le métro. L'homme mourut dans les deux semaines qui suivirent la prédiction d'Elizabeth.

Il s'essuya le front et je sus que nous étions toujours en terrain glissant.

— Et cela fait deux ans et demi, dis-tu ? Il ne t'a pas fait chanter très longtemps dans ce cas.

— C'est ce que j'ai dit à Sophie au départ, parce que j'ai tout de suite compris que c'était un bon moyen de lui expliquer mon manque de capital. Je savais que notre couple était voué à l'échec, et qu'il me faudrait déclarer tous mes avoirs au moment du règlement du divorce. J'aurais pu attribuer mes pertes à l'effondrement boursier de 1987, mais cela n'aurait peut-être pas semblé très plausible étant donné que le marché s'est bien remis.

— Où est allé l'argent si ce n'est pas ton maître chanteur qui te l'a pris ?

— A Mme Mayfield et à la société. J'ai estimé que c'était de l'argent bien dépensé. J'aurais fait n'importe quoi pour soulager mon terrible malaise, mais Sophie n'a pas compris, évidemment. Quand on a eu cette grave prise de bec après que le type lui eut envoyé les photos, j'ai bien essayé de lui expliquer que mon hobby, mon histoire avec Elizabeth et mon adhésion à la société faisaient partie de ma quête pour guérir, mais elle n'a rien voulu savoir. C'est alors que j'ai compris que nos chemins devaient se séparer.

La vérité me frappa si fort que je ne pris pas la peine de me censurer.

— Elle t'a jeté, n'est-ce pas ? Ce n'est pas toi qui as décidé que tu en avais assez de ce mariage, c'est *elle* !

Son front se couvrit une nouvelle fois de sueur. Je le regardai l'éponger à nouveau en regrettant, trop tard, d'avoir été aussi si directe et de lui avoir envoyé à la figure une réalité aussi difficile à avaler !

— Elizabeth a trouvé que c'était mieux ainsi, répondit-il finalement d'un ton égal. C'est à ce moment-là qu'elle m'a conseillé d'épouser une femme qu'elle me choisirait et de limiter mon « passe-temps » au sein d'un groupe, dans un environnement contrôlé, avec des gens dont elle se portait personnellement garante. Le problème étant que dans ces circonstances, je n'éprouvais pas cette sensation d'être un solitaire en maraude. Pour apaiser Elizabeth, j'acceptai d'adhérer à un de ces groupes, mais toutes mes relations y étaient strictement hétérosexuelles et ça ne réglait rien... Bref, comme je te l'ai dit, j'ai essayé de tout expliquer à Sophie, je ne voulais pas qu'elle me quitte... et je ne supportais pas l'idée de perdre la maison... Je l'adorais, cette maison... Mais Sophie a mis son holà. Elle m'a dit que je méritais de tout perdre, que j'avais détruit son amour, sa confiance, son respect. Elle m'a dit...

Il s'interrompit et se couvrit le visage des deux mains.

— Je ne pouvais pas te dire tout cela, bien évidemment, l'entendis-je murmurer.

— Evidemment.

Je m'étais mise à transpirer à mon tour. Mon débardeur me collait au dos.

— Et puis au début de cette désastreuse année, je t'ai rencontrée. J'avais enfin trouvé le salut, je le compris tout de suite, mais en apprenant que je voulais me remarier, Sophie est devenue folle. « Tu n'es pas en mesure d'épouser qui que ce soit », me dit-elle. « Aucune femme ne devrait prendre le risque d'être trompée comme je l'ai été tout du long avec toi. Je vais faire traîner le divorce aussi longtemps que possible dans l'espoir que cette fille reprenne ses esprits et comprenne à qui elle a affaire. » Elle était implacable. Je n'arrivais pas à le croire. Et au moment où je pensais que les choses ne pouvaient pas aller plus mal...

— ... elle a commencé à me harceler.

— Pas étonnant qu'à la fin, je me sois tourné vers Elizabeth ! Je ne savais plus que faire, j'étais terrifié à l'idée de te perdre...

— Tu as dû être très tenté de liquider Sophie.

— Oui, mais écoute-moi, je sais que j'avais toutes les raisons de le faire, mais je ne l'ai pas tuée. Si je l'avais fait... pour commencer, je n'aurais pas laissé son corps sur place. Je l'aurais enterrée dans les bois d'Oakshott ou jetée dans la Mole pour que personne ne puisse savoir à quelle heure exactement elle était morte.

— Je le sais. J'ai fini par le comprendre. Mais je suppose que tu vas me dire que Mme Mayfield lui a passé un coup de fil pour lui prédire sa mort et qu'elle a ordonné à tes copains de l'occulte d'inciter Sophie par la volonté à tomber dans l'escalier ?

Il parvint à sourire, sans doute parce qu'il était profondément soulagé d'apprendre que je ne le soupçonnais pas d'avoir tué Sophie.

— Il est naturel que tu en viennes à cette conclusion, dit-il, mais le temps manquait. Nous n'avons compris que cet ultime après-midi que tu étais déterminée à voir Sophie, et le soir même, elle était morte. Il faut probablement une semaine, voire plus, pour obtenir un résultat avec la volonté d'un groupe alliée au pouvoir de suggestion.

— Sophie est donc morte accidentellement ?

— J'en suis convaincu à présent, d'autant plus que Lewis m'a dit que la police n'avait trouvé aucune preuve d'un acte criminel et je pense qu'un détraqué aurait laissé des traces... Mais te rends-tu compte à quel point Elizabeth a pu être horrifiée par mon ultime fiasco ? Des ennuis avec la police ! C'était bien la dernière chose qu'il lui fallait. Bon sang ! ajouta-t-il en plissant les yeux, je pensais que le champagne me débarrasserait de mon mal de crâne, mais je suis dans un tel état que l'alcool n'a pour ainsi dire aucun effet sur moi.

— T'a-t-on donné des médicaments contre la douleur ?

— Un des médecins m'a donné une ordonnance ce matin, mais j'étais tellement excité à l'idée de te revoir que je n'ai pas voulu retarder mon départ en allant à la pharmacie de l'hôpital... Je vais aller chercher quelque chose en haut. Sophie avait toujours tout ce qu'il fallait dans l'armoire à pharmacie.

Il gagna le seuil, puis se retourna.

— Est-ce que ça va ?

— Je tiens à peu près le coup.

— Tu ne vas pas t'enfuir, dis ?

— Pas tout de suite. J'ai d'autres questions à te poser.

— A quel sujet ?

— A propos du chantage.

— Il n'y a plus grand-chose à dire à mon avis, mais... bon, attends ! Laisse-moi prendre un remède.

Il disparut.

Je tendis aussitôt la main vers mon verre en me demandant comment j'avais pu assimiler tant d'horreurs sans perdre conscience.

12

J'éprouvais une envie furieuse de ficher le camp au plus vite, mais le désir d'aller jusqu'au bout de ma quête pour la vérité était plus fort que ma peur. Chaque mot qu'il avait prononcé témoignait de sa volonté désespérée de me récupérer et tant qu'il pensait que j'étais favorable à l'éventualité d'une réconciliation, j'étais certaine qu'il ne me ferait pas de mal.

En buvant une autre gorgée de champagne, je m'efforçai de me concentrer sur un mystère irrésolu : pourquoi représentais-je le salut à ses yeux, au point qu'il était prêt à se lancer dans une confession très risquée pour sauver notre couple ? Je n'arrivais pas à déterminer pour quelle raison je réglais à moi seule tous ses problèmes, pas plus que je ne comprenais de quels problèmes il s'agissait. J'avais plus de preuves qu'il n'en fallait que j'avais affaire à un esprit tordu, mais quelle en était la cause ? Je ne cessais de me répéter que seul un être profondément désaxé pouvait mener une existence aussi bizarre et déséquilibrée. « Bizarre » et « déséquilibrée », dans ce contexte, étaient bien évidemment des euphémismes pour « obscène » et « ignoble ». Je m'évertuais à réprimer ma répulsion au nom du détachement. En vain. Cet homme était mon mari. J'avais pris la place de Sophie.

Je regrettais amèrement qu'elle ne fût pas là pour m'aider !

En pensant à elle avec les sentiments de culpabilité et de regret qui m'étaient désormais familiers, je m'aperçus que je me sentais plus proche d'elle que jamais. Je tremblais à la pensée du choc qu'elle avait dû éprouver en voyant ces photos de Kim avec son maître chanteur, et quand le mot « maître chanteur » fit horriblement écho dans mon esprit, j'entendis tout à coup la voix de Tucker me disant : « Est-ce que je pense qu'il l'a tué ? Evidemment. Tout être qui ose s'en prendre à Kim Betz court à sa perte. »

Je songeai alors que Tucker avait eu raison de supposer que l'épisode du chantage avait été de courte durée. Mes souvenirs continuaient à remonter à la surface sans que je puisse les arrêter. « Les barracudas ne se comportent pas comme des paillassons. Ils s'aiguisent les dents et se jettent sur leur proie. » Soudain, je compris pourquoi Mme Mayfield avait pu en arriver à penser qu'elle pouvait se passer de Kim. Entre la mort de Sophie et l'agression contre Tucker, il avait trop attiré l'attention sur lui, et la police risquait fort de s'intéresser à son passé.

Je compris tout à coup que j'avais été tellement traumatisée par les révélations de Kim, et si déterminée à dissimuler mon horreur dans toute son étendue, que j'avais cessé de distinguer le vrai du faux. Je recentrai mon attention sur l'histoire qu'il m'avait racontée à propos du maître chanteur. Croyais-je qu'il était tombé accidentellement du train ? Non. S'était-il suicidé ? Non. Pouvais-je me convaincre que Mme Mayfield et son clan l'avaient incité à mourir après l'avoir amolli grâce au pouvoir de suggestion ? Peut-être, puisque Robin m'avait assuré qu'on avait des preuves scientifiques que de tels événements pouvaient se produire, seulement je me souvenais aussi que, selon Lewis, dans neuf cas sur dix de prétendus épisodes paranormaux, l'explication normale était correcte.

Si un maître chanteur mourait trop commodément, quelle était l'explication la plus plausible ? En cas de meurtre, sur qui se rejetaient logiquement les soupçons ?

Je ne pris pas la peine de répondre à la dernière question. Je me bornai à boire le reste de mon champagne en me disant que ce n'était ni le moment ni l'endroit de poursuivre ma quête de la vérité. Je résolus aussi de m'en aller avant de perdre complètement mon sang-froid et de reconnaître ouvertement que notre couple n'avait aucun avenir.

A ce moment, je réalisai que Kim était parti depuis plus longtemps que je ne l'avais prévu.

— Kim ? appelai-je en me dirigeant vers le couloir. Kim, est-ce que ça va ?

Pas de réponse.

Je m'immobilisai en m'efforçant d'analyser la situation, mais je ne voyais pas de raison pour que son attitude à mon égard eût changé dangereusement.

— Kim ? appelai-je à nouveau.

Toujours pas de réponse. Je m'approchai de l'escalier jusqu'au moment où je me rendis compte que je me trouvais à l'emplacement précis où j'avais vu le cadavre de Sophie. Je bondis violemment. Puis, toujours convaincue que Kim n'avait pas la moindre idée des émotions qui bouillonnaient à présent derrière ma façade rigoureusement composée, j'entrepris de monter les marches une à une.

13

J'atteignis le palier. En haut de l'escalier, la galerie bordée d'une balustrade qui surplombait le hall cathédrale donnait sur plusieurs portes closes. Tout au fond, une porte était ouverte. En m'approchant à pas de loup, je vis, au-delà du seuil, une lumière blafarde qui m'incita à penser qu'il devait s'agir d'une salle de bains. Le souvenir d'hôtels modernes me fournit instantanément une image de l'agencement des lieux : en pénétrant dans la chambre, on se trouvait d'abord dans la salle de bains avant d'accéder à une rangée de placards qui aboutissait à la chambre.

Je m'arrêtai devant la porte, mais la pièce étant en V, je n'en voyais pas tous les recoins.

— Kim ? demandai-je. Est-ce que ça va ?

Pas de réaction. Peut-être qu'ayant perdu l'habitude de l'alcool, il s'était endormi sur un lit. C'était une explication plausible, tellement plausible que je me risquai à l'intérieur pour voir la partie de la pièce qui échappait à mon regard.

Je sentais à nouveau mon débardeur trempé de sueur me coller à la peau dans le dos. J'avais la bouche toute sèche.

Dès que je fus assez engagée dans la pièce pour voir que la chambre adjacente à la salle de bains était vide, il sortit du placard où il s'était caché et ferma la porte d'une poussée.

J'entendis la clé tourner dans la serrure.

Il s'adossa au chambranle et fixa sur moi des yeux bleus, bizarrement sans expression.

VI.

« Quiconque a commis un acte malveillant ou criminel cherchera bien évidemment à le cacher. Le secret est essentiel à la tromperie, à l'hypocrisie et autres moyens de duper les gens. »

David. F. Ford
The Shape of Living

1

Je sus tout de suite que je ne devais pas lui montrer que j'avais peur. En un quart de seconde, j'avais organisé toutes mes réactions : un petit cri, justifiable, un reproche outré suivis d'un prompt retour aux faits. La seconde d'après, la scène était lancée.

— Bon sang, Betz ! m'exclamai-je furibonde. A quoi joues-tu ? J'ai failli avoir une attaque !

Je lui tournai le dos et m'approchai de la fenêtre d'un pas décidé. Je regardai le jardin tout en m'efforçant de respirer normalement. Un ou deux halètements après un tel choc étaient acceptables ; mais il fallait à tout prix m'arrêter là. Je fis volte-face et lui demandai :

— As-tu trouvé un remède ?

Je connaissais sa tactique par cœur. Le silence qui enveloppe. Le silence peut être agaçant, en particulier lors d'une réunion d'affaires où l'on s'attend à ce que les gens parlent. L'antidote, naturellement, est le bruit. Il faut parler. Peu importe le sujet. La seule chose qui compte, c'est de montrer qu'on est indifférent à ce stratagème d'intimidation.

— Arrête de tripoter cette clé ! aboyai-je. Remets-la dans la serrure ou bien fourre-la dans ta poche. Si tu tiens à ce que nous parlions ici derrière une porte close, je n'y vois pas d'inconvénient. Tu as peur que je m'enfuie, je suppose, mais je n'ai pas la moindre intention de disparaître (a) parce que je n'ai pas encore mangé ma part de canapés, et (b) parce que je voudrais que tu m'accompagnes à la gare quand le moment sera venu pour moi de partir. Alors ne compte pas sur moi pour filer dans ces horribles bois, et occupons-nous plutôt de planifier notre avenir. A moins que tu ne te sentes trop éreinté ? Si tu veux faire une petite sieste, je peux attendre, finir les canapés, me faire du café...

— Non, je vais continuer, dit-il, estimant apparemment qu'il était temps pour lui de reprendre le contrôle de la conversation. J'ai pris un comprimé. Ça ira mieux dans une minute.

— Je ne comprends pas ce qu'on fait ici dans ce cas. On ne pourrait pas redescendre ?

— Pas tout de suite.

Il empocha la clé et s'avança dans la salle de bains. J'entendis l'eau couler ; il revint bientôt, un verre d'eau à la main.

— De l'eau ! m'exclamai-je, c'est exactement ce qu'il me faut ! Y a-t-il un autre verre ?

Il éclata de rire.

— Eh bien, s'exclama-t-il à son tour en s'adossant nonchalamment à la porte, tu es coriace ! Je ne me serais pas mieux sorti de cette situation moi-même !

— Bon, maintenant qu'on en a fini avec ce petit jeu, pourrions-nous parler de l'avenir ?

— Je pensais qu'on avait encore des choses à se dire sur le passé. Tu voulais me poser des questions, non ?

— Des questions. Ah oui ! dis-je, prise de palpitations tandis que je fouillais désespérément mon esprit en quête d'un sujet n'ayant rien à voir avec le maître chanteur. J'étais tellement occupée à me remettre de ce coup au cœur que j'ai oublié que je voulais t'interroger à propos des documents que Mme Mayfield a fini par embarquer. Le dossier du divorce était-il aussi innocent que tu le disais, et qu'y avait-il dans l'enveloppe brune ?

Il répondit de bon gré :

— D'après le coup d'œil que j'ai pu y jeter, il n'y avait rien de particulier dans les papiers du divorce. Sophie s'est abstenue de raconter le pire à ses avocats ou alors elle l'a fait officieusement.

— Et l'enveloppe brune ?

— De la dynamite ! Elle contenait des copies des lettres qu'elle t'avait adressées. Paradoxalement je n'ai pas pris le temps de les lire. Dès que j'ai vu que la première lettre commençait par « Chère mademoiselle Graham », j'ai compris qu'il fallait tout détruire et j'ai filé à Londres.

— Alors quand Mme Mayfield a pris l'enveloppe et le dossier...

— C'était une mesure de sécurité essentielle. Elle savait que j'avais parlé de la société occulte à Sophie et que Sophie pouvait établir des liens entre le vrai maître chanteur et moi.

Il fit le tour du grand lit pour poser son verre sur la table de nuit.

— A propos du chantage, reprit-il,...

— Une terrible affaire, dis-je rapidement. Tirons un trait sur ce fichu cauchemar.

— Mais quand tu m'as dit tout à l'heure en bas que tu avais des questions à me poser, ma chérie, ce n'était pas aux documents que tu pensais, n'est-ce pas, mais au chantage.

Il se tourna brusquement vers moi et je compris que j'avais commis une terrible erreur en lui suggérant que je souhaitais poursuivre mon interrogatoire alors qu'il avait achevé son récit. Je sus alors qu'il m'avait attirée en haut en faisant pression sur moi psychologiquement afin de déterminer dans quelle mesure je le croyais.

— Alors, dit-il en me gratifiant d'un sourire suave, quelles étaient ces questions ?

Je voulais savoir où le maître chanteur avait été tué et comment la chute s'était produite, mais il était hors de question que je lui pose la question alors qu'on était seuls dans une maison isolée derrière une porte verrouillée.

— A la réflexion, dis-je d'un ton calme, c'est moins important que les questions concernant les dossiers. Je voulais juste te demander...

Il y eut un horrible moment durant lequel mes pouvoirs d'imagination me firent défaut, mais deux questions inoffensives surgirent dans mon esprit en un rien de temps.

— ... à propos de Sophie, ajoutai-je vivement. Le jour où elle a reçu les photos du maître chanteur, était-ce la première fois qu'elle entendait parler de ton « hobby » ?

— Oui. Je ne lui en avais jamais parlé. Elle admettait bien sûr que j'aie une vie sexuelle ailleurs quand nous avons cessé de coucher ensemble, mais elle pensait qu'il s'agissait de quelques relations anodines.

— Avec des femmes ?

— Evidemment. Elle n'aurait jamais pu imaginer autre chose. As-tu une autre question à me poser ?

— A propos de cette maladie vénérienne. Est-ce une femme qui...

— Oui, une femme, et je peux t'assurer qu'après cet épisode, j'ai eu systématiquement recours à des préservatifs. Inutile de t'inquiéter pour ta santé. Je me protégeais déjà bien avant l'époque du sida.

Je sombrai dans le silence. Une nouvelle vague de compassion envers Sophie m'avait envahie et j'avais la gorge serrée. Je songeai à quel point elle avait dû aimer Kim pour rester avec lui après qu'il eut anéanti tous ses espoirs d'avoir des enfants ; elle avait dû lutter terriblement pour fermer les yeux sur ses infidélités. Son amour lui avait permis de lui pardonner, jusqu'à ce que la vérité venant du maître chanteur lui porte le coup final. On pouvait alléguer qu'elle était masochiste, mais en attendant, j'avais pris sa place et je savais que l'existence était loin d'être aussi simple. Quand on aime quelqu'un, on a envie de lui faire confiance, on veut que les choses s'arrangent ; on pardonne aisément, on est naturellement patient et l'espoir devient un mode de vie. Il est si facile de supporter tant de souffrances et de perdre de vue les bornes à ne pas dépasser en matière d'abus. Tandis que ces vérités me traversaient l'esprit, je me sentis ulcérée par la manière dont cet homme s'était servi de sa femme-trophée année après année, afin d'embellir son image, d'améliorer ses perspectives de carrière et d'avoir la résidence luxueuse qu'il estimait être son dû.

— Tu as été inhumain avec Sophie, lançai-je tout à coup sans parvenir à me retenir, tu l'as traitée comme un objet et tu l'as avilie. Si c'est la voie de la réalisation de soi telle que la définissent Mme Mayfield et les membres de ta société occulte, ils sont aussi monstrueux que les Nazis qui détruisaient tous les innocents qui leur bloquaient la route.

Il écarquilla les yeux.

Je réprimai instantanément une montée de répulsion et fis marche arrière

— Désolée, fis-je, je me suis laissé emporter. Ecoute, ce n'est pas l'homme que tu es maintenant que je blâme, mais l'influence que Mme Mayfield a eue sur l'homme que tu étais avant de décider de rompre avec clle.

Il ne répondit pas tout de suite. Il continua à me dévisager de ces yeux glacials tandis que mon cœur battait à tout rompre dans ma poitrine.

— Sophie n'avait pas de problèmes. Elle aurait pu partir quand elle voulait. Elle avait suffisamment d'argent.

Son regard se porta sur la croix que je portais au cou.

— J'aimerais que tu enlèves ça, dit-il. Ça ne me plaît pas du tout.

— Je croyais que Lewis t'avait rendu compatissant envers la chrétienté ! fis-je d'un ton badin dans l'espoir d'alléger la tension.

— Je ne tiens pas à ce que tu portes quoi que ce soit qui me rappelle Sophie, répondit-il, et je ne tolère pas que tu me fasses des remarques désobligeantes quant à la façon dont j'ai pu la traiter. J'ai toujours été courtois, généreux, et attentionné à son égard. Ce n'est pas de ma faute si ce maître chanteur a détruit notre couple en lui envoyant ces photos.

Je compris alors qu'il avait faussé compagnie à la réalité. Avec un haut-le-cœur, je me souvins de mon père refusant jadis d'assumer la responsabilité de ses actions et attribuant tous ses échecs à Dame Chance.

— Tu as raison, dis-je sans l'ombre d'une hésitation. Je te demande pardon. Je crois que c'était juste la réaction à tes révélations, mais chéri, cessons de parler du passé. Tu as répondu à toutes mes questions et je n'ai plus rien à dire, si ce n'est que j'admire le courage dont tu as fait preuve en m'avouant tout. Tu as vraiment restauré mon amour et mon respect, crois-moi !

— Génial ! s'écria-t-il, barracuda finalement prêt à bondir sur sa proie. On va fêter ça ! Si tu retirais cette croix et le reste ?

Je reculai vivement et me retrouvai le dos au mur.

2

Je m'étais trahie. Ce simple réflexe, né de mon dégoût, avait suffi. Je m'efforçai désespérément de couvrir mon erreur par une remarque désinvolte, mais j'avais trop peur désormais pour dissimuler quoi que ce soit. Rien ne vint.

— Tu n'as pas la moindre intention de me revenir, n'est-ce pas ? dit-il avec ce même regard sans expression.

— Seigneur ! m'exclamai-je, et ce n'était pas seulement une interjection.

J'appelai silencieusement à l'aide en me cramponnant à ma croix, et je me rendis soudain compte que ses mots pouvaient être interprétés comme un signe d'exaspération.

— Tu as perdu l'esprit ou quoi ? enchaînai-je d'un ton véhément. Tu t'imagines vraiment que je vais coucher avec toi ici, dans le lit de Sophie ? Je n'en crois pas mes oreilles !

— Bon ! Bon !

Son expression changea. Le vide disparut de son regard. On aurait dit qu'il était passé d'une personnalité à l'autre, et en voyant à nouveau à quel point il était déséquilibré, je pris la mesure du chemin qu'il avait encore à faire en dépit des semaines passées à l'hôpital.

— Je suis désolé, ma chérie, dit-il, et à mon grand soulagement, je m'aperçus qu'il avait même l'air penaud. C'était très maladroit de ma part, mais toutes ces histoires m'ont tellement secoué. Je ne suis pas moi-même.

— Ne serait-ce pas le moment de prendre les remèdes que tu as omis ce matin ?

— Tant que tu es là, je refuse de prendre quoi que ce soit susceptible d'affecter mes facultés. Carter, ce que je voudrais maintenant...

— Je comprends. A propos de sexe, chéri, j'ai été très touchée quand tu m'as dit que tu ne voulais pas que notre relation soit entachée par tout ce que tu avais pu faire ailleurs, mais ne crois pas que j'aie été choquée par ton comportement la dernière fois que nous avons fait l'amour. J'étais sincère quand je t'ai dit que j'avais vu là l'expression de notre amour mutuel. A présent, parlons de ce que nous allons faire une fois que tu seras totalement remis...

J'essayais de l'obliger à reprendre la conversation tout en cherchant frénétiquement un moyen de filer, mais aucun plan ne me venait à l'esprit. Désespérée, je dus lutter pour prêter attention à ce qu'il disait.

— Figure-toi que j'ai beaucoup réfléchi à ça à l'hôpital, reprit-il, manifestement rassuré par l'éventualité d'une vie sexuelle aventureuse dans un avenir où nous serions toujours mariés, et j'en suis arrivé à la conclusion que le mieux serait que nous allions nous installer aux Etats-Unis. Malgré tout ce qui s'est passé, je pense que je pourrais y trouver un travail. Mes amis américains ont suffisamment d'influence pour régler sans peine les problèmes du visa. Nous pourrions y aller faire un tour en reconnaissance, visiter des appartements de standing...

— Ça risque de nous coûter cher ! dis-je, repérant un sujet à même de prolonger la discussion. Certes, nous ne faisons pas encore la queue pour le pain, mais il est question de grosses sommes, non ?

Il se borna à sourire. Il avait l'air satisfait de quelqu'un qui venait de faire une superbe blague. J'avais vu cette expression sur le visage de mon père en de rares occasions quand il avait parié sur un cheval qui avait remporté la course contre toute attente.

— Je vois que le moment est venu de te dire quelque chose que je n'ai jamais dit à personne, répondit-il, vibrant presque de plaisir. Cette fois-ci, je suis *vraiment* honnête avec toi, ma chérie ! J'ai des fonds secrets dans un compte numéroté en Suisse, et je peux t'assurer que nous sommes en mesure d'aller vivre où bon nous semble...

3

— Ah ! fis-je.

Je n'eus guère à puiser dans mes talents d'actrice pour prendre l'air stupéfait. Une fois de plus, je fus saisie par le souvenir des spéculations de Tucker qui m'avaient glacé le sang.

— S'il y a une chose que j'ai apprise de mon père, dit Kim, toujours aussi content de lui, c'est l'importance d'avoir un magot secret. De cette façon, en cas de catastrophe, on a les moyens de recommencer de zéro.

— Ah ! répétai-je, et je parvins miraculeusement à me reprendre juste assez pour ajouter : Très sage.

— Je n'ai pas été complètement honnête tout à l'heure quand je t'ai dit que l'argent manquant était allé à Mme Mayfield et à la société. C'est vrai que j'ai effectué des versements réguliers au profit de Mme Mayfield, mais je n'ai pas versé un sou à la société. Je leur rendais des services professionnels à titre gracieux à la place et je leur ai fourni quelques nouveaux membres pleins aux as, ainsi...

— ... tu t'en tirais à bon compte ! Je vois. Et comme tu n'as pas payé un maître chanteur pendant des années...

— J'ai pu mettre de côté une bonne partie de mon salaire.

Sophie ayant son propre argent, nous n'avons jamais éprouvé le besoin de nous tenir mutuellement au courant de nos affaires financières, de sorte qu'elle n'a jamais su ce qu'il en était.

— Super !

— Oui, si ce n'est qu'au moment où je me félicitais d'avoir ma situation financière parfaitement en ordre, le maître chanteur est venu tout ficher en l'air. Tu comprends maintenant pourquoi j'ai tellement déçu Mme Mayfield ? Elle m'avait recommandé d'abandonner mon hobby et en ignorant ses conseils, je l'ai impliquée dans une sale affaire. Après quoi j'ai refusé d'épouser la femme qu'elle me destinait et j'ai rejeté une fois de plus ses exhortations en me mariant avec toi. Du coup, Sophie a fait des siennes — d'où des démêlés avec la police sur deux fronts. En d'autres termes, je suis devenu une catastrophe ambulante, et tout a commencé avec le maître chanteur.

— Je vois...

— Tu peux aussi comprendre maintenant pourquoi j'ai continué à fréquenter la société. J'ai pensé que tant que je leur serais utile, ni Elizabeth ni personne d'autre ne s'en prendrait à moi. Evidemmment, c'était avant que j'aie maille à partir avec la police à cause de la mort de Sophie. Je suppose qu'Elizabeth a décidé qu'elle pouvait se passer de moi le soir où je me suis présenté chez elle après le drame. C'est la raison pour laquelle elle était si malveillante à mon égard le lendemain matin à l'appartement et c'est aussi pour cela qu'elle s'est ingéniée à me fourrer l'image du balcon dans le crâne...

— Mais je continue à penser que c'était moi qu'elle visait !

— En tout cas, je suis bien certain d'être dans son colimateur maintenant ! Elle a été obligée d'abandonner son domicile de Fulham...

— Tu n'as pas la moindre idée de l'endroit où elle se trouve ?

— C'est ce que la police m'a demandé quand ils ont finalement été autorisés à me poser quelques questions en douceur. Tout ce que j'ai pu leur dire, c'est que bien qu'elle utilisât la maison de Fulham pour ses activités de guérisseuse, j'avais toujours pensé qu'il s'agissait avant tout d'un bureau et non d'un logement. Si elle se trouvait là le soir où Sophie est morte, c'est uniquement parce que j'avais laissé une série de messages désespérés sur son répondeur.

— C'est bizarre tout de même qu'elle puisse disparaître comme ça...

— Elle a peut-être disparu mais il y a des chances pour qu'elle ait toujours l'intention de me pousser à m'autodétruire. C'est la raison pour laquelle je veux filer en Amérique au plus tôt. Ainsi elle m'oubliera. Quel intérêt y aurait-il à terroriser les gens si on n'en voit pas le résultat !

— Mais comment l'informeras-tu que tu es parti à l'étranger si tu ignores où elle se trouve ?

— Je le saurai par la société.

— Je ne vois pas pourquoi elle se met dans un tel état, dis-je, ma cervelle s'enrayant finalement sous l'effet du stress. Si Sophie est morte accidentellement et si Mme Mayfield n'a joué aucun rôle dans les événements survenus à Oakshott ce soir-là...

Je m'interrompis en me souvenant, trop tard, que Mme Mayfield avait aidé Kim à cacher une terrible vérité bien avant la mort de Sophie. La panique m'envahit quand je me rendis compte que j'avais pris le chemin qui conduisait tout droit au précipice.

— Peu importe, m'empressai-je de dire. La seule chose qui compte pour moi, c'est que tu veuilles t'éloigner de cette femme. A présent, chéri, parlons de l'avenir...

— Tu as compris, n'est-ce pas ?

Je sentis mes cheveux se dresser sur mon crâne.

— Compris ?

— Pour le maître chanteur. Tu as deviné la raison pour laquelle Elizabeth a peur que je me mette à table.

— Elle veut protéger la société, c'est évident.

— Je ne te parle pas de la société.

Mon cœur chavira.

— Kim, laissons tomber cette histoire de chantage...

— Non, il faut dire les choses telles qu'elles sont maintenant que tu as deviné.

— Tout ce que je te demande, je t'assure, c'est de tirer un trait sur le passé pour nous concentrer sur l'avenir...

— Je l'ai tué, dit-il.

4

J'avais tellement peur que je n'arrivais presque plus à respirer. J'ignore comment je parvins à réagir en moins de cinq secondes, mais je m'entendis dire :

— Je te comprends. J'aurais fait la même chose en pareilles circonstances.

— Alors j'ai eu raison ! s'exclama-t-il, les yeux humides d'adoration. Je pensais bien que tu me dirais ça, mais je devais d'abord m'en assurer. Nous sommes faits du même bois, n'est-ce pas, ma chérie ? Après tout, si tu tiens encore à ce mariage bien que tu aies deviné ce qu'il est advenu du maître chanteur...

— Bien sûr, répondis-je sans hésitation.

— Dans ce cas, je peux te faire entièrement confiance, n'est-ce pas ?

Il était tellement soulagé qu'il rit avant d'ajouter :

— Je craignais tellement que la vérité ne sape tes sentiments à mon égard.

— Sûrement pas ! Alors qu'est-il arrivé à cet homme ?

— Elizabeth et moi avions mis un plan au point. Elle m'avait bien proposé d'inciter psychologiquement le gars à se jeter d'un train, mais je lui avais répondu que je ne pouvais pas risquer un échec.

Je me pris à regretter bêtement de ne pas m'être équipée d'un système d'écoute.

— Je croyais qu'elle n'enfreignait jamais la loi !

— Le maître chanteur nous obligeait à prendre des mesures d'urgence. Elizabeth savait que j'étais déterminé à me débarrasser de lui ; elle résolut d'intervenir afin de s'assurer que je m'en tirerais. En dehors du fait que j'étais très précieux pour la société, elle n'avait pas la moindre envie que la police m'arrête pour meurtre, passe ma vie au peigne fin et découvre ainsi mes relations occultes.

— C'est logique, surtout si certaines de ces activités étaient illicites.

Il choisit de ne pas relever.

— Il nous a fallu un moment pour concocter un bon plan, reprit-il, mais nous nous étions mis d'accord d'emblée sur l'idée que je le tuerais ici dans cette maison ; toutes ses micro-caméras faisaient qu'il était trop risqué de l'éliminer chez lui. Sophie était partie en voyage. Le seul véritable problème était le corps. Malheureusement, c'était l'hiver, février 1988, quelques mois avant notre rencontre. Je l'aurais bien enterré dans les bois, mais comment creuser le sol gelé ? J'ai bien songé à l'abandonner quelque part dans la nature, mais Elizabeth s'y est opposée.

— Qu'as-tu fait alors ?

— Je l'ai invité ici en lui promettant une somme colossale s'il me donnait toutes les photos ainsi que les négatifs. Je lui ai même dit que s'il acceptait de mettre un terme au chantage, j'étais prêt à fêter ça en couchant avec lui. Je savais qu'il ne résisterait pas et j'avais raison. Il était tellement prétentieux qu'il s'imaginait me plaire encore.

« En définitive, je l'ai tué dans la douche de façon à faire les choses proprement. Je lui ai défoncé le crâne et puis je l'ai étranglé. Ensuite, je l'ai rhabillé, je l'ai enveloppé dans une couverture et je l'ai porté dans le coffre de ma voiture.

« Il était 20 heures. Sophie avait pris l'avion et laissé sa voiture. Je laissai la mienne dans l'allée et pris la sienne pour me rendre à Londres. Il y avait foule à Soho ; j'étais sûr que personne ne me remarquerait. Je me suis introduit chez lui grâce à son trousseau de clés et j'ai éliminé toutes les pièces à conviction me concernant. (Bien évidemment, le salopard avait gardé un lot de négatifs.) Tous les dossiers de ses victimes étaient méticuleusement rangés ; il avait même ses comptes répertoriés sur son ordinateur. Le chantage à l'ère de la technologie ! Ecœurant.

« Ensuite, je suis retourné à Oakshott. Il était très tard. Il y avait une vallée non loin de la maison où Sophie et moi allions souvent nous promener le week-end au début de notre mariage. Je me souvenais d'un chemin qui conduisait à un pont enjambant une voie ferrée dans un coin totalement isolé. Parvenu au pont en question, j'ai hissé le corps par-dessus le parapet, mettant ainsi à exécution la prophétie d'Elizabeth qui m'avait d'ailleurs inspiré.

« Je savais que le train ne détruirait peut-être pas toutes les preuves physiques du meurtre, mais je me suis dit qu'une fois le corps écrabouillé, un médecin légiste surchargé attribuerait son décès à un suicide sans se donner la peine d'approfondir. Elizabeth était prête à me fournir un alibi pour la soirée en question, mais je n'en ai jamais eu besoin. J'ai brûlé toutes les preuves me liant avec lui, ainsi que la couverture et par mesure de précaution, j'ai changé de voiture. Malheureusement, le train n'a pas écrasé les bonnes parties, le médecin légiste a fait son boulot correctement et l'enquête a débouché sur un verdict de meurtre.

« Etait-ce de la malchance ? Non, nous aurions dû prévoir ce qui s'est passé. Comme nous voulions faire croire à un suicide, j'avais laissé ses papiers dans sa poche. En trouvant chez lui tant de preuves d'un trafic prospère d'extorsion de fonds, la police en a bien évidemment conclu qu'il avait été assassiné.

« Pour nous, le problème crucial à ce stade, c'était Sophie. Fort heureusement, elle ignorait le nom du maître chanteur de sorte qu'elle ne pouvait pas faire le lien entre l'article paru dans le journal local et moi, d'autant plus que la police préférant rester vague sur les activités de la victime durant l'enquête, le mot "chantage" n'apparaissait pas. En attendant, ne sachant pas que l'homme en question était mort, Sophie s'inquiétait toujours de ce que j'allais faire. Pour finir, je lui dis que j'avais pris des mesures pour le payer une fois pour toutes, qu'il avait d'autres "clients" et qu'avec un peu de chance, il me laisserait tranquille. Elle accepta sans sourciller cette version des faits. J'en fus très soulagé, inutile de te le dire. Après t'avoir rencontrée, toutefois, j'ai recommencé à me faire du souci pour cette histoire. Je n'étais pas vraiment surpris que Sophie n'eût aucun soupçon ; elle a toujours vécu une existence ultra-protégée dans son ghetto chic du Surrey et ne connaissait pas grand-chose de la vie. Mais toi ! Jamais tu n'admettrais qu'un extorqueur eût pu s'évaporer obligeamment après avoir décroché le gros lot ! J'avais peur que Sophie te dise la vérité sur cette histoire de chantage et que tu te demandes ce qu'il était advenu de mon maître chanteur. Bien que la presse en eût à peine parlé, je redoutais que tu n'ailles fureter dans les journaux du mois de février 1988, au cours duquel j'avais soi-disant effectué l'ultime versement, à l'affût des meurtres survenus à Londres et dans le Surrey !

« Tu comprends pourquoi il était tellement important qu'Elizabeth et moi détruisions la crédibilité de Sophie et te fassions avaler notre version des faits. Et au cas où tu te poserais à nouveau la question, nous n'avons pas tué Sophie, ni l'un ni l'autre. Une enquête policière approfondie sur ma vie privée était bien la dernière chose qu'il me fallait. Jamais je n'aurais pris le risque de la tuer. Si je suis allé à Oakshott, c'était pour tenter une dernière fois de la museler, et j'avais conçu une nouvelle stratégie qui aurait marché à mon avis : je comptais lui faire de plates excuses en la suppliant de me pardonner et en jurant que je m'étais repenti et cela, grâce à mon nouveau mariage. Après quoi je lui aurais fait remarquer que ses tentatives destinées à briser ce mariage n'étaient pas acceptables sur le plan moral. Je pense qu'elle aurait baissé les bras parce que, soyons clairs, rompre l'union d'un couple n'est pas un acte chrétien, surtout si l'un des partenaires s'efforce de commencer une vie meilleure. J'aurais dû adopter cette tactique depuis longtemps avec Sophie, je m'en rends compte maintenant, mais le problème était que je n'arrivais pas à me résigner à m'aplatir devant elle. J'étais bien trop furax. A ce stade, toutefois, j'avais le dos au mur, il ne me restait plus qu'à ravaler ma fierté. Sauf qu'en définitive, je n'ai pas eu à le faire parce qu'elle est morte avant. Mais je ne l'ai pas tuée ! La situation n'avait rien à voir avec celle du maître chanteur.

« Je ne regrette pas de l'avoir liquidé, ce salopard, je peux te l'assurer. C'était une vraie vermine. Un homo de plus ou de moins dans le monde, qu'est-ce que ça peut faire ? Tu sais, Carter, je suis le premier à dire qu'Hitler était un monstre et j'ai toujours été opposé à son attitude vis-à-vis des juifs qui sont des êtres humains comme nous, mais entre nous, je t'avoue que je partage sa vision des homosexuels. Je pense qu'à l'avenir, on devrait admettre que ce sont des mutants qui doivent être éliminés de la race humaine... Tu trouves que je vais trop loin, ma chérie ? Bon, faisons marche arrière. Je sais que j'ai tort de penser comme ça, mais cette ordure m'a tellement cassé les pieds qu'il est normal que j'estime que tous les pédés devraient être exterminés.

— Evidemment, répondis-je, incapable d'en dire plus.

Je venais de comprendre avec horreur pourquoi il était tellement obsédé par moi.

5

— Tu es vraiment courageux et plein de ressources ! dis-je dès que je retrouvai l'usage de la parole. Je n'aurais jamais eu ce cran.

— Oh que si ! répliqua-t-il d'un ton doucereux. On se ressemble tellement, toi et moi.

En m'efforçant de ne pas penser à mon père, je balbutiai :

— J'ai toujours eu une impression de familiarité avec toi, mais je pensais que cela tenait au fait que nous étions tous les deux des étrangers à Londres, avocats d'affaires, et que nous vénérions les mêmes dieux.

— Ça va beaucoup plus loin !

— Oui, je m'en rends compte maintenant, fis-je en songeant qu'inconsciemment, j'avais épousé un homme aussi déséquilibré que mon père et inapte à satisfaire mes besoins véritables.

En attendant, Kim continuait à se vautrer avec délices dans la satisfaction de m'avoir pour épouse.

— Nos personnalités sont des reflets l'une de l'autre. La différence de sexe n'a pas d'importance.

Je ne pus que dire, horrifiée :

— Je ne suis pas sûre de comprendre.

— Tu te souviens quand je t'ai dit que je me sentais désaxé avant de te rencontrer ? C'était parce que j'étais conscient qu'il me manquait une partie de moi-même, d'où une faille dans ma conscience qui ne demandait qu'à être comblée.

— Je m'en souviens. De sorte que si tu es si attiré par moi, c'est parce que...

Je marquai une pause, comme tout bon avocat l'aurait fait pour ne pas influencer son témoin.

— N'est-ce pas évident ? s'exclama-t-il, triomphant. Tu as bien vu comme tu me faisais perdre la tête quand tu jouais à la dure ! Je sais que tu es hétérosexuelle et comme je le suis moi-même, je ne pourrais pas vivre avec un autre type de femme, mais au fond de toi, tu es *presque un homme* ! Tu es la partie de moi qui me manquait et que j'ai cherchée si longtemps...

6

— Comme je l'ai dit à mon psychiatre la semaine dernière, poursuivit-il avec enthousiasme, grâce à toi, je n'ai plus cette sensation de manque. J'ignore comment ce miracle s'accomplit en termes psychologiques, mais...

— Excuse-moi, fis-je maladroitement, et j'entendis ma voix comme au lointain, il faut que j'aille aux toilettes.

— ... mais le fait est qu'en te voyant, j'ai tout de suite compris que tu étais parfaite, déclara-t-il sans m'écouter. La façon dont tu m'as dragué dans cet aéroport ! Pendant des mois, tu ne m'as montré que ton côté féminin, mais ce n'était pas grave parce que je savais qu'en dessous de cette féminité se cachait le noyau dur et viril de ta personnalité, ton « moi » véritable, et qu'avec un peu de patience, tu finirais par venir à ma rencontre ! Ça n'a pas loupé. Le jour où on s'est disputés, où tu m'es apparue telle que tu es vraiment, en homme, mon Dieu, tu m'as mis dans un état ! Je n'ai jamais été aussi excité de ma vie ! J'ai su alors, sans l'ombre d'un doute, que jamais tu ne me rappellerais ma putain de mère qui...

— J'en ai pour une minute, dis-je en titubant vers les toilettes.

L'instant d'après, je vomissais pour la deuxième fois dans cette maison, ravagée par le dégoût.

7

Il fut très gentil. Il eut l'air de penser que ses aveux à propos du meurtre alliés à un excès de champagne sur un estomac presque vide avaient eu raison de moi alors que je réagissais surtout à la découverte accablante que nous ne nous connaissions pas plus que nous nous comprenions. Hantés, asservis par nos passés tourmentés, nous avions couru après des chimères.

La réalité était que j'étais une femme. Mon personnage viril, adopté de longue date pour m'aider à survivre dans un monde coupe-gorge dominé par des hommes, n'était qu'une expression exagérée de mon côté masculin, que mon « moi » profond reconnaissait sans lui accorder pour autant une place prédominante. Je ne doutais pas un instant que la féminité dominait ma personnalité. Peut-être qu'une confiance absolue en cette féminité m'avait d'ailleurs permis d'imiter l'autre sexe sans inhibition avec une forme d'humour.

Tucker l'avait parfaitement compris. Mais cet homme, ce macho qui redoutait et méprisait chez les autres ce qu'il avait inconsciemment refoulé chez lui, ce solitaire débauché qui se sentait tellement menacé par les homosexuels qu'il devait périodiquement les brutaliser pour juguler ses peurs, ce barracuda sanguinaire qui profitait des autres pour servir ses intérêts et tuait sans regret, ce menteur invétéré qui trompait tous ceux qui lui faisaient confiance, cet homme était incapable de me comprendre et ne me verrait jamais telle que j'étais. Il était obsédé par quelqu'un qui n'existait pas. Je n'étais qu'un objet qui promettait de lui simplifier la vie. J'étais là pour être utilisée, bafouée aussi sans doute, si j'osais affirmer ma féminité en ayant un enfant. Notre couple n'était qu'une illusion, depuis le départ, et notre relation, destinée à répondre à nos obsessions et nos besoins les plus obscurs, avait été une folie totale.

Toutes ces pensées défilèrent dans mon esprit tandis que je luttais contre les manifestations physiques de mon écœurement, mais quand ma nausée commença à passer, je n'avais plus le temps de penser à ce mariage. Je devais concentrer toute l'énergie qui me restait sur le jeu que je devais jouer pour survivre.

— Bois un peu d'eau, me dit-il gentiment en me tendant son verre rempli.

Je bus, pressai mon front brûlant contre le carrelage rose et froid de la salle de bains et parvins à redresser le dos.

— Ça va mieux ? me demanda-t-il en se rapprochant beaucoup trop.

— Ouais.

Je réfléchissais à ce que je devais faire s'il m'enlaçait, mais je pensais qu'il me laisserait sans doute davantage de temps pour me remettre avant de poursuivre ses penchants sexuels.

— Il y a un peu de vomi sur ta croix, dit-il tout à coup. Je vais te l'enlever.

Avant que j'eusse le temps de réagir, il l'avait arrachée.

— Kim, pour l'amour du ciel ! m'exclamai-je, trop furieuse pour me retenir.

— Je ne supportais plus de la voir, se borna-t-il à répondre en jetant le bijou dans la poubelle. Je vais te dire ce que je voudrais faire quand tu te sentiras mieux, ajouta-t-il en me souriant. Je vais te conduire dans une autre chambre et puis...

Il m'expliqua ce qu'il souhaitait faire pour fêter notre réconciliation, mais je cessai d'écouter. Je compris juste que ma seule chance de me sauver était finalement arrivée : il allait ouvrir la porte.

8

Il sortit le premier. Au moment où il s'engageait dans le couloir et se tournait pour me passer un bras autour de la taille, je m'immobilisai brusquement sur le seuil :

— Il faut que je récupère cette croix. Pardonne-moi.

Je feignis de faire volte-face, mais aussitôt, le prenant au dépourvu, je pivotai sur moi-même, le dépassai et fonçai le long de la galerie en direction de l'escalier.

— Tucker ! hurlai-je pour donner l'impression qu'un garde du corps était resté caché tout ce temps-là à proximité.

A cet instant, je m'aperçus qu'il y avait quelqu'un dans le hall d'entrée.

Une femme sortie de la cuisine se dirigeait d'un pas nonchalant vers le salon. Elle portait un tailleur rouge foncé et un chapeau de paille et tenait le panier en bois plat abandonné dans la cuisine la nuit où elle était morte.

Elle me jeta un bref coup d'œil, mais le bord de son chapeau me cachait son visage.

Elle disparut dans le salon.

9

Je savais que mon cerveau perturbé projetait cette image. Je savais aussi pourquoi j'avais cette vision. J'étais chez Sophie et ses souffrances avaient dominé mes pensées. Si mon cerveau réagissait à un stress intolérable, il était naturel que je la voie dans sa propre maison où chaque pièce contenait de puissants souvenirs de sa présence. Il n'empêche que j'étais bouleversée.

Sous l'effet du choc, je m'étais figée en haut de l'escalier. L'instant d'après, Kim m'attrapa sauvagement.

Je hurlai en me débattant dans ses bras, mais je n'avais plus besoin de prétendre qu'il y avait quelqu'un parce que quelqu'un venait bel et bien à ma rescousse. J'entendis des pas dans le hall, pas ceux de Sophie. Elle n'avait pas fait de bruit et ne courait pas. Au début, je crus à une nouvelle hallucination, puis je me rendis compte que Kim aussi les avait entendus. Il avait tourné la tête pour jeter un coup d'œil en bas et quand la surprise lui fit relâcher son emprise, je lui donnai un violent coup de coude, si violent qu'il perdit l'équilibre et se heurta à la balustrade.

Une seconde plus tard, mon sauveteur monta les marches quatre à quatre et passa en trombe devant moi.

A ma grande stupéfaction, je reconnus Tucker.

10

Tandis que Kim tâtonnait pour retrouver son équilibre et que je m'affalais contre le mur en poussant un sanglot de soulagement, Tucker se planta entre nous et déclara d'une voix forte :

— N'espérez pas un autre accident, monsieur Betz. Cela ne se produira pas. Voulez-vous rester ou partir ? ajouta-t-il en me jetant un rapide coup d'œil par-dessus son épaule.

— Partir.

— Bon. Passez devant moi, s'il vous plaît, au cas où il essayerait à nouveau de vous attaquer.

Il se tourna prestement vers Kim qui s'était redressé et respirait bruyamment.

— Voulez-vous me donner un coup de poing afin que je puisse appeler la police pour vous faire enfermer ? Je vous parie qu'ils saliveraient d'avance s'ils savaient que vous m'avez agressé une deuxième fois.

Kim perdit son sang-froid. Après avoir lâché une bordée d'obscénités, il s'écria :

— De quel droit faites-vous irruption chez moi pour me menacer comme un cinglé ? Pour qui vous prenez-vous ?

— Je vous rends la monnaie de votre pièce ! hurla Tucker, mais je lui saisis la main avant qu'il cède à la violence.

— Il a raison, dis-je à Kim. Agresse-le une deuxième fois et plus personne ne croira que c'était un accident.

Je commençai à descendre les marches d'un pas hésitant. Des taches noires dansaient devant mes yeux et l'espace d'un instant, je crus que j'allais m'évanouir, mais Tucker me saisit le bras et m'aida à me diriger.

Sur la dernière marche, je me retournai. Kim n'avait pas bougé. Il était pâle, sans expression.

— Tu m'as menti, me dit-il quand nos regards se rencontrèrent.

— Oui, répondis-je sans un regret, je t'ai menti.

— Mais j'avais confiance en toi !

— Cela fait des années que tu brutalises des gens qui ont confiance en toi. Chacun son tour !

Je commençai à me diriger vers la porte.

— Eh bien, ne te fais pas d'illusions. Tu ne peux rien contre moi ! cria-t-il, incapable de se contrôler une seconde de plus. Il n'y a aucune preuve !

Je m'arrêtai, lui fis face à nouveau. Puis je dis si clairement que Tucker se souviendrait de chaque mot quand le moment viendrait de parler à la police :

— Tu te trompes. Si le médecin légiste a effectué une autopsie complète, il aura aussi déterminé que l'homme avait été sodomisé avant de mourir. On t'aura grâce à l'ADN.

— Sûrement pas, beugla Kim. J'ai utilisé un préservatif.

Il y eut un moment de silence aussi intolérable qu'une décharge électrique de haut voltage. Puis Tucker me dit d'un ton pressant :

— Courez, Carter !

Il m'entraîna avec lui et ouvrit à la volée la lourde porte d'entrée.

11

Nous courûmes vers la Mercedes garée devant la maison, mais la clé n'était pas sur le contact.

— Ma voiture est dans la rue, lança Tucker.

L'allée me parut interminable.

— Vous allez y arriver, me dit-il en voyant que je ralentissais le pas. Encore un petit effort !

Je me remis en marche en faisant crisser le gravier sous mes pieds. Le soleil brillait si fort que j'avais l'impression que j'allais me dissoudre.

— Il va se rendre compte que personne ne sait qu'on est là, fis-je d'une voix haletante. Il nous tuera et nous enterrera dans les bois.

— Ça m'étonnerait ! Je n'ai pas fini mon bouquin.

J'essayai de rire, puis de pleurer, mais me bornai en définitive à hoqueter. J'avais un point de côté et on aurait dit que mes poumons allaient éclater.

— Je vais vous porter, dit Tucker en me rattrapant au moment où je trébuchais.

— Sûrement pas ! fis-je en continuant bon an mal an.

— Pas de signe de lui, m'informa Tucker en se retournant au moment où nous atteignions le portail, mais à cet instant, il s'arrêta net. Se pourrait-il qu'il soit parti chercher une arme ? souffla-t-il.

Je secouai la tête, pliée en deux par mon point de côté.

— Il ne m'a jamais dit qu'il en possédait une et si c'était le cas, il l'aurait emmenée à Londres.

— Je voudrais bien que vous me laissiez vous porter, s'exclama Tucker d'un ton exaspéré.

— Désolée, impossible.

— Pourquoi pas ? Une héroïne courageuse devrait toujours finir comme ça. Si on était en 1940...

— Arrêtez votre char. Voilà Kim.

Nous franchîmes le portail en trombe et quand Tucker m'entraîna vers la gauche, j'aperçus la Ford blanc crasseux à moins de vingt mètres. Mon soulagement fut de courte durée.

— Tucker, la Mercedes ne fera qu'une bouchée de ce tas de ferraille !

— On va se cacher.

Il ouvrit la portière du passager à la volée.

Je plongeai à l'intérieur. Quelques secondes plus tard, il démarrait.

— Où...

— Sortez de cette rue et prenons la suivante. Ensuite nous chercherons un garage vide.

Nous jaillîmes du bord du trottoir et filâmes à tombeau ouvert dans la ruelle paisible. Les pneus crissèrent quand nous franchîmes l'angle de la rue, puis Tucker freina brusquement et nous commençâmes à fouiller du regard toutes les allées, lui à droite et moi à gauche.

— Là ! hurlai-je.

Il freina brutalement, passa la marche arrière et recula pour mieux voir. Au bout d'une allée de gravier d'une centaine de mètres de long, un garage pour deux voitures nous tendait les bras.

— Allez-y ! hurlai-je, mais Tucker appuyait déjà à fond sur le champignon.

Quelques secondes plus tard, nous atteignions notre cachette.

— Baissez-vous, marmonna Tucker en s'affaissant sur son siège après avoir dirigé le rétroviseur de manière à voir la route.

Nous attendîmes, dans l'incapacité de parler. Je comptais les secondes et j'en étais à vingt-huit quand Tucker s'exclama tout à coup :

— Le voilà ! On a réussi !

— Merci, mon Dieu, chuchotai-je, proche de l'évanouissement, mais consciente que c'était un luxe que je ne pouvais pas encore me permettre.

12

— Il va rebrousser chemin quand il s'apercevra qu'on l'a semé, dis-je. Nous ferions mieux de rester ici jusqu'à ce qu'il repasse.

— Rien ne prouve qu'il reviendra, souligna Tucker. Que ferais-je si j'étais lui ? Je sais qu'un témoin m'a entendu admettre que je suis un assassin. Je sais que mon mariage est foutu. Je ne tarde pas à m'apercevoir que ma vie en Angleterre n'est plus possible et...

— Il va prendre la fuite, renchéris-je d'une voix mal assurée, tout comme son père l'a fait. Il se dirige déjà vers l'aéroport et prendra le premier avion pour un pays où il n'y a pas de traité d'extradition.

— Où est son passeport ?

— A la tour Harvey, à moins qu'il ait demandé à sa secrétaire de l'apporter à Oakshott. Il prévoyait déjà de partir à l'étranger.

— Pas tout de suite, si ?

— Une fois que nous serions réconciliés. Mais s'il compte prendre la poudre d'escampette maintenant, il ne se contentera pas de son passeport. Il a aussi des papiers importants à prendre et ils doivent se trouver à l'appartement.

— Quels papiers ?

— Ceux qui concernent son compte en banque en Suisse. Il va forcément retourner à la tour Harvey, Tucker, forcément. Il ne peut pas se volatiliser sans retourner d'abord à la City...

13

— Il nous faut un téléphone, décréta Tucker quand nous tombâmes d'accord sur le fait que ma théorie était la plus plausible, et mon petit doigt me dit que si nous frappons aux portes dans ce voisinage, les riches paranos ne nous laisseront même pas franchir leur seuil. Retournons à la maison !

— Vous êtes toqué ! Si Kim revient...

— Dès qu'il se rendra compte qu'il nous a perdus, il foncera à Londres.

— Mais on n'en est pas sûrs !

— Il ne peut pas se permettre de revenir ici, Carter ! Chaque seconde compte désormais.

Il démarra et sortit du garage à reculons.

— Si nous allions au village ? Nous trouverons bien une cabine.

— La maison est plus près.

Il regagna la route et passa la première.

— Je vais appeler Nick, précisa-t-il. Si nous contactons le commissariat local, il va falloir qu'on passe des heures à tout leur expliquer. Nick connait les chefs de la police à la City et il devrait pouvoir passer outre aux intermédiaires pour faire en sorte que Kim soit intercepté au Barbican. Pourriez-vous noter le numéro d'immatriculation de la Mercedes pour gagner du temps ?

J'avais laissé mon sac à la maison, mais dans la boîte à gants, je trouvai un stylo et du papier. Je venais de noter le numéro quand nous atteignîmes le portail.

— Et s'il a fermé à clé avant de partir ? demandai-je avec inquiétude.

— Je doute qu'il ait pensé à ça, fit Tucker en remontant l'allée.

— Et s'il revient quand même et voit...

— Il ne sait pas que c'est ma voiture et vous n'aurez qu'à

surveiller l'allée depuis l'entrée une fois qu'on sera à l'intérieur. On peut toujours s'enfuir par-derrière si nécessaire.

Les baies vitrées étaient restées ouvertes. Je pris mon sac sur la table basse et gagnai le hall d'entrée comme dans un rêve pour monter la garde pendant que Tucker téléphonait.

Je l'entendis expliquer succinctement la situation à Nicholas. Quand il eut raccroché, je restai plantée près de la fenêtre.

— Ça va, dis-je quand il s'approcha de moi et avant qu'il puisse me toucher, je répétai d'un ton farouche : Ça va.

— Venez vous asseoir un moment dans le salon, me dit-il gentiment.

— Non, je veux filer d'ici.

J'ouvris la porte d'entrée, mais m'arrêtai en pensant brusquement à Sophie.

— Il faut qu'on ferme les portes. Elle aurait voulu protéger sa maison contre les vandales et les cambrioleurs.

Nous fermâmes les volets et verrouillâmes les portes avant de partir. Je ne cessai de chuchoter : « Sophie ! » en essuyant les larmes qui m'embuaient les yeux.

— L'a-t-il tuée ? me demanda Tucker alors que nous regagnions finalement la voiture.

— Non. Il l'a trompée, brutalisée tout en prétendant après coup qu'il l'avait traitée avec gentillesse et considération.

La colère m'aida à me reprendre.

— Mais il a liquidé le maître chanteur, fit Tucker en se glissant derrière le volant avant d'ajouter : Les commissariats de banlieue avaient-ils vraiment accès aux tests d'ADN à l'époque ?

— J'en doute. Je ne suis même pas sûre que les scientifiques peuvent en effectuer à partir du sperme.

— Je m'étonne que Kim n'ait pas mis en doute votre histoire.

— Il ne savait plus où il en était. Et peut-être est-il encore plus ignorant que nous en matière de médecine légale.

Tucker cessa de parler et roula jusqu'à la prochaine halte sur la A3 où il insista pour m'offrir un café et une pâtisserie. La caféine me remit la cervelle en branle et je fus finalement en mesure de lui poser la question qui me brûlait les lèvres.

— Comment vous êtes-vous débrouillé pour être au bon endroit au bon moment ?

— J'ai toujours su que Kim reprendrait la situation en main et qu'il déjouerait votre petit plan si bien ordonné.

— A quel moment avez-vous cessé de nous attendre au Reigate Hill ?

— Je n'y suis jamais allé. Je me suis rendu à l'hôpital et j'ai suivi la Mercedes depuis le début. C'était facile au début à cause de la circulation, mais je vous ai perdus sur la A3. A ce stade, toutefois, je savais où vous alliez.

— Comment avez-vous fait pour dénicher l'adresse ?

— En arrivant au village, j'ai trouvé l'église. J'ai fait irruption dans le presbytère et j'ai demandé à la gouvernante du prêtre de m'aider. J'ai également profité de son téléphone pour prévenir Nick.

— Et quand vous avez atteint la maison...

— J'ai erré un moment dans le jardin. J'étais caché grâce à la profusion d'arbres et comme les fenêtres de la baie étaient ouvertes, je vous voyais clairement. Quand vous avez disparu, je me suis inquiété, mais quand la voisine est apparue quelques instants plus tard, je me suis dit que vous étiez en sécurité un moment. Kim n'allait pas vous faire de mal tant qu'il y avait quelqu'un d'autre dans la maison. C'est lorsqu'elle est ressortie que j'ai vraiment commencé à me faire du souci, et puis il s'est passé une chose étrange. Cette femme m'a vu au bout de la pelouse et m'a fait signe, l'air de dire : « Entrez donc ! », sans même me demander qui j'étais ni ce que je faisais là. Elle a fait le tour de la maison et... Quoi ? Qu'est-ce qu'il y a ?

— Il n'y avait personne d'autre dans la maison, dis-je d'un ton morne.

— Bien sûr que si ! Je l'ai vue entrer et sortir ! Elle portait un tailleur rouge foncé et un chapeau de paille et elle avait un panier de jardinage comme celui de ma mère...

Je parvins finalement à m'évanouir.

14

Quand je retrouvai mes esprits, une serveuse anxieuse me proposa une tasse de thé, mais je me contentai d'un verre d'eau. Tucker insista ensuite pour me porter jusqu'à la voiture. Il parut trouver l'expérience satisfaisante et j'étais suffisamment dans les vapes pour me réjouir du voyage, de sorte que cette incursion dans la préhistoire féminine eut ses avantages. Tucker portait une chemise vert pâle presque entièrement déboutonnée sous laquelle j'aperçus une petite croix en or, d'autant plus discrète qu'elle était à demi ensevelie sous les poils roux foncé qui lui couvraient la poitrine. Il avait mis son vieux jean, celui qui avait déteint par endroits, et j'étais vaguement consciente qu'à un autre moment, en un autre lieu, j'aurais pu me changer en lionne. Seulement je ne pouvais imaginer un autre lieu et un autre temps. J'étais trop accablée par l'horreur du présent pour faire autre chose qu'endurer les dommages que j'avais subis et me demander si je m'en remettrais.

— Quelle mauviette je fais ! marmonnai-je tandis qu'il m'installait sur le siège du passager.

— Détendez-vous ! Pensez à l'Angleterre ! me dit-il gentiment.

Après quoi, il me conduisit à St Benet. Je réussis tout de même à lui dire qu'il avait vu le fantôme de Sophie, mais pour toute réponse, il s'exclama :

— Vous tenez vraiment à ce que je percute un camion ?

Il ajouta que je devais remettre toute conversation à plus tard afin de me reposer. Je sombrai à nouveau dans le sommeil, sous le coup de l'épuisement cette fois-ci. Quand je me réveillai, Tucker se garait devant le presbytère.

Tout le monde vint à ma rencontre. Je fus vaguement surprise de cet accueil. Ils devaient penser que j'étais un cas d'urgence. Je me sentais déjà mieux et ne craignais plus de me comporter comme une lavette.

— La police est-elle arrivée à temps ? demandai-je finalement à Nicolas.

— Oui, me répondit-il, puis après une courte pause, il ajouta : Tout est fini maintenant, Carter.

Je sus alors, parce que j'étais en proie à des émotions d'une intensité intolérable, que l'ultime fuite de Kim ne s'était pas du tout achevée comme il l'avait prévu.

15

Des policiers l'attendaient à la tour Harvey, mais ils le laissèrent monter à l'appartement avant de se manifester. Il fit halte dans le hall pour prendre son double de clés que j'avais depuis longtemps rendu au portier, sans se rendre compte que l'homme en civil présent dans le garage en sous-sol avait déjà alerté les voitures de patrouille de l'arrivée de la Mercedes.

Il ouvrit la porte quand ils sonnèrent et parut disposé à leur parler, mais dès qu'ils le suivirent dans le salon, il se dirigea vers la porte-fenêtre, soi-disant pour aérer, et fonça dehors avant qu'ils eussent le temps de l'en empêcher. Il courut à l'autre bout de la terrasse pour les distancer, puis devant la chambre où je l'avais si souvent aimé, il enjamba la balustrade sans un seul regard en arrière et s'écrasa sur le sol en béton trente-cinq étages plus bas.

CINQUIÈME PARTIE

EN VOIE DE GUÉRISON

« J'espère qu'il est désormais clair d'après ce que j'ai dit que la foi en Dieu peut être une force libératrice à même de briser les barrières, un refus de la fragmentation sans retour nous incitant à voir au-delà de notre point de vue individuel, partiel et aveugle, un encouragement à oublier nos peurs et à ne pas se laisser surmonter par les mystères qui dépassent notre entendement, une promesse pour nous tous que la vérité est une, grande et prévaudra toujours. »

John Habgood
Confessions d'un libéral conservateur

« Dans notre monde désemparé, douloureux et souvent désespéré, reste la présence de celui qui vient, qui apporte la vie, la lumière, la guérison, révélée dans la simplicité de l'enfance et l'atroce désolation de la souffrance. Ceux qui répondent à son appel et le laissent étendre l'horizon de ses connaissances découvrent par l'expérience qui il est. »

John Habgood
Making sense

I.

« Peut-on espérer guérir de nos souffrances ? On attend quelque chose de magique, un remède fulgurant, la panacée miraculeuse, un profond soulagement. A l'occasion, un tel miracle se produit... Mais il est on ne peut plus clair que... Dieu n'est pas un Dieu de panacées et de solutions faciles et instantanées. »

David F. Ford
The Shape of Living

1

— C'est elle qui l'a tué, dis-je plus tard quand je fus seule avec les deux prêtres. Il avait sans arrêt mal à la tête et elle lui avait fourré l'image du balcon dans le crâne. Elle l'a achevé.

— Evidemment ! renchérit Lewis. Son pouvoir sur lui était démoniaque, elle avait déjà provoqué la désintégration de sa personnalité et elle a fini par pousser le bouton de l'autodestruction.

Je me tournai vers Nicholas qui avait gardé le silence.

— Il n'était pas suicidaire, insistai-je. C'était un acharné. Il courait peu de risques d'être accusé du meurtre de ce maître chanteur — il n'y avait pas de preuves accablantes, et je doute que le témoignage de Tucker ait suffi à l'incriminer. L'avocat de la défense n'aurait eu qu'à prouver que Tucker et moi étions attirés l'un par l'autre, ce que la présence de Tucker démontre amplement, et sa déclaration aurait été jugée suspecte. Kim aurait fait appel à une grande pointure pour obtenir son acquittement et il serait parti mener d'autres combats aux Etats-Unis. Sans cette sorcière, je vous le garantis, il serait encore vivant !

— On ne peut ignorer le rôle de Mme Mayfield dans cette tragédie, reconnut Nicholas avec prudence, mais il s'agit d'un cas complexe et sa décision de se supprimer peut avoir diverses causes. Il faut prendre en considération...

— Rien du tout, dis-je. Elle l'a tué. L'affaire est close.

2

— Elle l'a tué, répétai-je au psychologue. Je parie qu'elle a poussé sa fichue société à l'inciter à se supprimer.

— Vous voulez dire que vous croyez que Mme Mayfield a délibérément...

— Je ne le crois pas ! J'en suis persuadée !

— Bien sûr, lorsqu'on a l'impression de se noyer dans le chaos il est très important de trouver des certitudes pour se maintenir à flot.

— Qu'est-ce que ça veut dire ? Vous vous imaginez que j'affirme ce fait, je répète, ce fait, dans le simple but de me remonter le moral ?

— Il ne fait aucun doute que Mme Mayfield a eu un effet désastreux sur Kim.

— Vous reconnaissez qu'elle a provoqué sa mort ?

— Ce n'est pas impossible, mais pour l'heure, c'est vous qui m'intéressez. Votre chagrin, votre angoisse, le combat que vous menez pour surmonter cette tragédie...

— Je voudrais juste qu'on me croie ! criai-je avant de sortir en trombe de sa salle de consultation.

3

— Elle l'a tué, dis-je au médecin. Elle lui a mis l'idée en tête. Ce n'était pas un suicide, mais un meurtre.

— Quoi qu'il en soit, me répondit Val, c'est une tragédie et les tragédies sont très pénibles à vivre.

— Ne commencez pas à me parler comme si je débloquais ! Je suis lucide, je pense clairement, rationnellement et je voudrais que quelqu'un admette que Kim a finalement été détruit par cette sale bonne femme ! C'est le mal qui l'a tué !

— Je vous comprends ! s'empressa d'ajouter Val, mais comme le mal ne fait pas partie du dictionnaire de la médecine, je ne peux pas recourir à ce terme pour vous donner mon point de vue professionnel.

— Alors à votre avis, pourquoi Kim se serait-il suicidé ?

— Eh bien, je pense que nous devons prendre en compte le fait qu'il a passé plusieurs semaines dans un hôpital psychiatrique et...

— Il n'était pas suicidaire à l'hôpital !

— Non, peut-être parce qu'il avait encore l'espoir de se réconcilier avec vous. Cet espoir l'a aidé à guérir vite, mais quand tout est allé de travers, du fait de la fragilité de son état mental, il n'avait plus les ressources nécessaires...

Je l'interrompis et quittai la pièce.

4

— Il a été assassiné par cette Mayfield, dis-je à la police. Elle l'a programmé pour qu'il s'autodétruise. Des cas semblables ont été signalés par les revues scientifiques. Il s'agit d'un meurtre et non d'un suicide.

Les deux policiers échangèrent un regard plein de sous-entendus, puis le plus âgé me dit gentiment :

— Bien sûr, c'est une terrible épreuve pour vous, madame Betz. Nous pouvons revenir plus tard si vous le préférez.

Il y eut un long silence.

Je hochai la tête et ils s'en allèrent.

5

— Comment ça va, madame G ?

— Ça va.

— Je vous passais juste un petit coup de fil pour m'en assurer.

— Merci.

— Ça ne vous ennuie pas que je vous téléphone ?

— Pas du tout.

— Puis-je vous aider de quelque manière que ce soit ?

— Je ne pense pas, merci.

— Pouvons-nous nous voir ?

— C'est un peu difficile en ce moment.

— J'en suis sûr. Faites-moi savoir si je peux vous être utile, d'accord ?

— Bien sûr, merci, Tucker, fis-je et je raccrochai avant de me mettre à pleurer.

6

— J'ai fait une mousse au chocolat pour vous donner envie de manger, dit Alice. Il y a quelque chose de réconfortant dans le chocolat. Vous voulez goûter ?

Je réussis à avaler trois cuillerées.

— Alice, vous êtes d'accord que Mme Mayfield a tué Kim, n'est-ce pas ?

— Evidemment. Voudriez-vous un peu de crème pour faire descendre ?

— Non merci. Alice, elle l'a tué, n'est-ce pas ?

— Sans aucun doute. C'était facile, il était si faible mentalement. Il n'était peut-être pas du genre à se suicider quand il était fort, mais cette journée a dû être terriblement éprouvante pour un homme encore malade. Ne serait-ce que la confession, surtout qu'il tenait tellement à ce que les choses s'arrangent entre vous...

7

Après ces entrevues, je résolus de cesser de penser à la mort de Kim. C'était moins bouleversant de laisser les autres déterminer le comment et le pourquoi de sa mort. Dès que je parvins à cette conclusion, je me sentis mieux.

Dans les jours qui suivirent, les policiers continuèrent à se montrer gentils à mon égard, mais Tucker et moi fûmes interrogés longuement à propos de ce qui s'était passé à Oakshott. Nous décidâmes d'un commun accord de ne pas mentionner le fantôme. La police s'ingénia à entrer dans les détails parce qu'elle avait besoin de clore le dossier concernant le meurtre du maître chanteur ; elle se demandait aussi si Kim n'était pas responsable d'autres crimes homosexuels irrésolus commis au cours des dernières années. Quoi qu'il en soit, aucun lien ne fut jamais établi avec ces autres assassinats et je doutais personnellement qu'on pût en trouver. Le « passe-temps » de Kim était suffisamment dangereux comme ça ; je ne pouvais imaginer qu'il eût aggravé son cas en commettant des meurtres qui n'étaient pas nécessaires à sa survie.

La presse se fourvoya une fois de plus en décrétant que j'avais appelé la police pour empêcher Kim de se supprimer.

Diverses théories relatives à son suicide circulèrent : il était la victime d'un exorcisme qui avait mal tourné, un drogué désespéré de se défaire de son accoutumance au LSD. (Le coroner élimina par la suite toutes ces hypothèses, mais aucun journaliste ne parut s'en soucier.) Anxieuse de mener tranquillement son enquête, la police s'abstint de tout commentaire sur les informations fournies par Tucker ou moi, et nous n'avions pas la moindre intention de donner une conférence de presse.

L'enquête elle-même, admirablement chorégraphiée par le coroner, donna lieu au verdict inévitable selon lequel Kim, déséquilibré, avait mis fin à ses jours. Dès qu'on sut qu'il avait séjourné dans un hôpital psychiatrique, le verdict en question fut sans appel, bien que les médecins eussent insisté sur le fait qu'ils n'avaient aucune raison de le considérer comme un suicidaire.

Bien avant cela, les avocats avaient embarqué tous les papiers entassés dans le cagibi de Kim afin de passer ses finances au peigne fin et j'avais découvert qu'il me léguait tous ses biens, y compris la maison d'Oakshott ainsi que son compte en banque en Suisse, d'innombrables actions et obligations et un compte courant important. Si j'avais des problèmes à affronter à l'avenir, l'argent n'en faisait certainement pas partie.

Tucker m'appelait régulièrement et je le vis au tribunal, mais j'étais toujours incapable de le rencontrer seul. La peur de l'intimité et l'angoisse de commettre une autre erreur catastrophique pesaient sur moi comme une chape de béton.

Finalement, après les entrevues avec la police, les harcèlements de la presse, les rendez-vous avec les avocats de Kim, ses comptables, ses collègues et banquiers, une fois le verdict officiel rendu, les autorités me restituèrent le corps de mon mari et je me rendis compte qu'il faudrait que j'organise l'enterrement. Je compris que je ne pouvais plus jouer le rôle de la femme d'affaires intraitable et que j'étais finalement confrontée à la douloureuse nécessité d'admettre la réalité.

8

— Une incinération, bien sûr, dis-je à Lewis, et pas de service religieux.

Il désapprouvait. Il se borna à lisser sa soutane sans piper mot.

Nous étions dans la sacristie. Le bureau était jonché de papiers ; Lewis fumait, comme d'habitude. L'organiste s'exerçait au loin et la musique offrait comme une preuve rassurante de la routine au sein de l'église les jours de semaine.

— Kim ne se désintéressait pas de la religion, dit-il enfin. Je dirais qu'il cherchait.

— Il vous a dupé. A la fin il était tellement antichrétien qu'il a arraché la croix que je portais.

— C'est significatif, mais...

— Il était dépravé, obscène, mauvais.

— Certes !

— C'était un assassin.

— Oui, mais souvenez-vous, juste après sa mort, vous avez beaucoup insisté sur le rôle joué par Mme Mayfield dans sa destruction, n'est-ce pas ?

Je le dévisageai, consciente qu'il essayait de me lancer une bouée.

— Continuez.

— En dépit de tout ce qui s'est passé, je pense que votre premier instinct a été de garder en mémoire le Kim que vous avez aimé, le vrai, en le distinguant du Kim démoniaque qui mérite son sort à vos yeux. Pour cela, il vous fallait vous persuader que le vrai Kim avait été anéanti par cette femme. Je vous ai soutenue, mais en réalité, nous ignorons si elle l'a vraiment incité à se tuer...

Je fis un énorme effort pour comprendre ce qu'il me disait :

— Vous voulez dire que vous m'avez soutenue parce que...

— ... c'était votre manière à vous de dire qu'il y avait deux

Kim. L'homme qui vous a arraché cette croix était-il le vrai Kim ou une manifestation de la sous-personnalité engendrée et contrôlée par Mme Mayfield qui aurait pris une telle ampleur vers la fin, que son moi véritable s'est trouvé réduit en miettes ?

Il y eut un long silence.

— Si vous ne voulez pas de service religieux, reprit-il, c'est votre droit. Vous êtes la veuve. Mais qui ne mérite pas d'être enterré religieusement ? Le « Jake » de Mme Mayfield ? Ou Kim, qui voyait en vous le moyen d'échapper à son monde ?

— Vous coupez les cheveux en quatre.

— Non, je cherche la vérité.

Je luttais pour conserver mon équilibre.

— Vous le connaissiez. Qu'aurait-il voulu à votre avis ? demandai-je finalement d'une voix incertaine.

— Nous savons ce qu'il voulait en quittant l'hôpital. Etre pardonné. Il vous aimait et il était disposé à vous faire des aveux difficiles...

— Il ne m'aimait pas ! Il n'a jamais su qui j'étais.

— C'est vrai. Cependant son amour pour vous était authentique à ses yeux et il souhaitait sincèrement se réconcilier avec vous. L'amour est la force de guérison la plus puissante qui soit et Kim croyait non seulement qu'il vous aimait, mais que ses sentiments pour vous étaient la voie du salut. Il était engagé dans une certaine dynamique spirituelle et c'est la raison pour laquelle il était si réceptif à mes visites.

— Il n'empêche qu'il n'était pas chrétien, marmonnai-je.

— Non, mais la vraie chrétienté consiste à inclure les gens et non à les exclure. Carter, je ne nie pas que Kim appartenait à une forme corrompue de gnosticisme conçue par des gens mauvais à des fins pernicieuses. Je dis simplement qu'à la fin, il a cherché à tourner la page et à recommencer à zéro parce qu'après votre rencontre, il voulait croire à la primauté de l'amour et au pardon. Au bout du compte, il a déraillé parce que les Puissances étaient encore en possession d'une grande partie de sa personnalité et qu'il n'était pas suffisamment équilibré pour résister à cette fragmentation, mais je suis intimement convaincu qu'il était en route vers la lumière, loin des ténèbres.

Je suggère donc juste, non pas une messe, mais une brève reconnaissance de sa lutte spirituelle.

J'étais incapable de parler.

— Une phrase d'introduction. Une lecture. Le Notre-Père. Une bénédiction. Ça ne prendra pas plus de cinq minutes.

J'eus une brusque vision de Kim. Pas celle du barracuda qui m'avait terrifiée à Oakshott. Celle du dauphin enjoué qui avait été si heureux avec moi durant notre lune de miel.

Mes yeux s'emplirent de larmes quand Lewis ajouta :

— Cela symboliserait le fait que les Puissances n'ont jamais le dernier mot. Qu'en pensez-vous, Carter ? Ne serait-ce pas un moyen plus approprié d'aller de l'avant ?

Je hochai la tête et m'en allai en titubant.

9

J'acceptai que Nicholas et Alice m'accompagnent au crématorium où Lewis officia un bref service. J'avais besoin d'Alice, toujours si réconfortante, et je me voyais difficilement envoyer promener Nicholas. J'admis aussi la présence de Gil Tucker et je m'aperçus que j'étais contente de le voir. Il me rappela mon compagnon invisible qui m'avait guidée dans les ténèbres.

Aucun signe de ce compagnon lorsque nous nous rassemblâmes dans la chapelle, mais durant le petit discours d'introduction, je sentis qu'il s'était glissé dans la pièce car des rais de lumière commencèrent à s'infiltrer dans la nuit de mon esprit.

Lewis cita saint Paul :

— Car je suis persuadé que ni la mort, ni la vie, ni les anges, ni les puissances, ni les choses présentes, ou à venir, ni les hauteurs, ni les profondeurs, ni aucune autre créature ne pourront nous séparer de l'amour de Dieu...

Une vague d'émotion m'envahit alors que j'entrai finalement dans la phase du deuil.

10

Après le service, je parvins à dire à Gilbert Tucker :

— S'il vous plaît, essayez de dire à votre frère que je me rends compte maintenant que je n'avais rien compris. Pendant que je démêle tout cet embrouillamini, je ne veux pas l'entendre insulter Kim comme il l'a fait. Sinon je serai bonne pour une greffe du cerveau.

— Il le sait à présent, dit-il, et après avoir gentiment serré mes mains entre les siennes, il ajouta : Ne vous faites aucun souci pour lui. Les types comme lui, ça se garde !

11

Il était midi lorsque nous regagnâmes le presbytère. Alice monta avec moi à l'appartement. Je me préparai une vodka-martini, elle se servit un verre de vin et nous nous installâmes sur le sofa.

— Merci, m'entendis-je dire. Merci pour tout.

Après quoi, je me mis à boire à grandes gorgées.

— Vous vous sentez mal, pas trop mal ou franchement épouvantable ?

— Je n'en sais rien. Je suis trop assommée. Tout ce que je sais, c'est qu'à moins de trouver rapidement des réponses à toutes ces questions, je vais perdre la boule.

— A propos de Kim ?

— A propos de tout. Lewis m'a fait comprendre qu'il était possible d'organiser un petit service religieux pour le Kim que j'ai aimé et c'était si manifestement...

— ... juste, me souffla-t-elle.

— Oui, juste. A l'évidence, Lewis a mis le doigt sur une

vérité. Mais laquelle ? Comment expliquer en termes médicaux et scientifiques ce qui est arrivé à Kim ?

— Il a eu une dépression nerveuse, c'est tout.

— Ce n'est pas un terme scientifique, mais une métaphore.

— Je ne sais pas trop ce que c'est qu'une métaphore, mais les choses me paraissent simples.

— Vraiment ? Comment expliquer Mme Mayfield ? Le mal ? Il faut à tout prix que je cesse d'avoir peur de répéter l'expérience avec Kim au point de finir en ermite enchaîné à un rocher. Et pour cela, il n'y a qu'une solution : comprendre.

— Si vous vous retrouvez enchaînée à un rocher, je suis sûre qu'un beau saint Georges viendra vous délivrer !

— Je ne le supporterais pas ! Je me cramponnerais à ma pierre en lui ordonnant de ficher le camp !

Alice soupira, sûrement pas à la pensée d'un saint Georges sexy. Sa loyauté envers Nicholas était indestructible.

— Evidemment, reprit-elle d'un ton compatissant, je suis une fille simple, je n'ai rien d'une intellectuelle, mais je pense que Kim a été meurtri dans l'enfance, Mme Mayfield a aggravé sa maladie sans scrupule et il a fini par se tuer. Pourquoi vouloir interpréter cela en des termes scientifiques ?

— Parce que j'ai besoin de l'opinion de quelqu'un de qualifié. Supposons que j'achète une voiture très chère et qu'elle tombe presque aussitôt en panne. Je la ramènerai au garage et je demanderai au mécanicien de m'expliquer la cause de cette panne en recourant aux termes techniques appropriés.

— Moi je ne comprendrais pas un traître mot de ce qu'il dirait de toute façon. Je me contenterais de le prier de réparer le moteur sous garantie.

— Je vous envie. Vous ne voudriez pas savoir pourquoi le mal existe ?

— Le mal est. C'est comme un éléphant. Difficile à décrire, mais on le reconnaît tous quand on le voit.

— Pas tous ! ripostai-je aussitôt. Dans les années 30, beaucoup de gens très gentils pensaient qu'Hiltler était un type merveilleux. Comment expliquez-vous Hitler ?

— C'était un monstre, tout comme Staline et ce Chinois qui

faisait toujours des grands bonds en avant. Ils existent, tout comme les éléphants.

— Mais pourquoi Dieu leur permet-il d'exister ?

— On ne peut pas connaître la pensée de Dieu. Nos cerveaux ne sont pas assez grands.

— Il n'avait qu'à nous en donner de plus grands dans ce cas ! Dieu est sûrement assez efficace pour nous fournir des explications compréhensibles ?

— L'efficacité n'a rien à voir là-dedans ! Les voies du Seigneur sont différentes des nôtres, mais songez comme elles sont spectaculaires ! Regardez le ciel, les étoiles, les montagnes et la mer, les poissons...

Je pensai à mon dauphin.

— Peu m'importe tout ça, dis-je après avoir vidé mon verre. Je ne demande qu'une explication et si Dieu ne peut pas m'en fournir une, qu'il se perde dans l'oubli.

— Ce sont les gens qui se perdent, Carter.

— Dans ce cas pourquoi Dieu n'envoie-t-il pas quelqu'un les chercher, bon sang !

— Il me semble que c'est déjà fait.

— Mais personne n'a retrouvé Kim, achevai-je avant d'aller m'enfermer dans ma chambre.

12

Quand Alice vint finalement s'assurer que j'avais résisté à l'envie de me taper la tête contre le mur, je lui dis en sanglotant si fort que j'arrivais à peine à articuler :

— Si je l'avais aimé comme il voulait qu'on l'aime, j'aurais pu le sauver...

— Oh non, Carter ! Vous ne pouvez pas vous reprocher ça...

— Mais je suis responsable. C'est moi qui l'ai tué, pas Mme Mayfield, en le rejetant et en le privant de sa raison de vivre.

— Mais non, Carter, il s'est tué parce qu'il était malade.

— Si je l'avais aimé...

— Cet homme était un assassin, Carter ! Il a fait des choses horribles pendant des années...

— Oui, mais ce n'était pas sa vraie personnalité. Si j'avais accepté de me réconcilier...

— Comment aurait-ce pu être possible ? Kim avait démoli votre amour à force de tromperies et de mensonges ! Comment aurait-il pu regagner votre confiance ?

— Peut-être sa personnalité réelle était-elle encore là enfouie sous tout ce mal et j'aurais pu...

— Je comprends où vous voulez en venir, mais songez à ce qui s'est passé à Oakshott ! Pouvez-vous vous reprocher votre écœurement ?

— Je ne peux pas supporter de penser à ces scènes ! explosai-je en recommençant à pleurer. Si je songe à la haine et à la terreur qu'il m'a inspirées là-bas, je jure, je vais devenir zinzin pour de bon. C'est la raison pour laquelle je dois me concentrer sur le vrai Kim, celui que j'aimais, mais ça aussi, ça me rend folle parce que dans ce cas, je ne peux que me blâmer de n'avoir pas été assez forte pour le sauver...

— Carter ma chère...

— Oh mon Dieu ! Je ne sais plus où j'en suis. Si seulement quelqu'un pouvait me donner une explication rationnelle, logique, il y aurait peut-être une chance que je ne perde pas complètement l'esprit...

On sonna à la porte. C'était Val, venue nous rendre une petite visite à l'heure du déjeuner.

13

— Il faut absolument que je comprenne ce qui s'est passé, dis-je à Val dès qu'Alice nous eut laissées seules.

J'avais essuyé mes larmes, jeté les mouchoirs trempés dans

la corbeille et je m'étais préparé une deuxième vodka-martini. Val avait refusé le verre que je lui proposais, mais elle n'avait pas l'air de désapprouver mon tranquillisant autoprescrit.

— En droit, une affaire peut paraître inextricable, mais une fois interprétée d'un point de vue juridique en appliquant les bons principes, tout devient clair. Alors s'il vous plaît, donnez-moi une explication médicale, scientifique, de ce qui est arrivé à Kim afin que je puisse m'extirper de ce fatras et continuer à vivre.

— C'est une attitude positive, répondit Val d'un ton qui se voulait encourageant. Cependant, la médecine ne peut pas vous donner des réponses claires et nettes, et les théories scientifiques sont souvent plus hypothétiques que nous n'avons tendance à l'admettre.

— Quel est le verdict définitif concernant son cas ? Il doit bien y en avoir un !

— D'après ce que je sais, l'enquête approfondie menée par l'hôpital sur son suicide n'a apporté aucun éclaircissement. Le psychiatre responsable reste convaincu que sa sortie n'avait rien de prématuré.

— Ce n'est pas possible !

— Le médecin en question s'est défendu en disant que sa rechute était attribuable au stress extrême provoqué par les aveux qu'il vous a faits. Il reproche à Lewis d'avoir encouragé Kim à choisir cette voie alors qu'il n'était pas en mesure de le supporter. Quant à Lewis...

— ... il affirme que les hommes en blanc débloquent.

— Tout le monde est bouleversé quand un cas finit tragiquement, répondit Val en soupirant. Je pense que Lewis a fait du bon travail en devenant l'ami de Kim, mais je comprends aussi le point de vue des psychiatres.

— Ainsi, ils pensent encore honnêtement que Kim ne souffrait d'aucune affection pathologique ni trouble grave de la personnalité ?

— Si vous me posez la question, c'est parce que l'homme que vous avez vu les dernières fois vous a fait l'effet d'un psychopathe. Cependant, lorsqu'une personnalité se fragmente sous l'effet de pressions intenses, toutes sortes de sous-facettes, normalement réprimées par l'ego, peuvent surgir de l'inconscient et prendre le contrôle de l'esprit. Certes, quiconque commet un meurtre sans remords a un grave problème, mais je continue à penser qu'on ne peut pas qualifier Kim de psychopathe. Nous savons qu'il se sentait coupable vis-à-vis de Sophie et qu'il tenait profondément à vous. Perturbé, il l'était incontestablement, mais il est resté lucide, il ne souffrait pas d'hallucinations et il n'était pas suicidaire lors de son séjour à l'hôpital. Je ne pense vraiment pas qu'il était fou sauf tout à la fin quand sa personnalité s'est brisée sur ce balcon.

« En affirmant qu'il était mauvais et non pas fou, j'émettrais un jugement qu'un médecin n'est pas habilité à rendre. Je ne peux pas affirmer non plus que c'était un homme corrompu, incapable de supporter le fardeau de ses péchés. Ce n'est pas un diagnostic. On pouvait traiter les problèmes médicaux provoqués par son malaise spirituel. Quant à son malaise... Non. Le langage médical s'arrête là. Je dirais simplement que son cas concernait incontestablement les prêtres...

14

— Ai-je eu tort de l'acculer à cette éprouvante confrontation ? demandai-je mollement.

— Vous ne l'y avez pas forcé, répondit Val aussitôt. Il brûlait d'envie de tout vous dire, persuadé que cela sauverait votre couple. Si quelqu'un est à blâmer, c'est Lewis. En même temps, je suis persuadée qu'il a eu raison d'inciter Kim à être honnête avec vous. Vous n'auriez jamais pu continuer à vivre avec lui sans connaître toute la vérité. Non, le vrai problème, c'est que le lieu et le moment de ces aveux étaient mal choisis.

— C'est de ma faute ! C'est moi qui ai insisté pour aller le chercher à l'hôpital !

— Nous étions tous au courant de votre plan, non ? Nous

aurions dû vous en dissuader. En vérité, Carter, dans cette affaire, nous avons tous commis des erreurs. Cessez de vous torturer en voulant assumer toute la responsabilité. C'est la porte ouverte à la névrose. A propos, Robin m'a demandé de vous dire qu'il avait un rendez-vous annulé à 16 h 30. Si vous voulez passer, il sera ravi de vous voir.

Je la remerciai et promis d'y être.

15

— Maintenant que ce mariage n'a plus aucune chance d'exister, me dit Robin un peu plus tard dans sa salle de consultation, je peux être plus franc avec vous, mais je vous avertis que mon opinion risque de ne pas être aussi satisfaisante que vous le pensez.

— Je vous demande juste un avis professionnel, raisonnable et logique...

— La raison et la logique sont des outils précieux, mais les êtres humains sont mystérieux et dépassent de loin la somme logique et rationnelle de leurs composantes physiques et mentales. En outre, n'oubliez pas que je n'ai jamais rencontré Kim. De la précision scientifique ? C'est impossible, j'en ai peur, mais seriez-vous prête à considérer un portrait subjectif ?

— C'est mieux que rien.

— Revenons un instant aux questions que je vous avais suggéré d'étudier d'un peu plus près. J'ai été intéressé d'apprendre qu'à la fin, Kim s'est montré moins virulent vis-à-vis de son père, plus compréhensif. Il semble qu'à cet égard, son psychiatre ait fait du bon travail, même s'il restait encore beaucoup de chemin à faire par ailleurs. Souvenez-vous que Kim n'était qu'au tout début de son traitement.

« J'ai eu raison d'attirer l'attention sur l'énigme de sa sexualité. A l'évidence, parvenu à l'âge adulte, il souffrait d'une sexualité détraquée et a réprimé la partie à laquelle il ne pouvait se faire. Cela ne signifie pas nécessairement que c'était un homosexuel honteux. Je pencherais plutôt pour un hétérosexuel maladapté, mais faute de l'avoir interrogé longuement moi-même, je ne peux tirer aucune conclusion. Etait-il bisexuel ? J'en doute. Il apparaît qu'il était très attiré par les femmes et que les épisodes d'homosexualité se fondaient plus sur des motivations comparables à celles du viol, liées plus à la violence qu'au sexe. La sexualité est un domaine bien plus complexe qu'on ne le croit et les catégories conventionnelles ne sont que des généralisations trompeuses.

« Pour être plus clair, laissez-moi ajouter ceci : supposons que Kim détestait et redoutait cet aspect refoulé de sa sexualité. En projetant ces sentiments sur des homosexuels qu'il brutalisait, il se serait débarrassé de cette aversion de lui-même et d'un profond malaise psychologique. Je l'imagine comme un homme qui n'a jamais pu admettre son côté féminin et qui méprisait tout homme ne cadrant pas avec sa définition du macho. Pourquoi ? Nous ne le saurons jamais. Peut-être son père insistait-il pour qu'il soit dur.

« Le fait que Kim vous ait parlé de "rage" à propos de son hobby confirme ma thèse à propos de ses inclinations sexuelles. C'était un homme en colère, contre ses parents qui n'ont pas su lui donner de l'affection, contre Sophie parce qu'il se sentait coupable, contre son succès professionnel même qui ne parvenait pas à le satisfaire à telle enseigne qu'il cherchait encore quand il s'est intégré à la société occulte de Mme Mayfield. Il s'en voulait sans doute à la fin de s'être impliqué avec elle. Si ses sentiments pour vous étaient sincères, il devrait être furieux contre lui-même d'avoir tant de mal à se séparer d'elle.

Robin marqua une pause, sans doute pour s'assurer que son portrait subjectif n'avait pas provoqué trop de ravages. Or je me sentais déjà mieux. C'était réconfortant de retrouver un peu d'ordre et de logique parmi le puzzle inextricable que composait la personnalité de Kim. En énonçant les déformations psychologiques qui s'étaient développées à partir du moi véritable de Kim, Robin m'aidait à visualiser une sorte de cancer de l'esprit, un cancer spirituel qui avait fini par se révéler fatal.

— Continuez, fis-je. Pensez-vous qu'il avait vraiment des sentiments pour moi ?

— C'est l'impression que cela donnait, bien qu'il eût projeté sur vous une image sans rapport avec la réalité, comme vous l'avez compris. Ce n'est pas rare chez les amoureux, je vous l'ai dit. Vous-même projetiez une image sur lui, n'est-ce pas ?

— Oh oui, répondis-je d'un ton qui se voulait ironique, mais l'amertume s'y insinua malgré moi. Je projetais sur lui l'image d'un père idéal, que mon père n'a jamais été et qui, selon moi, m'était dû, même si c'était trop pénible à admettre.

Robin hocha la tête en s'abstenant de tout commentaire.

— Tout cela ne signifie-t-il pas que notre relation n'était au fond qu'une grande illusion ? finis-je par dire.

— Pas du tout. Ces images n'étaient pas entièrement fausses. Certes Kim a mal interprété votre personnage masculin et vous refusiez de reconnaître sa ressemblance avec votre père. Mais ces projections étaient non pas des inventions pures et simples, mais des déformations de la réalité. A mon avis, elles prouvent que vous étiez amoureux et cette forme d'amour passionné précède souvent une relation réussie, ancrée dans la réalité.

— Mais si Kim était attiré par moi à cause de l'aspect masculin de ma personnalité, il est évident...

Je m'interrompis, trop troublée pour aller au bout de ma pensée.

— Il semble clair qu'il était attiré par vous pour toutes les raisons évidentes liées à votre féminité, enchaîna Robin sans hésitation. Je doute qu'il ait jamais été intéressé par une femme qui ne satisfaisait pas d'abord et avant tout ses penchants hétérosexuels. Mais l'avantage pour lui, qui vous rendait unique, c'est que votre facette virile avait le pouvoir de réveiller le côté féminin de sa personnalité, réprimé jusque-là. Cette facette masculine s'apparente à une radio que vous faites fonctionner instinctivement en ajustant le volume selon la situation. Vous pouvez le pousser à fond, mais la plupart du temps, hors du bureau, vous le mettez en sourdine. Kim l'a détecté tout de suite, comme il vous l'a dit, et je suppose que cela répondait à un tel besoin en lui qu'il pouvait le percevoir à tout moment même quand le son était tout bas.

— Et quand je mettais à fond...

— Il était subjugué. A mon avis, même un bourdonnement aurait eu un effet marqué sur lui. Je pense que dès qu'il était en mesure de sortir de sa peau de requin pour jouer au dauphin avec vous, il laissait jaillir son côté féminin. Cette liberté sans précédent de pouvoir être pleinement lui-même devait lui donner une sensation d'équilibre, presque comme une guérison.

— C'est la raison pour laquelle il estimait que le moment était venu de renoncer à Mme Mayfield et à ses divers « remèdes ».

— Tout à fait. Malheureusement, reprit Robin en soupirant, il y avait deux obstacles sérieux, et c'est là que nous en arrivons à l'hypothèse consternante que si seulement vous aviez accepté de vous réconcilier, Kim et vous auriez pu vivre heureux ensemble jusqu'à la fin de vos jours — si tant est qu'il eût échappé à une accusation de meurtre. Le premier...

— C'est là aussi que nous admettons que mon personnage viril n'est pas le vrai moi.

— Ou plutôt que l'amour romantique qui vous liait avait peu de chances d'évoluer en une relation à long terme basée sur la réalité. Votre personnage viril ne reflète pas vraiment le côté masculin de votre personnalité : il s'agit d'une déformation forcée, destinée à vous permettre de survivre dans un monde d'hommes. Kim aurait-il pu s'adapter à cette réalité une fois qu'elle aurait empiété sur ses illusions romantiques, comme c'était inévitable ? D'après ce que vous m'avez dit à propos de son attitude vis-à-vis de votre désir d'enfants, je dirais que non. Son attirance pour vous était par trop liée à votre masque et si votre voyage vous avait conduite hors d'un univers masculin dans un monde féminin, vous auriez jeté le masque et il aurait manqué un aspect clé de votre relation. A mon avis, Kim aurait eu vite fait de chercher une autre femme pour se maintenir en un seul morceau et j'ai le sentiment que vous n'auriez pas été aussi disposée que Sophie à accepter un mari infidèle.

— Et le second obstacle ? demandai-je en frémissant.

— Contrairement à ce que Kim pensait, il me semble qu'il n'aurait pu résister à l'envie de reprendre son « passe-temps ». Carter, je ne crois pas me tromper en disant que même si vous aviez été la femme qu'il vous imaginait être, vous n'auriez jamais pu lui fournir à vous seule une réponse à long terme à son problème. Kim aurait eu besoin d'une longue thérapie pour parvenir à se maîtriser à cet égard. De fait, il aurait fallu qu'il remette son sort entre les mains de ce que les Alcooliques Anonymes appellent une « puissance supérieure ». Je trouve intéressant qu'il se soit identifié au personnage de Jack Lemmon dans *Le Jour du vin et des roses* ! Il n'était pas sans se connaître et ne manquait certainement pas d'intelligence, mais il avait besoin d'une solide assistance médicale. Mme Mayfield ne lui aurait été d'aucun secours. Bien au contraire, elle aurait aggravé les choses en l'incitant à remplacer son « hobby » par d'autres déviances dont aucune n'aurait réglé le problème.

— Kim avait-il des chances de guérir ?

— « Guérir » n'est pas le mot qui convient. Disons qu'il aurait pu connaître une période de rémission susceptible de devenir permanente. Le risque de rechute aurait toujours été là, mais bien soutenu, il aurait tenu le coup.

— Comme un alcoolique récupéré par les AA ?

— C'est cela. Dans l'idéal, il lui aurait fallu un prêtre collaborant avec des médecins, ainsi qu'une communauté compatissante priant régulièrement...

— Pourquoi cela ?

— La médecine n'est pas en mesure de répondre entièrement à ce type de problème. Les psychologues peuvent aider, incontestablement, mais en définitive quand on commence à employer des formules du style « se livrer à une force supérieure » ou « accepter Jésus-Christ comme son Seigneur », nous nous aventurons au-delà des frontières de notre discipline. Je pense qu'il est sain d'admettre que nous n'avons pas toutes les réponses, et que dans ce genre de cas, des prêtres devraient toujours œuvrer avec nous...

16

— Dans quelle mesure dois-je me sentir coupable ? demandai-je après une longue pause.

Je n'étais pas sûre que Robin répondrait à une question aussi directe. Il s'exécuta pourtant de bon gré :

— Il est normal de se sentir un peu coupable quand un mariage échoue. Cela n'a rien de malsain. C'est la culpabilité obsessive et morbide qui cause problème.

— Je ne pensais pas à l'échec de mon mariage. Je me rends compte à présent que ça n'aurait jamais marché.

J'hésitai avant d'avouer d'une seule traite :

— Si je me sens coupable, c'est parce que cette ultime confrontation a provoqué son suicide.

— Il est tout aussi normal pour les gens proches de quelqu'un qui se suicide d'éprouver un sentiment de culpabilité, me répondit-il sans détour, mais n'oubliez pas qu'un suicide peut avoir des causes multiples. Dans le cas qui nous occupe, je pense qu'il serait réaliste d'octroyer à Kim une part de responsabilités pour ses actions. Souvenez-vous qu'il était très perturbé étant donné le mode de vie qu'il avait choisi longtemps avant de vous connaître, et dont vous n'êtes absolument pas responsable. Pas plus que vous ne l'êtes si, de la faute de Mme Mayfield, il s'est senti névrotiquement attiré par ce balcon qui a causé sa perte.

— C'est vrai, dis-je, profondément soulagée.

— N'oubliez pas non plus qu'un suicide peut être un acte d'agression, ajouta Robin. Contre le monde et contre nos proches. Si Kim vous avait défoncé le portrait, auriez-vous été tentée de considérer que c'était de votre faute ?

— Certainement pas... mais n'est-on pas censé tendre l'autre joue quand on nous agresse ?

— La question du pardon survient inévitablement, mais vous avez besoin de temps, Carter. Les réactions émotionnelles profondes aux situations de crise ou de tragédie ne peuvent être dissipées en un rien de temps par la raison et la logique. D'autres parties du cerveau doivent intervenir et il se peut qu'elles ne soient pas immédiatement accessibles.

— Mais je veux tout régler le plus vite possible afin que ma vie reprenne son cours ! Dites-moi quel bouton psychologique je dois pousser pour pouvoir pardonner à Kim de m'avoir ravagée et me pardonner de l'avoir laissé faire.

— A cet égard, vous devriez vous adresser aux prêtres.

— Robin...

— Je suis sûr qu'avec l'aide de Nick, de Lewis ou des deux, vous trouverez la voie qui convient.

— Ça ne suffit pas ! m'exclamai-je, exaspérée. Si je ne peux pas trouver rapidement une réponse logique et censée, vous devez m'indiquer le bon principe psychologique à appliquer.

— Ça ne servirait à rien. Vous devez sentir les choses, Carter, et non pas les comprendre intellectuellement. Vous avez besoin d'autres outils que la raison et la logique pour accéder à la zone de votre esprit qui opère non pas avec des mots, mais avec des symboles et des images. Après tout, le pardon est autre chose qu'un mot en deux syllabes, non ? C'est un concept, une vision, une expérience.

— De quel outil s'agit-il dans ce cas ?

— Avez-vous songé à vous rendre régulièrement au service de guérison du vendredi ? Parfois l'imposition des mains débloque la psyché et...

— Je suis athée, fis-je, perdant finalement patience et mettant ainsi un terme à la séance.

17

Dans le hall de réception, je tombai sur Alice en pleine discussion avec Nicholas qui prenait un Coca au distributeur. Les aiguilles de la pendule indiquaient 17 h 30 et un nouveau détachement de bénévoles arrivait pour s'occuper des employés stressés de la City, avides d'oreilles attentives en fin de journée. Le jeudi, le centre restait ouvert jusqu'à 20 heures.

— Carter ! s'exclama Alice en se précipitant vers moi. Nicholas voulait savoir si vous vouliez lui parler.

Cela m'agaça au plus haut point. J'étais déjà énervée par la suggestion de Robin. Je n'avais pas la moindre envie de me retrouver enfermée avec Nicholas. J'estimais par ailleurs qu'Alice avait trahi ma confiance en lui faisant part de mes tourments.

— Je suis sûre qu'il est trop occupé pour me parler, répondis-je d'un ton catégorique. Une autre fois peut-être.

Je me détournai, mais aperçus aussitôt Tucker derrière la porte d'entrée vitrée. J'avais oublié qu'il travaillait au centre le jeudi soir.

— Pardonnez-moi, j'ai été grossière, dis-je à Nicholas en faisant volte-face. Je serais ravie de m'entretenir avec vous.

Le dos tourné au hall, je me dirigeai à grands pas vers sa salle de consultation.

Je n'y étais jamais entrée auparavant. Dès le seuil, je découvris avec horreur un grand tableau représentant une blonde hautaine au regard glacial et à la bouche large. J'en restai bouche bée. En tournant ma chaise de manière à éviter ce spectacle réfrigérant, je me retrouvai face à un vieux nounours élégamment vêtu trônant bizarrement sur l'étagère derrière le bureau.

— Seigneur, Nicholas, vous êtes vraiment un homme curieux ! dis-je sans pouvoir me retenir.

— Je sais. Je devrais retirer cette toile, s'empressa-t-il de dire, et c'était la première fois que je le voyais gêné. Je l'enlèverai tout de suite après le divorce, mais Rosalind n'est pas seulement ma femme. C'est ma plus vieille amie.

— Peu m'importe ce que vous choisissez de mettre pour décorer votre bureau ou vos étagères, Nicholas. Qu'est-ce donc que cet ours ?

— Il va s'en aller aussi. Je veux le donner à la bonne personne, mais je ne l'ai pas encore trouvée.

— Je veux bien un ours, dis-je d'un ton maussade. Les huissiers m'ont pris mes jouets quand j'avais six ans. Bref, je ne suis pas là pour me plaindre de mon enfance. Venons-en aux faits.

— Entendu, dit-il, presque soulagé. Alice m'a laissé entendre...

— Pourriez-vous avoir la gentillesse de lui dire que quand j'ai une conversation privée avec elle, je ne souhaite pas qu'elle aille tout vous raconter ?

— Elle l'a fait dans les meilleures intentions du monde..

— Oublions ça. Qu'est-ce qu'une petite indiscrétion quand je suis dans la merde jusqu'au cou ? Ecoutez, je voudrais des réponses directes : comment explique-t-on quelqu'un comme Mme Mayfield ? Kim était-il 100 % mauvais à la fin ou non ? Si oui, était-il au-delà de la rédemption ? Peut-on lui pardonner ? Et qu'avez-vous à dire au sujet du mal ?

Pour être honnête, je dois reconnaître que Nicholas ne sourcilla même pas tandis que je le mitraillais ainsi. Pourtant, il m'horripila lorsqu'il se borna à me répondre avec un soupir :

— J'ai peur que ces questions soient plus difficiles que vous ne l'imaginez...

18

— Le mal est un terme émotionnel, reprit-il. Nous nous rendons compte à quel point il est réel lorsque nous le rencontrons, mais il est aisé de le rendre irréel, comme s'il existait dans un autre monde et qu'on pouvait le maintenir à distance. La réalité du mal est si terrifiante en vérité que nous sommes enclins à la fuir plutôt qu'à l'affronter. C'est seulement lorsqu'il envahit notre existence que nous comprenons qu'il n'a strictement rien à voir avec les absurdes fantaisies des films d'horreur hollywoodiens.

« Le problème, voyez-vous, c'est que le mal est là parmi nous, tout le temps. Un petit mensonge par-ci, une tromperie par-là, trop d'égoïsme, et soudain on se retrouve face à un monstre. Un monstre qui n'a pas de dents longues ni de cape noire. Il peut porter un cardigan et s'appeler Mme Mayfield.

« Aussi terrible que cela puisse paraître, ce sont nos côtés obscurs, nos mauvaises actions, nos faiblesses débridées qui produisent des gens comme elle. Elle se nourrit de nos défauts et nos défauts à leur tour sont alimentés par ses besoins.

« Qu'en est-il de Kim ? Il a fait du mal, c'est indubitable. Mais il a été lui-même meurtri par d'autres maux, ceux de la culture nazie. Car le mal affecte non seulement les individus, mais des cultures entières, aussi civilisées soient-elles. Les Allemands étaient un peuple très cultivé, pourtant ils ont produit Auschwitz. Et n'oublions pas que les camps de concentration furent inventés par les Britanniques à l'apogée de la splendeur impériale.

« Le mal est omniprésent au point que nous sommes tous atteints à des degrés divers. Aussi, de quel droit rejetterions-nous une victime simplement parce qu'elle est plus meurtrie que nous ? Ce serait si tentant de taxer Kim de MAL, si rassurant ! Seulement il était l'un d'entre nous et nous devons éviter d'en faire un bouc-émissaire en projetant sur lui tous nos défauts cachés, nos désordres psychiques et nos peurs secrètes.

« Comment faire pour ne pas voir en lui un monstre au-delà de la rédemption ? Nous devons le considérer comme une vraie personne avide de pardon. Cela ne signifie pas qu'on excuse le mal qu'il a fait, mais ainsi il devient plus aisé à comprendre et à pardonner.

« Robin m'a fait part du portrait subjectif qu'il vous a brossé de Kim. Je souhaiterais vous proposer un contrepoint en insistant sur la normalité de Kim. Son travail lui plaisait, il menait une existence affairée de citadin, il voulait une femme qu'il puisse aimer et se sentait coupable d'avoir maltraité Sophie, il souhaitait avoir une maison agréable, sortir, voyager... Quoi de plus normal ? Certes, il avait des obsessions relatives à son passé (il n'est pas le seul !) et un grave problème sexuel, mais on peut comprendre que les médecins aient vu en lui un homme sain d'esprit ayant besoin de repos et d'une bonne thérapie.

« La vraie difficulté, c'est que le mode de vie de Kim — un petit mensonge par-ci, une infidélité par-là —, l'a conduit à Mme Mayfield qui a converti ses faiblesses en délabrement moral. N'oublions pas que c'est lui qui a choisi de s'associer avec elle et d'entrer dans ce milieu farouchement opposé à la vérité, la décence, la générosité, la confiance, l'espoir et l'amour.

« Or sans ces valeurs, l'être humain se déforme. Les mensonges, la dégradation, l'égoïsme, le cynisme et l'exploitation peuvent exercer toutes sortes d'attraits, mais cela n'a rien à voir avec un bonheur durable ou la réalisation de soi.

« En d'autres termes, la personne qui a choisi cette voie doit s'en détourner pour guérir, sinon, la maladie spirituelle s'aggrave.

« Idéalement, dans le cas de Kim, un psychiatre et un prêtre auraient dû collaborer. Son mal était surtout d'ordre spirituel, même si ses problèmes psychologiques aggravaient les choses. Il était très conscient de son besoin de guérison, n'est-ce pas ? C'est ce qui l'a incité à s'enferrer de plus en plus dans le monde de Mme Mayfield et cette société occulte qui eut pour seul effet de fragmenter encore davantage sa personnalité. Nous parlons d'un homme spirituellement malade qui a fait les mauvais choix, suffisamment humain toutefois pour se rendre compte de ses erreurs à la fin et tenter de trouver la rédemption dans l'amour.

« Son vrai moi n'était pas corrompu, voyez-vous ?... Vous n'avez pas l'air contente, Carter ? Qu'ai-je dit cette fois-ci qui...

— Vous rendez-vous compte que ça fait un quart d'heure que vous me parlez de mal, de péché et de moralité et que, vous un ecclésiastique, pas une seule fois vous n'avez mentionné le nom de Dieu ?

— J'ai pensé que comme vous étiez athée...

— D'accord, mais tout de même. Pourquoi vous paie-t-on à la fin ? Vous n'avez pas parlé du Christ non plus...

— Parfois quand un athée n'a pas d'expérience personnelle...

— Qui vous a dit que je n'en avais pas ? Si votre Christ est ce que vous prétendez qu'il est, pourquoi ne le ferait-il pas savoir à une athée comme moi ?

— Cela arrive souvent...

— Ben alors... C'est quoi, votre problème ?

Je me mis sur pied en proie à un désir irrésistible de tout casser, en commençant par le portrait de Mme Snobinarde. A la place, je m'emparai du nounours et lui déclarai d'une voix forte :

— Il est temps que tu changes de propriétaire, mon vieux, au lieu de te couvrir de poussière sur cette étagère.

Je tapotai son petit jean et son T-shirt brodé, puis le larguai sur le bureau.

— Cet animal est trop bon pour vous. Si vous ne vous en occupez pas un peu, un de ces jours, il va s'en aller.

Quelque peu soulagée d'avoir lâché cette virulente prophétie au nom d'Alice, je sortis de la pièce en trombe.

Pour me retrouver nez à nez avec Tucker.

II.

« Il arrive un moment où les questions changent. Nous ne demandons plus comment éviter la souffrance ni même pourquoi cela nous arrive à nous. Toutes nos ressources se concentrent sur la manière de nous en sortir, et l'ultime question est : à quoi ça sert ? On sait fondamentalement que la souffrance, le mal et la mort elle-même n'ont pas le dernier mot dans la vie. »

David F. Ford
The Shape of Living

1

— Madame Phœnix sortie de ses cendres, je présume.
— Oh mon Dieu !
— Comment allez-vous ?
— Mal, mais j'essaie de m'améliorer.
— J'ai mis mon roman temporairement au rebut pour allumer des cierges pour vous. Je suis devenu accro à la cire. Dès que je vois une mèche, j'éprouve l'irrésistible besoin de...
— Désolée de vous interrompre sur ce thème fascinant, mais n'êtes-vous pas supposé travailler ?
— C'est ce que je fais, madame G.

— Oui, mais...

— Je retourne à la mine la semaine prochaine pour refaire la façade de mon compte en banque. Laissez-moi vous inviter à déjeuner demain avec mon dernier billet.

— Je ne mange plus.

— C'est dommage ! Je suis sûr que ça vous plairait.

— Tucker...

— Bon, que diriez-vous d'une coupe de Veuve au Lord Mayor's Cat ? Ne me dites pas que vous avez renoncé au champagne !

— Je...

— Réfléchissez. Appelez-moi.

Il vira vers le hall d'entrée pour porter secours à la réceptionniste occupée avec deux yuppies ivres.

Je regagnai tant bien que mal le presbytère.

2

Sur la table dans l'entrée, je découvris quelques lettres qui m'étaient adressées. Alice avait dû aller chercher mon courrier à l'appartement. Parmi les factures et publicités habituelles, je trouvai une lettre rédigée sur le papier à en-tête d'une prison. Ma première réaction fut de l'enfouir au fond de mon sac, mais je songeai que je devais savoir ce que mon père avait à me dire.

« Ma chérie, avait-il écrit, *laisse-moi te dire tout de suite que je ne réclame pas d'argent. Je voulais juste que tu saches quel bonheur ça a été de te voir. Tu étais très belle. Je suis si fier de toi. J'aurais dû écrire plus tôt, mais j'avais peur que tu penses que je voulais quelque chose. Et puis l'autre jour, l'aumônier m'a dit : "Comment saura-t-elle ce que vous pensez si vous ne le lui dites pas ?" Je t'écris donc pour te dire, et j'espère que tu ne te fâcheras pas, que je meurs d'envie de sortir d'ici. Je ne reviendrai jamais. Penser à toi m'aide à tenir le coup. S'il te plaît, envoie-moi une carte postale pour me dire*

que tout va bien et que tu ne m'en veux pas. Je t'aime, ma chérie. Et je veux tourner la page, je te le promets. Je t'embrasse. Papa. »

Je marmonnai un juron et enfouis la lettre au fond de mon sac. Avant que j'atteigne l'escalier, la porte d'entrée s'ouvrit derrière moi : Lewis rentrait de l'église.

3

— Comment allez-vous ? me dit-il d'un ton neutre.

— J'ai besoin d'une triple vodka-martini.

— Parfait. Il me faut un verre aussi. Je vous emmène au Savoy.

Je fus si déconcertée par cette luxueuse invitation que je ne sus comment la décliner. Puis je songeai qu'un changement de décor me ferait peut-être du bien et que j'avais été suffisamment grossière pour la journée ; une pointe de courtoisie serait de bon aloi.

— Volontiers, répondis-je, et ignorant tout de la situation financière de Lewis, je me sentis obligée d'ajouter : Allons dans un bar à vins si vous préférez.

— J'ai une sainte horreur de ces endroits, riposta-t-il d'un ton acide.

— Tant mieux.

Nous nous mîmes en route dès qu'il eut troqué sa soutane contre un costume clérical. Conformément à la simplicité liée à sa vocation, il conduisait une très vieille VW rouge, ultra-bruyante, comme s'il était l'heureux propriétaire d'une Aston Martin. Quand il se gara dans le parking du Savoy Hill, j'avais plus que jamais besoin d'un verre.

Nous nous installâmes à une table d'angle dans le grand salon et un serveur apparut aussitôt pour prendre notre commande.

— Deux limonades, s'il vous plaît, dit-il avant que j'eusse

le temps d'ouvrir la bouche, et deux sandwichs jambon-fromage. Du vieux Cheddar, je vous prie.

— Attendez une minute ! m'exclamai-je, stupéfaite.

Le serveur avait déjà tourné les talons.

— Qu'est-ce que c'est que cette histoire ? protestai-je, outragée.

— Il est temps de donner un peu de répit à votre foie et plus que temps que vous vous alimentiez. Soyez gentille et surtout pas de scène !

— Je n'en crois pas mes oreilles.

— J'adore offrir des limonades aux jolies femmes, reprit-il d'un ton assuré, et comme je suis sûr que vous ne priverez pas un vieil homme d'un petit plaisir innocent, renoncez à votre rage de féministe et dites-moi comment vous allez.

Je songeai à m'en aller, mais le fauteuil était confortable et le Savoy, m'enveloppant comme un manteau de fourrure douillet, était par trop réconfortant.

Je résolus de rester.

4

— C'est le point de vue de Nicholas sur le mal qui m'a fait sauter au plafond, lui expliquai-je entre deux bouchées. Sur le plan spirituel, j'ai trouvé son interprétation faible et j'avais envie de le frapper parce que pas une seule fois il n'a mentionné Dieu ou le Christ. Vous trouvez cela déraisonnable ?

— Pas du tout.

— Comment un prêtre peut-il parler du mal sans évoquer le diable ?

— Certes ! Si vous voulez un raisonnement spirituel solide formulé en langage religieux démodé, je suis votre homme !

— Super ! Kim était-il mauvais ou non ? Aurait-il pu reprendre une vie normale, tel un alcoolique reconverti...

— Si vous voulez balancer des métaphores et des analogies,

dit Lewis qui commençait manifestement à s'amuser, allons-y jusqu'au bout et parlons d'un esprit infesté de démons. Quand je dis « démons », je ne parle pas de petites créatures rigolotes munies de cornes et d'une queue. J'entends des entités psychiques émanant directement des archétypes malveillants qui hantent l'inconscient collectif de la race humaine.

« De la même façon, quand je dis "infesté", je ne prétends pas que ces créatures cornues grouillaient sur la personnalité de Kim telle une armée de poux. Je veux dire que ces démons prirent racine en lui en jetant leur dévolu sur une des sous-personnalités enfouies dans son inconscient, l'entraînant vers le conscient de sorte qu'en définitive, cette sous-personnalité fut en mesure de prendre le contrôle de son ego. En d'autres termes, son esprit était infesté de démons, même si la psychologie décrirait différemment ce paysage spirituel.

« Les démons sont les escortes du diable. Sans s'encombrer du jargon psychologique, je peux vous dire que le diable est le côté obscur et désordonné de la création, l'aspect sombre de Dieu, selon Jung. Un jour viendra où Dieu maîtrisera ces ténèbres. En attendant, nous pataugeons dans ce chaos, déchirés par ces démons, les Puissances des ténèbres, comme aurait dit Kim. On peut toutefois leur échapper. En nous cramponnant à la lumière plutôt qu'aux ténèbres, rien ne nous oblige à devenir le mal.

« Vous me suivez ? Bien. En choisissant les ténèbres au lieu de la lumière, Kim a ouvert la voie à son infestation démoniaque. Mais soyons bien clairs : son moi véritable, meurtri, écrasé, mais encore présent sous cette sous-personnalité empoisonnée, n'était *pas* mauvais. Notre moi est à l'image de Dieu, de la force bienveillante à l'origine de notre création. Kim avait besoin d'être délivré afin que son vrai moi puisse retrouver sa juste place au centre de sa personnalité.

« Kim a-t-il commis des actes malveillants ? Evidemment. Un meurtre ne se compare pas à une infraction du code de la route. Il a honteusement abusé de Sophie et l'intense souffrance psychologique qu'il vous a infligée a détruit votre confiance. Sans parler de tous les homosexuels qu'il a ramassés avant de rencontrer son maître chanteur. Peut-on déduire de ses aveux qu'il était sado-masochiste ? Peut-être. Vous ne pouvez pas vous imaginer à quel point les masochistes raffolent des châtiments !

« Bref ! Pouvons-nous pardonner Kim parce qu'il était malade ? Absolument pas. Les maladies spirituelles ne s'attrapent pas comme la grippe. Elles résultent non pas de la malchance, mais de mauvaises décisions.

« Kim était-il au-delà de la rédemption ? Certainement pas. Ce n'est le cas de personne, parce que grâce à l'amour de Dieu, de Notre Seigneur Jésus-Christ et au pouvoir de l'Esprit-Saint, les forces de la lumière sont supérieures à celles des ténèbres. Nous pouvons ranimer notre vrai moi, aussi meurtri soit-il, et guérir.

« Kim aurait-il pu guérir ? A St Benet, nous faisons la distinction entre guérison et rétablissement, et l'exemple de l'alcoolique reconverti prouve que, même faute d'une guérison permanente, un rétablissement très stable est possible. En termes religieux, nous devons nous souvenir que la perfection, sous la forme d'une guérison totale, n'existe pas en ce monde. Nous restons à jamais vulnérables au péché et à la tentation. Cela veut-il dire que nous sommes forcément détruits par notre vulnérabilité ? La santé morale peut être restaurée, entretenue, élevée pour repousser les démons empoisonneurs d'âmes, et bien sûr, les prêtres devraient parler de Dieu aux athées ! Ainsi que de tous les membres de la Trinité. Cela leur donne la chance de s'élancer passionnément à la défense de leurs propres convictions ! Les athées me font toujours l'effet de gens tellement religieux...

« Bref, où en étais-je ? Ah oui, guérir Kim. Certains guérisseurs chrétiens auraient ordonné aux démons de sortir de lui. Pour ma part, je préfère qu'on se prépare soigneusement au rite de la délivrance et dans le cas de Kim, je pense qu'il aurait fallu une longue phase préliminaire durant laquelle son guérisseur aurait gagné sa confiance. Cela ne sert à rien de forcer les choses.

« Je suis certain d'avoir abouti à quelque chose avec Kim,

même si j'aurais voulu aller plus loin. Il a saisi mon message d'espoir et m'a cru quand je lui ai dit qu'il pouvait s'embarquer dans une nouvelle vie en rejetant le diable, c'est-à-dire Mme Mayfield, et en se tournant vers le Christ. Si cela s'était produit, il aurait reconnu ses démons et tout fait pour s'en débarrasser, en d'autres termes, il aurait cessé de nier et aurait affronté ses problèmes. Alors seulement on aurait pu procéder au rite de la délivrance. Les rituels sont très importants parce qu'ils expriment la vérité quand les mots ne font plus l'affaire.

« Ensuite, Kim aurait eu besoin de beaucoup de soins, auprès d'un psychiatre, d'un prêtre, mais aussi d'une communauté chrétienne qui l'aurait enveloppé d'amour en lui offrant un cadre nouveau pour sa vie future. L'amour est essentiel car le malade en a généralement été privé à un moment crucial de son existence. De fait, on pourrait alléguer que tout phénomène d'accoutumance est fondamentalement une tentative faite pour trouver la paix et le bonheur fournis par un amour sincère.

« J'en arrive à la question qui vous tourmente le plus, je le sais : votre amour aurait-il pu le sauver ? Il faudrait plutôt vous demander : auriez-vous pu le sauver si vous aviez agi différemment à Oakshott, cédé à ses avances et repris une relation dans laquelle vous auriez été contrainte de mentir constamment pour réprimer votre peur, votre colère et votre dégoût ? Personne n'aurait pu vous demander une chose pareille, Carter. Quoi qu'il en soit, la guérison étant fondée sur la vérité, et non sur le mensonge, vous n'auriez probablement pas pu l'aider à guérir. Tout au contraire. Si vous aviez feint une réconciliation, je suppose qu'il aurait renoncé au processus de guérison, il serait parti à New York et aurait repris ses habitudes dès que vous vous seriez séparés, ce qui était inévitable.

« En règle générale, la guérison nécessite un travail d'équipe. Vous avez amplement contribué à la sienne en entrant dans sa vie et en lui montrant qu'il pouvait encore avoir une existence équilibrée et plus heureuse. Il n'était peut-être pas en votre pouvoir d'en faire davantage. Dieu s'est servi de vous pour lui montrer à quoi ressemblait le salut, mais d'autres auraient peut-être été choisis pour l'épauler dans l'avenir.

« Je vous entends déjà dire que ce vieil arrogant s'imagine qu'il a été désigné personnellement par Dieu pour guider Kim sur le chemin du ciel ! Il pense qu'il avait tout réglé et se congratule de la guérison qu'il aurait à coup sûr provoquée. Détrompez-vous ! J'étais sans doute déjà parvenu à la fin de ma mission et d'ailleurs, je ne m'en serais peut-être pas sorti au bout du compte. Même si tout s'était bien fini, je ne me serais pas attribué le moindre mérite, car sa guérison serait venue du Christ œuvrant à travers moi ou malgré moi. Les guérisseurs chrétiens ne doivent jamais l'oublier ; l'orgueil est une déformation professionnelle contre laquelle nous devons lutter jour après jour.

« En tout état de cause, Kim n'a plus besoin de personne. Il est avec Dieu et Dieu fera ce qu'il convient pour le guérir. La mort n'est pas la fin, bien sûr. Les gens ne comprennent pas que la mort fait partie de la vie et dans une vie vécue comme un voyage, il n'y a ni commencement ni fin. Vous vivez votre Vendredi saint, Carter, mais n'oubliez jamais que nous considérons cette journée dans la lumière de la Pâque.

« Vous allez peut-être me demander... Non, vous semblez au bout du rouleau. Puis-je vous offrir une autre limonade ?

— Merci. Je prendrais aussi volontiers un double cognac.

Il fit signe au serveur, commanda deux autres limonades et à ma grande fureur, substitua un Perrier au cognac.

5

Je fis annuler la commande en l'accusant d'intolérable machiavélisme, mais il ne se laissa pas démonter.

— Considérez-moi comme un entraîneur personnel préoccupé de votre forme, riposta-t-il joyeusement. Ne gaspillez pas votre salive en protestant. N'êtes-vous pas anxieuse de connaître ce que sera votre prochaine question ?

— Si je réponds que oui, vous me direz en fanfaronnant que

vous saviez que je ne résisterais pas à la curiosité féminine. Et je me sentirais obligée de vous gifler et de m'en aller.

— Oh mon Dieu, comme c'est excitant ! Mais je suis en tenue de prêtre, aussi laissez-moi vous dissuader d'exécuter ce charmant fantasme et venons-en à cette question.

— Je sais ce que je vais vous demander, merci. Pourquoi a-t-il fallu que je vive cet enfer ? A quoi cela a-t-il servi ? Et comment m'en sortir sans dommage ?

Lewis s'empressa de me répondre.

6

— Avant toute chose, comprenez que Dieu ne souhaite jamais la souffrance et s'efforce toujours de la racheter. La douleur est la face obscure du processus créatif, mais l'artiste véritable ne peut la supporter et n'aura pas de cesse que tout soit arrangé. Nous souffrons parfois à cause de nos mauvaises actions, mais pas toujours en proportion avec nos péchés. On ne récolte pas toujours ce qu'on a semé. De fait, la souffrance frappe souvent au hasard.

« Je tiens à vous dire ensuite que vous avez fait ce qu'il fallait lorsque vous vous êtes efforcée de déterminer pourquoi vous aviez épousé Kim : quels éléments de votre enfance, de votre mode de vie, de votre vision du monde vous ont incitée à devenir Mme Betz. En vous examinant ainsi au microscope, vous avez appris des choses que vous ignoriez. C'est un grand pas en avant dans le voyage spirituel qui requiert avant tout de se connaître.

« Cette expérience négative a donc eu un résultat positif, et il y en aura d'autres si vous vous alignez sur Dieu en reconstruisant votre vie au mieux. Cette reconstruction donnera un sens à la tragédie et la rachètera. La souffrance qui détruit les gens n'a pas de sens, mais si vous trouvez une signification dans celle que vous avez endurée, vous serez en voie de guérison et pourrez ainsi pardonner à Kim, vous pardonner, aimer et vivre à nouveau.

« Je vous entends déjà vous exclamer : “Bel échantillon d'optimisme clérical, mais où ce vieux singe veut-il en venir ?” Servez-vous de ce nouveau savoir si durement acquis pour vous aider à vous réaliser et vous engager sur la bonne destinée. Telle est la voie du vrai bonheur. Il ne s'agit pas d'être ce que les autres pensent que vous devriez être pour satisfaire les caprices d'une société passagère, je peux vous l'assurer.

« Notez que je ne vous suggère pas de renoncer à tout votre argent pour aller en Inde travailler auprès de Mère Teresa. Peut-être vous faudra-t-il continuer à être une avocate d'affaires pleine aux as. L'argent est neutre ; l'important, c'est ce qu'on en fait. La grande question est de savoir si c'est vraiment vous ou si vous seriez plus vous-même en exerçant votre métier dans un autre domaine ? Auquel cas, la fortune ne serait plus nécessairement une priorité dans votre vie.

« Prenez le cas d'Eric Tucker, par exemple. Il adorerait devenir riche en tant qu'écrivain et j'espère qu'il y arrivera un jour. Ce qui compte, c'est qu'il fait ce pour quoi Dieu l'a conçu et qu'il conserve son intégrité. C'est pitoyable d'être un conteur, diront certains, mais on peut avoir toutes sortes de vocations, parfois triviales aux yeux de beaucoup (mais pas de Dieu). Les dames pipi elles-mêmes ont leur rôle à jouer dans la création étonnamment variée de Dieu. Non, je ne plaisante pas !

« Ce que je veux dire, Carter, c'est que si vous pouvez reconstruire votre vie en harmonie avec le projet que Dieu a conçu pour vous, vous vous apercevrez que les Puissances n'ont pas le dernier mot, que la résurrection fait suite à la crucifixion. Et la mort de Kim sera rachetée car votre nouvelle vie, qui profitera non seulement à vous, mais à ceux que vous rencontrerez, sera façonnée par vos nouvelles découvertes émanant directement des souffrances que vous avez endurées. Dieu peut donner à toute chose un but créatif, c'est la vérité, et aucune ténèbre n'est suffisamment noire pour ne pas être pénétrée, submergée par la lumière. Mais souvenez-vous : vous devez agir !

Vous ne pouvez pas attendre passivement la rédemption. Comme Eric m'a dit l'autre jour : "Pour que le mal triomphe, il suffit que les gens bien ne fassent rien !"...

7

Il y eut une longue pause. Je repris peu à peu conscience de mon environnement : le mobilier élégant, la moquette épaisse, le bourdonnement des conversations, les serveurs allant et venant en silence.

— Comment puis-je reconstruire ma vie ? demandai-je finalement.

— Ne paniquez pas ! Dieu ne vous a pas imposé un délai de vingt-quatre heures. Dans un premier temps, vous devez juste améliorer votre état de santé. C'est la raison pour laquelle vous buvez de la limonade.

— Mais vous disiez que je devais agir !

— C'est un acte de s'occuper de sa santé. Pendant ce temps-là, vivez au jour le jour et concentrez-vous sur les gens que vous rencontrez. Ecoutez-les attentivement.

— Pourquoi ?

— Parce que vous avez besoin de savoir ce que Dieu a prévu pour vous et il communique souvent avec nous à travers les autres. Le diable aussi, sachez-le. Vous aurez donc besoin d'aide pour déterminer ce qui se passe.

— Je suis incapable de me lier avec qui que ce soit en ce moment.

— Il vous suffit d'écouter ! On ne vous demande pas de vous attacher à quelqu'un.

— Heureusement ! Je n'imagine pas une seconde revivre une relation.

— Cela ne veut pas dire que cela n'arrivera pas. Votre imagination est en panne, c'est tout. Vous êtes sûre que vous ne voulez pas une autre limonade, ajouta-t-il avant de faire signe au serveur.

— Je n'ai qu'une envie : me soûler.

— Certes, mais le danger de sombrer régulièrement dans les vapeurs de l'alcool — en dehors de troubles hépatiques — est que vous risquez de rater une communication importante avec Dieu. Vous ne buviez pas au bureau, n'est-ce pas ?

— Jamais.

— Eh bien, c'est bien plus sérieux que le bureau. Si vous êtes dans le flou, comment voulez-vous reconnaître la personne qui vous mènera à la lumière ?

— Je ne me vois pas menée par qui que ce soit.

— Je vous ai conduite ici, non ?

— Oui, mais je pensais avoir droit à une vodka-martini. Quand vais-je pouvoir vous faire confiance à nouveau ?

Il rit.

— Dès demain matin quand vous vous réveillerez fraîche et dispose.

Il régla l'addition et nous regagnâmes son tas de ferraille teuton.

8

— J'ai oublié de mentionner une chose qui me tracasse vraiment, dis-je tandis qu'il garait sa Coccinelle dans la cour du presbytère. Quand vais-je cesser de voir des fantômes ? J'ai une trouille folle que Kim m'apparaisse.

— Allons boire un café, se borna-t-il à me répondre en m'entraînant dans la cuisine.

En traversant le hall, je m'aperçus que Nicholas travaillait encore dans son bureau au lieu de profiter d'un moment tranquille avec Alice, et cela m'agaça.

— Je ne peux pas vous promettre que vous ne verrez pas Kim, mais si vous ne vous sentez pas coupable de sa mort et si vous n'avez pas envie de communiquer avec lui, je doute qu'il revienne.

— Ne risque-t-il pas de hanter l'appartement ?

— Si vous nous autorisez à bénir les lieux, il y a peu de chances.

Il posa deux tasses de café sur la table et s'assit en face de moi.

— Faut-il vraiment que je sois présente quand vous effectuerez ce rituel ? bredouillai-je. Pardonnez mon manque de cran, mais j'ai tellement peur de voir Kim.

— Je vous comprends ! Ce sera une rude épreuve, mais il serait préférable que vous soyez là. Accordez-vous un peu de temps. Vous retrouverez des forces.

— Pensez-vous que la maison d'Oakshott doive aussi...

— Oh oui ! Sophie a besoin d'aide pour lâcher prise.

Je vis l'occasion d'élucider une autre énigme qui me préoccupait.

— Quand je l'ai vue là-bas, était-ce...

Je ne pus achever ma phrase.

— C'était un autre genre de fantôme que celui de l'appartement, mais je ne saurais le définir dans la mesure où plutôt que de hanter simplement les lieux, elle a communiqué avec Eric en lui suggérant d'aller vous chercher. C'est la marque d'un « esprit troublé ».

— Y a-t-il une solution à ce mystère ?

— Les phénomènes paranormaux ne s'expliquent pas toujours.

— Eh bien, je vais vous dire une chose, fis-je en regrettant que le café ne soit pas de la vodka. Ces pseudo-phénomènes paranormaux sont de la foutaise. A mon avis, il y a forcément eu intervention humaine ou transmission de pensée.

Lewis soupira. Il avait l'air d'avoir besoin autant que moi d'une bonne rasade d'alcool.

9

— Bon, dans ce cas, reprit-il en succombant finalement à l'envie d'allumer une cigarette, comment expliquez-vous les épisodes paranormaux qui ont jalonné cette affaire ?

— Eh bien, les incidents survenus à la tour Harvey étaient clairement l'œuvre de Kim ou de Mme Mayfield, mis à part le premier, causé par les vibrations de l'immeuble...

— Et le dernier ?

— Mme Mayfield s'est introduite dans l'appartement à l'aide d'un double, elle a continué à mettre tout sens dessus dessous, puis elle a attendu que je revienne d'Oakshott. C'est elle qui a ouvert et fermé brutalement la porte de la chambre ; il y avait assez de place pour qu'elle se glisse derrière. Quant au fantôme, c'était une hallucination. C'était gentil à Nicholas de parler de vision, mais appelons un chat un chat.

— Il existe toutes sortes de chats... Continuez. Comment expliquez-vous le mouvement des rideaux ?

— Oh, cela arrive. Il y a beaucoup de vent là-haut et de l'air peut se glisser sous la porte coulissante.

— Et les lumières clignotantes ?

— Une défaillance électrique, comme pour la télé.

— Je vois... Pour en revenir à Mme Mayfield, si elle avait une clé, pourquoi serait-elle revenue le lendemain avec un serrurier ?

— Elle ne voulait pas reconnaître qu'elle était entrée dans l'appartement en catimini pour se venger de moi. Elle ne cherchait pas seulement à discréditer Sophie, mais à briser mon mariage en me faisant tourner en bourrique.

— Bon. Passons à Oakshott. La présence de Sophie dans le hall est-elle une hallucination ?

— Evidemment. J'étais terrorisée. Elle portait la tenue qu'elle avait lorsque je l'ai trouvée morte, ainsi que le chapeau et le panier aperçus à la cuisine. A l'évidence, mon esprit a régurgité des souvenirs récents.

— C'est possible. Comment Eric a-t-il capté cette image ?

— Par télépathie.

— Doux Jésus, vous voulez dire que vous l'auriez transmise à Eric et qu'il l'aurait reçue *avant* que vous l'envoyiez ? Ce serait un cas sans précédent !

— Je sais que Tucker a vu Sophie dans la maison en premier, mais il se trouve qu'avant d'échapper à Kim et de voir Sophie dans le hall, je pensais à elle. Elle était présente dans mon esprit tout du long. J'ai transmis son image à Tucker et parce qu'il était très inquiet pour moi, il l'a convertie en une personne apparemment réelle. Après tout, lui aussi était sous le coup d'un stress extrême.

— C'est tout à fait ingénieux, fit Lewis manifestement admiratif.

Il y eut un silence.

— Alors ? demandai-je, agacée. Vous n'allez pas me contrer ?

— Non. Vous avez droit à vos propres interprétations de ces événements mystérieux, d'autant plus que nous ne sommes pas en mesure ni l'un ni l'autre de faire la preuve irréfutable de ce que nous avançons.

— Mais...

— Je respecte votre théorie car à l'évidence, vous y avez longtemps réfléchi. C'est une démarche positive, propice à l'assimilation de certains aspects parmi les plus déroutants de cette affaire.

— Et si elle est fausse ? Je croyais que la vérité comptait plus que tout.

— Evidemment, mais il y a toujours des moments où l'on doit vivre dans l'incertitude. Seuls les gens étroits d'esprit pensent qu'ils savent tout sur tout, et cette réaction émane généralement de la peur.

— Peur de quoi ?

— Du désordre.

Je plongeai le nez dans ma tasse.

— A propos de désordre, reprit finalement Lewis, avez-vous réfléchi à la manière dont votre télescope a pu échapper au chaos ?

Je fis tourbillonner mon café.

— Que voulez-vous que je vous dise ? Mme Mayfield ne l'a pas détruit, c'est tout. Pourquoi en faire un mystère ?

— Même si c'est un mystère, répondit Lewis d'un ton dégagé, on n'est pas obligés de tous les résoudre. On peut aussi les accepter et les ranger tout bonnement dans un coin.

— Exactement.

Je pris le temps de réfléchir avant d'ajouter du ton le plus neutre qui soit :

— C'est bien de mettre de l'ordre et on peut toujours replonger le nez dans tout ce fourbi dans l'éventualité peu probable où l'on voudrait y jeter un autre coup d'œil pour une raison ou pour une autre.

— Cela me paraît très sensé, fit Lewis d'un ton approbateur, et tout à fait équilibré.

Résolue à clore notre entrevue sur cette note harmonieuse, je le remerciai de m'avoir emmenée au Savoy et me levai, mais je ne pus résister à l'envie de le remettre à sa place pour avoir relancé la question du télescope.

— Vous aviez vraiment l'air de connaître la vérité sur tout quand vous parliez de Dieu tout à l'heure, remarquai-je. Cela signifie-t-il que vous êtes vous aussi un esprit étroit en proie à la peur du désordre ?

— Je sais très peu de choses sur Dieu, ma chère. Je me suis borné à vous résumer en peu de mots une longue tradition de sagesse.

Incapable de concocter une riposte judicieuse, je me rabattis sur une réaction idiote :

— Oh cessez de me parler comme si nous étions intimes ! aboyai-je. Quel effet cela vous ferait-il si je vous appelais « mon cher » ?

— J'en serais ravi et j'aurais l'impression d'avoir au moins dix ans de moins. Essayez, voulez-vous ?

Je soupirai en le traitant de cauchemar féminin et le laissai radieux comme si je venais de lui faire le plus beau compliment du monde.

10

Alice se coucha de bonne heure ce soir-là. Je m'attardai dans le salon pour repenser à tout ce qu'on m'avait dit dans la journée. Je découvris, à mon grand dam, que si je comprenais mieux ce qui était arrivé à Kim, mes émotions étaient toujours sens dessus dessous. L'histoire du « vrai » Kim me paraissait illusoire et sans fondement. La seule chose qui comptait, c'était que j'avais été bafouée. Pour l'heure, l'idée de reconstruire ma vie me semblait inconcevable. J'étais trop anéantie.

Je me languis fugitivement d'une dose d'humour à la Tucker ; l'instant d'après, je frémis rien qu'en pensant à lui. Qu'est-ce qui me prouvait qu'il ne se changerait pas en monstre ? J'avais suffisamment souffert d'une relation intime pour la vie ! Quant au sexe... J'étais convaincue que je ne pourrais plus jamais coucher avec un homme sans me souvenir de Kim prêt à me sauter dessus derrière cette porte verrouillée. L'idée même d'entendre quelqu'un me dire « Je t'aime » me glaçait jusqu'à la moelle.

J'allai dans ma chambre en quête de mon sac, d'où je sortis la lettre de mon père que je déchirai sans la relire. Avec sa méprisable obsession, il me rappellerait toujours le « monstre » et son « hobby ». Je ne voulais plus avoir affaire à lui. Qu'il aille au diable !

J'étais consciente d'être profondément blessée. En même temps, je me rendais compte à présent que mon esprit ne pouvait me sauver de cet enfer émotionnel. J'avais pensé qu'en appliquant logique et raison à tous les témoignages que j'avais entendus, je pourrais réorganiser mes souvenirs d'une manière satisfaisante, supportable, mais j'avais juste réussi à me prouver que j'évoluais dans une dimension de la réalité où raison et logique ne fonctionnaient pas. Les Puissances me dévoraient à nouveau. On aurait dit qu'une bête sauvage avait plongé ses crocs dans mon cou et me secouait en tous sens.

Pour finir, je me laissai tomber sur le rebord de la fenêtre en m'agrippant à la nouvelle petite croix que Lewis m'avait donnée. J'eus envie de l'appeler au secours, mais j'étais dans un tel état que je n'avais même plus la force d'appuyer sur l'intercom. Je ne pouvais que sangloter en frissonnant.

Puis je songeai à une petite phrase qu'il m'avait dite au Savoy : « Vous vivez votre Vendredi saint, Carter », et dès l'instant où ces mots résonnèrent dans ma tête, mon compagnon invisible se glissa à côté de moi, non pas pour ouvrir les ténèbres — elles étaient bien trop denses —, mais pour partager ma douleur.

Il resta et progressivement, la texture de la nuit qui m'enveloppait changea parce que les Puissances étaient incapables de le chasser et en sa présence silencieuse, pacifique, résidait la force qui finirait par les obliger à me lâcher.

« En quoi consiste ton pouvoir ? » demandai-je, mais je n'entendis que les voix de Robin et de Lewis me parlant de l'amour comme force suprême d'équilibre. Aussitôt après, je me retrouvai avec mon dauphin que j'aimais et le monstre avait disparu.

« Cramponne-toi au dauphin ! » cria soudain mon compagnon et je sus que les Puissances des ténèbres n'auraient pu me faire lâcher prise. « Tu as posé une foule de questions sur le mal, mais rien sur l'amour. »

Je l'interrogeai alors à ce sujet, mais bien entendu il était au-delà des mots. Il resta juste là auprès de moi dans la nuit, en se chargeant du poids de ma douleur.

Dieu sait d'où venait cette image surgie dans mon esprit. En tout cas, elle n'émanait pas de mon désir. Je songeai tout à coup que plus on s'enfonçait dans les profondeurs de l'esprit, plus les réalités psychiques, selon la formule de Nicholas, devenaient profondes jusqu'à ce qu'on se retrouve finalement au cœur même de la conscience.

Mon cerveau vacilla, mais la complexité de la réalité me

frappa à nouveau de plein fouet. Je m'émerveillai de tous les mystères de l'esprit au-delà des zones vouées à la raison et à la logique, le petit jardin propret que j'avais soigneusement entretenu. Or, je le comprenais à présent, la raison et la logique n'étaient pas censées être enfermées ainsi et si je les envoyais au-delà de la barrière du jardin, peut-être un jour me permettraient-elles de dire avec une humilité née de la vérité et non de l'arrogance générée par ma peur du désordre : « Je fais face aux mystères. Je ne connais pas toutes les réponses. Je dois croire pour comprendre. »

Je m'aperçus tout à coup que les ténèbres de mon esprit se dissipaient. Je retins mon souffle, mais mon compagnon s'était envolé. En essuyant mes larmes, j'allai dans la cuisine, trouvai le bloc-notes dont Alice se servait pour les courses et dessinai un dauphin. Puis j'emmenai mon croquis à la fenêtre dans le salon et m'assis pour y ajouter quelques détails. Mon dauphin batifolait à présent dans une grande mer, pleine de vagues...

Quoique ?

La panique me reprit. Je m'efforçai de m'appesantir sur l'assurance de Lewis que Kim était « avec Dieu qui ferait le nécessaire » pour le guérir, mais je savais que cette image ne pouvait me réconforter. Comment Dieu pourrait-il se charger d'un être qui s'était comporté en monstre ? D'atroces visions d'incinération me vinrent à l'esprit. Je me mis à arpenter la pièce dans le vain espoir d'apaiser mon effroi. J'étais de nouveau au bord du désespoir.

J'eus la certitude que le « vrai Kim » comme le monstre seraient à coup sûr condamnés par Dieu aux feux de l'enfer.

Je me cramponnai à ma croix, mais l'épouvante affaiblissait mon emprise. J'avais besoin de croire que j'avais aimé un homme digne d'être sauvé, que le monstre n'avait pu détruire. Je pourrais alors espérer me pardonner un jour d'avoir massacré mon existence. Mon amour-propre en dépendait et j'en avais besoin pour m'estimer digne d'un avenir tolérable. Sans cet espoir, je me voyais glisser inexorablement dans le marasme.

Les histoires d'horreur d'antan suggéraient cependant que Dieu jugerait Kim Betz sans merci d'après les actes malveillants qu'il avait perpétrés. Aucune distinction ne serait faite entre le « vrai Kim » et le monstre, et cela prouvait que tous les propos rassurants de Nicholas et Lewis relatifs à la rédemption universelle étaient sans fondement et destinés à me remonter le moral.

Des larmes douloureuses m'emplirent à nouveau les yeux, mais je ne pleurais plus mon amour-propre délabré. Je pleurais mon dauphin, l'amour auquel je m'étais cramponnée et qu'on m'arrachait. Je ne pouvais supporter l'idée qu'il brûlât. Je voulais qu'il fût sauvé, guéri et qu'il n'eût plus à souffrir. Je n'admettais pas qu'il eût enfin échappé aux tourments des Puissances pour être torturé par ce terrifiant juge qui l'attendait de l'autre côté de la tombe.

Je me répétai farouchement que je refusais de croire en Dieu, mais l'image du juge implacable n'en resta pas moins gravée dans mon esprit. Je refuse de croire en la chrétienté, ajoutai-je, mais j'avais l'horrible sentiment que tout cela était vrai, même cette atrocité de la vie après la mort où l'on se retrouvait entre les mains d'un sadique. Les Puissances étaient en train de porter un ultime assaut contre moi et au moment où je m'apprêtais à crier à mon compagnon invisible : « Pourquoi m'as-tu abandonnée ? », j'entendis les marches craquer devant la porte de l'appartement.

11

Ma première pensée fut qu'il s'agissait du fantôme de Kim. Je m'étais souvenue de lui si clairement au milieu de ma souffrance que son retour me semblait presque inévitable. Puis je songeai que les fantômes ne faisaient pas de bruit en marchant. Cela signifiait que mon visiteur devait être un être humain, en d'autres termes soit Nicholas, soit Lewis. Dans un cas comme dans l'autre, pourquoi montait-il l'escalier sur la pointe des pieds au beau milieu de la nuit ?

C'était un mystère, mais un mystère que je ne devais pas avoir peur d'élucider.

— Lewis ? fis-je d'un ton ferme en essuyant mes larmes.

Les grincements cessèrent aussitôt.

— Non, c'est moi, répondit Nicholas à voix basse.

Dès que j'ouvris la porte, je vis qu'il tenait le nounours dans ses bras.

— Je voulais le laisser sur le palier avec un petit mot, dit-il gauchement. Désolé de vous avoir dérangée.

— Mais pourquoi abandonnez-vous ce pauvre animal ici ?

— Je me suis rendu compte tout à coup que vous étiez le propriétaire que je cherchais.

— Vous voulez dire que vous me le donnez ?

— Considérez cela comme un geste de gratitude.

— De gratitude ?

— Il y a un moment que je voulais vous remercier.

— Attendez une minute. J'essaie de comprendre. Vous, Nicholas Darrow, vous me remerciez ?

— Vous avez été très utile à mon ministère depuis votre arrivée. De fait, mon directeur spirituel dit que vous êtes un don du Ciel !

— Elle plaisante !

— Non, Lewis et moi avons peut-être été envoyés pour vous aider, mais il est clair que c'est réciproque. Vous m'avez montré que je ne peux distinguer ma vie privée de ma vie professionnelle et Lewis a découvert que les femmes modernes ne sont pas toutes aussi intolérables qu'il l'imaginait. Je pense donc qu'il est temps que l'un de nous deux vous remercie.

J'ouvris la bouche, la refermai.

Il me tendit l'ours.

Je le pris et le glissai au creux de mon coude gauche tout en le caressant distraitement de la main droite.

— J'allais vous le donner demain, dit Nicholas, mais j'ai eu le sentiment qu'il fallait que je vous l'apporte tout de suite. Ça m'arrive parfois...

— Télépathie ? demandai-je d'un ton prudent.

— Pas nécessairement. J'étais sans doute inquiet à propos

de quelque chose que Lewis m'a confié tout à l'heure. Il m'a dit qu'il redoutait qu'enfant, vous n'ayez été influencée par une forme de chrétienté, parfois déroutante pour beaucoup de gens, surtout en période de deuil...

— Vous feriez mieux d'entrer, dis-je en ouvrant grand la porte.

12

— Lewis m'a dit que vous aviez eu une bonne conversation au Savoy, reprit Nicholas en pénétrant dans le salon à grandes enjambées. Il ne m'a pas donné de détails, bien sûr, mais lorsqu'il m'a laissé entendre que le calvinisme avait joué un rôle dans votre enfance, j'ai pensé que vous ne vous rendiez peut-être pas compte que ce n'est qu'une facette de la chrétienté. Aucune grande religion n'est un monolithe immuable. Toutes s'épanouissent, se diversifient, suivent une dynamique. Les vérités fondamentales demeurent, mais les réinterprétations sont inévitables... Je suis désolé, vous êtes probablement trop fatiguée et stressée pour comprendre tout cela...

— Ne prenez pas ce ton condescendant !

J'installai M. Ours dans le meilleur fauteuil, les jambes relevées par un coussin.

— La loi aussi formule des vérités fondamentales, poursuivis-je, et elle aussi se diversifie. Vous me croyez incapable de comprendre le concept d'évolution ?

— Non, non, protesta-t-il à la hâte, bien sûr que non ! Dans ce cas, vous admettez qu'une croyance théologique peut devenir obsolète ou survivre tout en étant dépassée ou intellectuellement indéfendable, et remplaçable par une autre idée plus proche de la vérité. Un profane trouvera cette dynamique chaotique, mais...

— ... il existe des règles précises pour la mise à jour.

— Exactement. Ce que je veux dire, c'est que, dans la théologie chrétienne, le concept de jugement a évolué. Beaucoup de gens adhèrent encore à l'idée d'enfer et de damnation, mais, tout en respectant leur vénération d'une tradition passée, je ne peux pas m'y résoudre.

— Comment osez-vous jeter la tradition au panier ?

— Je ne la jette pas. Je choisis juste de mettre l'accent sur une tradition plus ancienne et plus biblique, et je ne suis pas le seul. C'est le reflet de l'érudition moderne.

Il décida finalement de s'asseoir.

— L'essentiel de ce qu'on dit sur l'enfer n'a rien à voir avec les Écritures, dit-il presque en s'excusant comme s'il redoutait qu'on le considère comme responsable. La plupart des images des damnés datent du Moyen Age et je doute que Jésus aurait apprécié ces scènes de tourment montrant le Grand Inquisiteur précipitant des êtres humains dans les flammes. Il semble que Jésus ait été nettement plus intéressé par un berger qui se donnait du mal pour chercher une brebis égarée... Et cela m'amène à l'histoire que je voulais vous raconter à propos des concours de chiens de berger.

Il marqua une nouvelle pause et je me rendis compte tout à coup qu'il avait cessé de m'énerver. Nous étions assis l'un en face de l'autre ; il avait croisé ses longs doigts qu'il examinait avec attention. En un éclair de lucidité, je compris qu'il se préparait psychologiquement.

— En vérité, dit-il finalement en s'adressant à ses doigts entrelacés, on ne peut parler de jugement sans parler de justice. Or la justice est l'autre facette de l'amour. Quand nous aimons quelqu'un, nous voulons qu'il soit traité équitablement, avec amour et compréhension. Un grand juge, plutôt que de se montrer sévère, mettra en balance le bien et le mal et s'assurera que justice soit rendue. Voilà ce que mon père dit un jour dans un sermon à propos des concours de chiens de berger.

Il écarta ses mains et entreprit d'examiner son pouce comme s'il ne l'avait jamais vu. Je sentis qu'il choisissait ses mots laborieusement, mais ses phrases étaient limpides, fluides, énoncées d'une voix calme.

— Vous voyez à quoi je fais allusion, n'est-ce pas ? Il s'agit de manifestations en plein air destinées à sélectionner le chien le plus doué pour rassembler des moutons. Un jour, racontait mon père, un homme et son petit garçon étaient en vacances au bord d'un lac. Ils virent une pancarte annonçant un de ces concours non loin de là. « Je voudrais y aller ! » dit le petit garçon. Le père consentit à l'emmener, mais en arrivant, l'enfant fut très déçu. « Où est le jury ? demanda-t-il à son père. Où est le juge à la cagoule noire comme celui qui condamne les meurtriers à la pendaison ? » — c'était bien avant l'abolition de la peine capitale. Son père dut lui expliquer qu'il s'agissait d'un tout autre genre de jugement. Il n'était pas question de condamner un chien à mort ou à la prison à perpétuité. Toutes ces bêtes étaient là pour être encouragées, appréciées, valorisées et si certaines ne se montraient pas à la hauteur, elles pourraient toujours se représenter plus tard lorsqu'elles seraient plus habiles.

Je me remis à pleurer et bien que je détournai le regard, Nicholas me dévisagea en me disant :

— Kim n'a plus de problèmes maintenant, Carter. Il s'est écarté du « Jake » de Mme Mayfield, parce qu'en définitive, nous appartenons tous à Dieu, et non aux Puissances, et Dieu s'apparente au juge des concours de chiens de berger. Pleurez tous les moments heureux que vous avez vécus avec Kim, les souffrances que vous avez endurées l'un et l'autre, mais ensuite ayez le courage de le laisser être aimé et guéri par son Créateur, car à la fin, rien ne peut nous séparer de l'amour de Dieu, j'en suis persuadé.

Il se leva subitement, sans attendre de réponse, et s'approcha de la fenêtre pour contempler la nuit.

— Parfois il est difficile de laisser partir un époux, l'entendis-je dire. Quoi qu'il soit arrivé, il y aura toujours cet engagement profond du début et c'est infiniment triste, n'est-ce pas, de devoir être témoin de la mort douloureuse de tant d'espoirs et de rêves chéris ?

Il y eut un silence. Interminable.

Puis je me levai et m'approchai de lui pour le réconforter.

III.

> « Lors de son bref ministère, Jésus fit de son mieux pour guérir et nourrir les gens autour de lui. Cependant le fer de lance de son enseignement était d'atteindre aux racines du mal et de la souffrance, et son message issu du Royaume de Dieu concernait une guérison fondée sur l'amour, la confiance, la compassion, le pardon et une hospitalité sans limite. Il reconnaissait que cette guérison-là ne pouvait être offerte que par ceux qui l'incarnaient, quel qu'en fût le prix. »
>
> David F. Ford
> *The Shape of Living*

1

— Ce n'est pas que je n'aime pas Alice, parvint finalement à dire Nicholas tandis que nous regardions l'église sous le clair de lune, mais j'avais besoin de temps.

Je lui répondis que je comprenais. Je lui dis aussi que je regrettais d'avoir été aussi brutale avec lui chaque fois que la question de sa vie privée avait surgi dans nos conversations.

— Mais c'était bien que j'entende ce que vous aviez à dire ! répondit-il aussitôt. C'est ce que mon directeur spirituel a trouvé si intéressant. Vous repériez toutes mes faiblesses.

— J'ai été grossière... Aimez-vous toujours Rosalind ?

— Elle me manque. Le problème, c'est que je n'ai jamais vécu sans elle. Elle est comme la sœur que je n'ai jamais eue. Je sais que c'est un peu bizarre....

— Pas du tout. J'ai bien épousé un homme qui ressemblait au père que je n'ai jamais eu !

— Vous aimiez Kim, n'est-ce pas ? dit simplement Nicholas.

— En tout cas, je n'avais pas du tout envie qu'il rôtisse à jamais, répondis-je après une pause et après un autre silence, j'ajoutai : J'aimais l'homme qu'il aurait pu être... et celui qu'il a réussi à être un moment avant que « Jake » s'interpose entre nous.

— Vous parlez du vrai Kim.

— Oui, mais je me suis tellement tourmentée à l'idée qu'il n'était qu'une illusion conçue par une pathétique femme ayant largement passé la trentaine et obnubilée par son horloge biologique.

— Il était bien réel. Je l'ai entrevu le soir où il est venu au presbytère.

— Vous pensez qu'il a dit la vérité ?

— Sa déclaration d'amour sonnait juste. Vous étiez sceptique et hostile envers lui, mais votre réaction m'a prouvé que quelque chose de très réel venait de vous être révélé.

— Comment saviez-vous que mon amour pour lui n'avait pas été anéanti par le cauchemar survenu à Oakshott ? On comprendrait que j'aie été ravie de me débarrasser de lui après ça... Je l'ai cru moi-même. Pourquoi en êtes-vous sûr au point de monter me voir à minuit et demi avec un ours pour m'assurer que cet homme que 99 % des gens qualifieraient de monstrueux ne brûlerait pas en enfer ?

— C'est à Dieu d'en juger. Il est le seul à connaître la vérité sur nous. Kim et vous avez vécu des mois heureux, n'est-ce pas ? Quand un mariage s'achève en catastrophe, on tend à se concentrer sur cette ultime phase, mais plus tard, les souvenirs d'amour refont surface... C'est en tout cas l'avis de Rosalind.

— Mon Dieu, vous voulez dire que...

— Mon mariage s'est achevé en catastrophe. Par ma faute.

Ça me rend malade rien que d'y penser, mais nous nous sommes aimés et rien ne peut effacer ça.

« L'amour est la grande Réalité, comme disent les mystiques chrétiens. En dépit de tout ce qui a pu aller de travers dans votre relation avec Kim, malgré les tromperies à l'origine de tant d'illusions et d'irréalité, il y a encore là quelque chose de puissamment réel, digne d'être gardé en mémoire, et qui a enrichi votre vie en vous rendant plus pleinement vous-même. Un jour, tôt ou tard, vous vous direz : oui, je voudrais revoir cette grande Réalité si j'ai la chance de la rencontrer à nouveau.

— Et vous avez eu de la chance tôt, fis-je d'un ton hésitant.

— Trop tôt. C'est pour ça que c'est tellement difficile.

— Je suppose qu'il n'y a pas la moindre chance que Rosalind et vous...

— Pas de retour en arrière, non. Mais j'espère que nous pourrons être amis à nouveau. J'ai fini par accepter que je ne pouvais pas rester dans le passé, ajouta-t-il en s'approchant de l'ours, le passé qui remonte à la maternelle où j'ai rencontré Rosalind. Je dois lâcher prise.

Il caressa la bouche en fil noir de l'animal du bout de l'index sans pouvoir retenir un soupir.

— Allons, dis-je avec humour. Je prendrai soin de lui pour vous. Quand allez-vous confier ce portrait dans votre bureau à quelqu'un d'autre ?

— Je le rapporterai à Rosalind ce week-end, fit-il en soupirant de plus belle.

— Si vous êtes tous les deux déterminés, pourquoi le divorce s'enlise-t-il ? demandai-je en réprimant une menace acerbe.

— Rosalind estime qu'elle ne peut pas faire face seule aux problèmes de notre fils aîné.

— Mais vous n'allez pas disparaître. Quel âge a cet enfant ?

— Dix-neuf ans.

— *Dix-neuf ans ?* Pour l'amour du ciel, Nicholas, il est en âge de se marier, de mourir pour sa patrie, de voter ! Jetez-le hors du nid et occupez-vous donc de vos vies !

Il parvint à rire.

— Voilà encore que vous me dites ce qu'il faut que j'entende !

Tout à coup, il s'immobilisa, comme si une idée importante venait de lui traverser l'esprit sans qu'il sût comment la glisser dans la conversation.

— Vous avez déjà vécu une tragédie dans votre vie, n'est-ce pas ?

— Que voulez-vous dire ?

— Quand les huissiers sont venus et vos parents se sont séparés.

— Oh, c'est de l'histoire ancienne !

Il ne parut pas m'entendre.

— Tant qu'on en est au sujet des catastrophes, dit-il, pensez-vous que Kim aurait pu juguler son obsession et se remettre sur la bonne voie ?

— Oui, je le pense.

— Vous admettez à présent qu'aucun d'entre nous n'est au-delà de la rédemption dès lors qu'on se repent ?

— Oui.

Il se détourna en jetant un coup d'œil à sa montre.

— Il faut prier très fort pour ces gens-là, bien sûr. La prière sous-tend l'ensemble de notre ministère ici à St Benet. Voulez-vous que je dise une courte prière pour conclure notre entretien ?

Je saisis l'occasion de lui témoigner du respect après toutes mes grossièretés à son égard et l'écoutai poliment demander à Dieu de prendre soin de moi, puis il ajouta une brève requête afin que l'âme de Kim reposât en paix. Il dit même quelques mots à propos de ma famille, ce qui me parut inutile, mais je le laissai finir. Ensuite, il regarda l'heure une nouvelle fois en me disant qu'il avait besoin d'aller dormir afin d'être frais et dispos pour l'office hebdomadaire de guérison.

— Vous ne pourriez pas le sauter pour une fois ? demandai-je.

— Si, puisque les guérisseurs qui officient ne sont pas forcément prêtres, mais je tiens à y aller car j'en ai autant besoin que les autres.

— Vous en profitez vous aussi ?

— Nous nous imposons réciproquement les mains. Nous portons tous en nous-mêmes des souffrances et des ravages.

— J'espère que la magie fera son effet sur vous aujourd'hui.

— Cela n'a rien de magique. C'est juste le Christ guérisseur. Il est toujours là. Salut, mon vieux, murmura-t-il en tapotant son ours une dernière fois.

Puis il me souhaita bonsoir et sortit sans se retourner.

2

Je passai une nuit paisible et me réveillai à 10 heures. Sur le chemin de la cuisine, je m'arrêtai pour examiner plus attentivement l'ours. Quand Alice monta cinq minutes plus tard pour prendre de mes nouvelles, elle me trouva assise dans un fauteuil, l'animal sur les genoux.

— Je l'ai vu tout à l'heure ! dit-elle. Qu'est-ce qu'il fait là ?

Nicholas avait décidément besoin de leçons quant à la manière de communiquer avec sa fiancée.

— Nicholas ne vous a rien dit ? Il me l'a donné.

— Vraiment ? s'exclama-t-elle, enchantée.

A l'évidence, la symbolique de ce geste ne lui avait pas échappé.

— Oui, il a finalement résolu de quitter la maternelle et de dire au revoir à ses petits camarades... Hé, vous auriez pu me dire que son fils avait dix-neuf ans ?

— Je pensais que vous le saviez.

— Nicholas ne parle jamais de ses enfants.

— Parce qu'il se sent coupable de n'avoir pas été là quand ils étaient petits. Bien sûr, quand nous aurons des enfants, ce sera différent.

— Vous êtes vraiment sûre que vous voulez l'épouser, Alice ? Je l'aime bien, croyez-moi, mais un homme d'âge mûr qui donne son ourson en guise de symbole est forcément un peu bizarre.

Alice rit.

— Nous sommes tous un peu bizarres ! renchérit-elle, radieuse.

J'en conclus qu'elle était manifestement sous l'emprise de la grande Réalité.

3

Un peu plus tard, j'allai à l'église allumer un cierge. Peut-être étais-je influencée par l'obsession de Tucker pour la cire, mais je le fis pour Alice dans l'espoir qu'elle devienne vite la deuxième Mme Darrow. Ensuite je lus la liste des requêtes punaisées sur le tableau des prières à côté. Je l'avais déjà parcourue auparavant, par curiosité, trouvant rassurant de voir que je n'étais pas la seule à passer par de rudes épreuves. Mon regard s'arrêta finalement sur un message pour David, drogué, actuellement dans un centre de désintoxication, « afin qu'il ne rechute pas ».

Le nom « David » en lettres capitales dansait devant mes yeux. Je songeai à Nicholas me parlant de catastrophes, me demandant si je pensais qu'on pouvait aider Kim, priant inexplicablement pour ma famille. Des bribes de notre conversation me revinrent en mémoire : j'ai aimé l'homme qu'il est parvenu à être quelque temps... Aucune catastrophe ne peut effacer le fait que nous nous sommes aimés...

Catastrophe ! Quel joli mot pour tant d'horreurs et de souffrance !

Personne n'est au-delà de la rédemption... Il faut prier très fort pour ces gens-là...

Lewis surgit dans ma mémoire à côté de Nicholas.

Vous verrez que les Puissances n'ont jamais le dernier mot...

DAVID ! hurlaient les lettres capitales à mon adresse.

Il faut agir ! renchérit Lewis dans ma tête.

Je m'avançai. C'était déjà un acte. Je pris une fiche de prière dans la boîte sur la table, puis le stylo posé à côté. Et j'écrivis : « Priez pour DAVID GRAHAM qui a besoin d'aide pour se débarrasser de son obsession du jeu. »

En la punaisant sur le tableau d'affichage, je dis silencieusement à Kim :

« Je n'ai pas pu faire ça pour toi de ton vivant, mais je peux le faire pour quelqu'un d'autre et me souvenir de toi tel que tu voulais qu'on se souvienne de toi. »

J'étais toujours plantée là, le regard rivé sur mon message quand une main m'effleura le bras.

En me retournant, je me retrouvai face à Val.

4

— Vous avez l'air d'aller mieux ! me dit-elle d'un ton approbateur.

— J'ai dormi neuf heures !

— Et vous avez déjeuné ?

— N'espérez pas des miracles !

— Suis-je coupable d'optimisme outrancier, dit-elle en riant, ou simplement d'espoir ? Vous venez au service de guérison ? ajouta-t-elle avant que j'aie le temps de répondre.

— Eh bien...

— Allons, venez me soutenir ! Je fais partie de ceux qui imposent les mains aujourd'hui et j'ai toujours le trac.

— Nicholas m'a dit qu'on n'avait pas besoin d'être prêtre pour cela, dis-je d'un ton évasif.

— C'est exact. Selon Nicholas, c'est parce que nous sommes tous liés, tels les îlots d'un archipel reliés sous la mer. Tiens, le voilà justement ! Excusez-moi. Il faut que je lui parle.

Je me détournai à la hâte, prête à prendre la fuite, mais me heurtai malencontreusement à une bénévole déjà en faction près de la porte pour accueillir les fidèles qui commençaient à arriver.

— Vous avez bien fait de venir tôt ! me dit-elle en souriant après un bref échange de politesses suite à la collision. Il y a toujours foule le vendredi.

Je fus dans l'incapacité de lui avouer que je m'apprêtais à partir.

Je résolus d'attendre qu'elle fût trop occupée pour se rendre compte de mon départ.

5

J'étais à nouveau plongée dans les requêtes de prières quand une voix derrière moi s'exclama :

— Carter !

C'était Robin, très estival dans un costume bleu pâle agrémenté d'une chemise rose et d'une cravate à fleurs sortie tout droit d'un tiroir qui n'avait pas dû être ouvert depuis les années 60.

— J'espérais vous trouver là même si j'aurais compris que cela vous paraisse prématuré. Personnellement, le vendredi à l'heure du déjeuner, soit j'assiste au service, soit je m'effondre, et comme j'ai horreur de m'effondrer, la première solution me semble toujours la meilleure. Si nous trouvions deux places avant que la foule nous piétine ?

Ne pouvant refuser, je le suivis en silence dans l'allée.

6

J'avais de la peine à saisir les mots que prononçaient les officiants, à les analyser, tant j'étais frappée par le fait de découvrir une tout autre dimension dans la vie de mes nouveaux amis. J'assistais non pas à la réalisation de fantasmes nébuleux, mais à la manifestation d'une réalité vivante, pratique, terre à terre qui imprégnait chaque jour du matin jusqu'au soir.

Je compris soudain ce que Nicholas faisait à l'aube derrière la porte close de son bureau. Il ne se bornait pas à lire la Bible et à prier. Il se pliait à une discipline qui l'aidait à se concentrer et lui permettait de réaliser tout son potentiel. Il alignait son être sur le principe d'intégration à l'œuvre dans l'univers. Il puisait aux sources de la lumière afin de surmonter le chaos, d'écarter les ténèbres et de servir son créateur en servant les autres.

Leurs mots continuaient à glisser à travers ma conscience tels des grains de sable sur un large tamis, mais leurs gestes résonnaient dans mon esprit jusqu'à ce que mon cœur fût sur le point d'éclater d'émotions que je n'aurais pas su nommer. Progressivement, tandis que j'observais Nicholas et Lewis en exercice, leurs tenues cléricales estompèrent leur individualité, faisant d'eux des symboles et désignant des vérités que je sentais sans pouvoir les exprimer.

Je tournai mon attention vers les deux femmes qui les assistaient ce jour-là, sur Val en particulier qui ne m'apparaissait plus comme le médecin aux tenues décontractées qui m'était si familier. Elle semblait refléter l'image du succès — non pas parce qu'elle était riche et s'était frayé un chemin au sommet de la hiérarchie pour satisfaire, comme moi, aux exigences d'une ambition issue d'impulsions psychologiques inconscientes, mais parce qu'elle était elle-même, celle qu'elle était supposée être, et parce qu'elle faisait ce qu'elle était censée faire afin d'entrer en communication avec les autres, pour leur bénéfice et le sien. A travers elle, j'entraperçus l'être inconnu que je m'acharnais à découvrir en moi, le moi réprimé afin d'atteindre ces objectifs si joliment répertoriés dans un plan de vie qui n'avait pas la moindre réalité.

Je ne savais toujours pas ce que je voulais faire de ma vie, mais j'étais sûre à présent de trouver ma voie. Plus jamais je ne me limiterais à cet esclavage qui ne me laissait ni le temps de réfléchir ni celui d'être. Je n'avais plus rien à prouver à personne, plus de reproches à faire à mes parents pour les souffrances du passé. Je ne retournerais jamais dans l'univers de Curtis-Towers, où j'avais sué sang et eau, même si je pouvais tirer parti de mes expériences. Le passé ne serait pas gaspillé, mais transformé.

Mon mariage non plus n'avait pas été inutile, je m'en rendais compte à présent. La brève réalité que j'avais vécue avec Kim me servirait de tremplin pour transcender le chagrin et l'échec, même s'il m'était difficile d'imaginer un tel avenir. Ce n'était qu'une théorie pour le moment car je me sentais encore trop meurtrie, incapable de me fier à qui que ce soit, de me lier et même de toucher ceux qui m'avaient sauvée et qui avaient pris soin de moi. Alice avait passé son bras autour de mes épaules après l'enterrement ; je m'étais dégagée. Gil Tucker m'avait serré les mains ; je les avais retirées dès que la politesse le permettait. Ces contacts me rappelaient douloureusement le moment où Kim s'était emparé de moi à Oakshott, le « Jake » de Mme Mayfield. Le vrai Kim ne m'aurait jamais attaquée, j'en étais sûre, tout comme je savais qu'à la fin, à Oakshott, le Kim démoniaque avait eu le dessus.

Je revécus en frissonnant ce terrible moment où il avait posé les mains sur moi et je compris que je ne pourrais jamais aller jusqu'à l'autel pour qu'on m'imposât les mains. J'étais reconnaissante envers Nicholas de m'avoir permis de me souvenir du vrai Kim, mais je n'imaginais pas me remettre un jour du Kim monstrueux qui me tenait toujours sous son emprise.

Pourtant j'avais envie de monter vers l'autel. La vision du médecin et du prêtre debout l'un à côté de l'autre exerçait sur moi un attrait si puissant que je les regardais fixement sans pouvoir m'en empêcher. Mon émotion augmenta lorsqu'ils s'imposèrent mutuellement les mains tous les quatre, en reconnaissance de leurs propres besoins de guérison. Ensemble ils s'avancèrent pour accueillir les fidèles.

Je baissai les yeux, consciente d'être incapable de me joindre à ce rituel de communion. Soudain, sous le choc, je me rendis compte que cet état de séparation n'avait rien de nouveau. Depuis des années, j'étais isolée par les plaies ouvertes qui m'avaient éloignée de ma famille, empêchée d'avoir des amis proches et incitée à ignorer l'inévitable douleur de la solitude en ne vivant que pour mon travail. Depuis très longtemps, je redoutais l'intimité, j'avais peur qu'on bafouât ma confiance, mes espoirs, que mon amour fût gaspillé. Cette peur m'avait menée à une existence stérile où toute perte de contrôle sur ma servitude bien ordonnée m'apparaissait comme une menace. C'était étonnant que j'aie pu épouser Kim même si j'y avais été poussée par les exigences de mon plan de vie et le besoin inconscient d'aimer l'homme que mon père aurait pu devenir. Bien que j'en fusse arrivée à aimer Kim, je n'avais pas pu m'empêcher de me replier sur moi-même, souvent dans nos moments les plus intimes. En un autre terrible éclair de lucidité, je compris ce que nous avions en commun : nous étions tous les deux des solitaires, à l'écart de nos parents dans l'enfance et inaptes à nouer des liens étroits avec autrui. Nous étions des affamés d'amour, seulement capables de donner en retour une affection mutilée.

En voyant en moi la maladie qui avait détruit Kim, je fus si horrifiée que je faillis m'évanouir. Je compris en même temps ce qui l'avait précipité dans le monde de Mme Mayfield : la solitude, l'isolement, le désespoir. Que ne ferait-on pas pour en guérir ? Moi aussi j'avais essayé désespérément divers remèdes : l'alcool, le sexe et une organisation de vie si stricte que je n'avais pas le temps de penser. Rien n'avait marché. Si je n'avais pas « flirté avec l'ennemi », Dieu sait quelle idéologie j'aurais fini par embrasser.

« Je comprends maintenant », chuchotai-je à l'adresse de Kim, et dès lors le pardon cessa d'être un mot dénué de sens pour devenir un concept, une vision que je ferais mienne un jour.

Il fallait à tout prix que je trouve la guérison. Je ne pouvais retourner à ma solitude. Je devais rejoindre l'archipel, mais comment faire ?

Je m'obstinai à regarder fixement mes poings, la gorge serrée par une intolérable douleur, les yeux pleins de larmes, jusqu'au moment où Robin se leva.

— Vous venez ? chuchota-t-il.

Je secouai la tête. Il accepta mon refus et s'engagea dans l'allée centrale.

La rangée se vida peu à peu. Soudain je pris conscience d'une présence au bout du banc. Je levai les yeux. C'était Tucker.

Il ne dit rien, ne sourit même pas, se bornant à me tendre la main.

Je pensais ne pas pouvoir bouger. Pourtant je m'agrippai à la chaise devant moi et me mis debout, puis je m'acheminai maladroitement vers lui. Cela me prit un temps fou, mais il attendit.

Au moment où je fis un premier pas dans l'allée, je trébuchai. Il me serra la main et me rattrapa. Je sus alors que je serais sauvée. Je ne pouvais pas plus me dérober qu'un nageur en train de se noyer et à qui on tend la main. J'allais atteindre la grille de l'autel. J'étais très malade, mais j'allais guérir.

En haut des marches, quelqu'un chuchota : « Le docteur Val est libre. » Tucker m'entraîna et lorsque finalement il me lâcha, Val s'approcha de moi et je vis ses mains énergiques qui paraissaient étinceler.

Elle dit une prière, mais je n'entendais rien. La mer faisait trop de vacarme. Puis quand elle m'imposa les mains parmi les eaux rugissantes, je sus que j'avais rejoint l'archipel ; mon compagnon invisible avait rétabli le lien pour me ramener à bon port.

7

Quelqu'un avait une boîte de Kleenex. C'était toujours le cas à St Benet. On me raccompagna à ma chaise. Robin était déjà de retour. J'ignorais ce qu'il était advenu de Tucker. Mes larmes me brouillaient la vue au-delà d'une certaine distance.

L'assemblée entonna le chant de sortie. J'attendis, assise, que tout fût fini. La réalité avait été réduite à une succession d'images sans mots. L'église était inondée de lumière. Les petites îles de l'archipel émaillaient une mer scintillante. Même l'air était limpide. Je fermai les yeux en prenant de grandes inspirations.

— Carter ? fit la voix lointaine de Robin.

— Oui.

— Ça va ?

— Oui, répétai-je en rouvrant les yeux.

Le service était fini. Les officiants, au fond de l'église, prenaient congé des fidèles. Pas trace de Tucker.

Quand je me levai péniblement, Val se détacha de la foule et vint à ma rencontre.

— Carter, s'exclama-t-elle chaleureusement, mais avec prudence de peur d'empiéter sur mon espace personnel.

Je mis un terme à cette réticence toute professionnelle en la serrant dans mes bras. J'étreignis aussi Robin. Sans dire un mot. Lewis me vit et se fraya un chemin jusqu'à moi.

— Carter ?

— Oui, dis-je pour la troisième fois en lui tapotant la poitrine avec reconnaissance avant de continuer vers la sortie.

Nicholas me regardait par-dessus un océan de têtes, toutes féminines. Je lui envoyai un baiser et poursuivis ma route vers le parvis. En plissant les yeux pour les protéger de la lumière éblouissante, j'aperçus Tucker assis sur le muret de l'église.

— Merci, Tucker, fis-je dès que je l'eus rejoint.

— Pas de quoi, madame G.

— Désolée d'avoir été trop sonnée pour jouir de notre petit voyage jusqu'à l'autel tout à l'heure.

— On pourra toujours remettre ça.

Je souris en lui tendant la main.

— Vous voulez toujours m'inviter à déjeuner ?

8

— Evidemment, je me rends compte que j'ai encore du chemin à faire, dis-je quand nous fûmes installés devant nos salades dans le restaurant self-service du Barbican, mais je vais continuer à aller à ces services et à parler aux gens de St Benet.

Notre table donnait sur le lac artificiel. A cause de son retour imminent à la servitude des bureaux, Tucker avait les cheveux courts et les joues rasées, mais pour se donner le moral, il avait mis, outre son jean blanc favori, immaculé, une chemise à dessins couleur jaune d'œuf. Toutes les vingt minutes, il déboutonnait un bouton. Je calculai qu'à 16 heures, j'avais des chances de voir son nombril.

— J'ai l'intention de vendre l'appartement, lui dis-je, mais seulement après un rituel d'exorcisme pour pouvoir passer au moins cinq minutes sur le balcon, y déposer une couronne pour Kim et lever le mauvais sort de cette vieille sorcière. Je ne veux plus vivre dans une tour d'ivoire.

— Finie la réalité vue par le petit bout du télescope ?

— Je suis déterminée à vivre en pleine réalité désormais. Il va falloir que je me branche sur les voies célestes pour recevoir mes instructions, mais je peux vous assurer une chose : ma vie va changer du tout au tout.

— Oh mon Dieu ! Ne me dites pas que vous allez vous débarrasser de la Porsche ?

— Non, j'estime que chaque femme doit avoir un luxe, même si elle choisit de ne pas gagner une fortune.

— J'avais espéré que ce serait moi, votre luxe, madame G !

— Vous pouvez être mon *cher ami*, mais ce n'est pas un luxe. C'est essentiel.

— Je ne serais pas plus heureux si on venait de me remettre le prix Nobel de littérature ! Un cher ami a-t-il le droit de conduire une Porsche ?

— Seulement s'il est très, très cher.

— Comment y arriver ? Je travaillerai à plein temps. Si Anthony Trollope a pu produire des chefs-d'œuvre en écrivant quelques heures par jour avant le petit déjeuner avant d'aller travailler à la Poste, comment pourrais-je me plaindre de trimer à plein temps à la mine ?

— Je ne veux pas que vous soyez Trollope, mais Eric Tucker.

— Très bien, mais si vous croyez que je vais accepter de me faire entretenir une fois de plus par une femme riche...

— Qu'est-ce qui vous prouve que je serai riche ? Et si j'avais l'intention de donner tout l'argent de Kim au Centre de guérison ?

Ma réponse le sidéra, mais il se reprit suffisamment pour riposter :

— Bon, en supposant que vous soyez sans le sou...

— Pas tout à fait. Je devrais pouvoir trouver un peu de sous pour entamer un programme qui m'en rapportera davantage...

— Quoi qu'il en soit, il faut que je trouve un vrai boulot, sinon notre *amitié* sera en péril en un rien de temps !

— Oh, cessez de parler comme un bourgeois élevé à la mode victorienne !

— Mais c'est exactement ce que je suis !

— Vous êtes aussi un branché de la City, apte à se tirer d'affaires à Londres dans les années 90 ! Allons, Tucker, on fera fifty-fifty, d'accord. Je ne tiens pas plus que vous à être entretenue, croyez-moi ! Soyez réaliste ! Vous me prenez donc pour une de ces écervelées marie-couche-toi-là qui mesurent l'homme d'après la taille de son compte en banque !

Je m'attendais à ce qu'il sourie, mais il se borna à me regarder d'un air grave en me répondant le plus sérieusement du monde :

— Nous parlons d'émotions primitives, immuables, même si les tendances culturelles les dissimulent. C'est vous qui devez être réaliste, Carter !

— Eh bien si vous voulez que je le sois, laissez-moi vous dire que je ne m'attends pas à connaître une relation aisée et encore moins parfaite à l'avenir. Je veux juste que ça soit... bien.

Il sourit à nouveau.

— Si vous avez confiance et espoir...

— Je suis bien obligée. J'ai jeté mon plan de vie aux orties.

— ... et si je suis...

— ... à même de me montrer comment vivre, tout ira bien. Seulement si vous restez Eric Tucker. Fait-il trop chaud pour aller à pied jusqu'à St Paul ? demandai-je en repoussant mon assiette.

— Votre *cher ami* vous escortera jusque dans le désert si vous le souhaitez !

— C'est beaucoup mieux ! Vous m'avez fait peur tout à l'heure avec cette histoire d'argent. Savez-vous qu'un cher ami, par définition, ne peut être entretenu ? Il ne serait pas *cher* s'il était aux crochets.

— J'ai compris. Il faut que je sois un homme des années 90, non trollopien, sans crochets, et tout aussi heureux de rouler en Porsche que d'épousseter les meubles en short en Lycra.

— En...

— Oublions les shorts en Lycra !

— Oublions l'époussette. Soyez vous-même, mais souvenez-vous qu'un bel ami ne parle jamais d'argent à sa dulcinée veuve et ne lui fait jamais regretter d'être riche. Par ailleurs, j'ai décidé de changer mon nom. Carter comme le président Jimmy fait décidément trop masculin. J'opte pour Carta comme Magna.

— Pourquoi ne pas en changer complètement en devenant Magna comme Carta ? Et tant qu'on est sur ce sujet des prénoms, allez-vous un jour m'appeler Eric ?

— On croirait entendre quelqu'un demandant à une fille si elle va jamais perdre sa virginité ?

— Vous voulez dire que nous parlons d'un engagement révolutionnaire.

Je ris en serrant sa main dans la mienne.

— Allons à St Paul.

9

Je lui expliquai que je voulais refaire le chemin que j'avais emprunté le soir où tout s'était effondré. Je voulais le voir baigné de lumière.

En nous engageant dans King Edward Street, nous vîmes la cathédrale se dresser, comme brûlante, devant nous, son dôme gris cendre se détachant sur le ciel bleu vaporeux, sa croix dorée étincelant au soleil. Nous errâmes à l'ombre des arbres du Postman's Park, au-delà des roses parmi les ruines de Christ Church Greyfriars.

— Je voudrais envoyer une carte postale à mon père, dis-je à Tucker quand nous arrivâmes au coin de Paternoster Row. Je pensais qu'à la cathédrale, j'en trouverais une qui lui dirait sans mots que l'on peut survivre aux Puissances.

— Quand sort-il ?

— Très bientôt.

Il me demanda de lui en dire davantage sur lui. Nous allâmes nous asseoir dans les jardins de St Paul et je lui racontai la vie troublée de mon père.

— Je pense qu'il pourrait se remettre si on l'aide, dis-je. Je suis convaincue à présent que l'on peut venir à bout des pires obsessions.

— Je comprends. Alors...

— Je ne m'attends pas à ce qu'il guérisse pour toujours. Je ne crois pas aux miracles. J'aimerais seulement qu'il vive mieux afin d'éviter désormais la prison et qu'il arrive à se lier davantage aux gens.

— Ne serait-ce pas un miracle ?

— Vous pensez que c'est trop demander ?

— Non, non. Je pense que l'on peut tout demander, même une guérison complète.

— Qu'un miracle soit possible ou non, il faut que j'agisse, répondis-je d'un ton farouche.

— Pour que le mal triomphe...

— Exactement. Je n'ai pas pu sauver Kim, enchaînai-je, mais sa mort m'a appris que personne n'est au-delà de la rédemption. J'ai appris qu'en aimant quelqu'un, même très amoché émotionnellement, on peut changer radicalement sa vie s'il le souhaite.

« J'ai aimé mon père jadis, ajoutai-je après une pause. Je me suis coupée de lui, mais je n'ai jamais cessé de l'aimer, je le sais maintenant, pour la bonne raison que j'ai toujours cherché une version idéalisée de lui. Je pensais l'avoir trouvée en Kim, mais je me trompais.

Il y eut un nouveau silence. C'était si paisible d'être là à l'ombre de la cathédrale. Je ne voyais plus les touristes, je n'entendais plus le grondement de la circulation. Je voyais juste la main de Tucker et la mienne enlacées.

— Je sais que je peux aider mon père, repris-je. Si sa vie pouvait s'arranger ne serait-ce qu'un tout petit peu, alors la tragédie de Kim aurait un sens et tout ce chaos des derniers mois commencerait à prendre un autre aspect.

— Quel âge aviez-vous quand vous avez rompu avec votre père ?

— Six ans. C'était le jour où les huissiers sont venus pour la dernière fois. Et le jour où j'ai perdu mon chat, Hamish. Parfois, ajoutai-je presque sans m'en rendre compte, je me dis que je n'ai pas envie d'avoir d'enfants parce que je ne voudrais pas qu'ils vivent ce que j'ai vécu quand mes parents se sont séparés.

— Mais vous vous assurerez que cela ne soit pas le cas, n'est-ce pas ?

Après réflexion, je ne pus que dire d'un ton désespéré :

— Quand on pense à toute la souffrance du monde, c'est

illogique, irrationnel de vouloir y apporter une nouvelle vie ! Pourquoi les gens veulent-ils des enfants, Tucker ?

— Je n'en sais rien, madame G, mais je rêve toujours de faire des choses folles qui bafouent la raison et la logique.

— Vraiment ?

— Et comment ! Et les enfants bafouent les Puissances aussi, non ? Vu qu'ils cherchent à tous nous éliminer, nous les battons en nous reproduisant.

— C'est vrai, fis-je, soulagée. A propos de bafouer les Puissances...

— ... allons chercher cette carte postale.

10

Nous gagnâmes les marches de la cathédrale où les touristes étaient perchés tels des pigeons en train de regarder les bus rouges grimper péniblement Ludgate Hill. Une odeur de renfermé flottait à l'intérieur de l'édifice, mais il faisait plus frais que dans les rues inondées de soleil. Je jetai un coup d'œil dans la nef avant de m'approcher des présentoirs de cartes postales.

— Votre père a-t-il la foi ? s'enquit Tucker tandis que nous inspections les vues traditionnelles du dôme, puis les gros plans des mosaïques du plafond.

— Pas le moins du monde.

— Dans ce cas, éliminons les anges. Que diriez-vous d'une image de *Lumière du Monde* d'Holman Hunt ?

— Ce n'est pas une mauvaise idée, mais Jésus-Christ ne lui fait aucun effet.

Je fis tourner le présentoir jusqu'à ce que je tombe sur la carte postale que je voulais.

Il s'agissait de la célèbre photographie de St Paul prise en 1940 alors que les bombardiers allemands anéantissaient la City. Au-delà des ruines noircies au premier plan, des volutes de fumée, de toute la destruction infligée par les Puissances des ténèbres, le dôme de la cathédrale, intact, rayonnant, était bizarrement illuminé par les feux qui explosaient sous le ciel noir d'encre.

— Oui ! s'exclama Tucker quand je la lui montrai.

J'achetai la carte. Je tremblais tellement que je dus le prier d'extirper les bonnes pièces de mon porte-monnaie.

— Je ne trouve pas mon stylo, fis-je en fouillant à l'aveuglette dans mon sac.

— Tenez, dit Tucker en le trouvant pour moi.

Ensuite il glissa un bras autour de ma taille et m'entraîna vers la rangée de chaises la plus proche. Maladroitement, les doigts engourdis, j'écrivis : *« Quand tu sortiras, je serai là. »* Jamais je n'avais eu autant de mal à rédiger six mots. Je dus marquer une pause ensuite pour prendre plusieurs inspirations profondes. *« Je veux que tu viennes à Londres rencontrer mes nouveaux amis »*, ajoutai-je.

A ce stade, Tucker me prit la carte des mains avant que les larmes ne rendent mon message illisible. Cinq minutes plus tard, je pus écrire encore : *« Ce n'est pas grave pour Hamish. Je sais que tu regrettes de l'avoir perdu. Je t'embrasse très fort. KITTY. »*

11

Une fois la carte dans mon sac, nous remontâmes la longue nef au-delà des rangées de chaises et des groupes de touristes vers les sublimes mosaïques dorées près des transepts et sur le toit voûté du chœur. J'avais déjà visité la cathédrale, mais j'avais oublié à quel point elle était imposante dans sa magnificence et l'espace d'un instant, je me demandai ce que le charpentier de Nazareth aurait pensé de tant de grandeur. Je savais néanmoins que ce lieu symbolisait les richesses de l'existence et que le Christ serait toujours là, dans le cœur de cette vie-là, dissipant les ténèbres, sauvant les égarés et soignant les blessés, triomphant encore et toujours des forces de la désintégration et de la destruction.

— Hé, Tucker...

— Oui, madame G ?

— Pourquoi Dieu ne règle-t-il pas leur compte aux Puissances une fois pour toutes ?

— Autant me demander pourquoi je ne ponds pas le roman idéal en vingt-quatre heures ! C'est un projet créatif colossal. Au niveau cosmique, les choses ne font que commencer !

— Je ne vois toujours pas pourquoi on ne pourrait pas éliminer les Puissances.

— Parce qu'elles sont essentielles à la création. On ne crée rien sans faire de désordre. On ne peut créer sans ces efforts qui conduisent au désastre car ce sont ces désastres qui nous montrent la bonne voie. C'est la raison pour laquelle chaque désastre dans la création est potentiellement rachetable. Sans eux, le créateur n'accomplirait jamais un projet digne d'intérêt.

— Mais pourquoi Dieu ne peut-il pas créer plus efficacement ?

— Parce que la création n'a rien à voir avec l'efficacité. C'est une question d'amour. De sang versé, de larmes, de sueur, afin de réussir ce qui nous tient à cœur. Il s'agit d'endurer le côté obscur de la création et de l'utiliser de manière à ce qu'à la fin, tout émerge dans la lumière... Pourquoi avez-vous l'air si anxieuse tout à coup ?

— Je viens de me rendre compte que vous êtes non seulement plus cultivé que moi, mais aussi plus intelligent... Avez-vous entendu parler de Plotin ?

— Le philosophe ? Ce néo-platonicien qui a eu tant d'influence sur les pseudo-dionysiens ?

— Eh bien voilà ! Je vais avoir un complexe d'infériorité.

— C'est moins de problèmes qu'un bébé, mais je vous parie que c'est aussi moins drôle.

— Ecoutez... fis-je.

Au sud de la cathédrale, la lumière se déversait sur le sol par les longues fenêtres.

— Ecoutez...

— Je suis tout ouïe, madame G.

— ... puisque le projet de Dieu est si vaste, quelle importance un seul être humain peut-il bien avoir ?

— Dans le roman parfait, chaque mot compte. En art, chaque touche de peinture a son importance. Dans cette étonnante cathédrale, chaque grain de marbre joue un rôle.

Il me sourit avant d'ajouter :

— Dans la création qui surpasse toutes les créations, vous comptez, Carta.

— Et vous aussi, Eric.

Pendant un long moment, je pensai à ma longue vie de solitude, lorsque j'étais enfermée dans ma tour et que je regardais le monde de loin, à travers mon télescope. Puis nous nous arrêtâmes sous le dôme et nous nous tournâmes l'un vers l'autre et je sus que le bonheur que j'avais tant désiré m'attendait.

Note de l'auteur

Le très révérend et très honorable lord Habgood de Calverton, l'auteur des citations qui précèdent chaque partie de ce livre, a été l'archevêque de York de 1983 à 1995.

Dr David F.Ford, l'auteur des citations qui précèdent chaque chapitre, est actuellement *Regius Professor* de théologie à l'université de Cambridge.

Je tiens à remercier le très révérend Alex Wedderspoon, Doyen de Guilford, pour son sermon sur les concours de chiens de berger.

TABLE

Photocomposition : Nord Compo
Villeneuve-d'Ascq, Nord

Achevé d'imprimer en août 2001
N° d'impression : 011841

N° d'édition : 35440
Dépôt légal : août 2001

Imprimé en France